HASAN CEMAL

1944 İstanbul doğumlu.

Liseyi Ankara'da, Atatürk Lisesi'nde okuduktan sonra Siyasal Bilgiler Fakültesi'ne girdi ve 1965 yılında mezun oldu. Bir buçuk yıl Almanya dönemi, iki yıl yedek subaylıktan sonra 1969'da Doğan Avcıoğlu'nun yanında yazı işleri müdürü olarak *Devrim* dergisinde çalışmaya başladı. 12 Mart Muhtırası'yla *Devrim* kapatıldıktan sonra 44 aylık hapis cezası kesinleşti ve kısa süreli bir 'kaçaklık' dönemi yaşadı.

Altan Öymen'in kurduğu *ANKA* haber ajansında muhabirlik yolunda ilk adımını attı. *ANKA*'da çalışırken Örsan Öymen'in yönetiminde Alman Haber Ajansı *DPA*'ya, Batı Alman Radyosu *WDR*'ye ve *Toplum* dergisine katkıda bulundu. *Günaydın* gazetesinde Necati Zincirkıran'ın yanında çalışırken, hem gazete mutfağını, hem de 'Günaydın tarzı' haberciliği öğrenmeye başladı.

1973'de *Cumhuriyet* gazetesine geçti. 1979'da *Cumhuriyet*'in Ankara temsilcisi, 1981'de genel yayın yönetmeni oldu. 1983'le 1992 yılları arasında kısa adı *IPI* olan Uluslararası Basın Enstütüsü'nde Yürütme Kurulu üyeliği yaptı. 1992'de yazar olarak önce *Sabah* gazetesine, sonra da 1998'de halen yazmaya devam ettiği *Milliyet*'e geçti.

Bugüne kadar dokuz kitap yazdı:

Tank Sesiyle Uyanmak, Demokrasi Korkusu, Tarihi Yaşarken Yakalamak, Özal Hikâyesi, Kimse Kızmasın Kendimi Yazdım, Kürtler, Cumhuriyet'i Çok Sevmiştim, Türkiye'nin Asker Sorunu, Kürt Sorununa Yeni Bakış: Barışa Emanet Olun!

Kürt Sorununa Yeni Bakış

BARIŞA EMANET OLUN!

Hasan Cemal

§

Yayın No **995**
İnceleme-Araştırma **27**

Kürt Sorununa Yeni Bakış
Barışa Emanet Olun!
Hasan Cemal

Kapak tasarım: Bülent Erkmen
Kapak fotoğrafı: Serdar Tanyeli
Yayına hazırlayan: Emre Taylan
Son okuma: Mehmet Said Aydın
Mizanpaj: Bahar Kuru Yerek

1. Basım: Ekim 2011

ISBN: 978 - 975 - 289 - 931 - 5
Sertifika No: 10905

EVEREST YAYINLARI
Ticarethane Sokak No: 53 Cağaloğlu/İSTANBUL
Tel: (212) 513 34 20-21 Faks: (212) 512 33 76
e-posta: info@everestyayinlari.com
www.everestyayinlari.com
www.twitter.com/everestkitap

Baskı ve Cilt: Melisa Matbaacılık
Tel: (0212) 674 97 23 Faks: (0212) 674 97 29

İçindekiler

Yaşamak için acı çeken,
Çukurca'nın Kavuşak köyünden
Hızu Teyze'ye...

Zarif doruğunda yaz kış karın eksik olmadığı Sümbül Dağı'nın eteklerinden Hakkâri'yi seyrediyorum.

Çabuk çabuk adımlarla geliyor. Yaşlı bir kadın. Belli, söyleyeceği bir şeyler var. Bütün yaşadığı acılar sanki suratının derin hatlarına yerleşmiş...

Adı Hızu, soyadı Taş.

"Buyur Hızu Teyze," diyorum.

Çukurca'nın Kavuşak köyünden devlet zoruyla Hakkâri'nin en yoksul kenar mahallesindeki bir gecekonduya göç edenlerden...

"Yaz evlat," diye söze başlıyor:

"Biz barışa susamışız!"

Yüreğinden dökülüyor sözcükler:

"Dağdaki gerilla da, asker de bizim çocuklarımız. Barışa sahip çıkın, mahkûmları affedin!"

*Bu kitabımın yazılmasında değerli katkılarını esirgemeyen arkadaşım **Oral Çalışlar**'a teşekkür ederim.*

GİRİŞ

Ölmediler ama köklerinden sökülüp atıldılar!

Hakkâri'den Ayşe...
O, bahara hasret, oğluna hasret.
Baharın dağa gidip
pancar toplayacak, pancarı satacak,
biriktirdiği parayla
oğlunu zindanda ziyaret edecek.

Hakkâri'den geliyorum.

Bizim orada kış bu yıl amansızdı. İnsan boyu kar yağdı. Ayşeler'in çatısına çığ düştü.

Ayşe bahara hasret.

Ayşe'nin hasreti hem bahara, hem oğluna...

Baharın dağa gidip pancar toplayacak. Pancarı Hakkâri'de satacak. Biriktirdiği parayla oğlunu zindanda ziyaret edecek.

Hakkâri'de bu yıl çok kar yağdı, insan boyu...

Hakkâri'de belki de kimse baharı Ayşe kadar özlememiştir.

Aklıma Ayşe'yi buraya getirmek geldi. Hasretini ondan duyun istedim.

Ama olmadı.

Çünkü Ayşe Türkçe bilmiyor.

Hakkâri'den çıksa da gideceği yer İstanbul olmaz. Oğluna gider, dört duvar arasında tam 15 yıldır mahkûm oğluna...

Ayşe'yi getiremedim ama onun hikâyesinden bir parça getirdim size. Bir de resmini....

Çoğu akranı gibi Ayşe, ne Türkçe biliyor, ne de doğum gününü. Ne okul gördü Ayşe, ne de oyun.

Çocukken işi anasına yardım etmekti. Odun toplamaktı dağlardan. Evdeyken bebeler, kardeşleri hep sırtındaydı.

1

Hele en kıymetli erkek kardeşi Xelife'yi az mı taşımıştı?

12 yaşında bir çocukken, babası tarafından, babası yaşında biriyle gerdeğe sokuldu... Çalı çırpıdan çardağın ortasında yere serili kilimin üzerinde yeni sahibiyle buluştu Ayşe.

Aciz sahibiyle...

16 yıl mapusluktan sonra 'nîvruh' yani 'yarı canlı, yarı ölü' çıkmıştı kocası.

Hastaydı, halsizdi.

Yeri muhtemelen hastaneydi, ama ona derman diye Ayşe'yi verdiler.

Ayşe ona çocukluğunu, gençliğini verdi, yine de kurtulamadı onun öfkesinden. Zindanda biriktirdiği öfkesinin şamar kadınıydı Ayşe.

Kesintiye uğramış, yaşanmamış gençliğinin acısını Ayşe'den çıkarıyordu. Gücü Ayşe'ye yetiyordu.

Ölünceye kadar Ayşe tıraş etti kocasının solgun yüzünü. Ayşe yıkadı mapusane malulü kocasının pörsümeye yüz tutan bedenini. Çeşmeden taşıdığı, ocakta ısıttığı suyla.

Ta ki son kez yıkanıp toprağa verilinceye kadar.

Geriye dönüp baktığında kocasını suçlamıyor; zavallı buluyor.

Kocasından sonra evlenmedi Ayşe...

Yedi çocuğuna baktı.

Erkeklerden çektiği yetmişti.

Hüznümün, acımın
sebebi zindanlar...

Ama erkekler Ayşe'ye acı vermeye devam ettiler.

"Mahkûmlar," diyor Ayşe, "onlar aldılar ömrümü... Hüznümün, acımın sebebi zindanlar..."

Kocadan sonra kardeş ve oğul acısı.

Bu ülkenin büyüklüğünü, gezdiği cezaevlerinden öğrendi Ayşe...

Önce kardeşi Xelife yattı beş buçuk yıl Sivas zindanında... Yirmisindeydi, üç yaşındaki oğlu Sait'ten ve Emine'den kopardılar.

Sonra da Resul'ün zindanları ile şehirleri tanıdı Ayşe... Diyarbakır, Antep, Bursa, Elbistan ve Bitlis...

Ne çok zindanı vardı ülkenin!

Zindanların kasveti daha bir daralttı yorgun, yaralı yüreğini.

"Yürek, gelin bohçası değil. Ortaya saçacağın, herkese gösterebileceğin bir bohça değil yürek," diyor Ayşe.

Yine de bana yüreğini açtı.

Ayşe'nin gözdesi Resul.

Yıllar sonra bayramdan bayrama görebildiği oğlu.

"Resul eve aş getirmek için gitti," diyor Ayşe:

"Koyunları güdüyordu, daha küçük bir çobandı, koyunları severdi, en çok da kuzuları. Okula gidemedi, koyunları gütmek için...

Dağları avcunun içi gibi bilirdi.

En iyi otlakları daha küçükken öğrendi.

Derken kendilerine 'Karker' [PKK gerillaları] denilenler gelmeye başladılar, Resul onlara azığını verirdi... Bir gün azığını dertop edip verdim.

Sürüyü önüne katıp dağa gitti.

Ondan beridir de kendisine özgürce dokunamadım.

Kayboldu Resul.

Her yerde aradım... Korktum... Önce öldü sandım. Sonra izini buldum.

Sevindim yaşıyordu, 'Asker,' dediler, 'ama o daha çocuk,' dedim.

Dinletemedim.

Sorma, dediler...

Özgürlük, dediler.

'Ama Resul daha çok küçük, bilmez,' dedim. Bir daha haber gelmedi ondan, ne gördüm ne kokladım Resul'umu..."

Sonra, iki yıl sonra, haber geldi. Baze'de korucular vurmuş, öldü deyip bırakmışlar önce...

Resul yaralı, bir çalının arkasına gizlenmiş.

Sonrasında mı?

Korucular, "Bir terörist yakalandı," diye müjdelemişler devlete.

Şimdi zindanda Resul...

Yaşıyor diye sevinmişti, şükretmişti Ayşe ama ya mahpusluk?

15 yıl...

Hiç yaşamadı Resul, hiç görmedi. Ne bir berivanın elini tutabildi, ne de berivanlara kavalıyla ilanıaşk edebildi.

İki büklüm, kambur bir adam Resul. Açlık grevlerinden eriyen bir mapus Resul. Yarım bile olamayan yitik bir yaşam...

Yine de şanslı, diyor Ayşe, sağ hiç değilse. Keşke kardeşim de onun gibi sağ olsaydı da 20 yıl zindanda olsaydı.

Bahardı, 1994'ün baharı.

Dört kişiydiler. Üçü içeri girdi, biri dışarda etrafı gözetliyordu.

Girenler Kalaşnikoflarının namlularını Ayşe'nin kardeşine, Xelife'ye doğrulttular. Yer sofrasında namlularla yüz yüze geldi.

"Kalk, bizimle geleceksin!"

Kurutulmuş domatesli pilavı kaşıklamayı bıraktı, gitti. 23'ündeki oğlu Sait, "Ben de geleyim," dedi. "Gerek yok," dediler, "işimiz kısa sürecek, hemen döner."

3

Ama dönmedi!
Sofra ortada kaldı.

**Elleri arkasından bağlı,
kafasında beş kurşun!**
Akrabalar cesedini buldu ertesi gün Xelife'nin. Elleri arkadan
bağlanmış, kafasına beş kurşun sıkılmıştı. Cesedi hâlâ kanıyordu
mezara konduğunda...
Kanını eşarbıma sürdüm, diyor Ayşe.
Kardeşimi Havar vurdu, diyor Ayşe, oydu eve gelenlerin başındaki.
Havar, Kahraman Bilgiç...
'Hain' diye vurdular, diyor Ayşe.
"Kardeşim hiç hain olmadı kızım. Evinde her gün on adama ek-
mek verirdi. Hiç korucu olmadı Xelife, karşıydı koruculuğa; koru-
culuğu mertliğine yediremiyordu. Ne de ihtiyacı vardı; köyün şart-
larına göre zengin sayılırdı, köylülerin birçoğu otomobili ilk onunla
tanımıştı mesela. Köyde herkesin yardımcısı ve dertlerinin çaresiydi.
Gitti işte, hem de hain damgası ile... Sonra da mektup yolladılar
bize; 'Hain değildi,' diye. 'Onu vuranlar haindi,' diye."
Xelife'nin ilk eşi Emine ondan iki yıl önce kanserden ölmüş, dört
kızı ve altı oğlu ile kalmıştı Xelife...
Sonunda çocuklarına baksın diye Cihan'la yeni evlenmişti. Ci-
han da Xelife'nin öldürülmesinden sonra babaevine döndü, sonra
da başkasıyla evlendi...
Sait, Yavuz ve bu mayısta askere gidecek Şeyhmus... İnşaat iş-
çileri şimdi Hakkâri'de. İki oğlu da bir manavda karın tokluğuna
çalışıyor Xelife'nin. Biri de okula gidiyor.
"Onları görmeye dayanamıyorum," diyor Ayşe, "gözlerine ba-
kamıyorum. İçim acıyor, yüreğim kanıyor... Kardeşimden sonra ko-
lum kanadım kırıldı."

**Bir daha hiç kına
yakmadı Ayşe...**
Bir daha hiç kına yakmadı Ayşe. Saçları bembeyaz şimdi.
Beyazı seviyor Ayşe.
Bayramda üzerindeki karaları çıkarıp beyaz giyiyor Ayşe. En sev-
diği beyaz elbisesini oğlunu zindanda ziyaret edeceği zaman giyiyor.
Kızıyormuş Resul, neden giyiyorsun, çok eskidi, lekeli diyor-
muş... Ama yüreği el vermiyor bu beyaz "kiras"ı [geleneksel Kürt
kadın kıyafeti] atmaya.

Oğlundan yadigâr.

Resul almıştı, daha küçükken tüccarlarla sınırı geçip Irak'a gittiğinde... Onun hediyesiydi...

Hâlâ Resul kokuyor, diyor Ayşe.

Kar boldu bu yıl, Hakkâri'de.

Bereket, diyor Ayşe.

Otlar gür olacak. Baharın mende, lüş ve alo toplayacak...

Ama uşkun toplamayacak.

Sarp yerlerde yetişen bir bitkidir uşkun. Kökünden koparılmazsa tadına varılmaz...

Kendi kaderini görürmüş uşkunda, Ayşe, "Benim gibi, kökünden koparılıp atılır."

Ayşe yerinden yurdundan edilmiş biri. İstatistiklerde "Yerinden Edilmiş Kişi" diye geçiyor.

"Köyümüz büyüktü, yüz hane vardı," diyor Ayşe özlemle, "ağacımız vardı, tarlamız, toprağımız, bir tek çay şeker alırdık, bir de giyecek. Gerisinin hepsi vardı köyde..."

Ölmediler ama köklerinden
sökülüp atıldılar.

1995'te güneşli bir mayıs gününün öğleden sonrası top sesleriyle sarsıldı köy.

"Zaten okula sığınmıştık çoğumuz. Atılan toplardan evlerimizde korkar olmuştuk, yıkılacak diyorduk, okula sığınmıştık... O mayısta da durmadı toplar... Çoluk çocuk... Çıkamadık dışarı, sabahtan akşama dek. Karkerler varmış da köyde..."

Var mıydı peki, diye sordum.

"Yoktular, kardeşimden bu yana pek sık gelmezlerdi ki... Günlerce top ateşinden sonra askerler köye doluştu. Kadınlarla erkekleri ayırdılar.

Çocuklar ağlıyordu.

Anne babalar korkudan çocuklarını bile kucaklayamadı, onları teskin edecek cesareti gösteremedi. Hepimiz çocuklar gibi korkudan tir tir titriyorduk. Hepimiz öleceğiz, diyorduk..."

Ölmediler ama köklerinden sökülüp sürüldüler.

"Her ev bir topla nasıl yıkılır
gördük kendi köyümüzde..."

"Evlerimizin kapısına varamadık," diyor Ayşe, "oracıkta bekletildik, her ev bir topla nasıl yıkılır o gün öğrendik.

Ev başı bir top!

5

Köyümüz zengin bir köydü. Ama bazılarımız ayakkabılarını dahi alamadan çıktık. Her şey... Ektiğimiz pirinç, buğday, tarlalar, koyunlar, inekler... Her şey kaldı."

Ayşe'nin Hakkâri'nin Çukurca ilçesine bağlı köyü, gerçek adıyla Marifan.

1995 yılında boşaltıldı.

Çukurca'da, resmi rakamlara göre 17 köy ile 58 mezra ve 1 belde ve bu beldeye bağlı 5 mahalleden sadece 5 köy ve 6 mezrada insan yaşıyor şimdi.

"Onlar da çok kalmaz gelir yine bu yıl, yine göçerler," diyor Ayşe...

Hakkâri'de bir gecekonduda yaşıyor Ayşe. Daha yakında çığ indi çalı çırpıdan çattıkları çatılarına... Allah kurtardı, diyor on iki nüfusu. Ayşe, oğlu, gelini, kızı, yeni askerden dönen oğlu ve yedi torunu.

Yarı tok, yarı aç bir hayat.

Su yok, yazın hiç akmaz, kışın da donmazsa arada akar. Yine köydeki gibi bir çeşmeden taşıyorlar suyu, bazen bir iki saat sırada bekledikten sonra...

**"Xezal Elazığ'da, tımarhanede,
bir odada tutuyorlar onu..."**
Çeşmeye artık kızı Xezal gidemiyor.

Eskiden kardeşlerinin bakımında, ev idaresinde, her işte Ayşe'nin tek dostu, yardımcısıydı Xezal.

"Köyden geldik, alışamadı Xezal. Çıkma, gezme dedi erkek kardeşleri... Berivandı Xezal, köyde yaylada nefes alırdı.

Şimdi Elazığ'da. O tımarhanede bir odada tutuyorlar ve daha fena oluyor.

Dönünce göndermeyeceğim bir daha.

Ama çaresiz yolladık.

Çünkü geceleri dışarıda, evimizin arkasındaki tepelerde bulup getiriyorlardı. Bir de Çukurca'ya kaçıyordu sık sık Xezal..."

**"Cin çarpmış diyorlar,
bence acı çarpmış..."**
Cin çarpmış, diyorlar.

Bence acı çarpmış.

Anası Ayşe kadar güçlü değilmiş Xezal. "Yitirdi aklını o kadar acıdan," diyor Ayşe.

Umudu hâlâ Resul'de.

"Bir çıksa hapisten, Resul bilir o kardeşine ne yapılacağını, orada öğrenmiş okuma yazmayı," diyor Ayşe.

Ayşe'nin hasreti hem Resul'a, hem bahara...

Baharın dağa gidip pancar toplayacak. Pancarı Hakkâri'de satacak. Biriktirdiği parayla Resul'u zindanda ziyaret edecek.

Ama şimdi hâlâ kar var.

Ayşe'nin tek tesellisi telefon.

Evde telefon var.

Cezaevinde oğluna telefon açma hakkı verdiklerinde aldılar.

"Konuşamadım önce," diyor Ayşe, "Türkçe bilmiyorum diye, olmaz dedi gardiyanlar...

Şükür şimdi sesini duyabiliyorum ve onunla konuşuyorum haftada bir on dakikalığına...

Hep iyiyiz diyorum.

Bilmiyor Xezal'in aklını kaybettiğini...

Hep iyiyiz diyorum."

Hakkâri'nin artık kaybedecek
pek bir şeyleri
kalmayan kadınları...

Evet size Ayşe'den, hikâyesinden söz ettim biraz.

Yüzlerce Ayşe var Hakkâri denilen yarı açık mahpusun içinde.

Her sabah ibadet eder gibi gözlerinin önüne koydukları, yitirdikleri veya mahpus sevdiklerinin, çocuklarının resimleri ile güne başlayan, artık kaybedecek pek bir şeyleri kalmayan kadınlar...

Göç, ölüm ve acının her türlüsünün sıradanlaştığı, herkesin göğsünde gösterecek birkaç yarasının olduğu bir yer Hakkâri...

Kimi Ayşe gibi acıya alışmış...

Kimi Xezal gibi ya yitirmiş ya da ha yitirdi, ha yitirecek aklını...

Ayşe'nin hikâyesine inanmıyormuş vilayet. Bir torba makarna ile iki ton kömür için ispat istiyormuş Ayşe'den...

"Bu devlet nasıl bakar?" demiş birisi bir seferinde. "Eee bizi atmasaydı evimizden, köyümüzden, bizi yoksulluğa mahkûm etmeseydi," diyor Ayşe...

Hakkâri'den geliyorum.

Bizim orada kış bu yıl amansızdı. İnsan boyu kar yağdı. Ayşe'nin çatısına çığ düştü.

Ayşe'nin hasreti hem bahara, hem Resul'a...

Baharın dağa gidip pancar toplayacak.

Pancarı Hakkâri'de satacak.

Biriktirdiği parayla oğlunu zindanda ziyaret edecek.
En son telefonla konuştum.
En son ne demek istersin diye sordum Ayşe'ye.
Sizlere sadece, evet sadece, selam söyledi Ayşe...

Rojbin Tugan,
Avukat.
11 Mart 2006, Bilgi Üniversitesi, "Türkiye'nin Kürt Sorunu
Konferansı"ndaki konuşması.

Bilgi Üniversitesi'ndeki bu konferans bir ilkti. Seksen üç yıllık
cumhuriyet tarihinde, üniversite çatısı altında ilk defa Kürt so-
runuyla ilgili bir konferans yapılmıştı.
Düşünebiliyor musunuz?
Ülkenin en yakıcı sorununu kendi çatısı altında özgürce tartışa-
mayan bir kurumun adı nasıl olur da üniversite olabilirdi?
Bu konferanstan bir yıl önce, Bilgi, Sabancı ve Boğaziçi üniversi-
telerinin 2005'te ortaklaşa düzenledikleri 'Ermeni Konferansı'
da bir ilkti. Bu konferansın düzenlenmesi epey maceralı olmuş,
aralarında benim de bulunduğum beş kişiye konferansı yazıla-
rımızla savunduğumuz için hapis istemiyle dava bile açılmıştı.
Benim de konuşmacılar arasında bulunduğum Kürt Konferan-
sı'nın açılışında Murat Belge'nin sözlerini anımsıyorum:
"Kapalı kapılar arkasındaki odalardan, otel salonlarından bura-
ya, üniversiteye geldik. Polis kordonları arasından geçerek de
olsa bir üniversite çatısı altında Kürt sorununu tartışabiliyoruz.
Sivil ve demokratik çözüm arayışlarını devam ettirmeliyiz."
Yıl 2006'ydı.

BİRİNCİ BÖLÜM

*Kandil Dağı'nda, bir PKK kampında,
gerilla ve barış umudu...*

"Söyle Zagros!"
"Barış umudun var mı Hasan abi?"
"Vardır Zagros, yoksa buralara gelmezdim."
"Doğridir Hasan abi..."

Kandil Dağı'nda bir PKK kampı.

İran sınırına on beş-yirmi, Türkiye sınırına elli-altmış kilometre uzaklıkta, Irak Kürdistanı içinde bir yer. "PKK'nin kontrolündeki Özgür Kürdistan," diyor biri...

25 Haziran 2011

Bir cumartesi günü sabah vakti.

Hava sıcak ama hissedilmiyor, o kadar güzel esiyor ki tepelerden.

Kayalık, engebeli bir arazi.

Otlar sapsarı, çalılık ve ağaçlar yemyeşil. Harikulade bir doğa, muhteşem bir sessizlik.

Yarım saatlik bir yürüyüş sonrası PKK'nin Kandil'deki bir numarası -ya da Öcalan'dan sonraki bir numara- Murat Karayılan'la komutanları ağaçların, çalılıkların içinden çıkıp karşımızda bitiyor.

İki yıllık bir aradan sonra yine Kandil'de buluşmuş oluyoruz Karayılan'la...

Tekrar yürüyüş başlıyor.

Etrafta silahlı gerillalar, çalılıkların, ağaçların arasında kendilerini belli etmemeye çalışarak, elleri tetikte hareket halinde.

Önümüzde bir boşluk beliriyor, hafif meyilli bir alan. Güneşin altında parlayan, sapsarı uzamış otların üstünde kadın erkek gerillalar beliriyor, haki renkli üniformalarıyla...

Öndeki iki sırada sadece kadınlar, arkadaki üç sırada erkekler, hazırol vaziyette hiç kımıldamadan bekliyor.

Yüz, yüz elli kadar gerilla.

Hepsinin ellerinde Kalaşnikoflar, kısaca Keleş denen Rus yapımı makinalı tüfekler. Ve uzun ince sırıklara asılı PKK bayraklarıyla tören düzeninde bekleyen biri kadın üç gerilla...

Murat Karayılan bana dönüyor:

"Bir PKK taburu. Sizin için askerî merasim hazırladık."

Bir sürpriz!

İki yıl önce 2009'un Mayıs ayındaki ilk Kandil seyahatimde böyle bir sürprizle karşılaşmamıştım. Biraz canım sıkılmıyor değil, çünkü ben gazeteciyim.

Kod adı Cemal olan Murat Karayılan konuşmaya başlıyor. Türkçe değil Kürtçe... Beni ve Namık Durukan'ı[1] tabura tanıtıyor. Kısa konuşması bitince, "Birkaç söz de siz söylemek ister misiniz?" diyerek beni hiç beklemediğim ikinci bir emrivakiyle karşı karşıya bırakıyor Karayılan.

Reddetsen bir türlü, konuşsan bir türlü...

Göz göze geliyorum Karayılan'la.

O ne yaptığını biliyor.

Gözlerinin içinde muzip bir pırıltı yanıp sönmüyor değil. Kendi kendime söylenip "Kandil'e, buralara kadar kadar geldikten..." sonra deyip bir PKK taburunun önünde konuşmaya başlıyorum.

Hazırlıksız bir konuşma.

'Barış'tan, çekilen acılardan söz ediyorum. Yeterince kan ve gözyaşı aktığını, artık dağdan inme vaktinin geldiğini söylüyorum kısaca...

Çıt yok dağda.

Ne hissettiklerini bilmiyorum, hepsi hazırolda, bakışları dimdik uzaklara doğru gidiyor. Gerildiğimi hissediyorum konuşurken. Bazen sözcükleri bulmakta zorlanıyorum.

Ne tuhaf adamsın Hasan Cemal? Kandil'e gelmek yetmiyormuş gibi, bir de kalk dağdaki gerillaya barış nutku çek.

Ne kadar genç hepsi.

Acaba ne hissediyorlar?

Dağa çıkmışlar, 'bir dava' uğruna. Karşılarına bir gazeteci geçmiş, kendilerine dağdan inme vaktinin geldiğini söylüyor.

Karayılan'la birlikte PKK taburunun arasına giriyorum. Duygularını okumaya çalışıyorum gözlerinden, yüz ifadelerinden, el sıkışlarından.

---

1 Kürdistan coğrafyasında 1990'lardan itibaren birlikte birçok kez dolaştığım *Milliyet*'ten değerli meslektaşım Namık Durukan.

Mutlu mu, değil mi?

Geleceğe ne kadar güveniyor?

Hayal kırıklığı mı?

Hüzün mü?

Umduğunu gerçekten bulabilmiş mi?

Bıraksan hemen dağdan inebilir mi?

Yoksa dağ artık onun için kopamayacağı bir hayat tarzı mı?

Çok yorgun yüzler.

Kimi sırım gibi, kimi zayıf, kimi kavruk.

Bakışlarını kaçıran da var, gözlerinin içi gülerek bakan da. Sen de nereden çıktın gibi kerhen tokalaşan da var, elimi bırakmayacakmış gibi sıkarken yüzüne kocaman sıcak bir gülümseme yayılan da var.

Aralarından hızlı hızlı geçerken yüz ifadelerinden, bakışlarından iç dünyalarını okumaya çalışıyorum. Acaba silahın, şiddetin bugün artık vaktini doldurduğunu görüyorlar mı?

Dağ eskisi gibi hareketli değil. Belki de hantallaştılar, dağ artık sıkıcı geliyor olabilir.Ya hayal kırıklıkları, 'çıta'yı çok yükseğe koymuş olmaktan dolayı?..

Şu ihtimal de aklıma takılıyor:

Hiçbir şey elde etmeden dağdan inmektense elde silah intiharı da seçebilirler.

Büyük şehirleri cehenneme çevirebilecek *ölüm timleri* sahneye çıkabilir.

İki yıl önce Kandil'in bir başka yerinde Murat Karayılan bana, "Hasan Cemal, otuz küsur yıl önce dağa piknik yapmak için çıkmadık," demişti.

*"Beni dağa çıkaran babamın
acılarına ettiğim tanıklıktır."*

"Azad, ortaokulu bitirmek için başvuru yaptığı dönemde tutuklanmış babası. Hayatının dönüm noktası olan bu olayı şöyle anlatıyor:

'Bizim mahallede 450 kişi gözaltına alındı. Özel Tim evimize postallarla girdi. Küfürler, bağırmalar arasında babamı aldılar. Babam apar topar götürülürken dönüp bir saniye dedi. Üzerinden bir Milli Piyango bileti çıkardı ve anneme 'bunu al' dedi.

O an annemle göz göze geldik, babamın bir daha dönmeyeceğini düşündüm.

36 gün işkencede kaldı.

11

İşkenceden çıktığında ancak birilerinin desteğiyle yürüyebiliyordu.

Beş yıl hapis yattı.

Çıktığında asosyal, içe kapanık, ürkek bir adamdı.

Beni dağa çıkaran, babamın acılarına ettiğim bu tanıklıktır."

Evlerinde anneleriyle
Kürtçe konuşma suçu!

"Bir öğretmenimiz vardı. Okulda her gün, 'gizli polis' dediğimiz bir arkadaşımızı görevlendirir, evlerinde anneleriyle Kürtçe konuşan talebeleri tespit ettirirdi.

Bunun yarattığı travmayı düşünün.

Sadece dilinize değil, annenize de yabancılaştığınız bir çocukluk, arkadaşlarınızı ihbar etmek zorunda kaldığınız!

Bunu hangi değer ve gereklilikle açıklayacaksınız.

Dağa çıkan çocuklar daha çok böyle büyüyenlerdi."[2]

Devlet terörist diyor,
onlar da özgürlük savaşçısı!

Devlet onlara terörist diyor, onlar da kendilerine özgürlük savaşçısı...

1984'ten beri onlardan 40 bini öldü.

Trajediye bir türlü doymayan bu topraklarda acının her türlüsünü yaşadılar, yaşamaya devam ediyorlar.

Nereye kadar?

Kandil'e iki yıl arayla ikinci kez geliyorum.

Hep aynı sorular.

Hepsi barışa dair...

Dağda hayat daha ne zamana kadar devam edecek? Silah ve şiddetin kullanım tarihi, eski deyişle miadı dolmadı mı? Sorunun şiddetle bağı ne zaman kopacak?

PKK dağdan nasıl inecek?

Artık doğru olan, parmakları tetikten çekip konuşmak değil mi?

Kulağıma yine o sözler çalınıyor:

"Piknik yapmaya çıkmadık."

---

2   Bejan Matur, *Dağın Ardına Bakmak*, Timaş Yayınları, İstanbul, 2011, s. 23 ve 190.

"Gerekirse, elde silah onurumuzla ölürüz."

Kandil Dağı'nda bir yerde, sıcak bir yaz günü, bana dönmüş yüzleri okumaya çalışırken, çocuk denecek yaşta dağa çıkıp eline silah alanların duygu dünyalarına dokunmak isterken, içimin derinliklerinde bir sızının, acı ve hüzün karışımı bir duygunun uyandığını hissediyorum.

İki yıl önce de böyle olmuştu.O zaman da Murat Karayılan'la Kandil'de konuştuktan sonra aynı hissiyata kapılmıştım.

Demiştim ki:

Silah ve şiddet devri kapandı, barış zamanı geldi; bu gerçeği Kandil de, İmralı da, Ankara da biliyor; içerisi de dışarısı da biliyor; barışın koşulları olgunlaştı ama barışın gereğini yapmak için siyasi irade, siyasi cesaret şart!

Ellerinde Keleşlerle önümde duran genç insanlara bakarken aynı şeyi düşündüm.

Ve iki yıl önce olduğu gibi bu kez de bu Kürt gençlerini dağlarda yok ederek Türkiye'ye barışın geleceğini sananların aklına bir daha şaştım. Kan gölünden bunca yıldır çözüm çıkmadı, bundan sonra da çıkmaz.

Şiddet şiddeti getirir, o kadar.

Bu dipsiz cehennem kuyusu bunca yıl kalkınmaya, insanlarımızın refahına, demokrasi ve hukuka harcanabilecek enerjimizi, kaynaklarımızı devamlı yuttu.

Daha ne kadar yutacak, Allah aşkına söyler misiniz?

Barışı gerçekleştirmek için hem Ankara'da, hem İmralı ve Kandil'de güçlü liderlik lazım, siyasal kararlılık lazım, cesaret lazım.

Yoksa 1990'lardaki gibi yine kan ve gözyaşı akabilir. Sonra yine başlangıç noktasına, bir numaralı kareye döneriz, ama çekilen acılar ne olacak?

Hep aynı şeyleri yapıp farklı bir sonuç beklemek ahmaklık değil de nedir?

O zaman niye beklensin, bu genç insanlar ne diye dağlardaki yaşantılarını sürdürsünler ki?

Önce dağda silahların susması ve **öldürmek yerine konuşmak** seçeneğinin devreye sokulması, **hayatlara değil silahlara veda edilmesi daha akıllıca,** daha insani bir tercih değil mi?

Biliyorum, 25 Haziran 2011 günü, Kandil Dağı'nda bir yerde defterime çiziktirdiğim bu notların yeni bir yanı yoktu.

Yollar gider Zagros'a
Cudi'ye,
dağlar bize hediye...

"Söyle Zagros!"

"Hasan abi, sen Dersimli bir Zaza'sın."

"Dersimli bir Zaza!"

"Dogridir Hasan abi... Oğlun 15 yıl önce daga çıkmıştır. Sen oğlunu özlemişsin, onu bulmak için buralara gelmişen. Kontrol noktalarında Barzani'nin peşmergesi sorarsa, böyle diyeceğiz senin için... Zaza olduğun için onlar senin Kürtçeni anlamaz."

"Peki ya Namık?"

"Sen ihtiyarsın. Namık sana yardım için gelmiş... Fotoğraf makinalarını, not defterlerini saklayın. Şu gazeteci yelekleri de sizi ele verebilir, onları da çıkarın. KDP'nin kontrol noktalarından geçerken de şöyle bir asker selamı çakmayı unutmayın."

25 Haziran 2011

Erbil'de sabahın körü.

Günün ilk ışıklarının vurduğu International Oteli'nin önünden Zagros'un Toyota marka pikabıyla Kandil'e doğru yola koyuluyoruz.

Yolum bu şehre ilk kez 1974'de düşmüştü. O zamanlar Baas diktası vardı Irak'ta. Erbil'de de Baas'ın işbirlikçisi özerk bir Kürt yönetimi kuruluyordu. *Cumhuriyet* gazetesi adına izlemeye gelmiştim Bağdat'tan Erbil'e, Rus malı kocaman bir askerî helikopterle...

1992 yılı sonbaharında ikinci defa yolum düştü Erbil'e. Saddam Hüseyin'den kurtulmuş Irak Kürtleri, Adana'daki İncirlik Üssü'nde konuşlanmış Amerikan Çekiç Gücü'nün koruyucu şemsiyesi altında, Irak Kürdistan yönetiminin ya da bir 'Kürt devleti'nin tohumlarını atıyorlardı...

Şimdiki gibi gelişen ve zenginleşen bir Irak Kürdistanı yoktu o tarihlerde. Yoksulluk ve yoksunluk kol geziyordu. Çok iyi anımsıyorum, Şirin Palas Oteli'nde bana havlu yerine çarşaf vermişlerdi.

"Söyle Zagros!"

"Hasan abi, çözüme mi çalışıyorsun, gazeteye mi?"

Bir an duraksadığımı görünce gülüyor.

"Her ikisine Zagros, barışa da, gazeteye de," diyorum.

Gazeteci milletinin işi bazen zorlaşır. Bir yandan her şeye burnunu sokmak, tarihe tanıklık etmek ister gazeteci. Ama bu arada çizgiyi iyi çizmesi, doğru yerden çekmesi gerekir. Hassastır bu çizgi, oynaktır.

14

Zagros'un zekice sorusu, Kandil'e çıkarken, gazetecinin kendini korumasıyla ilgili bu meseleyi aklıma getiriyor.

Kandil'e ilk kez 2009'un Mayıs ayı başında gitmiştim. Ama o tarihte bir başka yoldan, İran sınırındaki Ranya üzerinden çıkmıştık Kandil'e.

Dağların arasından, derin vadilerden, kaçakçıların kullandığı bir kenarı uçurum katır yollarından yüreğim ağzımda geçerek gelmiştik bir PKK kampına...

Bu kez yolumuz iyi, asfalttan gidiyoruz.

Ahmet Kaya çalıyor Zagros:

> *Ben yandım*
> *Siz yanmayın*
> *Allah aşkına!*

Önce Selahaddin ve Şaklava'dan geçiyoruz. Yirmi yıldır kim bilir kaç kez geldim buralara. Özellikle Mesud Barzani'yle röportaj için...

Irak Cumhurbaşkanı olan Kürt lider Celal Talabani'yle Şaklava'da ilk kez görüşmüştüm 1992'de. Talabani'nin karargâhı, yeşillikler içindeki bir oteldi.

Hâlâ otel olarak hizmet veren bu mekânda Talabani'nin yakın çevresinden bugünkü Kürt yönetimi başbakanı Barham Salih'le, 1992'deki başbakan Dr. Mahzun'la, İsveç'te büyükelçi olan Ahmet Bamarni'yle tanışmıştım.

Bugün Kürtlerin Irak'ta okulları, üniversiteleri var. Radyoları, televizyonları, gazeteleri var. Git gide zenginleşiyorlar, özellikle petrol sayesinde. Kaç yıldır kendi kendilerini yönetiyorlar, Bağdat'tan uzakta...

Galiba yaşlanıyorum.

Nereye gitsem hatıralar dipsiz bir kuyu gibi içine çekmeye başlıyor beni...

PKK'nin yeni bir kahramanlık türküsüymüş, Zagros Türkçeye çeviriyor:

> *Serok Apo öncümüzdür*
> *En büyük odur*
> *Onun yolu bizim yolumuzdur.*

Güneş yükseliyor, ortalık aydınlandı.

Harir'den geçiyoruz.

Zagros'u dinliyorum:

"Enfal'de, Saddam Hüseyin'in 1988'deki katliamlarında en çok Kürt burada öldürüldü. Şu siyah giyinmiş kadınlara bak, hâlâ o acının yasını tutuyorlar."

Heriz'den, güneş altında parıldayan sararmış uçsuz bucaksız tarlaların arasından yol alırken, yine Ahmet Kaya söylüyor yanık sesiyle: "Ben yandım/ Siz yanmayın/ Allah aşkına..."

Halifan'dan geçiyoruz.

Anlatmaya devam ediyor:

"Bu yakınlarda, Nusaybin'de bir gerilla öldü, buralıydı. Irak Kürtlerinden bir peşmergenin, üst düzeyde bir komutanın ailesinden... İşte böyle Hasan abi, bu topraklar Kürdistan! Irak'taki Kürt de, Suriye'deki de, İran'daki de geliyor, PKK saflarında savaşıp ölebiliyor."

"Söyle Zagros!"

"Barış umudun var mı Hasan abi?"

"Vardır Zagros."

"Dogridir Hasan abi."

Diyana'nın çevresinden Kandil Dağı'nın eteklerine doğru yol alıyoruz. Dağlar gitgide heybetli bir hal alıyor.

Orası Revanduz.

Elli kilometre ötesi, dağların arkası İran sınırı. Hacumran, İran'la sınır. PKK'nin kontrolündeki kaçakçılık bölgesi...

Vadinin içinden gürül gürül akıyor su.

Zagros türküyü değiştiriyor:

> *Yollar gider Zagros'a*
> *Cudi'ye,*
> *Dağlar bize hediye!*

Ali Beg Vadisi'ne, yılan gibi kıvrılan yola vurduk. Bu yolu çok eskilerde bir İngiliz mühendis yapmış, adı Hamilton olan...

Ben "İki yıl önce Kandil'e çıkarken yolumuz böyle asfalt değildi. İran sınırındaki Ranya'dan dağa vurmuştuk. Şimdi konforlu gidiyoruz," diye tekrarlayınca, gülüyor Zagros:

"Oradaki yol falan değildir. Onu biz kendimiz yapmışız. Vadilerin içinden, uçurumların kenarından geçen katır yoludur o. Ama Ahmet Deniz, (PKK'nin Kandil'deki medya sorumlusu) dedi ki, 'Hasan abi yoruluyor, ihtiyardır. Onu bu sefer Cengiz Çandar'ın geldiği yoldan, asfalttan getir.'"

Kahkahayı atıyor.

Diyana'ya geldik.

Saat yedi, Kandil'e bir saat kaldı.

"Biraz da Şivan Perwer dinlesek..."

"Bir zamanlar çok dinledik. Onun sesiyle uyandı Kürtler... Ama artık dinlemiyoruz."

Zagros buruk, öfkeli. İmralı kızdığı için, PKK dünyasında 'hain' ilan edildiği için o da kızmış, çalmıyor kasedini...

Şivan Perwer'e hiç kızılır mı?

36 yıldır kendi memleketinden uzak, sürgünde yaşayan Şivan Perwer'i 'hain' ilan etmek! Müziğiyle, sesiyle Kürtlerin yüreğinde koskocaman yer edinmiş büyük bir sanatçıyı hain ilan edebilenler, şunu iyi bilsin, haklarında tarihe kötü not düşülüyor.

"Hoşgeldiniz
özgür Kürdistan'a!"

Zagros haberdar her şeyden:

"Duyduk ki Mehmet Ali Birand ameliyat olmuş, nasıldır? O neden gelmiyor buralara? Haberlerde bize neden terör örgütü diyor?"

Ekliyor:

"Onun için ben de dua ettim."

Irak Kürdistan yönetiminin, KDP'nin son kontrol noktasını geçiyoruz. Zagros, Namık'la bana dönüyor:

"Hoş geldiniz özgür Kürdistan'a! Bundan sonrasına biz *Medya savunma alanları* deriz, PKK'nin kontrolü altındaki topraklar yani... Buralara giren silahlı güç, PKK'nin hedefi haline gelir."

İran'a daha yakın, Türkiye'ye daha uzak topraklar. Irak Bölgesel Kürdistan yönetimi, anlaşılan, bu sınır bölgelerinin denetimini PKK'ye bırakmış...

Saat sabah sekize geliyor.

Erbil'den buraya yol iki saat kırk dakika aldı.

PKK'nin ilk kontrol noktası.

Bayrak çekilmiş, Apo'nun renkli bir resmi asılmış. Ellerinde kalaşnikoflu iki PKK'li nöbetçinin biri İranlı Kürt, öteki Suriyeli Kürt. Çat pat Türkçe konuşuyorlar.

Fotoğraf çektiriyoruz.

"Gel abi, acı bir çayımızı iç."

Nöbetçi kulübesinin duvarında haki üniformalı gerilla fotoğrafları. İkisi çok genç. Biri kadın, biri erkek, ikisi de zulmü protesto için kendilerini yakmış... Erkeğin adı Ahmet...

17

"Bizim kahramanlarımız, şehitlerimiz," diyor, onlarla gurur duyduğunu belirtiyor, zulümden söz ediyor.

Babasını konuşturmak için
gözünün önünde
küçücük kızına...

Adım Wanbetan. 1977 Erçiş doğumluyum. Babamın tek kızıydım.
İlk gözaltı sürecimi 1992'de yaşadım.
Kemiklerime kadar titriyordum. Okul çıkışı beyaz bir Renault geldi, beni alıp götürdü.
Gözlerim bağlıydı.
Bodrum gibi bir yere atıldık. İdrar kokusu vardı. Ve tokadın nereden geleceğini bilmiyordum. Dediklerini hiç duymuyordum.
Çok genciz. Ne için alındığımızı bilmiyoruz.
Ama şu ruh vardı:
Direnmen gerekiyor...
1996-1997, Tatvan'daydım. Yüzüncü Yıl'daydım.
Elimizi kolumuzu bağlayıp arabaya attılar. Gözaltına alındım.
Tatvan, Erçiş'ten farklıydı. Kürtçe konuşmak bile gözaltına alınma nedeniydi.
Gözlerim bağlıydı ve habire dövüyorlardı. İnadım acı duymama engel oluyordu.
Bağırdığımı hiç duymayacak dedim. Eğer bu benim devletimse, beni koruması gerekirken bana bunu yapıyorsa, benim sesimi hiç duymayacak.
Ama perişanım...
Doktora diyordum ki, bak buralarım çok kötü, boynum şişmiş.
Boynuma cop yiyordum. Her cop yediğimde beynim dağılıyordu.
Doktor da rapor veremem, verirsem benim de durumum kötü olur, dedi.
Beni dövdüklerine dair rapor vermediler.
Ben inancımı yitirmiştim.
Devlete inancım ve güvenim yoktu.
Biri gelip diyordu ki, dokuz kişi onu... Biraz daha konuşmazsanız yirmi kişi gelip sizi... Biri diyor ki babası daha konuşmadı mı?
Babasını konuşturmak için küçücük kıza gözünün önünde tecavüz etmişler.[3]

---

3   Rojin C. Akın, Funda Danışman, *Bildiğin Gibi Değil (90'larda Güneydoğu'da Çocuk Olmak)*, Metis Yayınları, İstanbul, 2011, s.167-187.

Yol çalışması var.

"PKK'nin belediyesidir, bizim belediye... Yol çalışması yapıyorlar."

Zagros eliyle gösteriyor:

"Bu yakınlarda Türk jetleri, şu evle şu suyu vurdu bombayla. Kimseye bir şey olmadı."

Asfalt yolu bırakıp araziye sapıyoruz.

Kandil Dağı'nın etekleri.

Bir süre gittikten sonra bir dereyi geçiyoruz.

Tek katlı, etrafı duvarla çevrili şirin bir köy evi.

Zagros'un evi, üç odası var. Bu yakınlarda kendi başına yapmış. Kapıdan girince büyücek bir salon. Yer halı kaplı, duvar diplerinde çepeçevre minderler. İçerisi serin, klima çalışıyor.

Tavandan sarkan televizyon açık, Roj TV'nin Kürdistan dağlarından bir yayını... Duvarda Apo'nun renkli resmi, PKK bayrakları.

Odanın bir köşesinde, halının üstünde üç dört yaşında bir oğlan çocuğu, yorganın altında mışıl mışıl uyuyor.

Adı Mavdar, Zagros'un oğlu.

Bizim gürültümüze uyanıyor. Gelip kucağıma oturuyor, yanağını uzatıyor öpücük için. Babasının uyarısıyla zafer işareti yapıyor, Namık'ın fotoğraf makinasına poz verirken...

Baba soruyor:

"En büyük düşman?"

"TC'nin askeri!"

Daha üç-dört yaşında.

"Bu yaşta düşmanlık aşılamak... Barıştan hiç mi umudun yok?"

Anlatıyor Zagros:

"Türkiye'yle İran sınırında uzanan dağların adıdır Zagros. Babam adımı onun için Zagros koymuş. 13 yıl İran'da yaşadık. Eşim Azeri'dir, İran'dandır. Bak Hasan abi. Babamı 1994'te Doğubayazıt'ın Beşo köyünde öldürdüler. İki kardeşim dağda şehit oldu. Biri hâlâ dağda. Kürtlüğümüz inkâr edildi. Dilimizi öğrenmemiz bile yasaklandı. Şimdi gel de sen bu davaya sarılma?.. 10 yaşındaki oğlum şu sıralar PKK kampında, yaz okuluna gönderdim onu siyasi eğitim için..."

Sorunların ipuçları bu insan hikâyelerinde saklı. Kürt sorunu nedir, PKK neyin ürünüdür, silahlı güçler dağdan nasıl iner? Yanıtlar bu yaşanmışlıklarda gizlidir.

Bunlarda acı vardır, hüzün vardır. Bunları dinlemeden, biraz öğrenmeden veya yüreğinde hissetmeye çalışmadan sorunu anlayamazsın.

Devletin hatası budur.

Devleti yönetenler, sorunun temelinde yatan bu 'insani boyut'u Türk milliyetçiliğinden kaynaklanan bir inatla yıllar yılı reddettikleri içindir ki, bu özü gözardı ettikleri içindir ki, bugün üç-dört yaşındaki Mavdar poz verirken zafer işareti yapıyor; Mavdar'ın 10 yaşındaki abisi PKK'nin dağlardaki yaz okuluna gönderiliyor, siyasi eğitim için...

Halılarının üstündeki yer sofrasında bizi kahvaltıya buyur ediyor Zagros'un ailesi. Bahçeden taze koparılmış salatalık, domates, acur, beyaz peynir ve demli çaydan oluşan bir kahvaltı...

Yorgunluktan ölüyorum..

İstanbul'dan THY uçağıyla gece yarısından sonra indik Erbil'e. Ancak iki saatlik uykuyla yola koyulduk.

Karnım doydu, uyku bastırdı. Salonun bir köşesine, halının üstüne kıvrılıp bir süre kestiriyoruz. Üstüme ince bir yorgan örtüyorlar.

Dürtüklüyor biri, Kandil'in medya sorumlusu Ahmet Deniz. İki yıl önce de ilk onunla tanışmıştım Kandil'de. Murat Karayılan'ın bizi beklediğini söylüyor.

Cep telefonlarımızı geçen sefer olduğu gibi evde bırakıp Toyota pikapla yola koyuluyoruz. Epey gittikten sonra dağlara doğru vuruyoruz. Güzel güzel akan çakıl taşlı bir suyu geçtikten sonra yürüyüş faslı başlıyor.

Bir yerde telaş havası!

Ağaçların, çalılıkların arasından çıkan Murat Karayılan ve komutanlarıyla karşı karşıya kalıyoruz.

"Söyle Zagros!"
"Hasan abi, çözüme mi, gazeteye mi çalışıyorsun?"
"İkisine de Zagros, ikisine de..."
"Barış umudun var mı Hasan abi?"
"Var Zagros var! Olmasa taa buralara gelir miydim?"
"Doğridir Hasan abi."

20

İKİNCİ BÖLÜM

*Kandil Dağı'nda, bir ceviz ağacının altında
barışı konuşmak!*

*"Türkiye artık barış istiyor,
çözüm istiyor. Toplum artık Kürt
sorununa öcü gibi
bakmıyor," diyen bir Murat Karayılan...*

Toyota'nın ön tarafına ben oturuyorum, arka tarafa Murat Karayılan'la Namık. Önümüzde arkamızda yine pikaplar, arkalarında eli silahlı, haki üniformalı gerillalar, sürekli etrafı kolaçan eden...

Dağlık araziden asfalt yola çıkıyoruz.

Bir süre gittikten sonra yine araziye vuruyor, hoplaya zıplaya epey gittikten sonra ağaçlık bir yerde duruyoruz.

Büyük bir mezarlık ve bayrak direğine çekili PKK bayrağı.

"Goristana Mehmet Karasungur."

Karayılan "Burası bizim şehitliğimiz, Mehmet Karasungur Şehitliği... 1970'lerde Bingöl'de TÖB-DER başkanıydı," diyor Karayılan.

Mezar taşına bakıyorum, 1947 Çewlik doğumlu yazıyor. Çewlik, Bingöl'ün Kürtçesi... Ölüm 2 Mayıs 1983, Kandil.

"225 yoldaşımız yatıyor burada," diyor Karayılan, "şu sıradakilere bakın, hepsi aynı gün, aynı anda öldüler, tek bir uçak saldırısında..."

Mezar taşlarını okuyorum:

Kangal doğumlu, 1962-1983...

Eruh doğumlu, 1982-2000...

Şırnak doğumlu, 1974-2000...

Türkiye'deki askerî şehitliklerimizde de gencecik askerlerin isimleri mezar taşlarına kazılı...

Yazık değil mi?

Cami avlularında, taziye çadırlarında, evlerde feryatlarla, ağıtlarla, gözyaşlarıyla geçen acı dolu yıllar hepimize barışın değerini öğretmiş olmalı diye düşünüyorum.

Yine o benim malum cümle:

Acılar olgunlaştırır!

Silahla, şiddetle birbirini tüketmenin imkânı yok. Aklı başında herkes artık bu gerçeği görüyor. Bugüne kadar savaş için seferber edilen enerjiler artık barışın hizmetine sunulacak, başka çare yok.

Silahın miadı doldu.

Barış vakti gelip çattı.

Kandil'deki şehitlikte yine düşünüyorum, yaşamak için ille de acı çekmek gerekmiyor diye...

Acının içine doğan genç nesilleri savaştan kurtarmak lazım, yoksa bir kez daha cehennem çukuruna yuvarlanırız diye...

Murat Karayılan'ın şu sözlerini not ediyorum:

"Türkiye artık barış istiyor, çözüm istiyor. Toplum, Kürt sorununa öcü gibi bakmıyor. Toplum gittikçe daha çok çözüm arıyor ve istiyor çözümü... Türkiye bu noktaya geldi."

Güm güm güm!
İran'ın havan topları,
Kandil'i dövüyor.

Kandil Dağı, 25 Haziran 2011

Bir cumartesi günü öğle vakti.

Dallarıyla, yapraklarıyla yeri göğü kaplayan ulu bir ceviz ağacının altında oturmuş barışın, savaşı bitirecek bir barışın yol haritasını konuşuyoruz.

Güm güm! Güm güm!

Top sesi!

Sanki arkamda atılıyormuş gibi...

Dönüp bakmadan edemiyorum.

Murat Karayılan, tedirginliğimi fark edince:

"Buraya uzaktır," diyor, "İran ara sıra havan topu atar bizim taraflara... PJAK'la ilgili tavrımızdan memnun değil. İran'ın meselesi PJAK... Ama onlar da Kürt, bizim kardeş örgütümüz."

Yine güm güm! Güm güm!

Hangi coğrafyada bulunduğunu sakın aklından çıkarma diyen top sesine çabuk alışıyorum.

PJAK, İran'ın meselesi ama aslında PKK değil mi PJAK da?

Evet öyle...

"PKK'nin bir özelliği, Ortadoğu coğrafyasında Kürtlerin yaşadığı bütün ülkelerde değişik isimler altında varlığını sürdüren bir Kürt örgütü olmasıdır. PKK'den başka bir Kürt örgütü, bir diğer deyimle pan-Kürt örgütü yok. PKK yanlısı ve PKK'nin, Kürtlerin yaşadığı değişik ülkelerdeki kolu olarak Irak, Suriye ve İran'da kurulmuş olan partilerin ve taraftarlarının tümü kendi liderleri olarak Öcalan'ı tanımaktadır. Kürt siyasi hareketinin sahadaki silahlı temsilcisi olarak PKK tarafından 2004'de 'İran kolu' olarak kurulan *Kürdistan Özgür Yaşam Partisi* (Partiya Jiyana Azadiya Kurdîstan – PJAK) PJAK'ın siyasi-askerî merkezi de PKK'nınki gibi Kandil Dağı'ndadır."[1]

Etraf güzel. Ceviz ağaçları, kırmızı çiçekleriyle narlar, meyve vermiş dut ağaçları.

Karayılan'ın şu sözünü not ediyorum:

"2011 çözüm yılı olmalı!"

Arkasından ekliyor:

"Yoksa direniriz!"

Şu noktaları teker teker vurguluyor:

(1) "Biz artık sorunu şiddetle çözmek istemiyoruz. Silahı devre dışı bırakmak istiyoruz."

(2) "Bölücü değiliz. Türkiye'yi bölmek istemiyoruz."

(3) "Çok kritik bir kavşaktayız. TBMM tatile girmeden önce milletvekili krizi ve yeni anayasa konusunda olumlu bir tavır belirlenirse, barış sürecini derinleştirir, kalıcı kılar."

(4) "Başkan Apo, bundan bir ay önce İmralı'da devlete üç protokol verdi. Birinci açılım 2009'da sonuçsuz kalmıştı. Bu protokoller ikinci demokratik açılım niteliği mi taşıyor?' diye soruyorsanız evet derim."

(5) "Başkan Apo'nun bu üç protokolünün öngördüğü yol haritası, Kürt sorununda yeni bir açılımdır. Demokratik anayasal çözüm sürecinin başlatılması ve şiddetin tümden devre dışı bırakılması. Yani barış açısından çok önemli bir açılım..."

Murat Karayılan, PKK'nin Kandil'deki lideri. Öcalan, PKK diliyle, **önderlik makamı,** tartışılmaz bir numara. Karayılan ise ondan sonra her şeyin tepesinde.

---

1   Cengiz Çandar, *PKK Nasıl Silah Bırakır?*, TESEV, Haziran 2011, s.36-37.

Resmi sıfatı hayli uzun:

Kürtçesi *Koma Civakên Kürdistan* olan, kısaca KCK denilen, Türkçesi Kürdistan Topluluklar Birliği'nin Yürütme Konseyi Başkanı. Karayılan, PKK'nin dağ ve şehir örgütlenmesinin tepesindeki kişi... Namık Durukan teybimizi koyuyor masaya. Ahmet Deniz, PKK'nin medya yetkilisi. Lise mezunu, Mardinli. İki yıl önceki gibi arkadaki sandalyesinde kaykılarak gözlemci konumuna geçiyor.

Haki üniformalı genç bir kadın 'arşiv için' çekim yapıyor. Ağaçların, çalılıkların arasında eli silahlı gerillalar...

Karayılan'ın yanında genç bir kadın var, Ronahi Serhat. Karayılan, seyrek de olsa arada bir soruyor ona "Ekleyecek bir şey var mı?" diye...

Ronahi Serhat, KCK'nın konsey ve başkanlık kurumu üyesi. PKK'ye 1993'te katılmış, Uludağ Üniversitesi'nde felsefe okurken...

Ronahi'ye soruyorum, 'yaşanan onca şeye değdi mi' diye...

Ronahi'yle ağaçların altında hava kararıncaya kadar konuşuyoruz.

Bayramın anlamını soruyorum ona, dağda, Kandil'de bir bayram sabahının anlamını.

"Elbette var," diyor. "Daha farklı bir alışveriş yapılır, ihtiyaçlar değişir."

Kurban da kesiyorlarmış üstelik.

Bu bayramda her mangaya birer oğlak dağıtmışlar. "Bayram olduğunu arkadaşlar da hissetti," diyor.

Ronahi'ye ilk sorularımdan biri şu:

Bugün 17 Kasım 2010, bugünden bakınca yaşanan onca şeye değdi mi?

Ronahi, biraz buruk bir ifadeyle değdiğini anlatmaya çalışıyor. Kürtlüğün inkârının sona ermesini kendi başarıları sayıyor.

"Artık Kürtler var. Bunu kimse inkâr edemez."

Başarısız sayılmacaklarını, bir PKK gerçeği olduğunu... Devletin bugün liderleriye görüştüğünü, müzakere aşamasına geldiklerini...

Bütün bunları anlatırken yüzündeki kederli ifade azalmıyor.

On dokuz yıldır dağda olan arkadaşıma, Ronahi'ye "Bunca zaman seni Kandil'de ne tuttu?" diye soruyorum.

"Yaptıklarımla barışık olmam," diyor.[2]

---

2   Bejan Matur, *Dağın Ardına Bakmak*, Timaş Yayınları, İstanbul 2011, s.252-254.

*"Bir oğlum dağda
şehit olunca
ben de dağa çıktım."*

Ceviz ağacının altında bir kişi daha oturuyor, hiç lafa karışmadan:
KCK konsey üyesi Zeki Şengali.
İlkokul mezunu.
Batman'ın Beşiri kazasından.
17 yaşında gittiği Almanya'nın Hannover şehrinde demiryolu iş-
çiliği yaparken 1979'da ilk kez PKK adı kulağına çalınmış.
Şöyle anlatıyor:
"PKK'nin Kürdistan'da örgütlendiğini duyduk. Jandarma baskı-
sına, ağa baskısına karşı ezilenleri esas aldığı için sempati duydum.
1987'de fiili olarak PKK'ye çalışmaya başladım. Hannover'deyken
memleketim Beşiri'den evlendim. Yedi çocuğumuz oldu."
Nasıl mı dağa çıkmış?
"Bir oğlum 1992'de 21 yaşındayken Mardin'de şehit oldu. Ör-
güte 19 yaşında katılmıştı. Ben de 1999'da dağa çıktım, Kandil'e.
Şimdi 59 yaşındayım. Çok önce atıldım Türk vatandaşlığından..."
Hannover'de siyasal bilgiler okumuş olan kızı Kandil'de kendi-
sini ziyarete gelmiş.
"Senin evde mi kalıyor?"
Gülüyor:
"Dağda bizim yerimiz yurdumuz yoktur, bir orada bir burada..."
Kandil'de tek göz bir köy evinin avlusunda gördüm babayla kızı-
nı. Kızı sokuluyor babasına. Baba da onunla gurur duyduğunu belli
ediyor her haliyle, sözüyle:
"Hannover'de siyasal bilimler okudu, şimdi de doktorasını ya-
pıyor."
"Babası gibi dağa mı çıkacak?"
"Şimdilik niyeti yok.
Kendisiyle bir ara Almanca sohbet ederken soruyor kızı:
"Barış umudu var mı?.."

Karayılan, Türkiye'nin barış noktasına geldiğine inanıyor. Türk-
çeyi iyi kullanıyor ve sakin sakin aksansız konuşuyor. Güleryüzlü. İki
yıl önce de dikkatimi çekmişti, ezberden de konuşmuyor. Konusu-
na, gündemine hâkim...
Ak Parti'nin 12 Haziran 2011'deki seçim başarısını teslim ediyor
Karayılan. Erdoğan'a barış çağrısı yapıyor:

"AKP, Türkiye toplumundan yüzde 50 oy aldı, teveccüh gördü. Toplum AKP'ye Türkiye'nin sorunlarını çöz diye büyük sorumluluk yükledi. Şimdi siyasal irade gerekiyor Kürt sorununu çözmek için. Yüzde 50 oy almış olan bir parti, bir lider bu siyasi iradeyi göstermeli."

Erdoğan'a çağrısını şöyle sürdürüyor:

"Bizim 12 Haziran sonrasıyla ilgili olarak, barış konusunda beklentilerimiz vardır. Ama Hatip Dicle'nin milletvekilliğinin düşürülmesi derken, KCK tutuklusu milletvekilleri derken yaşanan gelişmeler, barışa ilişkin bu beklentilerimize büyük darbe vurdu. Biz bunu şöyle anladık: Kürt siyasetini hizaya getirmek, burnunu sürtmek... 2009 yılı Mart ayında BDP'nin yerel seçim başarısının arkasından da KCK operasyonları, tutuklama dalgaları için düğmeye basılmıştı. Şimdi de bu... Biz blok milletvekillerinin meclisi boykotunu destekliyoruz. Somut bir adım atılmalı mecliste ve Hatip Dicle'yle KCK tutuklularının durumu düzeltilmeli."

Karayılan, Erdoğan'a sesleniyor:

"Toplumsal barışın kapısını açmak Başbakan Erdoğan'ın elindedir. Hem milletvekili krizini çözmek, hem Kürt sorununda köklü bir çözümün kapısını açmak AKP liderinin elindedir. Bugün böyle bir tarihî liderliğe ihtiyacı var Türkiye'nin. Bunu gerçekleştiren lider, tarihe geçer. Türkiye'nin bugün geldiği noktada yeni, açılımcı bir anayasaya ve adil bir iç barışa ihtiyacı var. Barış ve demokrasiyle birlikte Türkiye ekonomik olarak daha çok büyür, zenginleşir. Ortadoğu'ya da emsal olur."

Ve ekliyor:

"Kürt sorunu, barış ve demokrasi bakımından Türkiye'nin ayağını bağlıyor. Bunu çözerse, çok daha ileri gider."

Sözü, iki hafta önceki 12 Haziran genel seçimlerine getiriyor bir kez daha:

"Seçim sonuçları çok önemli. Türkiye'nin barış ve demokrasi açılımını gerçekleştirmesi için önümüzde bir fırsat penceresi açmış durumda. Bu açıdan, Emek, Demokrasi ve Özgürlük Bloğu'nun 36 milletvekili çok önemli bir gelişmedir, bir başarıdır. Kürt halkı demokratik Türkiye ve demokratik özerklik için oy verdi, bir 'proje'ye oy verdi Kürtler..."

Karayılan bir de ince ayrım getirme çabasında. Meseleyi Ankara'da daha kabul görebilecek bir formülasyonla sunma çabasında:

"Bakın 'özerk Kürdistan' deyimini kullanmıyoruz ya da çok seyrek kullanıyoruz. Demokratik özerklik deyimini tercih ediyoruz, bütün Türkiye'yi kapsayan... Demokratik özerklik bütün Türkiye için geçerli. Bu özerklik tüm Türkiye'yi kapsadıkça, Türkiye daha çok demokratikleşecek. Çünkü yerinden yönetimin güçlenmesi ile demokrasi ete kemiğe bürünür. Tekmerkezcilik gevşer, zayıflar."

"Diyarbakır'da Kürt bayrağı dalgalansa ne olur?.."

Yıl 2010.

Türkiye 12 Eylül anayasa değişikliği referandumuna gidiyor. Bütün siyasal saflarda çatlaklar oluşmuş, kutuplaşmalar keskinleşmiş durumda. Evetçiler, hayırcılar, boykotçular, yetmez ama evetçiler...

Aydınlar cephesi fokur fokur.

Siyaset kazanı fena kaynıyor.

Diyarbakır Büyükşehir Belediye Başkanı Osman Baydemir, Dersim'de Munzur Festivali'nde özerklik fişeğini atıyor. *Milliyet*'in 1 Ağustos 2010 tarihli sürmanşeti şöyle:

"Kürt bayrağı dalgalansa ne olur?"

Haberin spotu "Baydemir'den özerklik talebi" başlığıyla şöyle devam ediyor:

"Demokratik müreffeh bir Türkiye nasıl olacak? Özerk Doğu Karadeniz olacak, Özerk Orta Karadeniz olacak. Aynı zamanda Demokratik Türkiye Özerk Kürdistan olacak. Demokratik özerklik projesinde tabii ki TBMM var olmaya devam edecek. Buna bir itiraz yok. İstiklal Marşı okunmaya, Türk bayrağı dalgalanmaya devam edecek.

Bunlara hiçbir şekilde itirazımız yok.

Bununla birlikte her bölgede birer bölgesel parlamento olacak. Bu bölgesel parlamentolardan bir tanesi de Kürdistan Bölgesel Parlamentosu olacaktır.

Türk bayrağının yanında Kürt halkının yerel renkleri, bayrağı gökyüzünde olacaktır. Belediye önünde ayyıldızlı bayrağımızla birlikte sarı kırmızı yeşil bayrağımız dalgalansa ne olur?"

Osman Baydemir'in arkasından, BDP Genel Başkan Yardımcısı Gültan Kışanak, Batman'daki 12 Eylül Referandumunu Boykot Mitingi'nde, 'özerk Kürdistan' çağrısı yapacaktı:

"Bizim rengimiz belli. Sarı kırmızı yeşildir. Taraftarlarımızı en güçlü şekilde örgütleyeceğiz. Onlar bu renkleri kabul edecek ve Kürt halkına özgürlük ve demokratik özerk Kürdistan gelecek."[3]

---

3 *Milliyet*, 22 Ağustos 2010.

Başbakan Yardımcısı Cemil Çiçek ise BDP'nin Kuzey Irak'takine benzer bir model peşinde olduğunu belirttikten sonra, "Konjonktür uyarsa, sonrası bağımsızlık" diye Ak Parti hükümetinin tepkisini seslendirecekti.[4]

Diyarbakır'da 2010'un son günlerinde bir çalıştay toplanacak ve "demokratik özerk Kürdistan modeli" tartışmaya açılacak, siyaset meydanında kızılca kıyamet kopacaktı.

Benim bu konulardaki tutumum 1990'ların başından beri açıktı. Hem yazılarımda, hem 2003'de çıkan *Kürtler* kitabımda aynı şeyi savunmuştum.

Demokrasilerde şiddet ve silaha başvurmadan her şey tartışılır, savulunurdu. Özerklik de, federasyon da, ayrı devlet kurmak da bunların arasındaydı. Ama önkoşul olarak silah ve şiddet dışlanacaktı.

Mustafa Kemal de
1923'ün Ocak ayında
Kürtler için özerkliği savunuyordu ama...

Atatürk de bir zamanlar Kürtler için 'özerkliği' savunmuştu. İstiklal Savaşı'nın hemen arkasından, 16-17 Ocak 1923'teki İzmit Basın Toplantısı'nda, Ahmet Emin Yalman'ın bir sorusu üzerine, Kürt meselesinin 1921 Teşkilat-ı Esasiye Kanunu'nda belirtilen 'yerel özerklik' düzenlemesiyle çözüleceğini son derece açık bir dille söyleyen Mustafa Kemal'di.[5]

Türkiye'de Kürtler de silahlı mücadeleye, şiddet ve teröre hayır demek koşuluyla özerkliği, federasyonu ya da kendi bağımsız devlet kurma hakkını, yani 'ayrılıkçılığı' demokratik siyaset içinde, tıpkı Avrupa demokrasilerinde bir İspanya'da, bir İskoçya'da, bir Kuzey İrlanda'da, bir Fransa'da, bir İtalya'da olduğu gibi savunacaklardı.

Bu onların demokratik haklarıydı.

Demokrasiler bunu kaldırırdı, kaldırmalıydı.

Ve dünyanın sonu değildi böylesi taleplerle siyaset sahnesine çıkmak.

Ama eğer bu yoldaki demokratik talepler yasakçı zihniyetle, sopayla bastırılmak istenirse, işte asıl o zaman dünyanın sonu gelebilirdi.

---

4   *Milliyet*, 22 Ağustos 2010.
5   Hüseyin Yayman, *Türkiye'nin Kürt Sorunu Hafızası*, SETA RAPOR, İstanbul, 2011, s. 43.

Güney komşumuz Irak'a bakılabilir. Bugün resmen 'federasyon'la yönetilir, federal bir devlettir. Ama fiilen üçe bölünmüş bir ülkedir.

Kuzeyindeki federatif parçayı Kürtler yönetir. Resmi adı Irak Bölgesel Kürdistan Yönetimi'dir. Ya da kısaca **Kürdistan** diye anılır. Bizim Kürtler oraya Güney demekle yetinir. Irak'takiler de Güneydoğu Anadolu'ya Kuzey der. Ama aynı zamanda Kürdistan'ın 'batı'sı vardır Suriye'de kalan; 'doğu'su vardır İran'da kalan.

Hepsine birden, Kürdistan da derler, **Büyük Kürdistan** da...

Bugün Türkiye'dekiler dahil bütün Kürtler için Irak'taki Kürdistan Yönetimi 'özel'dir, hatta 'kutsal'dır. Nasıl İsrail devleti, bütün dünyadaki Yahudiler için özel ve kutsalsa, bütün Kürtler için de Irak'taki Kürt yönetimi öyledir.

Onunla gurur duydukları söylenebilir. Çünkü, Irak Kürdistanı 1990'lardan beri kökleri git gide güçlenen, 'devletleşen' varlığıdır Kürtlerin...

Ve bu varlığın kendini devam ettirmesi Kürtler için eski deyişle bir beka, bir ölüm kalım meselesidir. Bu nedenle, Irak Kürdistanı Türkiye'dekiler dahil bütün Kürtlerin üzerine titredikleri **kurtarılmış bölge** sayılır.

Bunu da açıkça ifade ederler.

Bu 'kurtarılmış bölge'de her şey Kürtçedir, okullarıyla, üniversiteleriyle, mahkemeleriyle, medyasıyla...

Bunu Türkiyeli Kürtler de bilir. Onun için çocuklarını Dohuk'a, Erbil'e, Süleymaniye'ye okumaya gönderen aileler yaşar...

Ya da 'kurtarılmış bölge'de, örneğin Erbil'de ev alan bazı Türkiyeli tanınmış -ancak sürgünde yaşayan- Kürtler vardır.

Özetlemeye çalıştığım bu olguyu anlamadan, Türkiye'nin iç politikasını da, dış politikasını da barış, demokrasi ve istikrar rayına oturtmak zordur.

Bunu anlamadan Kürt sorunu da kolay kolay yerli yerine oturmaz, nereye doğru gidebileceği konusunda kafa karışıklığı devam eder.

Şunu bilmek gerekir:

Her Kürt'ün kafasının bir yerinde 'bağımsız Kürt devleti' hedefi ya da hülyası yatar. Kimi açığa vurur, kimi vurmaz. Kiminde ise bu hülya olarak kalmaya devam eder, Türkiye'den ayrılmayı doğru bulmaz.

İskoçya'da seçimleri Britanya'dan ayrılma yanlısı bir parti kazanmıştır tek başına. Ama kamuoyu yoklamalarında bağımsız devlet konusundaki desteği ancak yüzde 20 civarındadır bu ayrılıkçı partinin.

Aynı durum Kuzey İrlanda ve İspanya için de geçerlidir. Seçimleri kazanan partiler, bağımsız devlet söz konusu olduğunda gerekli desteği bulamıyor.

Ama şu da vardır:

Bu ülkelerde İskoçlar, Kuzey İrlandalılar, Katalanlar Londra ve Madrit'ten yıllardır fazlasıyla 'özerk' biçimde, kendi parlamentolarıyla, kendi hükümetleri ve yerel yönetimleriyle, ana dilde eğitimleriyle kendi bayraklarının altında yaşamaya devam ediyor.

Fakat iş ayrılmaya, kopmaya gelince frene basıyorlar.

Günün birinde basmayabilirler de...

Çekoslovakya'da Çeklerle Slovakların barışçı biçimde el sıkışıp ayrı ayrı kendi yollarına gittikleri gibi...

Ancak, 2010 yılı sonunda benim savunduğum bir başka nokta, PKK-BDP çizgisinin başlattığı demokratik özerklik tartışmasının 'zamansızlığı'ydı; arabayı atın önüne koymalarıydı.

Türkiye'deki 'Türk sorunu'nun, 'Türk kamuoyu'nun ne kadar netameli bir mesele olduğunu yine gözardı etmeleriydi.

Öcalan'dan devlete
üç gizli protokol...

Kandil'de, bir ceviz ağacının altında, 25 Haziran 2011 günü Murat Karayılan sözü, Abdullah Öcalan'ın bir ay önce İmralı'da devlete verdiği 'üç protokol'e getiriyor, şunları söylüyor:

"Önder Apo devlete bir ay önce üç ayrı kısa, öz protokol sundu. Bunlar, çözüm protokolları...

Birinci protokol: Türkiye'de Kürt sorununda demokratik çözümün ilkeleri' başlığını taşıyor. Yani demokratik yeni anayasa konusu...

İkinci protokol: Türkiye'de devlet ve toplum ilişkilerinde adil bir barışa ilişkin ilkeleri konu alıyor.

Üçüncü protokol: Demokratik ve adil barış için acil eylem planı...

Her protokol ikişer sayfadan oluşuyor, çok yoğun metinler. Apo'yla bir ay önce görüşen devlet heyeti bu protokolleri reddetmiyor. 'Tartışılabilecek bir belgedir,' diyorlar ve devlet ve hükümetle bunu tartışacaklarını belirtiyorlar.

Biz buna cevap bekliyoruz.

Seçimin hemen sonrası, 14 Haziran İmralı görüşmesinde Apo bunun cevabını bekledi. Ama net ve somut bir cevap gelmedi."

Karayılan devam ediyor:

"Bu protokoller, demokratik ulus çerçevesinde yeni anayasayı içine alan, Türkiye'deki tüm kimliklerin tanınması temelinde toplumsal bir barış projesi öngörüyor. Tarafların karşılıklı olarak birbirlerini af temelinde, şiddetin tümüyle devre dışı kalması ve silahsızlandırmayla ilgili koşullar da yer alıyor protokollerde... Bir anayasa komisyonu kurulması isteniyor. TBMM'de grubu olan partilerden eşit sayıda üyenin katılımıyla... Sivil toplumun da, devlet bürokrasisinin de temsil edileceği bir komisyon..."

'Demokratik ulus' kavramını benim sorum üzerine şöyle özetliyor Karayılan:

"Tekçi değil çok kimlikli bir ulus... Her kimliğin ana dil hakkı olacak. Ademimerkeziyetçi sistem temelinde özyönetim hakkını da, doğru bir vatandaşlık tarifini de içeriyor, demokratik ulusun anayasal çerçevesi... Böyle bir sistem Türkiye'nin gönüllü birliğini pekiştirir, güçlendirir. Ve böyle bir temel üstünde kendi kendiyle barışık bir Türkiye'nin önü açılır."

Ceviz ağacının gölgesinde barışı konuşurken bir ara şöyle diyor:

"Tartışılacak her şey tartışıldı. Devletle Önder Apo her şeyi ama her şeyi konuştular. Şimdi adım atma zamanı..."

"Ama nasıl?.."

"Önder Apo'nun bir ay önce devlete verdiği üç protokolde atılabilecek adımların çerçevesi var. Aslında bu üç protokol, Başkan Apo'nun devlete 15 Ağustos 2009 tarihinde vermiş olduğu yol haritasının kısa bir özetidir.[6] Uzun lafı kısası, ikinci açılım olacaksa çerçevesi hazır..."

Karayılan, top Ankara'da diyor.

---

6   Öcalan'ın bu yol haritası, Ram Yayınları tarafından *Yol Haritası* adıyla 2011 Haziran ayında kitap olarak yayımlandı.

Neçirvan Barzani: "Barış
için altından fırsat var,
top Erdoğan'da. Ankara artık
'PKK realitesi'ni görmeli."

Kandil'den üç gün sonra, 28 Haziran 2011 sabahı Selahaddin'de görüşeceğim Neçirvan Barzani de Karayılan gibi barış konusunda topun Ankara'da olduğunu söyleyecekti.

Neçirvan Barzani, Irak Kürdistan Yönetimi'nde Başkan Mesud Barzani'den sonra gelen güçlü adam. Barzani'nin de yeğeni. 1987'de kalp krizinden ölen babası İdris Barzani yıllarını dağlarda geçirmiş çok önemli bir peşmerge komutanı...

Kürdistan yönetiminde 'Kürt dosyası'nı elinin altında tutan Neçirvan Bey bana şöyle diyecekti:

"Barış için altından bir fırsat var. Çünkü Tayyip Erdoğan yüzde 50 oy alarak zaferle çıktı seçimlerden... BDP de çok başarılı. Baraja rağmen meclise 36 milletvekili seçtirmek kolay iş mi? BDP'liler de bu sonuçtan mutlu olmalı. Ayrıca unutmayın, Öcalan'la da çok konuştu devlet bugüne kadar."

Neçirvan Barzani, bütün bunların barış açısından iyi bir altyapı oluşturduğu, 'birinci açılım'dan çıkarılacak derslerle yeni bir barış atılımı yapılabileceği kanısındaydı.

Kendisinden edindiğim bazı izlenimler satır başlarıyla şöyle özetlenebilir:

(1) Artık Ankara'nın 'PKK realitesi'ni görerek, bu realiteyi kabul ederek barışı planlaması...

(2) Ankara'da devletin çok başlı değil, bugün artık 'tek başlı' davranması...

(3) Ve PKK'nin esas liderinin İmralı'da hapis bulunduğu gerçeğinin bir an bile gözden kaçırılmaması...

(4) Öcalan'ın 'İmralı koşulları'nın barış kapısının açılmasındaki büyük önemine göre kısa vadeli adımlar atılması, orta ve uzun vadenin planlanması...

(5) Elbette Hatip Dicle'nin, KCK tutuklusu bağımsız milletvekillerinin durumu ve genel olarak KCK tutukluları konusunda 'olumlu gelişmeler' kaydedilmesi...

(6) 10 bin kişinin yaşadığı **Mahmur Kampı**'yla ilgili olarak bir 'iyi niyet gösterisi' yapılması...

(7) Ankara'yla PKK arasındaki 'güven bunalımı'nı zamanla giderecek adımların mutlaka düşünülmesi...

Neçirvan Barzani, sözü Erdoğan'a getirdikten sonra da şöyle diyecekti:

"Şu inkâr edilemez: Başbakan Erdoğan Kürt sorunuyla ilgili olarak çok önemli işler yaptı. Büyük siyasi riskler alarak yaptı. Bunlar unutulamaz. Ama bitmedi, daha yapılacak çok iş var barış adına..."

Ceviz ağacının altında Murat Karayılan'a soruyorum 25 Haziran 2011'de:
"Bir yanda Ak Parti, bir yanda BDP... Bu iki parti 12 Haziran'da Kürtlerin oylarını yarı yarıya paylaştı denebilir kabaca. Bu iki parti şimdi birbirlerine sırtını dönerse, birbirlerine giderek düşmanlaşırsa, barış yolu açılabilir mi?"
Karayılan:
"Doğrudur, AKP ile BDP, bu iki siyasi hareket birbirine sırtını dönerse barış yolu açılamaz. Bu konuda ilk girişim Başbakan'dan gelmeli..."
Şu sözler de Murat Karayılan'ın:
"Cumhuriyet devleti geçmişteki Kürt isyanlarının liderlerinin hepsini idam etti. Şimdi en son, en büyük Kürt isyanının lideri hayatta... Kürtlerle cumhuriyetin barışması için, kalıcı ve adil bir barış için isyanın önderiyle anlaşmalıdır devlet... Bunun için de isyanın önderinin rahat çalışması sağlanmalıdır."
Devam ediyor:
"Şimdi biliyorum deniyor ki, Öcalan 35 bin kişinin ölümünden sorumludur. Bu doğru değil. Peki o zaman 17 bin faili meçhulün sorumlusu kimdir? Çiller mi, Demirel mi? Silahsız bu kadar insan öldürüldü. Dersim'de 70 bin kişi... Zilan'da, Ağrı İsyanı'nda 30 bin civarında insan... Şeyh Said İsyanı'ndaki katliamlar... Bütün bunların sorumlusu kim, kimler peki?.."

"Kürt yoktur, Kürdüm diyenin
yüzüne tükürürüm!"

Yıl 1925,
Şark Islahat Planı:
Kürtçe konuşmak yasak!
Vilayet ve kaza merkezlerinde, hükümet ve belediye dairelerinde ve diğer kuruluşlarda, okullarda, çarşı ve pazarlarda Türkçeden başka dil kullananlar cezalandırılacaktır.[7]

---

7 12 Eylül askerî yönetimi 1983'te çıkardığı 2932 sayılı yasayla Kürtçe konuşulmasını

Bölgeye gidecek yabancı kişi ve kuruluşların hükümetten izin almaları gerekmektedir.

Ermeni mülklerine yerleşmiş Kürtler, yerleştikleri yerlerden çıkartılarak eski yerlerine veya batı bölgelerine gönderilecektir.

Dersim bir an evvel Kürtlüğe karışmaktan kurtarılmalıdır.

Olağan mahkemelerde ve sıkıyönetim mahkemelerinde asker ve sivil 'yerli' hâkim [yani Kürt] bulunmayacaktır.

Yıl 1930,
Adalet Bakanı Mahmut Esat Bozkurt:
Öz Türk olmayan hizmetçi olur!
"Benim fikrim ve kanaatim şudur ki, memleketin kendisi Türk'tür. Öz Türk olmayanların Türk vatanında bir hakkı vardır. O da hizmetçi olmaktır, köle olmaktır."

Yıl 1925,
Meclis Başkanı Abdülhalik Renda'nın Doğu Raporu:
Kürtleri Türk yapmak!
Türkçeyi hâkim dil haline getirmek...
Fırat'ın batısındaki vilayetlerin bir kısmında dağınık vaziyette yerleşmiş olan Kürtleri Türk yapmak...
On sene müddetle bölgede sıkıyönetim ilan etmek...

Yıl 1926,
Hamdi Bey Raporu:
Dersim bir çıban!
Mülkiye müfettişi Hamdi Bey'in raporundan:
Dersim gittikçe Kürtleşiyor.
Tehlike büyüyor.
Dersim, cumhuriyet için bir çıbandır.
Bu çıban üzerinde kesin bir ameliyat yaparak acı sonuç ihtimali önlenmelidir.

Yıl 1930,
Başvekil İsmet Paşa'nın 31 Ağustos 1930 tarihli *Milliyet*'te çıkan sözleri:
"Bu ülkede sadece Türk ulusu ırksal haklar talep etme hakkına sahiptir. Başka hiç kimsenin böyle bir hakkı yoktur."

---

yine yasaklamıştı. Bu yasak 1990'ların başında Cumhurbaşkanı Özal'ın girişimiyle kaldırılmıştı.

Yıl 1931,
Fevzi Çakmak Raporu:
Dersimli okşanmakla kazanılmaz!
Genelkurmay Başkanı Çakmak'ın raporundan:
Dersim cahildir.
Zorunlu iskan uygulanmalıdır.
Yüksek memurlara koloni [sömürge] yönetimlerindeki yetkiler verilmeli.
Türklük telkini yapılmalı.
Kürt kökenli yerli memurlar tümüyle bölgeden çıkarılmalı.
Dersimli okşanmakla kazanılmaz.
Silahlı kuvvetlerin müdahalesi, Dersimliye daha çok tesir yapar ve iyileştirmenin esasını oluşturur.
Türk toplumu içinde Kürtlük eritilmelidir.

Yıl 1932,
Şükrü Kaya Raporu:
Yerli memur casustur!
İçişleri Bakanı Şükrü Kaya'nın raporundan:
Kuzey Dersim halkı batıya göç ettirilmelidir.
Askerî harekât başlamadan önce tüm silahlar toplanmalıdır.
Yerli memurlar, [yani Kürtler] casustur.
Dersimlilere kendilerinin aslen Türk olduklarını öğretmek lazımdır.
Uçakların talim uçuşları Dersim üzerinde yapılmalıdır.

Yıl 1935,
İsmet İnönü Raporu:
Sınıra yakın yerlerin ve Elazığ, Erzincan, Erzurum gibi büyük merkezlerin Türkleştirilmesi önem arz etmektedir.
Bitlis'i bir Türk yuvası ve kalesi halinde tutmalıyız.
Erzincan Kürtleşirse, Kürdistan kurulabilir.

Yıl 1940,
CHP Raporu:
Kürtler Türkleştirilmelidir!
Kürt meselesi Türkiye'nin en mühim meselesidir.
Asimilasyonun ilk şartı dil öğretmektir.

Yıl 1961,
27 Mayıs Darbesi'nin raporu:
Kendilerini Kürt sananların kökenlerinin Türk olduğu ispatlanarak yayımlanmalıdır.
Bölgede asimilasyon politikalarına hız verilmelidir.

Kendini Kürt sanan nüfusun Irak Kürtleriyle bağları kesilmelidir. Dünya entelektüel muhitine Türkiye'de bir Kürt meselesi olmadığı anlatılmalıdır. Bir üniversiteye bağlı Türkoloji Enstitüsü kurularak kendini Kürt sananların menşelerinin Türk olduğu ispatlanarak yayınlanmalıdır.

Yıl 1961,
27 Mayıs Darbesi'nin lideri Orgeneral Cemal Gürsel 1961'de Diyarbakır'da der ki:
"Bu memlekette Kürt yoktur. Kürdüm diyenin yüzüne tükürürüm."[8]

Karayılan: "Habur talebi Erdoğan'ın kendisinden geldi."

Kandil'de bir yerde, ulu bir ceviz ağacının altında, 25 Haziran 2011 günü, 'barış'ı konuşmaya devam ediyoruz Murat Karayılan'la:

"Şimdi Başbakan diyor ki, biz inkârı aştık! Peki, bütün yaşanlar açığa çıkarmadan nasıl aştı? Türkiye'nin geçmişiyle yüzleşmesi lazım. Başbakan şunu diyebilmeli:

'Evet, Türk-Kürt kardeşliği bin yıl öncesine gider. Çanakkale'de, Kurtuluş Savaşı'nda ortak mücadele ettik. Fakat 1924 sonrası Kürt inkârı gelişmiş, benimsenmiş... Böylece isyanları bastırma süreçleri yaşandı. Büyük trajedilere neden olan bu inkâr politikası yanlıştı. Ve PKK, Öcalan bu inkâr siyasetinin sonucu olarak ortaya çıktı. Şimdi biz bu tarihsel yanlışı telafi ediyoruz.'

Başbakan çıkıp böyle dese...

Demiyor ki.

Oysa bunları söylese, kimse Öcalan'dı, PKK'ydi demez ki... PKK durup dururken ortaya çıkmadı ki...

Şimdi Başbakan bunları söyleyeceğine, kalkıp seçim zamanı, 'Ben olsam Öcalan'ı idam ederdim,' derse, o zaman bir hâkim de çıkar Hatip Dicle'nin milletvekilliğini düşürür, diğerleri KCK operasyonları, davaları için düğmeye basar.

Böyle toplumsal barış olur mu?.."

---

8 Hüseyin Yayman, *Türkiye'nin Kürt Sorunu Hafızası,* SETA Rapor, İstanbul, Şubat 2011.

2009 yılı yazına doğru açığa çıkan 'Kürt açılımı' ya da 'demokratik açılım'a getiriyorum sözü. 'Birinci açılım'ın neden çıkmaza saplandığını soruyorum Karayılan'a.

İlk tepkisi ilginç:

"Erdoğan kendi çalıp kendi oynamak istediği için başarısız oldu birinci açılım."

Sonra gülerek devam ediyor:

"AKP dedi ki, ben yapacağım bu işi. Başkasını muhatap almayacağım. Halbuki tango yapmak için iki kişi gerekmez mi? Kısacası birinci açılım tek ayaklı olduğu için başarısız kaldı. Erdoğan'ın elinde bir yol haritası var mı, yok mu, o da belli değildi birinci açılımda..."

Karayılan, 2009 yılı Ekim ayında birinci açılımı sona erdiren 'Habur olayı'nda kendilerinin bir kabahati olmadığı kanısında.

Söyledikleri şöyle özetlenebilir:

"Habur talebi Başbakan'ın kendisinden geldi. Barış adına somut bir adım diye, bir grup gelsin dedi. Bunu kendi partisine siyasi bir destek olarak görüyordu sanıyorum. İşte bakın artık dağdan iniyorlar havası... Biz de özenle seçtik Habur'a gidecek olanları... Herhangi bir hukuki problem çıkmasın diye özen gösterdim. **Önder Apo'nun Habur'la ilgili acaba ters teper mi diye bazı kuşkuları olduğunu da söyleyebilirim.** Yaşananlardan sonra Başbakan'ın kendisi kararını değiştirdi, birinci açılım da bitti."

Devlet, İmralı'yla görüşüyor, peki Kandil'le de görüşüyor mu?

Kandil'e gelirken kafamdaki sorulardan biri de buydu.

12 Haziran öncesi seçim kampanyası sırasında BDP'nin eski genel başkanı ve Hakkâri milletvekili Selahattin Demirtaş, Namık Durukan'a 19 Mayıs 2011 tarihli *Milliyet*'te bir demeç vermiş, "Başbakan, Kandil'le yapılan görüşmeleri de açıklasın," demişti.

Namık bu soruyu sorunca, Karayılan bir an durdu.

Sözcüklerini dikkatle seçmeye çalışarak özetle şunları söyledi:

"Devlet Kandil'le temas aradı ve kurdu. Ufak ufak başlatmıştı teması... Ama biz olmaz, doğru olmaz dedik. Kapadık, kestik bu yolu... Bizim için tek adres İmralı'ydı, önder Apo'ydu çünkü..."

Karayılan'dan edindiğim izlenim şu:

Anlaşılan Kandil'le temas aranması, Kandil'e bir kanal açılmak istenmesi, devletin 'bölücü bir faaliyet'i olarak değerlendirilmiş Kandil'de...

Ancak şu da bir sır değil. **MİT'le Kandil liderliği arasında** Irak Kürdistanı'nın Süleymaniye şehrinde yüksek düzeyde kararlaştırılan ve özenle tertiplenen bir gizli buluşma -**Emre Taner**'le Murat Karayılan arasında olabilir- son anda gerçekleşmemişti.

Bunun altında, bazı güvenilir kaynaklara göre, Anayasa Mahkemesi'ndeki DTP'ye ilişkin kapatma davası konusundaki bir gelişme yatar.

Şöyle dedi Karayılan:

"Sizinle iki yıl önceki Kandil görüşmemizde diyalog için dört seçenek sıralamıştım: Önderlik makamı, Kandil, DTP ve Akil Adamlar... Devlet artık önderlikle, yani İmralı'yla görüşüyor. Muhataplık meselesi yok bugün, bir tek Başkan Apo bizim tarafımızda..."

*"Sorun bizde, biz hâlâ
tek devlet olamadık."*

Karayılan böyle deyince, Cengiz Çandar'ın raporu aklıma takılıyor. 12 Haziran 2011 genel seçimlerinden hemen sonra çıkan, *PKK Nasıl Silah Bırakır?* başlıklı TESEV raporunda 'Üst düzeydeki bir devlet şahsiyeti' diyor ki:

"Devlet 1999'dan beri görüşüyor Öcalan'la. Çok zeki, çok tecrübeli bir adam... Apo'da sorun yok, sorun bizde... Biz hâlâ tek devlet haline gelemedik."

Hâlâ 'tek devlet' olamadık!

Raporda da yer alan bu tespit, Kürt sorunu bu ülkede neden bir türlü barışçı bir çözüm rayına sokulamadı, PKK niçin dağdan indirilemedi sorusunun yanıtı sayılabilir.

Meselenin yıllar yılı sadece 'asker tekeli'ne bırakılmış olması, Türkiye'nin maddi ve manevi kanamasında büyük rol oynadı. Hükümetlerin asker karşısında sergilemiş olduğu siyasal irade, siyasal kararlılık zaafiyetinin ya da teslimiyetin Kürt sorununun yıllar boyu daha kötüye gitmesinde, PKK'nin sahneye çıkmasında büyük payı oldu. Erbil'de birisinin söylediği şu sözleri anımsıyorum:

"Çözüm diyorsanız önce Ankara'da Türk hükümetiyle asker masaya oturmalı."

PKK nasıl silah bırakır, dağdan nasıl iner sorusuna ilişkin şifreleri çözmek isteyenler için, "Hâlâ tek devlet olamadık!" tespitinin yanı sıra, Cengiz Çandar'ın raporunda da yer alan şu saptamaları düşünmelerinde yarar var:

(1) Kürt sorunu PKK sorunudur.
(2) PKK sorunu çözülmeden Kürt sorunu da çözülemez.

(3) Kürt sorunuyla PKK sorununun iç içeliğini yerli yerine oturtmadan, dağdaki silahlı mücadeleyi anlamak ve sona erdirmek olanaksızdır.

(4) Türkiye otuz yıldır bir 'Kürt isyanı'yla karşı karşıya.

(5) İsyan nedir, terörizm nedir sorusunu düşünürken, isyan araçları içinde terör ve şiddetin araç olarak kullanıldığı gözardı edilemez.

(6) İsyan sona erecekse, o zaman 'müzakere' şart. Bu çerçevede unutulmaması gereken en önemli nokta 'isyan lideri'nin 1999'dan beri İmralı'da devletin elinde tutuklu olmasıdır.

(7) Ve PKK'nin dağdan ancak Kürtler için 'efsanevi bir figür' olan Öcalan'ın üzerinden inebileceği gözardı edilmesin.

Tek başlılık-çok başlılık konusunda Murat Karayılan bana 2011 yılı 25 Haziran günü şu yanıtı veriyor:

"Kürt hareketi bugün tek başlı... Önder Apo İmralı'da... Ve eğer devlet bu sorunu çözecekse her şey, tüm koşullar hazır... Erdoğan da yüzde 50 oy almış durumda... Daha ne bekliyoruz?"

Erdoğan'ın seçim kampanyası sürecindeki aşırı milliyetçi söylemi, "Yakalandığı sırada ben başbakan olsam Öcalan'ı asardım," beyanı, anlaşılan, pek o kadar da etkilememiş Karayılan'ı.

Ya da öyle gözükmek istiyor.

"Geçmişte de böyle şeyler söylemişti," demekle yetiniyor, seçim zamanı olur böyle şeyler demeye getiriyor.

> *Karayılan: "Bizi dağdan indirecek yegâne otorite Başkan Apo'dur."*

Öcalan'ın 'İmralı koşulları'nın PKK için ne kadar önemli olduğu bir kez daha dikkatimi çekiyor.

"Bizim liderimiz tutukludur, irademiz tutukludur. İmralı'daki koşulların düzeltilmesine ilişkin çalışma çok hayati," diyor. Ve Karayılan bir gerçeğin altını yine çiziyor:

"Bizi dağdan indirecek tek otorite vardır, o da Başkan Apo'dur, unutmayın."

Bir ara söz **Kemal Kılıçdaroğlu**'ndan açılıyor. Baykal'ın sahneden çekilmesini olumlu bir gelişme olarak gördükleri söylenebilir. "CHP bu seçim sürecinde Kürt sorununun çözümüne ilişkin yumuşak mesajlar verdi," demekle yetiniyor Karayılan.

Kılıçdaroğlu'nun Apo-devlet görüşmesine yeşil ışık yakmasını ya da "Çözüm için her türlü fedakârlığa hazırım," demiş olmasını önemsemekle birlikte, CHP ile ilgili olarak ihtiyatlı bir tavır içinde Karayılan...

Öğle yemeği için ceviz ağacının altından ayrılıp bir başka mekâna yürüyoruz. Alçak tavanlı kerpiçten bir köy evinin önünde, asma çardağı altında mükellef bir sofra. Kebap, çayda tutulmuş taze balık, tandır, pirinç pilavı, kaburga dolması, et kavurma, ciğer, yoğurtlu yaprak sarma... Hepsinin üstüne sineklerden korumak için iyi pişmiş lavaşlar serilmiş.

Aşçı nereli diye soruyorum. Karayılan gülerek "İstanbul'dan geldi," diyor. Gerçekten de İstanbul'dan dağa çıkan bir aşçıymış...

Ergenekon'la **Balyoz**'u konuşuyoruz öğle yemeğinde. 'Askerî vesayet'in çözülmesi açısından her iki davayı da önemsiyor. Askerin demokrasi içinde olması gereken yere yerleşmesinin oturmasının barışa sağlayabileceği katkının farkında...

Ama bu konu açıldığında, iki yıl önceki gibi, gündeme hemen 'Fethullahçılar'ı getiriyor. Gülen cemaatinin devlet içindeki gücünün abartıldığı kanısında Karayılan.

Ama şunun altını çiziyor:

"İki yıl önceki KCK operasyonları bir proje olarak Gülen cemaatinin polis ve yargıdaki uzantıları tarafından hükümete sunuldu, hükümet de bunu uyguladı. Gülen cemaatinin devlet içindeki bu uzantılarına **yeşil Ergenekon** denebilir. Ama şu sıralar bize gelen bir istihbarata göre, **yeşil Ergenekon** yerine, adı **Ötüken** olan yeni bir örgütlenme sahnede görülebilir yakında."

Murat Karayılan'ın bu sözlerinden öyle anlaşılıyor ki, iki yıl önceki Kandil görüşmemizde olduğu gibi, PKK, Gülen cemaatinden rahatsız.

Nedeni sır değil.

Fethullahçılar, Ak Parti ile birlik olup Kürtler içinde PKK'nin altını oymaya çalışıyor!

Böyle düşünüyor Karayılan...

Devlet, İmralı'daki Öcalan'ı kullanabilir mi? Bu soruya yanıtını uzatmıyor Karayılan:

"Kendini kullandırtmayacak kadar akıllı ve derinliklidir Başkan Apo."

Sohbet bir ara Amerika'dan açılıyor. Karayılan'ın Amerika'dan kaygıları yok değil.

Soru şu:

Arap Baharı dolayısıyla bugün Türkiye'ye Ortadoğu'da daha çok ihtiyacı olan **Amerika, PKK'yi satar mı?**

Öyle anlaşılıyor ki, bu soru işareti gelip çengelini Kandil'e asmış... Şöyle diyor Karayılan:

"Bir NATO gladyosu var Kürt sorununu çözmek istemeyen... Bu arada Batı, bölgede Kürt sorununu hep kullandı, çözülmesini istemedi. Böl-yönet oyununda kullandı Kürt sorununu... Bu oyunu ancak Türkler ve Kürtler birlikte çözer ki, bu da Türkiye'nin hayrına olur. Kendi kendimize çözelim."

Aslında Amerika'nın PKK'yi satabileceğine pek öyle ihtimal vermiyor. Bazen satar gibi yapıp yine de satmaz demeye getiriyor.

Bu konuda, Ankara ve Washington arasındaki İran'dan, İsrail'den, Suriye'den başlayarak uzanan anlaşmazlık ve farklı görüşlere bel bağlıyor anlaşılan...

Bunda gerçek payı var.

Amerika, PKK ya da 'Kürt kartı'nı elinden öyle kolay çıkarmaz.

Ya Şam, Beşşar Esad rejimi...

Ya da Tahran...

Bu başkentler, Ankara'yla anlaşmazlığa düştükçe, '**PKK kartı**'nı oynamazlar mı? Destek elini PKK'ye, ya da PKK içindeki 'taşeronları'na uzatmazlar mı?

Belki de uzatıyorlar.

Bu ihtimal hep masada...

Burası Ortadoğu!

Dengeler bıçak sırtında ve çok oynak. Oyunu iyi oynamak lazım, yoksa bir anda boşluğa düşebilirsin.

Güm güm güm!

İran yine havan topu atıyor. Alıştım, sabahki gibi tedirgin olmuyorum. Karayılan hiç oralı değil ve sözü tekrar barışa getiriyor:

"Biz burada oturuyoruz, barışı konuşuyoruz, onlar orada top atıyor," diyerek devam ediyor: "Başbakan'a, siyaset kurumuna, devlete sizin aracılığınızla seslenmek istiyorum: Biz Türkiye'nin gönüllü birlikteliği temeli üstünde barış yapmak istiyoruz."

Soruyorum:

"Türkiye'nin önünde sizin deyişinizle demokratik anayasal çözüm süreci ya da barış süreci açılmazsa ne olur?"

Karayılan'ın yanıtı kısa:

"**Devrimci halk savaşı!**"

Devam ediyor:

"Bu bir tehdit olarak algılanmasın. Kürt halkı seçimlerde demokratik anayasa için, demokratik özerklik için oyunu kullanmıştır. Ama karşımızda herhangi bir kıpırdama olmazsa, tam tersine karşı saldırılar başlarsa, ne yapabiliriz ki, direnmekten başka?.."

Böylece eylemsizlik, ateşkes sona erer demeye getiriyor:

"Eğer bu son gelirse, devrimci halk savaşı başlar. Bu da bugüne kadarkinden daha kapsamlı olacak. Hem kitlesel açıdan şehirlerde, hem dağda..."

Bu arada bir 'hedef değişikliği'nden, bir 'konsept değişikliği'nden söz ediyor Karayılan:

"Eğer saldırmazsa, hedefimiz **milli ordu** değildir. Öncelikle orduyu hedef almayız. Ordu sınırları bekler. **Demokratik özerklik** eğer fiiliyata geçerse, geçtiğinde kim saldırırsa hedef olur, polisse polis... Özerklik örneğin Hakkâri'de uygulanıyorsa ve polis saldırırsa, bizim açımızdan savunma olur. Demokratik özerklik kurumları var, halk meclisleri var. Kim onları hedef yaparsa, saldırırsa yanıtını alır. Uzun lafın kısası, bir konsept değişikliği var eylem hedefinde..."

Bu bir tehdit mi?..

Dik durmak mı?

Şurası bir gerçek:

Kandil'in eteklerinde, 25 Haziran 2011 günü, bir ceviz ağacının altında beş saattir barışı konuşuyoruz. En çok barıştan söz ediyoruz, savaştan değil.

"Türkiye'nin barış için önemli bir kavşakta olduğunu düşünüyoruz," diyor Karayılan. Bugün barış gerçeğini Öcalan da görüyor, aklı başındaki siyasetçiyle asker de görüyor.

PKK nasıl silah bırakır?

'PKK realitesi' nedir?

Kürt sorunuyla PKK arasına 'duvar' çekilebilir mi?

Bir zamanlar '**Kürt realitesi**'ni kabullenmekte zorlananlar, bugün aynı takıntıyı '**PKK realitesi**'nde sergilemeye devam ederse, sorunun silahla bağı koparılabilir mi, yani PKK böyle silah bırakabilir mi?

Ankara'da hâlâ "Kürt sorunu başka, PKK başka!" diyen bir bakış açısıyla ya da Başbakan Erdoğan'ın bu yakınlarda söylediği, "**Artık Kürt sorunu yok, PKK sorunu var!**" tavrıyla barış kapısı açılabilir mi?

O kadar çok soru işareti var ki hâlâ.

"Hasan abi, sen Dersimli
bir Zazasın yine..."

"Söyle Zagros."

Zagros'un sesinde alaycı titreşimler:

"Çözüme mi çalışıyorsun, gazeteye mi Hasan abi?.."

"İkisine de Zagros, ikisine de!"

"Barış umudun var mı Hasan abi?"

"Var tabii. Olmasa buralara yine gelmezdim. Her iki tarafın da sorumlulukları var, yapması gerekenler var. Önce parmaklar tetikten çekilecek, dağlarda silahlar susacak. Sonra kolayından zoruna doğru adımlar atılacak."

"Dogridir Hasan abi."

Kandil'den inme vakti geldi.

Zagros karanlığa kalmak istemiyor.

"Hasan abi, sen yine Dersimli Zaza'sın. Yıllar önce daga çıkan oğlunu görmeye geldin sabah vakti. Ama göremedin. Telefon numaranı alıp seni ararız deyip savdılar başlarından..."

"Dogridir Zagros!"

25 Haziran 2011, Cumartesi, akşamüzeri.

Kandil'den Erbil'e beş saatlik iniş yolculuğumuz başlıyor, Zagros'un Toyota pikabıyla...

Benim kulağımda, vedalaşırken Murat Karayılan'ın söyledikleri:

"İki yıl önce size yine Kandil'de dediğim gibi, biz piknik yapmaya çıkmadık dağa... Ama barış vakti geldi."

ÜÇÜNCÜ BÖLÜM

2009 yılı: Barış umuduyla umutsuzluk arasında sallanıp durmak!

2009 yılı Mayıs ayı,
Kandil'de bana soruyor Murat Karayılan
"1990'ların ilk yarısına mı dönülecek?" diye...

2009 yılının Mayıs ayı başında İstanbul'dan Erbil'e giderken, Kandil Dağı'na çıkacağımı gazeteye ve eşim dahil kimseye söylememiştim.

Çünkü birkaç yıl önce olduğu gibi yine son anda patron da devreye sokulup engellenebilirdim.

Uzun yıllardır 'Kürdistan seferleri'ni birlikte yaptığım Namık Durukan kuşkulanmıştı, ikide bir soruyordu:

"Kandil'e de çıkacak mıyız?"

İstanbul'dan Erbil'e uçakla geldik. Eskiden hep Habur üzerinden karayolunu kullanırdık. Atatürk Havalimanı'ndan yeni havalanmıştık. Iraklı bir Kürt, yapılan anonslara rağmen daha hâlâ cep telefonuyla konuşma çabasındaydı.

Yanımda oturan dedi ki:

"İyi de anonsları anlamıyor ki adamcağız. Hiç olmazsa Erbil uçağında Türkçe, İngilizce ve Arapçayla birlikte Kürtçe anons da yapılsa..."

Erbil'deki Rotterdam City Oteli'nin resepsiyonunda Kürtçe ve İngilizce konuşan genç bir Bangladeşli çalışıyordu. Gece yarısından sonra odama çıkarken internet şifresini bir kâğıda yazıp elime tutuşturdu.

Otele yerleştik, Kandil'e haber ettik, bekliyoruz. Bir akşam vakti Namık Durukan cep telefonunu uzattı:

"Kandil'den arıyorlar."

45

"Kim?"

"Murat Karayılan'ın medya sözcüsü Ahmet Deniz..."

Beni inandırmaya çalışıyor Ahmet:

"Merak etme Hasan abi, seyahat yorucu olmayacak, zahmetsiz olacak. Sabah çok erken biri gelecek otele sizi almaya..."

Uyku tutmadı, erkenden kalktım. Kandil stresi bastı anlaşılan...

2 Mayıs 2009

Erbil'den gün doğmadan yola koyulduk.

Milliyet'ten Namık Durukan ve *NTV*'den Çetiner Çeto'yla birlikte. Silopi, Şırnak taraflarından bir zamanlar kaçarak buralara yerleşmiş Azad da taksinin şoförlüğünü yapıyor ve Raina'da bizi kimlere teslim edeceğini biliyordu.

Bir Cumartesi günü.

Türk Hava Kuvvetleri'nin bir gece önce İran sınırına yakın, Kandil'in Zap-Araşin-Sideka taraflarına hava operasyonu düzenlediğine dair haberler çıkmıştı.

Yani heyecan da vardı.

Uzaklardan çölün kumunu getiren rüzgârlı, puslu bir hava.

İran sınırına, Raina'ya doğru yol alıyoruz.

Güneş yükseldikçe, dağlar seçilmeye başlıyor.

Elimden hiç düşürmediğim not defterim... Sürekli bir şeyler yazıyorum. Murat Karayılan'la sohbetin çerçevesini oluşturmaya çalışıyorum.

PKK için artık dağdan inme zamanı değil mi?

Silahlı mücadelenin süresi dolmadı mı?

Dağdan inmenin koşulları... PKK için bir af süreci nasıl başlayabilir?

> *Osman Öcalan: "PKK bitirilemez!*
> *PKK'yi bu yıl bitireceğiz, gelecek*
> *yıl bitireceğiz gibi resmi söylemler*
> *gerçeği yansıtmıyor."*

Bir gün önce yine Erbil'den çıkıp Süleymaniye yönüne gitmiştik, Apo'nun kardeşi Osman Öcalan'la görüşmeye.

1 Mayıs 2009.

Dere tepe yeşillenmiş, bahar patlamış.

Sağımızda Enfal Anıtı.

İnşaatı bitmek üzere. Enfal Şehitliği de deniyor. Yüksek bir tepenin üstünde, görkemli bir anıt.

Baasçı Saddam Hüseyin diktası 1988 yılında 182 bin Kürt'ün öldürülmesine yol açan büyük bir etnik temizlik gerçekleştiriyor Irak Kürdistanı'nda.

Büyük bir kısmının mezarı bile hâlâ bilinmiyor. Köyler yakılıyor, yerle bir ediliyor, insanlar zorla göç ettiriliyor.

Barzan aşiretinden 8 bin kişi bir gecede öldürülüyor. Bu korkunç katliamdan beri Mesud Barzani'nin memleketi olan Barzan'da kadınlar bugün bile simsiyah giyiniyor.

Peki, neden Enfal?

"Kuran'da Enfal suresi vardır, yok oluşu anlatan..." diyorlar.

Yavaşlıyoruz.

Yolun biraz ötesinde hareketli bir hazırlık var. Bir iki küçük çadır, bir de derme çatma sahne kurulmuş. Sahnenin üstünde, iki tahta direğin arasına sarı-kırmızı-yeşil renklerin hâkim olduğu bezden bir Abdullah Öcalan posteri çekilmiş.

İki teknisyen ses düzenini kurmakla meşgul. Bu arada marş benzeri gümbür gümbür bir müzikle küçük kızlar neşe içinde halay çekiyor.

Arabadan iniyoruz. Farkında bile değiller, eğleniyorlar. Bir delikanlı geliyor, düzgün bir Türkçeyle selamlıyor bizi. Kendi deyişiyle 'Kuzey Kürdistan'dan dört yıl önce gelmiş Erbil'e, üniversitede sosyoloji okuyormuş.

Apo tarafından 'alçak' ilan edilen kardeşi Osman Öcalan'ın yaşadığı Köysancak'a doğru yol alırken dalıyorum.

1994 olmalı.

Yine aynı yoldan, Madam Mitterrand adını taşıyan caddeden geçerek Heybe Sultan Dağı'na doğru vurmuştuk kendimizi. Biraz yukarısında iki taraf da İran sınırına gidiyordu. Sol taraf Kandil, PKK'nin üslendiği dağlar...

Biz o zaman ters yöne sapmış, PKK'lilerin 1992 sonrasında sığındığı Zeli Kampı'na gitmiştik.

Yağmurlu, fırtınalı berbat bir havaydı. Kaçakçı arabalarının bir zincirin halkaları gibi yavaş yavaş indiği dağa yılan gibi kıvrıla kıvrıla tırmanmıştık, "Allah bize akıl fikir versin," diyerek...

Köysancak, Celal Talabani'nin memleketi. Talabani'nin burada yaptırdığı Köysancak Üniversitesi'nin yanından geçiyoruz. Sokağın başında bizi bekleyen aracı takip ederek Osman Öcalan'ın duvarla çevrili, bahçe içindeki küçük evine sapıyoruz..

Ayakkabıları çıkarıp öyle giriyoruz eve. Televizyon açık. CNN Türk ekranında Taksim'den 1 Mayıs görüntüleri... Osman Öcalan'la futbol muhabbeti başlatıyorum. Abdullah Öcalan'la da böyle yapmıştım, 1993 yılı Nisan ayında Bekaa Vadisi'nde, Bar Elias'ta bütün gece süren sohbetimizde...

Osman Öcalan da Galatasaraylı. Çocuklukta ağabeyinin, Apo'nun etkisi mi? "Hayır, ondan değil," diyor, "Kürtler arasında Galatasaray'ın en çok tutulmasının nedeni renkleri. Sarı kırmızı forma, saha da yeşil. Kürt renkleri değil mi, sarı, kırmızı, yeşil?"

1958 doğumlu Osman Öcalan. İki erkek çocuğu, Felat'la Fırat, ortalıkta atom karınca gibi koşturuyor. Biri dört, biri iki buçuk yaşında.

"Çok geç baba olmuşsun."

"PKK'de evlenmek büyük suç ve günahtır. 2003'te PKK'den koptum. Evlilik ve çocuk sonra geldi."

Soruyorum:

"Senin kopuşun nasıl oldu PKK'den?"

"Üç nedenle... Birincisi, PKK'nin artık ABD ile AB'nin dostluğunu kazanması gerektiğini savundum. İran ve Suriye'ye mesafe konulmasından yanaydım. İkinci olarak, genel Kürt siyasal hareketi içinde Barzani'nin KDP'si ve Talabani'nin KYP'si ile çatışma değil, uzlaşma aranması gerektiğini düşünüyordum. Son olarak da evlenme, özel mülkiyet gibi bireysel hakların PKK içinde de kabul edilmesini istiyordum."

"Bu noktaya ne zaman geldin?"

"1991 yılında diyebilirim. Ama örgütün gündemine 1993'te getirdim. Kıyamet koptu. Haindir, satılmıştır, Amerikan ajanıdır, KDP ve KYP ajanıdır."

PKK'den 'şartlı idam' kararı çıkar. Ve üç yıl hapis...

Osman Öcalan, üç yıl boyunca eğer görüşlerinde ısrar etmez, görüşlerini yaymaya kalkışmazsa, darağacından kurtulacaktı. 1997'de hakkındaki idam cezası kaldırılır, Osman Öcalan tekrar PKK'nin zirvesine döner, yine kafasındaki 'reform' düşüncesiyle birlikte...

1999'da Apo yakalanır, PKK'de İmralı süreci başlar. 1999 ile 2003 arasındaki süreçte Osman Öcalan örgütü fiilen yöneten isimdir.

"İmralı sürecinde de savaş sürecinin bitmesinden yanaydım. **Savaş değil siyaset diyordum yine...** PKK dağ kadrosundan 800 kişiyi sağlık sorunları, yaş sorunları, dağa intibak sorunları nedeniyle 'sivilleştirelim, dağdan indirelim,' demiştim. Milis şeklinde halkın içine yerleştirilmelerini istemiştim. Apo ve kurucu üyeler o zaman bu teklifimi bile reddetmişlerdi, PKK'nin tasfiyesidir bu diyerek... Reform düşüncesi kabul görmedi."

"PKK değişmez mi?"

"Hayır değişmez. Bunu Türkiye'de en iyi devlet biliyor. Ayrıca, bugün Kürt siyasal ulusal birikiminin yüzde 95'i PKK'den yanadır. Kürt halkı, bütün Kürtler biliyor, Kürtlerin haklarını sahneye çıkaran PKK'dir, lideri Apo'dur. Bunun içindir yüzde 95'lik bir destek... Bir gerçek daha var: PKK bitirilemez! PKK'yi bu yıl bitireceğiz, gelecek yıl bitireceğiz gibi resmi söylemler de gerçeği yansıtmıyor."

"Neden öyle?"

"PKK kendini üretebilen bir güçtür. Türkiye'de sıkıntı doğarsa İran'da, İran'da sıkıntı doğarsa Irak'ta, Irak'ta bir şey olursa Suriye'de, orası da olmazsa Avrupa'da kendine her zaman militan bulur, buluyor da... Ayrıca alanı da çok geniştir PKK'nin, Kürdistan'ın coğrafyası da dağlıktır."

"Ne olacak o zaman?"

"**Evet, savaşın, silahın zamanı çoktan doldu. Artık dağdan inme zamanı! PKK bu haliyle gidemez. Ancak, PKK'ye siyaseten bir alternatif oluşturulmadığı sürece de PKK tasfiye edilemez.**"

"Peki bu yol nasıl açılır?"

"Başlangıç noktası aftan geçiyor, başka yol yok. **İşin püf noktası af!** Ayrım yapmadan ilan edilecek bir af. Şimdi deniyor ki, lider kadrosunun dışındakileri bırakalım. Olmaz. Lideri, lider kadrosunu dinlemeyen ancak yüzde 1, yüzde 2'dir. Diğerleri yine dağda kalır, inmez. Ama Türkiye'de devlet böyle bir affa direniyor."

> *"Dağlara bak abi, dağlara! Bu dağlara, taşlara bomba yağdırsan n'olacak ki, hikâye!"*

"Kaka, Raina'ya geldik mi?"

Üç saat geçti, yol bitmiyor!

"Daha var. Unutma, Raina Kürtlerin direniş tarihinde önemli bir yerdir. 1991'de, Körfez Savaşı sonrası Kürtlerin Saddam'a karşı ayaklandıkları ilk şehirdir."

Kandil Dağları karşımızda duvar gibi yükseliyor, arkası İran...

"Bu dağlar, isim değiştire değiştire Hakkâri'ye, Ağrı'ya kadar uzanır. Bu coğrafyadan PKK'nin temizlenmesi Talabani'nin de, Barzani'nin de işine gelmez. Çünkü PKK giderse, yerini İran desteğindeki İslami örgütler gelir. Ayrıca PKK'yi isteseler bile öyle kolay tasfiye edemezler."

Toyota marka pikaplar, İran'la Kürdistan arasındaki kaçakçılığı yürüten...

"Kaçakçılar eskiden çetelere mahkûmdu. Şimdi PKK hâkim onlara. Güvenlikleri sağlanıyor ama haracını veriyor. Ayrıca bu kaçakçılar PKK'nin de lojistiğini sağlıyor."

Kontrol noktaları...

Fotoğraf makinaları, not defterleri saklanıyor. Gazetecilerin bölgeye girmeleri, PKK ile temas yasak. Kürdistan yönetimi bunun sözünü Ankara'ya vermiş... Ama birkaç ay sonra eski Kürdistan başbakanı Neçirvan Barzani'den öğrenecektim, benim bu Kandil seferine göz yumulduğunu...

Kontrol noktalarında Irak Federal Cumhuriyeti'nin bayrağı tek tük. Genellikle Kürdistan bayrağı dalgalanıyor. Sarı kırmızı yeşil renklerin ortasındaki beyaz zemin üstüne bir güneş... İkinci Dünya Savaşı sonrasında 1945 ve 1946 yıllarında İran'da kurulan ilk bağımsız Kürt devleti Mahabad Cumhuriyeti'nin bayrağı gibi...

Raina'da çarşı ortasında duruyoruz.

İki sakallı genç yaklaşıyor.

Akşama dönüşümüzü bekleyecek olan şoförümüz Azad bizi iki kaçakçıya teslim ediyor. Nissan marka kaçakçı pikabının arkasına Namık ve Çeto'yla sıkışarak oturuyoruz.

Kandil tırmanışı başlıyor.

Dağ yoluna vuruyoruz.

"Tehlike bölgesine girdik. Türk savaş uçakları buralara kadar geliyor."

İlerlediğimiz yol, yoldan başka her şeye benziyor.

Kargacık burgacık, taşlı ve de daracık. Araba neredeyse her dakika patinaj yapıyor. Şoförün eli sürekli viteste, ayağı frende. En ufak telaş havası yok, kendinden emin direksiyon sallıyor, dağa tırmanıyor katır yolundan.

Sol tarafa bakamıyorum.

Öylesine bir uçurum ki sanki dibi yok.

Korkuyorum, hem de çok...

Fotoğraf çekmek yasak. Verbe Köyü'nü geçiyoruz. Bir Kürtçe kaset ciyak ciyak:

"Felek evin yıkılsın!"

Deli miyim neyin, bunları bile not alıyorum.

Çukura düştük, tekerlekler boşa dönüyor. Arazi vitesiyle kurtulmaya çalışıyor. Gözlerimi kapıyorum. Hasan Cemal bunun bir de dönüşü var!

"Dağlara bak abi, dağlara! Bu dağlara bu taşlara bomba yağdırsan n'olacak ki! Hikâye..."

O kadar da güzel dağlar ki.

Bahar gelmiş, etraf yemyeşil.

Kaya diplerinden fışkıran turuncu renkli ters laleler, kıpkırmızı gelincikler, ceviz ağaçları, hele çiçek açmış nar ağaçları... Kürdistan dağlarında yetişen ters laleleri ilk kez görüyorum. Hakkâri taraflarından Hollanda'ya ihraç ediliyormuş ve Amsterdam çiçekçilerinde çok pahalıya gidiyormuş...

Uçurumdan kurtulduk.

Vadiye doğru iniyoruz. Bir yanımızdan gürül gürül akan su... Yol da düzeliyor.

Yolun bir kenarında sırık benzeri direkler ve üstünde teller dikkatimi çekiyor. PKK bu bölgede akarsudan elektrik üretip kullanıyormuş...

Farkında değiliz, PKK'nin Bote Kampı arkamızda kalmış. Bir ara bir suya dalıyoruz, paldır güldür, sonra bir kez daha...

Ve silahlı PKK'liler karşımızda!

Haki üniformaları, ellerinde Kalaşnikofları... İçlerinden biri, yüzüne yayılan bir gülümsemeyle bana doğru yürüyor.

"Hasan abi hoş gelmişsen!" der demez sesinden tanıyorum onu, "Vallahi Ahmet, o kadar zahmetsiz bir yolculuk oldu ki," deyince kahkahayı atıyor.

Üçüncü kez araba değiştiriyoruz.

Erbil'den yola çıkalı altı saat geçmiş. Dağların arasından giderken ikili üçlü dolaşan, biz geçerken meraklı gözlerle süzen gerillaları görüyorum, aralarında kızlar da var.

"İhtiyaç molası" diyorlar.

Suyun kıyısındaki bir köy evinde demli çaylar içiliyor, bu arada cep telefonlarımızı dönüşte almak üzere burada bırakıyoruz.

Anlaşılan yaklaştık Murat Karayılan'a.

Etrafta kızlı erkekli, elleri silahlı gerillalar çoğalıyor. Kerpiçten, tek katlı bir köy evinin kapısından çıkıyor Murat Karayılan...

Karayılan: "Artık kan dökülsün
istemiyoruz. Çünkü yıllar geçer yine
aynı noktaya geliriz."

Basık tavanlı odadaki bir masanın çevresine oturuyoruz. Murat Karayılan, PKK'nin beş kişilik Başkanlık Konseyi'nden iki başkan yardımcısıyla birlikte.

Bozan Tekin, Şanlıurfa'nın Bozova'sından, 1980'le 2000 arasında 20 yıl hapis yattıktan sonra dağa çıkmış.

Öteki Başkan Yardımcısı, gerçek adı Nuriye Kesbir olan **Sozdar Avesta**. Hollanda'da yaşarken yargılanmış, Türkiye'ye iadesi gündemdeyken kaçmış, Kandil'e, dağa çıkmış.

Karayılan'ın yanındaki üçüncü kişi **Ahmet Deniz**...

Karayılan'ın mesajları olumlu. Negatif değil pozitif konuşuyor. "Öncelik, silahların susmasıdır, kimse kimseye saldırmasın," diyor. Taraflar arasında diyalog kurulması için somut bir mekanizma önerirken de şöyle diyor:

"Önemli bir eşikteyiz!"

1993 yılı baharında, PKK tarafından ilan edilen tek taraflı ateşkesle de 'büyük bir barış fırsatı' ele geçirildiğini belirtiyor.

16 yıl geçmiş.

O tarihte başbakanlık koltuğunda Demirel oturuyordu. Karayılan, 1993'te 'siyasal irade boşluğu' olduğu ve sorun, zamanın hükümeti tarafından tümüyle askere havale edildiği için bu fırsatın heba edildiğini söyledikten sonra şöyle diyor:

"Barış fırsatı bu defa kaçmasın. Artık kan dökülsün istemiyoruz. Çünkü yıllar geçer, yine aynı noktaya geliriz. Kan kaybeder Türkiye. Askeri yöntemlerle PKK bitirilemez; 25 yıl denendi bu ama olmadı."

Bir noktayı vurguluyor:

"Öncelik, silahların susmasıdır."

"Yani silah bırakma değil."

"Silah bırakma sonraki aşama... Önce silahların susması gerekiyor. Kimse kimseye saldırmasın. Bu işi kendi aramızda konuşmaya başlayalım önce... Silahla değil, diyalogla işe başlayalım, biz bize konuşalım."

Araya giriyorum:

"Nasıl olacak bu? Bir yanda devlet, bir yanda PKK mi?"

Karayılan'ın somut bir teklif yapıyor:

"İlk adımda silahlar susacak... Sonra diyalog başlayacak... Diyalog yeri İmralı'dır... Kabul edilmiyorsa, diyalog yeri biziz... Bizi de kabul etmiyorsa, siyasal olarak seçilmiş iradedir... (Burada DTP'nin adını zikretmiyor, ama ben belirtince başıyla onaylıyor) Bu da olmuyorsa, o zaman ortak bir komisyon kurulur bir yerde, akil adamlar bir araya gelir. Örneğin İlter Türkmen, [eski Dışişleri Bakanı ve büyükelçi] gibi, sizin gibi insanlar toplanır, böyle bir mekanizma harekete geçer, çalışmaya başlar... Böyle bir mekanizma muhatap alınır diyalog için, devlet tarafından..."

Ekliyor Murat Karayılan:

"Neden olmasın, niçin böyle bir mekanizma oluşturulmasın ki?.."

Neden oluşturulmasın diye sorunca, Karayılan da soruyor:

"Siyasi irade mi yok? Boşluk siyasal alanda mı? İnsanın aklına takılıyor, 2005'in Başbakan Erdoğan'ı nerede diye..."

> *"Kürt sorunu konusunda 2005'in Erdoğan'ı nerede, 2011'in Erdoğan'ı nerede?"*

Başbakan Erdoğan, 2005 yılı Ağustos ayında Diyarbakır'a gelmiş, Kürt sorununun adını da koyarak bir konuşma yapmıştı. Kürt sorunu için 'hepimizin sorunu' diyebilmiş, daha önemlisi Türkiye Cumhuriyeti devletinin bu konuda 'hataları' olduğunu da söyleyebilmişti.

Bu bir ilkti.

Türkiye'de bir başbakan ilk kez bu açıklıkta Kürt sorunu diyor, bu sorunun herkesin, hepimizin sorunu olduğunu vurguluyor, arkasından da devletin geçmişte bu konuyla ilgili yanlışlarına işaret ediyordu.

Karayılan, 2009'un Mayıs ayı başında, "Nerede 2005'in Erdoğan'ı?" derken haklıydı. Türkiye 2011'de 12 Haziran genel seçimlerine giderken Erdoğan, "Artık Kürt sorunu bitmiştir, sadece Kürt kardeşlerimin sorunları vardır, PKK sorunu vardır," diyerek 2005'teki çizgisinden iyice uzaklaşacaktı.

Seçim kampanyası sırasında, daha çok 'milliyetçi oy' alabilmek ve MHP'yi yüzde 10 barajının altına çekmek için, "Ben 1999'da Başbakan olsam Öcalan'ı asardım," bile diyebilecek kadar kendini milliyetçi dalgalara kaptıracaktı.

Bunun üzerine ben de *Elde yağlı urganla siyaset yapılmaz demokrasilerde* başlıklı bir yazıyla Erdoğan'ı çok sert eleştirecektim.[1]

---

1 *Milliyet*, 11 Haziran 2011.

Karayılan'la 2009'un Mayıs ayı başındaki Kandil sohbetimizde bir konuyu sürekli olarak gündemde tutmaya çalışıyorum:

PKK'nin silah bırakması, PKK'nin dağdan inmesi...

Bir ara şöyle diyor:

"Bakın, biz aklımızı yitirdiğimiz için çıkmadık dağa. Piknik yapmak için de dağda değiliz."

PKK'nin dağdan inmesi söz konusu edilince, Karayılan'ın yüzüne müstehzi bir ifade yayılıyor.

Bunun öyle söylendiği gibi kolay olmadığını, bu aşamaya gelinceye kadar yapılması gereken başka işler olduğunu anlatan bir yüz ifadesi bu aynı zamanda...

Sıkıştırınca şu tepkiyi veriyor:

"PKK silah bıraksın söylemi havaya, yani boşa sıkılmış bir kurşundur. Bıraksın da nereye bıraksın? Nasıl bıraksın? Kime bıraksın? Zemini nedir silah bırakmanın? Silah bıraksın demenin bir anlamı yok. Önce oturalım, konuşalım."

Karayılan'a göre PKK'ye 'terör örgütü' demekle bir yere varmak olanaksız. PKK'nin aynı zamanda Kürtlerin özlemlerini yansıttığını, bu nedenle desteğini aldığını söylüyor.

Ve hep şunu ekliyor:

"PKK eski PKK değil artık."

Değişim nedir sorusuna ise özet olarak şu yanıtı veriyor:

"PKK eskiye göre daha makul bir çizgide. Örneğin evvelce **bağımsız Kürt devleti** isterdi. Bu geçmişte kaldı. Yani artık 'bölücü' değil. Kürtlerin Türkiye Cumhuriyeti sınırları içinde **eşit ve özgür** olarak yaşamalarını istiyoruz. Şunu belirtmek isterim. Bu bir taktik değildir. Bölücülüğü, yani bağımsız devleti dışlayan süreç 1993'te başladı, 1999'da İmralı [Öcalan'ın ömür boyu hapse mahkûm edildiği yıl] ile başladı. Paradigma değişti."

"Nasıl değişti?"

"Bakın biz artık **demokratik özerk Kürdistan** diyoruz. Bu özerklikten kasıt, federasyon değildir. Sınırların yeniden çizilmesi değildir. **Devletin üniter yapısını da bozmayan bir çözümdür. Mahalli İdareler Kanunu değişir**, yerel yönetimler güçlendirilir."

Bunları belirttikten sonra bir noktayı yine vurguluyor:

"İlk önce silahlar susmalı!"

"Sonra?"

"Sonra sıra, Kürt kimliğiyle ilgili kültürel haklara ve kimilerinin af olarak anladığı 'toplumsal uzlaşma projesi'ne gelir.

Bu iki taraflı bir konu.

Bir tarafta silahlı isyanlar yapılmış... Diğer tarafta inkâr politikaları izlenmiş... Bunların tahribatları yaşanmış... Kürtlere karşı, bize karşı 17 bin küsur faili meçhul cinayet var... Evet, bizim yaptığımız bazı olumsuzluklar da var. Onun için bu **toplumsal uzlaşma projesi** diyoruz. Bu karşılıklı, iki taraflı bir şey. Bu proje karşılıklı olarak birbirini affetmektir. Gönüllü birlikteliği yansıtacak yeni bir anayasada uzlaşmaktır."

Şunu ekliyor:

"Bütün dileğimiz, Kürtlerin kendi kültürlerini özgürce yaşamalarıdır."

Karayılan'ın kafasında bir soru var:

"Yeniden 1990'ların ilk yarısına mı dönülecek?"

Özellikle 1994'e...

Yani Güneydoğu'da yangının birden bire parladığı döneme...

Soruyor Karayılan:

"Hükümet, 1990'ların başındaki gibi yine her şeyi askere mi havale edecek?"

Bunun yanıtını arıyor:

"1993'te Özal öldü ve bir barış fırsatı kaçırıldı. Özal, Kürt sorununu görebilen ve onu çözmek için ciddi biçimde kafa yoran bir liderdi. 1993'te Özal öldü ve 1994 hakikaten korkunç geldi"

Öcalan'ın 1993 yılı Nisan ayında, Bekaa'da bana söylediği gibi, Karayılan da Kürt sorunu konusunda Özal'a son derece olumlu bir yer biçtikten sonra devam ediyor:

"Yeniden 1994'ü andıran bir saldırı mı geliyor? Bir şeyler hissediyoruz ama emin değiliz. Erdoğan hükümeti, sorunu askere havale eder ve bir kez daha kan gölü yaşanır mı? Siz ne düşünüyorsunuz?"

29 Mart 2009 yerel seçimlerini izleyen dönemi okumaya çalışıyor Karayılan.

Seçimlerde, iktidar tarafından DTP oylarının düşmesini öngören bir senaryo yazıldığını, Tayyip Erdoğan'ın buna çok angaje olduğunu ve kendine fazla güvendiğini, ancak 29 Mart'ta hayal kırıklığına uğradığını, çünkü DTP'nin yerel seçimlerden oylarını da, belediye başkanlıklarının sayısını da arttırarak çıktığını anlatıyor. Bu senaryoda askerin rolüne de üstü örtülü biçimde işaret ederken şöyle diyor:

"29 Mart öncesinde bir tasfiye senaryosu yazıldı. DTP oylarının düşmesine dayalı bir senaryo... Ama gerçekleşmedi. 25 yılın en sakin kışını yaşadık. 29 Mart'a kadar bekledi asker. Demek asker de bekleyebiliyormuş..."

Bu son cümleyi alaylı bir dille söyledi, devam etti:

"Asker neden üzerimize gelmedi seçim döneminde? Ama bundan yine de umutlandık biz. Bazı çözüm emareleri gözüktü. Ordunun da yer aldığı yeni bir aşama olabilir diye düşündük. Ama olmadı. Seçimlerin hemen ertesi günü, 30 Mart'ta operasyonlara başladı asker, öyle büyük çapta olmasa da... 14 Nisan'da ise bu kez DTP'yi hedef alan operasyon için düğmeye basıldı."

Karayılan, dört saatlik Kandil sohbetimiz sırasında sözü sık sık Başbakan Erdoğan'a getiriyor. Erdoğan'ın 2005 yılı Ağustos ayında Diyarbakır'da yaptığı konuşmaya değiniyor. Karayılan, Erdoğan'ın bu konuşmasından bugüne bir şey kalmadığına belirtirken şu noktayı vurguluyor:

Ankara'da siyasi irade boşluğu...

Murat Karayılan:

"İyimser olamıyorum. En başta siyasi bir irade yok Kürt sorunu konusunda. Bu irade yokluğu çok ciddi bir sorun. Bugün artık generaller de farklı bir şeyler söylemeye başladılar. Ama siyasi irade nerede?"

Devam ediyor:

"1994'te İstanbul Büyükşehir Belediye Başkanı iken, üstüne vazife de değilken, Kürt raporu hazırlayarak partisinin liderine veren Erdoğan bugün nerede?.."

Özetle şunları söylüyor:

"Biz on yıl önceki PKK değiliz. Silahlı mücadeleyi de klasik yöntemlerle yapmıyoruz artık. Meşru savunma çizgisi temelinde çalışıyoruz. Kitle faaliyetlerine, sivil itaatsizliğe, siyasal çalışmaya ağırlık veriyoruz. Ama bu arada altı yedi bin silahlı insanı ne yapacaksınız? Onlar bir yerde kazanımların, meşru savunmanın güvencesi... Biz insan ölümünü istemiyoruz. Son dört yıldır sınırlı bir savaş içindeyiz. 1993, 1994'teki gibi değil. Kırsal alanda, üstüne gelirse kendini savunursun."

Sonra da şunu ekliyor:

"Yeni dönemde yeniden bir savaş dayatılırsa... Bunu düşünmek bile istemiyoruz. Böyle bir dayatma halinde, 1990'ların ilk yarısındakini aşar, çok daha şiddetli olur, iki taraf açısından da..."

Murat Karayılan 1956'da Suriye sınırındaki bir köyde doğmuş. Gaziantep Makine Yüksek Okulu'nu bitirmiş. 1970'lerin başında, daha ortaokul sıralarındayken 12 Mart döneminde **Deniz Gezmiş'lerden** etkilenip 'solcu' olmuş...

Kandil Dağı'nın eteklerindeki iki odalı köy evindeki dört saatlik sohbetimizde soruyorum: "Başbakan Erdoğan hükümetine bir çağrınız varsa, bunu bir, iki, üç, dört diye satır başlarıyla nasıl özetlersiniz?"

Bir süre konuşmuyor. PKK'nin Başkanlık Konseyi üyeleri Bozan Tekin ve Sozdar Avesta'yla bakışıyor. Önce başka konulara değiniyor, sonra yanıtlıyor sorumu:

"Hükümet, sorunu yeniden askere havale etmesin. Kürt sorununda silahları devre dışı bırakabiliriz.

Askerde eskiye göre biraz daha farklılık var, değişiklik var. Ama buna karşılık siyaset eksiği var, liderlik eksiği var.

Hükümet bir açılım yaparsa, biz de gerekeni yaparız. Keşke bir adım atılsa...

Bizim sorumlu bir duruşumuz var. Başkanımız halen hapistedir. Dört bin PKK'li de hapistedir, bunu unutmayın.

Biz yerel seçimlerle birlikte bir yumuşama beklerken, tam tersi oldu. DTP'ye dönük operasyon, bastırma başladı. Bu bir 'siyasal katliam'dır.

Başbuğ, PKK'yi bitirmek için bu yılın bir şans olduğunu söylüyor. 'Uluslararası konjonktür de müsait PKK'yi bitirmek için,' demek, gerçekleri görmemektir. Biz siyaset diyoruz. Bakın, 1999 şokunu [Öcalan'ın yakalanması] yaşamış olan bir PKK bir daha bitmez. PKK hem dağa dayanır, hem kitleye dayanır çünkü... (Biraz durup devam ediyor) Ne yani şimdi **Amerika gelip bizi dağda mı bitirecek?**

Kürtleri asimile etmeye dönük politikalar başarılı olmadı. PKK'yi bitirmeye dönük politikalar başarılı olmadı.

Şimdi siyasal çözüm şansı vardır, koşullar olgunlaşmıştır. Bu fırsatı kaçırmayalım. Batı'daki, bölgedeki bazı ülkelerin Kürt sorununda çözümsüzlüğe oynayan politikaları Türkiye'nin zararınadır. Kürt sorununu çözen bir Türkiye, bölgede lider olur. Bunun için toplumsal uzlaşmaya ihtiyaç vardır.

Hani ne diyorlar, empati... Evet biraz empati! Artık ne asker ölsün, ne biz ölelim.

Uzattığımız el havada kalmasın!"

Devrin Genelkurmay Başkanı Başbuğ'un son basın toplantısına da değiniyor. Dağda, televizyondan dikkatle izlemişler toplantıyı.

Biraz alaylı bir dille diyor ki:

"Başbuğ bizi de insandan saydı. Hani, 'Terörist de insandır!' dedi ya... Bu da bir gelişme..."

Karayılan'ı dinlerken defterimin bir kenarına not ediyorum. PKK'nin bir numarası her seferinde "Kürt sorunu bizden sorulur; bu sorun çözülecekse, ancak bizimle çözülür," demeye getiriyor.

PKK ile Kürt sorununu özdeş kılan bu söylem, "PKK'nin üstüne gelmek, PKK'yi dışlamak, Kürt sorununda çözümsüzlüğe oynamaktır," diye ifade edilebilir.

Öcalan'la Karayılan'ın ABD, AB,
İsrail ve İran tahlilleri...

Karayılan AB'yi, özellikle Fransa'yla Almanya'yı eleştiriyor. Her iki ülkenin Türkiye'yi AB'de görmek istemediklerini, onun için de bu ülkelerin Kürt sorununda çözümsüzlüğe oynadıklarını belirtiyor. Bu durumu, Türkiye'de siyasetin, Başbakan Erdoğan'ın okuyamadığı kanısında Karayılan:

"Fransa'sı, Almanya'sı seni AB'de görmek istemiyor. Onun için de Kürt sorunu çözülsün istemiyorlar. Bu sorun çözülmeyince, çatışma devam edince, bu ülkelerin sana karşı söyleyecekleri bin türlü lafı olacak seni AB'ye sokmamak için... İnsan hakları diyecekler, bin türlü şey diyecekler.... Bu durumu okuyamıyor Türkiye..."

AB böyleyse, **ABD** nasıl? Yanıtı şu:

"Başkan Bush Amerika'sı da Kürt sorununda çözümsüzlüğe oynadı. Aslında Lozan'dan beri Kürt sorununda çözümsüzlük siyaseti sürüyor Amerika'nın. Bunu **Türkiye'ye karşı bir koz** olarak tutuyor. Örneğin **İsrail**'in de işine geliyor **çözümsüzlük hali**. Böylece Türkiye'nin İsrail'e ihtiyacı olacak, İsrail'in Heron uçaklarına Türkiye'nin ihtiyacı olacak [Türkiye'nin İsrail'den satın aldığı pilotsuz keşif uçakları, Kandil'in tepesinde uçarak PKK hedefleri saptıyor]. Bölgede **İran** da istemez Kürt sorununun çözümünü, benzer nedenlerle... Hepsi çözümsüzlüğe oynarlar Kürt sorununda..."

"Obama Amerika'sı ne yapacak?"

"Emin değilim. Obama da Bush gibi mi yapacak, yani çözümsüzlüğe mi oynayacak? Keşke siyasi çözümü içtenlikle istese Obama Amerika'sı... Ne yapacak, kestiremiyorum. Çözüme büyük katkısı olur Amerika'nın..."

Karayılan'ın Kürt sorunuyla ilgili Amerika-Avrupa tahlilleri Öcalan'ın bu konudaki tahlilleriyle paraleldir. 13 Mayıs 2011 tarihli Fırat Haber Ajansı'nın haberinde Öcalan, İmralı'da avukatlarına şöyle der:

"ABD elçisinin basına yansıyan açıklamaları oldu. ABD son 60 yıldır **Kürtlerin kültürel soykırımı** politikası üzerinde siyaset yapmaktadır.

ABD, Türkiye'nin İsrail ile birlikte bu bölgede, Ortadoğu'da ve Kafkasya'da desteğini alabilmek için Kürtlerin kültürel soykırımına destek vermiştir ama Türkiye tarafından tümden ortadan kaldırılmasına da izin vermemiştir. **Tavşana kaç tazıya tut** politikasını uygulamıştır. Kürtleri hep yaralı bırakmıştır, ne öldürmüştür ne de iyileşmesine izin vermiştir. **ABD ve İngiltere** bunu hep böyle sürdüre gelmiştir. Sıkıştırdığında Kürt'e kaçmak için Kuzey Irak'ta ona açık bir kapı bırakmıştır. **Hem Türkiye'yi hem de Kürtleri böylece kendine bağlı hale getirmiştir.** ABD bilsin ki devir değişti, Kürtler eski Kürtler değildir, ben de Şeyh Said değilim. Kürtlerin özgürlük mücadelesini artık hiçbir güç engelleyemez."

Karayılan: "Silahlı mücadele olmasaydı, Kürtler biterdi!"

Murat Karayılan'a iki soru soruyorum.

İlki şu:

"PKK 1984'te Eruh ve Şemdinli baskınlarıyla silahlı mücadele başlatmamış olsaydı, bu kadar kan ve gözyaşı akmamış olsaydı, Kürt siyasal hareketi barışçı yöntemlerle bugün çok daha güçlü olmaz mıydı?"

Karayılan'ın yanıtı:

"Hayır olmazdı. Büyük ihtimalle biterdi Kürtler. Unutmayın bir zamanlar evde bile Kürtçe konuşmak yasaktı. İnsanlar kendi evinde bile Kürtçe konuşmaya korkardı. Silahlı isyan büyük yıkıntılara, üzüntülere yol açtı ama bu süreçtir, Kürt gerçeğini Türkiye'de sahneye çıkaran... İsmail Beşikçi Hoca, Şemdinli ve Eruh'la başlayan süreç için, 'Kürt teslimiyetçiliğine sıkılan kurşundur,' der."

İkinci sorum:

"PKK bugün önkoşulsuz, herhangi bir koşul öne sürmeksizin silah bıraksa, dağdan inse, Kürtler için daha iyi olmaz mı? Kürt siyasal hareketi daha güçlenmez mi?"

Karayılan'ın cevabı:

"Sanmıyorum. Bakın, DTP bu kadar oy aldı, Meclis'e girdi. Başbakan elini uzatmıyor DTP'ye. [Devrin] Genelkurmay Başkanı Başbuğ tanımadığını söylüyor. Bu arada Başbuğ, bireysel, kültürel haklara taraftar olduklarını, kolektif haklara karşı çıktıklarını söyledi.

Biz şimdi hiçbir şey olmadan silah bıraksak, her şey çok daha beter olur bizim açımızdan..."

Yemeğe geçiyoruz, pilav ve kebaplardan oluşan...

Irak Kürdistan Bölgesel Yönetimi, Washington ve Ankara'yla birlikte PKK'yi nereye kadar tecrit edebilir? Bunu ne kadar ister? Ya da PKK'yi Kandil Dağı'ndan çıkarabilirler mi?

Karayılan kendinden emin:

"Barzani'yle Talabani bize karşı hareketliliğe geçerlerse kendileri kaybeder."

Barzani-Talabani ikilisinin Washington ve Ankara'yı tatmin etmek için Kuzey Irak'ta PKK'ye hayatı zorlaştırmak istedikleri malum. Bunun için PKK'ye bazı açılardan, özellikle KDP tarafından baskı uygulanıyor bölgede. Ancak bu baskının bir sınırı var. Bir ölçünün ötesine gitmek güç.

PKK'ye karşı Kuzey Irak'ta Kürt yönetimi tarafından yapılacakların bir sınırı var. İki taraf da bunun bilincinde. Ayrıca, "Kürt'ü Kürt'e kırdırma"nın artık geçmişte kaldığı biliniyor.

PKK'nin uzun yıllar içinde Irak Kürtleri arasında da kökleri oluşmuş durumda...

Karayılan'la sohbet sırasında dikkatimi çekti. Talabani ve Barzani'yle ilgili olarak konuşurken kendinden emin, kendine güvenen bir hali vardı. Talabani'ye dönük sempatisini pek saklamadı. Ağzından mı kaçtı bilemiyorum ama, sohbetin bir yerinde gülerek şöyle deyiverdi:

"Mam Celal, Ankara'nın duymak istediklerini çok iyi söylüyor. Mesela Kürt Konferansı ve PKK'nin silah bırakması gibi..."

PKK'nin Gülen cemaati ile ilişkilerini, cemaatin Güneydoğu'daki faaliyetlerini soruyorum Murat Karayılan'a.

Fethullahçılardan hiç hazzetmiyor.

"Bize karşı son üç dört yıldır neden saldırganlaştılar?" diye soru sorarak başlıyor konuşmaya:

"Fethullahçılar devlet sistemine yerleşmek istiyorlar. AKP ile bunun için yakınlaştılar. Güç kazandılar. Amerika'dan da destek alıyorlar. Fethullahçıları İslam dünyasına sürüyor Amerika... 'Biz de PKK'ye karşıyız, biz de devletçiyiz!' diyerek devlete yerleşiyorlar. Belki bugün değil ama geleceğe dönük olarak risktir bunlar... Güneydoğu'ya gelince... Güneydoğu'da varlar ama yoğun değiller. AKP içinden geliyorlar. Poliste, öğretmende yaygınlar. Dine sıcak bakan kesimlerde yaygınlar."

Şu sözleri ilginç Karayılan'ın:

"PKK'yi bastırmak imkânsız. Ama varsayalım PKK bastırıldı, bitirildi. O zaman ne olur bölge biliyor musunuz, **gericiliğin merkezi olur Güneydoğu... İran'ın çabaları var.** İslamcı hareketi alternatif olarak geliştirmek istiyorlar. Hizbullah'ı asıl geliştiren JİTEM değil, İran'dır. İran benimle de görüştü, Hizbullah'la çatışmamam için..."

Oyun içinde çok oyun hiç bitmez bu topraklarda.

Mesela deniyor ki:

"Kürtler bölgede 'laik' bir güç... Bu yüzden Talabani'nin KYP'sine, Barzani'nin KDP'sine ve PKK'ye dönük bölgesel alternatif, İslamcı akımlardır. Eğer bu noktaya dikkat edilmezse, yarın Türkiye'nin güneyinde İran'a dayanan **radikal bir Şii kuşağı** neden gelişmesin?"

Soruyorum Karayılan'a, belki klasik bir soru:

"**PKK zirvesinde çatlak** varmış. Sizinle Başkanlık Divanı üyesi Cemil Bayık anlaşamıyormuş. Siz Kürt sorununun silahsızlandırılmasından, bunun için PKK'nin silah bırakmasından yanaymışsınız. Buna karşılık Cemil Bayık şahin çizgiyi savunuyormuş, TC'den bir şey çıkmaz, sadece şiddetten anlar diyormuş..."

Beş kişilik PKK Başkanlık Konseyi'nin üç üyesi Murat Karayılan, Bozan Tekin ve Sozdar Avesta bir an birbirlerine bakıp gülmeye başladılar.

Bir kılçık daha:

"Geçenlerde Celal Talabani İstanbul'daydı Irak Cumhurbaşkanı olarak. Birkaç Türk gazeteci dostuyla birlikte yemek yerken de açıldı bu konu..."

Karayılan hemen soruyor:

"Talabani de inanıyor mu buna?"

Bilemiyorum, dedim. Oysa inanıyordu Talabani de... Yemekte bize söylemişti.

Karayılan şöyle konuşuyor:

"Hiçbir görüş ayrılığımız yoktur Cuma arkadaşla. Cemil Bayık'ı biz böyle, onun kod adıyla çağırırız. Cuma arkadaşla tam 30 yıldır birlikteyiz, aynı davanın içindeyiz. Farkımız yoktur."

Dört saatlik sohbet sona eriyor. Köy evinin önünde Murat Karayılan'la vedalaşıyoruz, fotoğraf çektiriyoruz. Etrafımız kalabalık. Kızlı erkekli, elleri silahlı gerillalar ve onların meraklı, insanı süzen ama sıcak bakışları...

Kandil'den inişe geçiyoruz.

Yine o gürül gürül akan suyun yanı başında yol alıyoruz.

Karşıdan bir kamyon geliyor, durup yol veriyoruz.

Kamyonun arkası gerilla kızlarla dolu.

Nöbet yerlerinden dönüyorlarmış.
Bazıları saçlarına çiçekler sokuşturmuş...
Bize neşe içinde el sallıyorlar.
Biri şarkı söylüyor.

Şarkılarımızı neden Kürtçe
söyleyemiyorduk?

Adı Aspara, 1981 Muş/Varto doğumlu.
Babası, Diyarbakır Cezaevi'nde ağır işkence görmüş.
"Babam ona işkence yapan devlete askerlik yapmak istemiyordu," diyor.
"Asker köyde rahat vermeyince 1993'de İstanbul'a göç etmek zorunda kaldık. Eğer aileniz politikse siz de politik olmak zorundasınız," diyor.
İstanbul'a taşındıkları dönemde zihnini, konuştuğu farklı dil kurcalamaya başlıyor. "Biz Kürt'üz, o halde neden şarkılarımızı Kürtçe söyleyemiyoruz?" diye soruyor kendi kendine.
Aspara'nın da hayatında dağa giden bir yakını var:
"Amcam dağa gitmişti. Bizim için, dilimiz, şarkılarımız için savaşmıştı."
Ekliyor:
"Size sunulan seçenekler ya delirmek, yahut dağa çıkmak. Ben dağı seçtim."
Aspara, 16 yaşında Van üzerinden İran sınırındaki kamplara yürürken, **"Kimliğime yürüyordum sanki,"** diyor.[2]

Keleşi boyundan uzun, tıfıl tüysüz
bir gerilla Samsun'dan...

Sabah bizi Kandil'e getiren beyaz pikap karşımızda.
Bir gerilla takımı, ağaçların arasından gürül gürül akan suyun kıyısına diziliyor, gazeteci milletini uğurlamak için...
Aralarında, kalaşnikofu neredeyse boyundan büyük, tıfıl, tüysüz bir gerilla dikkatimi çekiyor.
"Memleket neresi?"
"Samsun."

---

2   Bejan Matur, *Dağın Ardına Bakmak*, Timaş Yayınları, İstanbul, 2011, s.68.

"Samsun'da Kürt mü var?"

"Olmaz olur mu abi?"

Yirmi yaşında, lise terk.

Birkaç yıl önce Samsun'dan kaçıp dağa çıkmış.

Neden diye sorunca, "Malum nedenler abi, Kürt olduğumuz için küçümsenmek, inkâr falan..."

> *"Sorun yok edilemek istenen bir kültürdür; elime ilk Kalaşnikof aldığımda 16 yaşındaydım."*

Rewan, 1976 Varto doğumlu.

Varlıklı bir aileden geliyor.

Babasının köyde yaptırdığı okulda orta ikinci sınıfa kadar okumuş. Babası okul yaptıracak kadar güçlü olsa da yaptırdığı okulda oğlunu Kürtçe konuştuğu için cezalandırılmaktan koruyamamış.

"İlkokulda Kürtçe konuşan cezalandırılıyordu," diyor Rewan. "Gizli polis uygulaması vardı, evde konuşmamamız bile denetleniyordu."

Rewan "Kan dökmeden bir yolu olsaydı onu seçerdim. Başka bir yol olmadığı ortaya çıktı. Kan dökmeden, acılar yaşanmadan olmazdı. Bugün Kürtlerin adları anılıyorsa zora başvurdukları içindir," diyor.

Rewan'ı dağa çıkaracak kadar önemsediği sorun kafasında neye denk düşüyordu?

"Sorun, yok edilmek istenen bir kültürdür. Onlar adına savaşmaya gittim. Elime kalaşnikof aldığımda 16 yaşındaydım," diyor Rewan...[3]

> *Büyükanıt Paşa: "Türk Silahlı Kuvvetleri'nin tümü gitse Kandil'i temizleyemez."*

2 Mayıs 2009 günü gün doğarken çıkmıştık Kandil'e, akşam iniyoruz dağların arasından. "Abi bu dağlara her gün bomba yağdırsan ne olacak ki, hikâye!" diyor Namık yine...

---

3 Bejan Matur, age, s.44.

Birkaç gün sonra eski Genelkurmay Başkanı emekli Orgeneral Yaşar Büyükanıt *32. Gün*'de Mehmet Ali Birand'a itiraf edecekti: "Türk Silahlı Kuvvetleri'nin tümü gitse Kandil'i temizleyemez." Kaçakçı pikabıyla Kandil'den Raina'ya doğru yol alırken kafamda aynı sorular. PKK değişiyor mu? PKK inandırıcı olabilir mi? Barış fırsatı gerçek mi? Silahlar susabilir mi? Tayyip Erdoğan, asker...

Kendi kendime soruyorum:

Türkiye'de her şey değişebilir, hatta PKK de değişebilir, ama bizim devlet değişmez mi yoksa?

"Mahmut Baksi yetmişli yıllarda sürgünlüğe zorlanmış ve yakalandığı hastalıktan ölünceye kadar da yurt dışında, İsveç'te yaşamış bir Kürt aydınıydı. Ölünce, vasiyeti üzerine cenazesi İsveç'ten getirildi ve Diyarbakır'da toprağa verildi. 'Atatürk mezarından kalkmış ve şu anda Diyarbakır Ulucami önünde oturmuş karpuz satıyor deseler inanırım, ama devletin çözüm için adım atacağına inanmam,' diyordu Baksi..."[4]

Bence artık devlette de, askerde de, hükümette de bir arayış var. Bu işin artık silahla gidemeyeceğine, PKK'nin silahla bitirilemeyeceğine ilişkin görüşler yaygınlaşıyor.

Ama yine de devletin öylesine ezberleri, öylesine klişeleri var ki, bunları kırıp Ankara'da radikal bir şeyler yapmak hiç de kolay değil hâlâ...

Yıllardır aynı sorular.

Siyasal irade, kararlılık var mı?

Yılan hikâyesi gibi...

Asker ikna edilebilecek mi?

Belki esas mesele burda düğümleniyor.

Ama iki soru daha var:

Siyasetçi çözüm için niyetli mi?

Siyasetçinin 'vizyon'u var mı?

Kandil'den inerken aklıma takılıyor. Sorunu neresinden tutacağını bilerek elini masaya kararlılıkla vurabilecek bir lider profili çizebilir mi Tayyip Erdoğan?

Karayılan'ın şu sözünü düşünüyorum:

"Önce silahlar sussun, kimse kimseye saldırmasın!"

Bunun gerçekleşmesi o kadar güç mü? Bunun için önce PKK'nin ortadan iyice kaybolması lazım. Askerle temasa gelmeyecek yerlere çekilmesi şart. Irak Cumhurbaşkanı Talabani, Bağdat'ta 2007 yılı Ekim ayında bana şöyle demişti:

---

4 Orhan Miroğlu, *Taraf,* 22 Ekim 2008.

"PKK iyi, güzel ateşkes ilan ediyor ama yeterince uzaklara çekilmiyor. Öyle yerlerde duruyor ki, her seferinde askerle karşı karşıya kalıyor."

Bu konuda Karayılan askeri eleştiriyor.

"Biz eylemsizlik kararı alıyoruz, çekiliyoruz, ama asker üzerimize gelmeye devam ediyor. Kendimizi savunmak zorunda kalıyoruz."

Bu mesele 1993 yılı baharındaki PKK ateşkesinde de günceldi. Başbakanlık koltuğunda oturan Demirel bana şöyle demişti:

"Adam ateş kesmiş, hatta silahı bırakmaya niyetli olduğunu söylüyor. Sen tankınla, topunla üstüne varıyorsun. İyi düşünmek lazım."[5]

1993'ün Nisan ayında Talabani, Şam'da Öcalan'la görüştükten sonra Ankara'ya şu mesajla gelmişti:

Türk güvenlik güçleri de ateşkese uymalı; Bahar Operasyonu diye bir şey varsa ertelenmeli; ileride bir genel af çıkarılabileceğine dair işaretler verilmeli; siyasal çözüm için değişik diyalog kanalları açılmalı...[6]

Öcalan'ın 1993 mesajı da böyleydi. Aynı yılın Nisan ayı ortasında Bekaa'daki görüşmemizde, bu mesajın çerçevesini çizmişti.

İşte tam o sıralarda, bugün bile daha tam aydınlanmamış olan -ama PKK'ye ait olduğu genel kabul gören- Bingöl'deki bir baskınla 33 silahsız er şehit edildi;[7] ateşkes sona erdi; o arada Cumhurbaşkanı Özal öldü; Güneydoğu'da kan gölü büyümeye başladı; 17 binden fazla faili meçhul cinayetle bir büyük hukuksuzluğa, Susurluk'a, hatta Ergenekon'a koca bir kapı ardına kadar açıldı ne yazık ki...

1993 ateşkesinden bu yana geçen 16 yıl...

Öcalan da yakalandı ama PKK bitmedi.

Karayılan'ın bana söylediklerini, vermeye çalıştığı mesajları Kandil'den inerken düşünüyorum. 1993'le benzerlikler yok değil. Silahlar gerçekten susabilir mi? 'Provokasyon'lar önlenebilir mi?[8]

---

5 Hasan Cemal, *Kürtler*, Doğan Kitap, İstanbul, 2003, s.64.
6 agy, s.66.
7 Murat Karayılan, *Bir Savaşın Anatomisi* adını taşıyan ve 2011 Mayıs ayında Avrupa'da çıkan kitabında, saldırı talimatının dönemin bölge sorumlusu Şemdin Sakık tarafından verildiğini belirtir ve şöyle der: "Bu içimizdeki çeteleşmiş bir anlayışın süreci sabote etme girişimidir. Tezkeresini almış askerlere yönelik yapılan eylem bu anlamda PKK'nin eylemi olamaz. Ama maalesef Şemdin gibi çeteci anlayışa sahip bu kişilik PKK'nin ahlakına uymayan bir yöntemle silahsız askerleri kurşuna dizdirmiştir."
8 Ben 2 Mayıs 2009 günü Murat Karayılan'la görüştükten sonra bu notları alarak Kandil'den iniyordum. İki gün sonra, 4 Mayıs akşamı Mardin'de korkunç bir katliam [Bilgeköy Katliamı] yapan devletin yanındaki korucular, bunu PKK'ye yıkacak biçimde planladıklarını sonradan itiraf edecekti.

Peki, ilk adım ne olmalı?

Silahların susması...

O kadar güç mü?

İki taraf da tetiğe basmaz, silahlar böylece susmuş olur. Burada önemli olan irade ve kararlılıktır. Bu varsa, silahlar susar.

Malum, iki tarafta da 'savaşseverler' var. Onların 'provokasyon'larına karşı uyanık olmak, böyle bir süreçte en kritik noktadır.

Silahların patlamadığı bir ateşkes ortamında, perde arkasında başka mekanizmalar harekete geçebilir, diyalog süreci başlatılabilir.

Erbil'e nihayet ulaştık, 2 Mayıs 2009 akşamı.

Ertesi gün Habur üzerinden karayoluyla Türkiye'ye dönerken değişik bir psikoloji içindeydim.

Bir tarafım iyimser değildi.

Türkiye'nin önünde bir barış sürecinin açılması konusunda 'devlet'e güvenemiyordum. Başbakan Erdoğan'ın gereken siyasal kararlılığı nereye kadar gösterebileceği konusunda kuşkularım vardı.

AB'nin önde gelen bir ülkesinin Ankara'da büyükelçisi 1990'ların başında bana sormuştu:

"Özal mı, yoksa Demirel mi Kürt sorununu yüreğinde hisseder?"

Yanıtı kendisi vermişti:

"Özal..."

Oysa Olağanüstü Hal'in, 'Sansür ve Sürgün Kararnamesi'nin, ifade özgürlüğünü fena halde kısıtlayan Terörle Mücadele Yasası'nın altında Turgut Özal imzası vardı. Ama yine de Özal farklı bir konuma sahipti Kürtlerin gözünde. Kürt sorununu yüreğinde hissettiğine inandıkları için Özal'ı ayrı bir yere koymuştu Kürtler...

Özal'ın ömrü yetseydi, Kürt sorununu çözüm rayına sokabilir miydi?

Sanmıyorum.

Her şeyden önce tek başına değildi.

Asker vardı!

Asker gibi düşünen bir muhalefet vardı, üstelik kendi partisinin içinde de...

Özal'ın bunları aşması çok zordu...

Demirel'i düşünüyorum.

1980'lerde, yani 12 Eylül askerî yönetiminin koyduğu siyaset yasağıyla kapalı kapılar arkasında yaşarken Güniz Sokak'taki evinde Kürt sorunuyla ilgili Demirel'den makul şeyler dinlemişimdir. 1990 yılı Eylül ayında bir sabah kahvaltı ederken şöyle demişti:

"Atatürk milliyetçiliğinin şoven bir yanı yok değildir. Biraz yer yer ırkçılık da kokar. 'Ne mutlu Türküm diyene' lafı da biraz yoruma bağlıdır. Aslında Türk'ü esas sayar."[9]

1991 sonunda Başbakan olan Demirel 'Kürt realitesi' diyerek yola çıkmış ama kısa sürede sorunu askere havale etmiştir. 'Kürt realitesi' sözü galiba Demirel hükümetinin ya da devletin zaman kazanmaya dönük bir 'gri yalan'ı olmuştur.

Tayyip Erdoğan'ın askerle dansı...

Tayyip Erdoğan'a gelince...

2009'un Mayıs ayı başında, Irak Kürdistanı'ndan Türkiye'ye dönerken şunlar geçiyordu aklımdan:

Ak Parti liderinin geçmişinde İslamcı siyaset geleneği var. Genlerinde muhafazakârlık ve milliyetçilik var. Kürt sorununu hissetmek ve anlamak için bunların birer engel oluşturdukları söylenebilir.

Ayrıca, Ak Parti içi dengeler de sorunun çözümü açısından bir başka köstek olarak gösterilebilir.

Fakat Erdoğan bugüne kadar Kürt sorununu yüreğinde hissettiğine dair işaretler vermiş bir lider, bir başbakandır. Bu açıdan daha çok Özal'a benzediği söylenebilir.

Zaman zaman Kürt meselesini şiddetten arındırabileceğine ilişkin tavırlar sergilemiştir.

Ama Erdoğan inişli çıkışlı...

Bir geriliyor, bir ilerliyor.

Askerle dansı ilginç!

Sonuç ne olur kestiremiyorum.

Müslüm Gürses'in şarkısındaki gibi:

"Anlamak çözmeye yetmez!"

Bir de siyasal güç ve kararlılık, hatta gözü kara bir siyasi irade gerekir bunun için...

2009 yılı Mayıs ayında Kandil'den memlekete dönerken bir pencereden bakınca, umutsuzluğa kapılmak için gereken nedenler kendini gösteriyordu.

Ama aynı zamanda Türkiye'nin önünde barış adına değişim için yola devam etmekten başka bir seçeneğin bulunmadığını da görüyordum.

---

9   Hasan Cemal, agy, s.122.

Malum, bizim dünyamızda 'dış güçler' edebiyatı çok sevilir. 'Yabancı mihrak'lar dendi mi bazı çevrelerde akan sular durur. Sürekli olarak bazı karanlık tezgâhların peşinde koşar bu 'dış güçler.' Bütün hesapları Türkiye'yi bölmek, parçalamak, istikrarsızlaştırmaktır.

Peki, yok mudur böyle güçler?

Yoktur denemez.

Türkiye'nin coğrafyası, toplumsal ve siyasal yapısı, yakın tarihinden gelen bazı temel yanlışları ve sorunları, o 'dış güçler'in işini de kolaylaştırabilir. Kimi parmağını 'Kürt sorunu'na sokar. Kimi, parmağını 'Ermeni meselesi'ne, 1915'e dolar. Kimi, Kıbrıs'la uğraşır, kimi 'din sorunu'yla...

Peki, bizim ülkemizde bu 'dış güçler' edebiyatına meraklı odakların kendi 'oyun plan'ları var mıdır?

Yok denemez.

Derler ki:

"AB, Türkiye'yi böler."

"Fazla demokrasi bize yaramaz."

Şu da kulaklara çalınır:

"Bu coğrafyada birinci sınıf demokrasi ve hukuk devleti, bölücü güçlerle şeriatçıların değirmenine su taşır. Böyle bir düzende askerin rejim içindeki rolü hafifler çünkü..."[10]

Oysa, tam tersi geçerlidir.

Demokrasiye ve hukuka sırtını dönen bir Türkiye'de 'dış güçler' daha rahat tezgâh kurar. AB ile, ABD ile bozuşan bir Türkiye'de 'yabancı mihraklar' kendilerine daha çok iş alanı yaratır.

Kürt sorununu çözmezsen, Kıbrıs'ta ipe un serersen, din ve demokrasi ilişkisini ya da 1915'i, Ermeni meselesini demokratik bir düzende tarih ve barış açısından olması gereken yere oturtmazsan, Türkiye istikrarı yakalayamaz. Bu da 'dış güçler'in değirmenine su taşımaya devam eder.

Bunları yaşadı Türkiye.

Yaşamaya da devam ediyor.

Bu yüzden bir oyun planı, demokrasi ve hukukun üstünlüğünü esas alan bir oyun planı hâlâ Türkiye'nin en can alıcı konusu olmaya devam ediyor.

2009'un Haziran başında Kürt sorunu bir kez daha Türkiye gündeminin tepesine oturmuştu.

Özgürce tartışılıyordu.

---

10 Bu açıdan başka örnekler için bkz. Hasan Cemal, *Türkiye'nin Asker Sorunu*, Doğan Kitap, İstanbul, 2010.

Hatta bir umut suyun yüzüne vurmaya başlamıştı, acaba bu kez yeni bir şeyler olabilecek mi, çözüm kapısı açılabilir mi diye. Yitip giden yıllar içinde saman alevi gibi yanıp sönen kısa süreli dönemler yaşanmıştı. Ama bu sefer beklenti çıtası biraz daha yüksekti. Bir çözüm kapısının aralanması için yalnız iç değil, dış koşullar da daha uygundu.

Kandil dönüşü, 2009 yılı baharında neredeyse hep aynı şeyleri yazmıştım *Milliyet*'te.

Kürt ve PKK meselesinde 'mucize reçeteler'e yer yok. Bu sorun, Türkiye'nin en önemli sorunudur. Şipşak sonuç verecek mucize reçete beklentileri, kıpırdanmaya başlayan yeni sürece zarar verebilir. Başlangıç noktası olarak çıtayı fazla yükseğe koymanın yararı yok. Böyle bir tutum, Kürt sorununda çözümsüzlüğü çözüm olarak gören odakların değirmenine su taşıyabilir, diye düşünüyorum.

O zaman ne yapmalı?

Başlangıç noktası, Kandil dönüşü belirttiğim gibi, önce 'parmakların tetikten çekilmesi'dir. Makul olan budur.

Bir başka deyişle:

İki taraflı fiili ateşkes...

PKK, 'ateşkes'ini uzatır, askerle temasa gelmemek için daha uzaklara çekilir. İmralı ve Kandil, örgütün 'eylemsizliği' için gerekeni yapar.

Hükümet, yani siyasal otorite, askerin PKK'nin üzerine varmaması için düğmeye basar kapalı kapılar arkasında...

İki tarafta da irade varsa, silahlar susar ve 'fiili ateşkes'in başladığı süreçte 'diyalog mekanizması' gizli olarak devreye sokulur. Bu süreçte insanlar ölmez dağda. Ne asker anasının, ne PKK'li anasının yüreği daha fazla yanar. Böyle bir süreçte 'barış'a bir şans verilir.

Önce fiili ateşkes...

Sonra gizli diyalog...

Bu arada özgür, canlı tartışma ortamının devam etmesi, siyaset kurumuyla değişik toplum kesimlerinin ellerini taşın altına sokması...

Kürt sorununa aşama aşama çözüm getirebilecek ve birkaç yıl sürebilecek barışçı bir süreç böyle başlayabilir.

Soruyorum tekrar:

Dağda insanların ölmesinden, ana yüreğinin yanmasından daha iyi bir süreç değil mi bu?

Türkiye'de 2009'un Haziran ayı başında iyimser bir hava oluşmaya başlamıştı. PKK ateşkesi 15 Temmuz'a kadar uzatmış, Eylül başına kadar uzatabileceğinin de işaretini vermişti.

Yeni bir süreç kapıdaydı!

İmralı'da da, Kandil'de de, Güneydoğu'da da, bu iş artık böyle gitmez, barış zamanı geldi, silahlar sussun havası gitgide ağır basmaya başlıyordu. Yeni bir sürecin açılabileceğine dair işaretler yalnız Kandil ve Güneydoğu'da değil, Ankara'da da dikkati çekiyordu.

Cumhurbaşkanı Gül kaçırılmaması gereken bir fırsatın altını çizmeyi sürdürüyordu. Başbakan Erdoğan da cumhurbaşkanından farklı değildi. Bingöl'de yaptığı bir konuşmada 'yeni bir süreç'ten söz etmiş, şöyle demişti:

"Ortada öyle sihirli formüller, akşamdan sabaha yaratacağımız mucizeler yok. Ama iyi niyetle, samimiyetle sorunu çözmek istiyoruz."

DTP Genel Başkanı Ahmet Türk de şöyle bir çağrı yapmıştı:

"Silahsız çözüm isteyen elini tetikten çeksin."

DÖRDÜNCÜ BÖLÜM

'12 kötü adam' ve barış umudu!

"Benim kardeşim dağda, benim amca
oğlum dağda... Hâlâ diyor ki devlet,
'Biz o dağdakileri öldüreceğiz, bu arada
size köy isimlerinizi geri vereceğiz, falan
filan...'. Beş bin kişi dağdaysa, onlar ne
diye çıktılar dağa?..."

Barış süreci konusunda 2009 yazına iyimser bir havada girdik.
Erdoğan hükümeti iyi niyetli bir hareketlenme içindeydi.

Ve mutfakta bir şeylerin pişmeye başladığına dair kokular yükseliyordu.

Sürece, adı sonradan birkaç kez değiştirilecek olsa da başlangıçta, 'Kürt sorununda demokratik açılım' adı verildi. Koordinasyon görevi İçişleri Bakanlığı'ndaydı, başına da İçişleri Bakanı Beşir Atalay getirildi.

Ankara'da Polis Akademisi'nde basına kapalı olarak 1 Ağustos 2009'da, Beşir Atalay'ın da katılımıyla yapılacak toplantı için 15 gazeteci-köşe yazarıyla birlikte ben de davet aldım. Katılacaklar arasında Polis Akademisi'nden uzmanlar da vardı.

Ankara'ya bir gün önce gittim. Ali Bayramoğlu ve Fehmi Koru'yla birlikte Çankaya'da, Dışişleri Konutu'nda Cumhurbaşkanı Gül'le uzun bir sohbet yaptık gece yarısı.

Konu, 'demokratik açılım'dı.

Cumhurbaşkanı Gül iyimserdi.

'İyi şeyler' olacağına, Türkiye'nin önünde bir 'barış süreci'nin açılacağına inanıyordu. Kendisinden edindiğim izlenimleri beş nokta halinde sıralamıştım:

(1) Demokratik açılım sürecinde 'askerî operasyon'ların durabileceği... (2) Hükümetin askere hâkim olduğu... (3) Bu yeni süreçte karşı tarafla her türlü kanalın açık olacağı... (4) Kürtlerin bundan böyle atacakları her adımı, sürecin nezaketi ve kırılganlığını göz önünde tutarak atmaları... (5) Ve Başbakan Erdoğan'ın 'demokratik açılım' konusunda cesaretlendirilmesi...

Cumhurbaşkanı Gül'ün yanından yakın geleceğe dönük iyimser duygu ve düşüncelerle ayrılmıştım.

Ertesi gün Polis Akademisi'nde yapılan toplantı da verimli geçti. İçişleri Bakanı Beşir Atalay beş saatlik toplantı boyunca hiç konuşmadan sürekli not tuttu. Ve onca yıllık bir gazeteci olarak, bir bakanın böylesi bir titizliğine -ya da öğrenme çabasına- ilk kez tanık olmuştum.

Toplantıda, yazılı olarak hazırladığım ve başlığını **'Kürt sorunuyla silahın, şiddetin bağını koparmak'** diye koyduğum, **yol haritası** niteliğinde bir konuşma yaptım.

Hasan Cemal'den
yol haritası 2009!

Silahla, şiddetle Kürt sorunu arasındaki bağı koparmak...
Öncelik burada.
Silahın, şiddetin eski deyişle miadı dolmuştur, kullanım süresi bitmiştir. İç ve dış koşullar, Kürt sorunuyla şiddet bağının koparılmasını gündeme getirmiştir.
Ancak bu bağın koparılması, Kürt sorununun çözülmesi demek değil, çözülmesi için gerekli olan barışçı bir sürecin açılması demektir.
Silahla, şiddetle Kürt sorunu arasındaki bağın koparılmasıyla çözüme giden süreçte üç aşamadan söz edilebilir:
Birinci aşama...
Dağda gerçek bir ateşkesin ilan edilmesidir. Ben buna 'parmakların tetikten çekilmesi' diyorum. İki tarafı var bunun:
Biri PKK, diğeri devlet!
PKK çekilecek, devlet 'operasyon' yapmayacak!
Kısacası, 'çatışmasızlık' hali...
Devletin buna itirazını biliyorum. Kamuoyu önünde, "Operasyonları durdurdum!" demesi gerekmiyor. Ancak gerekli 'irade' kapalı kapılar arkasında konur ve asker parmağını tetikten çekebilir.

Bu 'birinci aşama'da, kapalı kapılar arkasında kısa, orta ve uzun vadeli çalışmalar hazırlanır. İlgili tüm taraflar arasında diyalog kanalları açılır, tam bir gizlilik içinde gel-gitler başlar. İlgili tüm taraflar derken, bunların içinde İmralı-Öcalan da, Kandil de, DTP de, Kürt aydınları da, Kürt diasporası da olmalıdır. Bu arada, devletin bu odaklara dönük kanallarının kapalı olduğuna ihtimal vermiyorum.

Bu ilk aşamada işe kolayından başlanır.

Bazı paketler hazırlanır ve önceliklerle sonralıklar birbirine karıştırılmadan peyderpey açıklanır, uygulamaya geçilir.

Nelerin nasıl yapılacağı konusunda yol haritaları şekillenirken, adı ne koyulursa koyulsun 'dağdan inme' konusuna sıra gelir.

Bu konu yaşamsaldır.

Çünkü 'parmakların tetikten çekilmesi'nden, yani dağda silahların susmasından sonra silahtan tümüylü vazgeçmeye dönüktür.

İkinci aşama...

Dağdan inmek, PKK'nin silahları ebediyen gömmesi, siyaset aracı olarak şiddetten tümüyle vazgeçmesi demektir.

Bu konuda, "PKK silahı kayıtsız şartsız bıraksın, dağdan inip teslim olsun," yaklaşımını biliyorum. Bunun meşru, haklı yanlarının da farkındayım.

Ama ne kadar gerçekçidir?

Kuşkularım var.

Geçen Mayıs ayı başında, PKK'nin dağdaki bir numarası Murat Karayılan'la Kandil'de dört saat konuştum. Dağdan inme konusunu açınca şöyle demişti:

"Otuz yıldır dağlardayız. Dağa ne piknik yapmak için, ne de insan öldürmek için çıktık."

Devlet, siyasal otorite, kamuoyu önünde istediği gibi konuşabilir ama bu sözün altında yatan bazı gerçekleri görmezlikten gelemez. Kürtlerin diline, kültürüne, kısaca kimliğine ilişkin bu gerçeklerin Cumhuriyet tarihi boyunca gözardı edilmiş olmasıdır, bugüne kadar yaşanmış olan acıların temel nedeni...

Geçmişin esiri olmamalıyız!

Onun içindir ki:

Özellikle parmakların tetikten çekildiği, dağda çatışmasızlığın yaşandığı 'birinci aşama'da Kürt kimliğiyle ilgili nispeten daha kolay paketler oluşturulup uygulamaya konmalıdır diye düşünüyorum. Yine bu ilk aşamada 'zor olan' konulara ilişkin çalışmalar yapılmalıdır. Böyle bir süreçte 'ikinci aşama'ya, yani dağdan inişe, 'silahlara veda' aşamasına geçilmelidir.

Bu aşamada göz önünde tutulması gereken, dağdan inecek olanlarla ovadaki Kürtler arasındaki bağlardır.

Bir başka deyişle:

PKK ile Kürt sorununu birbirinden ayırmanın zorluğudur.
Üçüncü aşama...
İlk iki süreç içinde bu son aşamanın 'altyapısı' oluşturulmalıdır. 'Gizlilik' yine esas olmalıdır. En çetrefil meseleler bu son aşamaya bırakılmalıdır. Ve takvimle, zamanla bağlı olmadan, zamana yayarak yol alınmalıdır. Bu arada kamuoyunda, medyada, sivil toplum kuruluşlarında, üniversitelerde en serbest tartışma ortamı sağlanmalıdır.

İki nokta...
Son olarak iki noktaya daha dikkat çekmek istiyorum:
Provokasyonlar...
Ve çözüm...
Hem PKK'nin hem devletin içinde, hem de bazı ülkelerde Türkiye'nin Kürt sorununda 'demokratik açılım' yapmasını istemeyen, Türkiye'nin istikrar ve demokrasi rayına oturmasından fena halde rahatsız olan odaklar vardır, olacaktır.
Bunların tuzaklarına düşmekten kaçınmak gerekir.

'Çözüm'e gelince...
Kürt sorununun çözümü bir süreçtir, ucu açık ve uzun bir süreçtir hatta...
Bu açıdan önemli bir nokta:
Kürt sorununu şiddet ve silahtan arındırıp siyaset sürecinde yol alınırken, aynı zamanda 'Kürtlerin Kürtlüğünden duyulan korkular'a özellikle devlet katında son verilmelidir.
Siyaset kurumunun, siyasi liderlerin yalnız devlette değil, toplumun değişik kesimlerinde de yer etmiş bu korkuların geçersiz kılınmasında ciddi görev ve sorumlulukları vardır.
Silahların susacağı ve silahlara veda edileceği bir süreçte öncelikle yapılması gereken, demokrasi ve hukuka, özgürlük ve insan haklarına dayalı güzel bir geleceğin temelini atmaktır.
Bu adımlar zaman içinde atılamazsa, 'şiddet' geri dönebilir.
"Kürtlerin Kürtlüğünden duyulan korkuların sona ermesi"nden bu nedenle söz ediyorum.
Güzel bir gelecek, ancak geçmişin tutsağı olmadan hep birlikte kurulabilir.
Ve bu bir hayal değildir.
Devletin çatısı altında ve siyasal otoritenin, İçişleri Bakanlığı'nın inisiyatifiyle böyle bir toplantının yapılıyor olması beni bu bakımdan umutlandırdı.
Devlette de bir şeylerin değişmekte olduğunun bir işareti saymak istiyorum ben bu toplantıyı...[1]

***

---

1   Bu konuşmam 2 Ağustos 2009 tarihli *Milliyet*'te yayımlandı.

Medyada büyük yer alan bu toplantının ertesi günü MHP Genel Başkanı Devlet Bahçeli tarafından 15 gazeteci ve köşe yazarının 12'si kamuoyuna **12 kötü adam** olarak ilan edilecek ve hedef gösterilecekti. Partisinin Kocaeli İl Kongresi'nde şöyle diyecekti Devlet Bahçeli:

"Ermeni meselesinde aynı 12 adam, Kıbrıs meselesinde aynı 12 adam, Avrupa meselesi ve onun dayatmalarında yine aynı 12 adam...

Ey gafiller!

25 yıldan bu yana ne yaptığınızı bu millet bilmiyor mu? Ne yazdığınızı gazetelerdeki köşelerde okumuyor mu? Televizyonlarda Türkiye'nin 12 tane dev adamı vardı. Herkes o marşı söylüyordu. Şimdi 12 kötü adamı dinleye dinleye bu millet usanmıştır.

Başka aydın mı yok?

Başka siyasetçi mi yok?

Türkiye'de bunun mücadelesini veren emniyet güçleri, Türk Silahlı Kuvvetleri mi yok? Bu gazete köşe yazarlarından, patronlarca beslenen bu 12 kötü adamı mı bu millet dinleyip duyacak?"

Devlet Bahçeli 2009 yazında tehlikeli bir oyun oynuyordu. Korkusu barıştı. Bu kötü alışkanlığını değiştirmeye hiç niyeti yoktu. Kan ve gözyaşı üzerinden, acılara bel bağlayarak siyaset yapıyordu.

MHP lideri Bahçeli'yle birlikte milliyetçilik yarışına çıkan bir siyasetçi daha vardı:

CHP lideri Baykal.

Bahçeli gibi Baykal da umutsuz vakaydı. Barıştan korkuyordu. Barış düşmanlığı yaparak CHP oylarını arttırabileceğini sanıyordu.

Türkiye'yi bunca yıldır maddi ve manevi bakımdan kanatan bir meseleyi, Kürt sorununu partizanca istismar etmenin nasıl bir çıkmaz yol olduğunu göremiyor ya da görmek işine gelmiyordu.

Ucuz siyaset yapıyordu.

Ahmet Türk "Nerde o eski Baykal?" demişti o günlerde:

"1983 yılıydı. Cezaevinden yeni çıkmıştım. Baykal da siyasetten yasaklanmıştı. Mardin'e geldi. Yaz aylarıydı. Bizim Kasrı Kanco'nun üst katına çıktık. Döşekleri serdik. Üstümüzde yıldızlar. Rakılar açıldı. Çektiklerimizi konuştuk. Söz Diyarbakır Cezaevi'ne geldi. Ben anlattım, o dinledi. İkimiz de duygusallaştık. Ağlama noktasına geldik yani... Deniz Bey dinledi ve dedi ki, 'Bir daha siyasete, meclise girersek, bunların hesabını soracağım.' Ben işte şimdi o duyguları paylaştığımız, acıların, işkencelerin ne demek olduğunu anlayan, sorgulayan o Baykal'ı görmek istiyorum."[2]

---

2   Murat Yetkin, *Radikal*, 7 Ağustos 2009.

Baykal ve Bahçeli, her ikisi de sorunun parçası haline gelmişti. Öte yandan, 2007 genel seçimlerinden beri bir ilk gerçekleşti ve Tayyip Erdoğan'la DTP Genel Başkanı Ahmet Türk, meclis çatısı altında buluştu. İçeriği dolgun olmasa da simgesel açıdan önemli bir olay yaşanmış oldu. Başbakan Erdoğan, "Geleceğe yönelik umutlarımız arttı, anneler artık gözyaşı dökmesin istiyor milletimiz," diyordu. Ahmet Türk de "Önemli bir gün yaşıyoruz, diyalog ortamından umutluyuz," diye iyimser bir mesaj veriyordu.

İş dünyasından da 'demokratik açılım'a destek veren sesler yükseliyordu. Bunlardan biri Hüsnü Özyeğin'di:

"Amerika'nın Avrupa'ya üstünlüğünün mozaik yapısından kaynaklandığına inanıyorum. Amerika dışa açık bir ülke. En azından son elli yıldır insanları ile barış içerisinde... Bizim de bütün vatandaşlarımızla aynı yakınlık, aynı sıcaklık içinde olmamız lazım. Türkiye'nin gücünün buradan gelmesi gerekiyor. Dolayısıyla ben bu açılımı açılım olarak değil, yapılması gereken iş olarak addediyorum. Geç bile kaldık. Dolayısıyla burada kat edilecek mesafe ülkeye huzur getirecek. Böylelikle tüm ülke vatandaşlarını kucaklamış olacağız ve biz aynı amaca yönelik, aynı idealleri, aynı hayalleri olan ülke haline geleceğiz."[3]

Güzel günlerdi.

Ahmet Altan *Taraf*'taki bir başyazısında "Bugünleri görmek, bu gelişmelere şahit olabilmek sevindiriyor beni," diye yazabiliyordu.

2009 Ağustos ayı, Başbakan Erdoğan
yüreğinden konuşuyor ve barış adına
bir umut dalgası kabarıyor!

Tayyip Erdoğan, Türkiye Cumhuriyeti'nin başbakanı, Ak Parti'nin meclis grubunda 2009 Ağustos ayı ortalarında "Hayallerinizi zorlayın!" dedikten sonra şöyle devam ediyordu:

"Türkiye eğer enerjisini, bütçesini, kazanımlarını, bütün bunların ötesinde huzurunu, refahını, gencecik fidan gibi delikanlılarını teröre kurban etmeseydi, Türkiye son 25 yılını terörle, çatışmayla, olağanüstü hal ile, faili meçhullerle, boşaltılan köylerle, üzerine ayyıldızlı bayrağımızın örtüldüğü tabut görüntüleriyle heba etmeseydi bugün nerede olurdu?

---

3   *Zaman*, 16 Ağustos 2009.

Eğer sorun daha ortaya çıkarken fark edilip gerekli tedbirler alınabilseydi, eğer mesele büyümeden çözüme kavuşturulsaydı, on binlerce insanımız hayatını kaybetmeden, on binlercesi yaralanmadan ve yüz binlercesi mağdur olmadan bu mesele suhuletle çözülmüş olsaydı bugün Türkiye nerede olurdu? Milletçe sormamızı istiyorum.

Ne oldu? Nerede yanlış yapıldı? Nerede yanlış politikalar uygulandı, nerede yanlış tavırlar sergilendi?

Yunus Emre, Mevlana, Hacı Bektaşı Veli, Karacaoğlan, Pir Sultan Abdal bu toprakların mayasını yoğururken Cudi'nin, Munzur'un eteklerinde dolaşan dengbêjler de aynı topraklara, aynı kardeşlik mayasını atıyor.

Horon bizim horonumuz. Zeybek bizim zeybeğimiz. Halay bizim halayımız. Zılgıt bizim zılgıtımız.

Bizi birbirinden ayırmak kimin haddine?

Bir milat yapalım istiyoruz.

Sorunu ortak akılla çözmek istiyoruz."

Tayyip Erdoğan'ın bu konuşması üzerine *Milliyet*'te, "Bu ülkede uzun yıllardır siyaseti ve Kürt sorununu çok yakından izlemeye çalışıyorum. Kürt sorunuyla ilgili olarak ilk kez bir başbakan, bu kadar yüreğinden konuştu, bu kadar siyasal cesaret sergiledi ve ilk kez meseleyi yüreğinde hissettiğini bu kadar anlatabildi, bu kadar siyasal riski göze alabildi. Başbakan Erdoğan'ı kutluyorum," diye yazdım.

Yakın geçmiş de iyimserliği besliyordu.

2001-2004 arasında kabul edilen Avrupa Birliği'ne uyumun, bir başka deyişle, Kopenhag Siyasi Kriterleri'ni gereğini yerine getirmeye yönelik reformlar bağlamında, Kürtçe radyo-televizyon ve Kürtçe öğrenim (kurslar) yasal hale geldi.

Kürt çoğunluklu bölgede 1987'den beri uygulanmakta olan Olağanüstü Hal 2002'de kaldırıldı.

Yargısız infazlar, faili meçhuller hızla azaldı ve bitti. Hâlâ tam başarıya ulaştığı söylenemeyecek 'işkenceye sıfır tolerans' politikası benimsendi.

Anayasa Mahkemesi tarafından ardı ardına kapatıldılarsa da Kürt partileri 2004'ten itibaren Kürt çoğunluklu bölgenin pek çok belediyesinde iktidara geldi.

TRT, 2004'te birkaç saat de olsa Kürtçe yayına başladı.

2004-2005'ten itibaren Kürt çoğunluklu bölgenin sosyo-ekonomik kalkınması için gerekli altyapı yatırımlarına hız verildi.

Bölgeye halkın kimliğine saygılı valiler ve kamu yöneticileri atanmaya başladı.

Boşaltılan köylere dönüş için mali yardım ve terörden zarar görenlere tazminat ödenmeye başladı.

2007 seçimleri sonrasında ilk kez bir Kürt partisi (DTP, kapatılınca BDP) Parlamento'da temsil edilme olanağı buldu.

2008'den itibaren Irak Kürdistan Bölge Yönetimi'ne yönelik politika kökten değişti; ilişkilerde yakınlaşma sağlandı. Bölge ile ekonomik karşılıklı bağımlılık arttı. Geçen 2010 Mart ayında Erbil'de konsolosluk açıldı.

24 saat Kürtçe yayın yapan TRT 6, 1 Ocak 2009'da faaliyete geçti. Böylece Kürt kimliği resmen değilse de fiilen tanınmış oldu. Ve AKP hükümeti demokratik açılım projesini açıklarken cezaevlerinde Kürtçe yasağı kalktı.

Diyarbakır Belediye Tiyatrosu geçen şubat ayında ilk Kürtçe oyunu sahneledi. Mardin Artuklu Üniversitesi geçen yaz, Kürtçe öğretime hazırlık olarak sertifikalı 'Kürtçe okutman adayı yetiştirme kursu' açtı.[4]

Umutla tedirginliğin iç içeliği, çıtayı
yükseğe koymaktan kaynaklanan
tedirginlik...

Güzel günler yaşanıyordu 2009 yazında.

Ama ben aynı zamanda tedirgindim.

Bu tedirginliğimi *Milliyet*'teki yazılarımda ve televizyon konuşmalarımda belirtiyordum.

Tehlikeler de vardı kuytuluklarda bekleyen... 'Kürt açılımı'nın, 'barış seferberliği'nin kırılgan yanları mevcuttu. O günlerdeki bir yazımda tehlikenin altını çizmeye çalışmıştım:

Öyle bir noktaya doğru gidiliyor ki, umut dalgası yerini, eğer gerekli özen gösterilmezse büyük bir hayal kırıklığına bırakabilir. Onun için gerçekçilik şart.

Ne demek 'gerçekçilik'?

Çıtayı yükseğe koymamak!

Öncelik burada.

Bu konu özellikle Öcalan'ı ilgilendiriyor. Çünkü olmadık istek ve çıkışlar bir anda barış korkusu içinde yaşayanların değirmenine

---

4   Şahin Alpay, *Zaman*, 2 Ekim 2010.

su taşır. Bu açıdan şimdiye kadarki İmralı sinyalleri iyi, dileriz bozulmaz.

Fakat DTP'lilerin de özen göstermesi lazım, özellikle 'dil'lerine... Bu bakımdan Genel Başkan Ahmet Türk'ün baştan beri sergilediği sorumluluk çizgisi tüm DTP'lilerin ortak tutumu olabilmelidir diye düşünüyorum. Bu noktayı özellikle vurguluyorum.

Çünkü yalnız Kürtler yok, Türkler de, Türk kamuoyu da var ve yaşanan acıların ortak yanları mevcut.

İki tarafın da yaşadıkları 'meşru acıları' göz ardı ederek, gereken duyarlılığı göstermeden barış yakalanamaz.

Bunu yıllar önce Öcalan'la da konuşmuştum.

1993'ün Nisan ayıydı.

Lübnan'da, Suriye'nin kontrolündeki Bekaa Vadisi'nde, Bar İliyas'taki bir evde Öcalan'la uzun saatler sohbet etmiştik. 'Türk kamuoyu' idi üstünde durduğumuz konulardan biri de. Öcalan da mutabıktı, Türk kamuoyunu ikna etmeden, Türk kamuoyunu hazırlamadan barışı yakalamanın hayal olduğunu...

Bakın, Türkiye Cumhuriyeti tarihinde bir başbakan, Tayyip Erdoğan, ilk kez elini taşın altına böylesine büyük bir sorumlulukla koyabiliyor. Çok ciddi bir siyasal risk alıyor ve 'Bedeli ne olursa olsun' bu sorunu çözmekten söz edebiliyor, şu kadar iddialı konuşabiliyor:

'Şimdi artık bu meseleyi kökten çözmenin tam zamanı. Bu meseleyi artık uyanmamak üzere tarihe gömmek için halkımızda istek var, talep var. Bedeli ne olursa olsun adımlarımızı attık, atıyoruz, atacağız. Bedeli ne olursa olsun, verdiğimiz sözü gerçekleştirecek, bu meseleyi çözüm yoluna koyacağız.'

Tekrar ediyorum.

Tarihi bir fırsattır bu.[5]

Uzun ince bir yola çıkılmıştı.

Hem sevinçliydik hem huzursuz.

Barış kapımızı çalacak mı, bir eşiği gerçekten atlayabilecek miyiz sorusunun çengeline asılı belirsizlikler konuyla ilgilenenleri uğraştırıyordu.

Başbakan Erdoğan'ın da mutlu olduğuna dair haberler geliyordu Ankara'dan. Çünkü önüne konan seçim araştırmalarında Ak Parti'nin oy grafiği yükseliş kaydediyordu.

---

5   Hasan Cemal, *Milliyet*, 16 Ağustos 2009.

Cengiz Çandar'la birlikte *CNN Türk*'teki 'Tecrübe Konuşuyor' programının ilkini 2009 Eylül ayının ilk haftasında Diyarbakır'da yapmış, sonra da bölgeyi gezmeye başlamıştık. Her durakta 'demokratik açılım'la ilgili nabız tutmaya çalışmıştım.

Diyarbakır, 8 Eylül 2009
Hiç aklınızdan çıkarmayın, bu ülkede barış ve demokrasinin yolu Diyarbakır'dan, kaç zamanın acılarıyla yoğrulmuş bu şehirden geçer. Öteden beri, ta içimden inanırım buna.

Barış ve demokrasi Diyarbakır'a gelmedikçe, Türkiye'de de barış ve demokrasinin kolu kanadı kırık kalır.

Eğer bu ülkede barış ve huzurun taşları yerli yerine oturacaksa, eğer bu ülkede demokrasi ve hukukun ilkeleri yolumuzu aydınlatacaksa, eğer bu ülkede insan hakları ve özgürlükler hükümran olacaksa, o zaman hiç kuşkunuz olmasın, bütün bunların yolu Diyarbakır'dan geçer.

Çok acı çekti bu şehir.

Çok gözyaşı akıttı.

Ama yalnız Diyarbakır değil, onunla birlikte bütün Türkiye acı çekti, gözyaşı akıttı.

Yazın bir kenara:

Geçmişin acılarıyla bu denli yoğrulmuş insanlar gelecekten korkmaz. Ve geçmişin tutsağı olmadan, bu topraklarda güzel bir geleceğin temellerini hep birlikte, elbirliğiyle atarlar.

Umut etmeden yaşanmaz!

Bugün barış umudu doğmuş durumda.

Diyarbakır ve Türkiye'de bunun heyecanı ilk kez böylesine yaşanıyor. Anaların artık gözyaşı dökmeyecekleri tarihî bir dönemin eşiğinde sayılırız. Diyarbakır'da ve bütün Türkiye'de insan onuruna yakışan gerçek bir barış yapılabilir.

Klasik deyiştir:

Barış yapmak, savaş yapmaktan zordur!

Öyledir ama artık yeterince acı çekildi. Tüm tarafların bunca yıllık meşru acıları barışın kapısını araladı diye düşünüyorum.

Diyarbakır'da da hissettim. Bugüne kadar yaşanan acılar artık bu ülkede silahla, şiddetle, zorla bir yere varılamayacağını tüm taraflara göstermiş durumda...

Yaşamak için ille de acı çekmek gerekmiyor!

Anaların ağlamadığı, şehit cenazelerinin gelmediği, taziye çadırlarının kurulmadığı bir Türkiye bugün artık hayal değildir. Hep birlikte ama hep birlikte ellerimizi kararlılıkla uzatırsak, hiç kuşkunuz olmasın, barışı yakalarız.

Tekrarlamakta yarar var.

Barış bugün hayal değil.

Yeterince olgunlaştık çünkü...

Unutmayın, acılar olgunlaştırır!

Olgun insanlar, kadınıyla erkeğiyle, dağdakiyle ovadakiyle, siviliyle askeriyle geçmişin, acıların tutsağı olmazlar. Ben buna inanıyorum. Ve ancak geçmişin esiri olmayan insanlardır, bu topraklarda bebeklerin mutlu bir dünyaya doğacakları güzel bir geleceği, yani gerçek barışı el birliğiyle kuracak olanlar...

Barış uzak değil, yakın.

Daha da yakınlaştırmak elimizde.

Soruyorlar, kan ve gözyaşını durdurmak ama nasıl diye... Bu soruyu bu ülkede kötü niyetle soran barış düşmanları da var. Barışı sabote etmeye odaklanmış olanların oyununa gelmekten özenle kaçınmak lazım.

Eğer biz barışa açılan yolun inişli çıkışlı bir süreç olduğunu görebilirsek... Acele işe şeytan karışır özdeyişini unutmaksızın, zamanı ille de torbaya sokmak için uğraşmazsak...

Korkularımızın, evhamlarımızın, önyargılarımızın esiri olmaktan kaçınırsak... Tepkilerimizi dünyanın sonuymuş gibi vermekten sakınırsak... Ve her şeyi serbestçe konuşur, tartışırsak... Bütün bunları yapabilirsek, işte o zaman barış daha yakınlaşır.

Önce oturup tartışalım. Konuşmaktan korkmayalım. Bu süreç başladı.Üstelik ilk kez oluyor. Bırakın, ağzı olan konuşsun!

Korkularımızdan, evhamlarımızdan, önyargılarımızdan ancak böyle böyle kurtulmaya başlarız. Ancak bu yolla, Kürtler Türklere, Türkler Kürtlere kulak vermeye başlar. Ve Türkler meseleyi öğrenmeye, kendini Kürtlerin yerine koymaya başlar.

Ama bir koşul daha var:

Dağda silahların susması!

Parmaklar tetikten çekilecek, operasyonlar duracak, mayın döşenmeyecek... Silahların sustuğu bir ortamda önce konuşacağız, tartışacağız. Hem kapalı kapıların arkasında, hem de önünde...

Sözcükler özgürce uçuşacak!

Bir başka deyişle,bugüne kadar olmayanı yaşamaya başlayacağız. Konuşa konuşa anlaşabileceğimiz yollarda barışa doğru yürüyeceğiz.

Elbette, zor olanı kolay olandan ayıracağız bu süreçte. Elbette, önceliklerle sonralıkları karıştırmayacağız. Elbette, arabayı atın önüne koymayacağız.

Bu bakımdan tüm taraflara, özellikle Erdoğan hükümetiyle DTP'ye büyük görev ve sorumluluk düşüyor.

Tocqueville'in bir sözü vardır:

"Geçmiş geleceğe ışık tutmuyorsa, akıl karanlıklar içinde yürümeye başlamış demektir."

Evet, geçmişi unutmayalım ama acıların da esiri olmayalım. Barış ve demokrasi ancak bu sayede Diyarbakır'la birlikte bütün Türkiye'nin kapısını çalar. Son söz: Bugün artık barış için ille de acı çekmek gerekmiyor.

Diyarbakır, 9 Eylül 2009

Kervansaray Oteli'nin avlusu. *CNN Türk*'teki 'Tecrübe Konuşuyor'un ilki daha yeni bitmiş.

Başında beyaz yemenisi, beyaz entarisiyle yaşlı bir kadın yanıma gelip bana sarılırken Kürtçe bir şeyler söylüyor. Sadece barış sözcüğünü çıkarabiliyorum.

"Hayriye Ana," diyorlar, "dört oğlunu dağda kaybetmiş bir ana o..."

Bana Kürtçe demiş ki:

"Emanetî aşitiyê be ne!"

Türkçesi:

"Barışa emanet olun!"

Acıların dili belki de...

Program boyunca Diyarbakır semalarında gürültüyle uçan F-16 uçakları bu topraklarda barışa olan özlemi daha da belirgin kılıyor.

Uçakların tepemizde çıkardığı homurtular yüzünden programda bir ara birbirimizi doğru dürüst duyamayınca, "Savaş uçaklarının sesi ne zaman kesilir, barış o zaman gelir bu topraklara," diyorum.

Hasan Paşa Hanı...

Bir başka asrın hikâyesini anlatan tarihi bir dekor içinde, sabahın serinliğinde kahvaltımızı ediyoruz.Biri yanımızda bitiyor:

"İyi bir finale geliyoruz!"

"Nasıl yani?"

Yüzü gülüyor:

"İyi bir finale, barışa..."

İster Kürt açılımı, ister demokratik açılım deyin, Diyarbakır'da halkın ağzında barış açılımı olmuş bu süreç.

Bir umut yaratılmış...

Gazi Caddesi'nde şöyle kısa bir tur bile, barış umudunun Kürtleri nasıl heyecanlandırdığını göstermeye yetiyor. Bir umut dalgasının gitgide kabardığı kendini hemen belli ediyor.

Güvensizlik yok mu? Kuşku yok mu? Tedirginlik yok mu? Hepsi var.

Çünkü bu topraklarda tecrübenin, yaşanmışlığın dili Kürtlerin devlete, Ankara'da olan bitene şüpheyle bakmalarını meşru kılıyor. Devlete yabancılaştıkları ve Ankara siyasetine soğudukları için de dağ yine fare doğurabilir düşüncesinden kendilerini kurtaramıyorlar.

Bu yüzden bir beklentileri var:

Erdoğan hükümetinin daha yürekli davranması ve daha çok güven telkin etmesi...

Hükümetin başlatmış olduğu açılımın arkasındaki iyi niyet görülüyor ve takdir ediliyor. Diyarbakır kulisinde özellikle Başbakan Erdoğan'ın partisinin meclis grubunda yaptığı 11 Ağustos 2009 konuşmasının yarattığı yankılar hâlâ devam ediyor.

Bir başka deyişle:

Tayyip Erdoğan'ın Kürt meselesini yüreğinde hissettiği, bu konuda siyasal kararlılık içinde olduğu ve geri dönüşü olmayan bir yola girdiği birçok çevrede belirtiliyor.

Kuşkular elbette olacak.

Erdoğan nereye kadar gidebilir?..

Asker ne yapar?

Devletin tepesinde şimdilik olduğu belirtilen 'uyum', iş bazı somut adım ya da ayrıntılara geldiğinde asker tarafından bozulur mu?

Sorular çoğaltılabilir.

Hasan Paşa Hanı'nda, Mustafa'nın Kahvaltı Dünyası'nda kahvelerimizi içerken, *Demokratik Açılım* gazetesini satan çocuk yanımızdan geçiyor. Bir başkasının koltuğunun altında Kürtçe *Azadiya Welat* (Vatanın Özgürlüğü) gazetesi var.

Bu iki gazeteyi okuyup *Roj TV*'yi seyredenlerin Diyarbakır'da siyasete damga vurdukları söylenebilir. *Demokratik Açılım*, *Azadiya Welat* ve *Roj TV* üçlüsünün bu dünyasını tam kavramadan bugün 'Kürt siyaseti'ni anlamak kolay değildir.

Çünkü bu dünyanın çerçevesini öncelikle Kandil, yani PKK ile İmralı, yani Öcalan çiziyor. Asıl güç burada. 'Silah' orada çünkü...

Bir de DTP var, siyaset meydanında gözüken de o. Eğer demokratik açılımda bir yerlere doğru yol almak isteniyorsa, **İmralı-Kandil-Diyarbakır** üçgeninin bir bütün olarak göz önünde tutulması bir yerde kaçınılmaz.

Bu üçgen, siyasal bir olgu.

Eski deyişle, bir vakıa.

Hükümetin İmralı'yla Kandil olgusuna gözlerini kapatması ne kadar gerçekçi değilse, DTP'nin de önceliği Öcalan'la PKK'nin meşrulaştırmaya vermesi o kadar yanlıştır.

Siyasette bazı şeyler ille de sahnede, daha doğru deyişle sahnenin önünde yapılmaz. Bir de perde arkası vardır, siyasetin son derece kritik hal aldığı dönemlerde...

İki taraf da bunu unutmamalı.

Kökleri cumhuriyet devletinin kuruluşuna giden, son çeyrek yüzyıldır Türkiye'yi kanatan bir sorun, Kürt sorunu bugünden yarına açılacak birkaç paketle çözülecek değildir. Kimse zamanı torbaya sokmaya çalışmasın. Böyle bir çaba, barış sürecini sabote etmek isteyenlerin ekmeğine yağ sürer.

Sabırla ama siyasal kararlılıkla, olabileceklerden olması gerekenlere doğru bir barış yolculuğuna çıkıyor Türkiye.

Dağda parmakları tetikten çekerken "Barışa emanet olun!" diyen Hayriye Ana'nın sözüne kulak vermektir doğru olan...

Kasrı Kanco, 10 Eylül 2009

Mezopotamya Ovası'nı seyre dalmak bana her seferinde sonsuzluk duygusu verir. Hele güneşin son ışıkları, Mardin'den Suriye'ye doğru açılan bu uçsuz bucaksızlığın üzerine vurmaya başlamışsa, harikulade bir manzara insanı gerçekten büyüler.

Kasrı Kanco, Ahmet Türk ailesinin bu ovaya nazır taştan konağıdır. *Tecrübe Konuşuyor* öncesi bahçede Cengiz Çandar'la birlikte DTP Genel Başkanı Ahmet Türk'le sohbet ederken haber geldi:

Eruh'ta, Çirav Dağı kırsalında çıkan çatışmada 11 PKK'li ve 7 asker ölmüş...

Bu haber bize ulaştığı sırada, Ahmet Türk geçmişte yaşanan acılardan söz ediyordu. Geçmişin esiri kalırsak barışı kuramayacağımızı, eğer güzel bir gelecek istiyorsak, acıların olgunlaştırıcı etkisinden yararlanmak gerektiğini söylüyordu.

Dağdan gelen ölüm haberlerini program sırasında bizden öğrenince şöyle dedi:

"Çok üzüntü duyuyorum. Ölümler elbette çok üzücü... Askerî operasyonlar dursun, PKK de parmağını tetikten çeksin."

Program sonrası iftar için kurulan yer sofrasına doğru yürürken "İşte böyle, bir haber geliyor, bütün keyfimiz kaçıyor," diye yakındı Ahmet Türk.

Yüzünden düşen bin parçaydı.

Yalnız DTP Genel Başkanı'nın değil, herkesin keyfi kaçmıştı. Dağdan gelen ölüm haberleri son zamanlarda özellikle tedirginlik ve kaygıya yol açıyordu.

Ve hep aynı soru duyuluyordu:

Barış açılımına, Kürt açılımına tuzak mı kuruluyor? DTP'lilerle de, sokaktaki adamla da konuştuğunuz vakit, kulağınıza hep tuzak, provokasyon, sabotaj gibi sözcükler çalınıyor.

Kasrı Kanco'nun terasında plastik sandalyelere oturmuş, Mezopotamya'nın üzerinde ateşten bir portakal gibi doğmuş ayın ışığında çaylarımızı içiyoruz.

Elektrikler sürekli kesiliyor.

Büyük bir gümbürtüyle yerimden fırlıyorum, ne oluyor diye. Bir F-16 savaş uçağı alçak uçuş yapmış... Biraz sonra ikincisi geçiyor Kasrı Kanco'nun üzerinden. Bu kez gayet sakin oturuyorum yerimde.

Ahmet Türk gülüyor halime:

"Buralarda üç aylık bebekler bile alışmıştır bu uçak seslerine..."

Kışkırtıcı soru Cengiz'den:

"Bu savaş uçaklarının uçmaması için Kandil'dekilerin inmesi gerekmiyor mu?"

Kocaman gözlerini açıyor:

"Ama nasıl inecekler?.."

Peki ama PKK, çatışmanın olamayacağı yerlere çekilemez mi? 1999'da böyle olmadı mı? Bu soruların da yanıtı malum:

"Evet 1999'da böyle oldu, PKK dışarı, uzaklara çekildi. Ama çekilirken, 500'ün üzerinde kayıp verdi. Çünkü asker operasyonları durdurmadı. Ya yine olursa?"

Bir başkası şöyle diyor:

"Dağdaki gerilla gücü dışarı çekilir, olur bu. Ama devletin de kapalı kapılar arkasında güvence vermesi gerekir, tek kişinin burnu bile kanamayacak diye... 1999 tecrübesi böyle bir güvenceyi gerekli kılıyor."

Bazı sohbetlerde dikkatimi çekiyor.

Sürekli olarak 'askerî operasyon'ların durmadığına, bunun 'Kürt açılımı'na zarar vereceği belirtiliyor. Bu arada televizyon haberlerinde Başbakan Erdoğan'ın Eruh'taki 7 şehitle ilgili olarak yaptığı açıklamada, açılım sürecinin devam edeceğini söylemesi rahatlık yaratıyor.

Yanımda oturuyor.

12 Eylül askerî yönetimi sırasında PKK'den dolayı 1980'de hapse girmiş, on yıl yatıp çıkmış. Barış sürecinin önemini anlatıyor bana.

Zaman, sabır ve anlayış gerektiğini söylüyor. Bize kulak misafiri olan bir başkası daha siyasi bir yorum getiriyor:

"Hasan Cemal, bu memlekette parlamento ne zaman ordusuna hâkim olur, işte o zaman bu memlekette demokrasi olur."

Ahmet Türk'le iki üç yıl önce yine Kasrı Kanco'da bir gece geçirmiştik. 12 Eylül'de, Diyarbakır Askerî Cezaevi'nde çektiği acıları, gördüğü işkenceleri dinlemiştim kendisinden, içim acıyarak...

Bazılarını yine anlattı. Ve dedi ki:

"Bak Hasan Cemal, acıların, o geçmişin esiri olursak, barışı kuramayız."

O geldiğimde Kasrı Kanco'da kalmıştım. Terastan Mezopotamya'nın üzerinde parlayan mehtabı seyredip birkaç kadeh yuvarlamıştık. Mehtap yine güzeldi.

Dedi ki Ahmet Türk:

"Geceyi dışarıda, bu terasta geçirdin mi, yıldızlar üstüne dökülüyormuş gibi olur."

Üç kız kardeşi var.
Biri dağda ölmüş...
Biri dağda...
Biri de hapiste...

Eruh, 11 Eylül 2009

Sabah serinliğinde Mardin'den yola çıktık. Midyat'ın, Hasankeyf'in tarihi güzelliklerinin içinden geçerek Batman üstünden Eruh'a doğru gidiyoruz.

Aram Tigran'ın hüzünlü sesiyle başka dünyalara dalıyorum. Geçmişin acılardan söz eden eşine, **"Acıları unut, unutmazsak kardeşlik mümkün olmaz,"** diyen, bu nedenle Ermeni milliyetçileri tarafından çokça eleştirilen Aram Tigran yakınlarda öldü [8 Ağustos 2009].

Diyarbakır'da gömülmek istedi ama ne yazık ki bürokrasi engelini aşılamadı.

Bejan Matur şöyle der:

"Aram Tigran bir Ermeni olarak doğdu. Kürtçenin en güzel aşk şarkılarını seslendirdi. Cümbüşü, uduyla, hançerenin o çokça kullanıldığı Ortadoğu coğrafyasında sükûnetle şarkı söylemenin mümkün olduğunu gösterdi.

Ben çocukken, annem Aram Tigran'ın kaçak kasetlerini dinlerdi. Annemin onda bulduğu şeyin tatlılıkla dile gelen bir sevda ve sükûnet olduğunu sonradan fark ettim. İyileştirici bir etkisi vardı müziğinin. Erivan Radyosu'nun kaçak istasyonundan Aram'ın müziği çalındığında her yer iyilikle dolardı."

Artık bu topraklarda da yasak değil Aram Tigran'ı dinlemek. Minibüsümüzün sürücüsü Erkan da seviyor onu. Erkan'ın üç kız kardeşi var.

Biri dağda ölmüş...

Biri dağda...

Biri hapiste...

Erkan'la birlikte dinliyoruz, "Acıları unutmazsak, kardeşlik mümkün olmaz," diyerek bu acılı topraklara uzaklardan seslenen Aram Tigran'ı...

Eruh'a yaklaştıkça dağlar büyümeye, dikleşmeye başlıyor. Önümüzde Çirav Dağı. Bir gün önce bu dağın eteklerinden geldi, barış umuduna darbe vuran ve içimizi acıtan şehit haberleri, ölüm haberleri...

Yıllardır dikkatimi çeker. Ve aynı şeyi düşünürüm. Eruh'a yaklaşırken de öyle oldu.

Uzakta, dağın tepesindeydi askerî birliğin karargâhı. Kartal yuvasını andırıyor. Anlaşılan, etrafı kuş bakışı kontrol edebilen güvenlikli bir yer olarak seçilmiş.

Sanki bir ortaçağ şatosu.

Yol boyu da öyleydi.

Asker her yerde kum torbalarının, dikenli tellerin arkasına çekilmiş, elde silah kontrol kulübelerinden kuşkulu, tedirgin gözlerle dışarıya bakıyordu. Bu tecrit edilmişlik haliyle, asker ile devlet Kürtlerle arasına gitgide yükselen bir duvar ördü.

Bu duvar, Kürtleri Ankara siyasetine, devlete yabancılaştırdı. Bu duvar, Kürt sorununu derinleştirdi. Bu duvar, Kürtler içinde PKK'nin kök salmasına yol açtı. Şimdi bu 'duvar' yıkılmadan Kürt sorununun çözüm rayına oturması ya da 'barış açılımı'nın başarıya ulaşması, lütfen bir kenara not edin, imkânsızdır.

Eruh meydanı sakin.

Saat kulesinin üstüne, 'Vatan bütündür, bölünmez!'" yazmış devlet...

Çeyrek yüzyıl önce, 1984'ün sıcak 15 Ağustos günü, devlete karşı PKK ilk silahı bu meydanda patlattı. Devletin resmi kayıtlarına "29. Kürt İsyanı" diye düşen kalkışma, Eruh'taki cami minaresinden okunan bildiri, jandarma karakoluna saldırı, meydana asılan pankartlarla başlamıştı.

Öğle vakti etraf çok sakin ve tenha.

Sanki bir kovboy kasabasına geldik.

Minibüsten ininee bir süre 'Bunlar da kim?' diye bizi izleyen meraklı gözler... Sonra çevremizin kalabalıklaşmaya başlaması...

Sorular sürpriz değildi.

Herkes, Eruh'un sırtını dayadığı Çirav Dağı kırsalında bir gün önce gerçekleştirilen askerî operasyon 'barış açılımı'nı nasıl etkiler, öğrenmek istiyordu. Eruh'ta bir önceki yerel seçimleri ilk kez DTP almış. DTP'nin oyu 2010, AKP'ninki 940.

Yıllar yılı Ankara'da yaşamış olan 43 yaşındaki DTP'li belediye başkanı Mehmet Melih Oktay'la makamında uzun uzun dağdan gelen son ölüm haberleriyle 'Kürt açılımı'nı konuştuk.

Askerî operasyon burada da kaygı yaratmıştı. Sonra dışarı çıktık. Çevremizi saranlarla sohbet ettik. Biri, PKK'nin bakışını özetlerken aynen şunları söyledi:

"Benim kardeşim dağda, benim amca oğlum dağda... Şimdi hâlâ diyor ki devlet, **'Biz o dağdakileri öldüreceğiz, bu arada size köy isimlerinizi geri vereceğiz, falan filan...'** . Beş bin kişi dağdaysa, onlar ne diye çıktılar dağa?.. Biz de bıktık artık kan dökülmesinden... Ama iyileştirmeler olmadan, dağ kadroları için, İmralı için iyileştirmeler olmadan, ne diye inecek ki onlar dağdan... Kan dökülmesin, bir şeyler yapılsın ama... Tamam, anlıyoruz, hepsi aynı anda olmaz. Bazı adımlar atılsın, ateşkes süreci uzasın, ama bu arada bazı adımlar atılmaya, bazı iyileştirmeler yapılmaya başlasın."

Bir başkası söze giriyor:

"Bakın, biz dağdakileri yalnız bırakamayız. Bizim için devlet bir şeyler yapmışsa, bu onların mücadelesi sayesinde olmuştur. Şimdi bize bir iyileştirme gelecek diye, dağdaki kadroları bırakamayız, yani onları satamayız. Dağdakilerin otuz yıllık mücadelesi olmasaydı, buralara gelemezdik. Burada bizler ter akıttık, ama onlar kan akıttı. Canını ortaya koydu. Bu yüzden dağdakileri, İmralı'yı bırakamayız."

Biri de ekliyor:

"Bakın, PKK öyle yalnızca kan dökmeye meraklı bir örgüt değildir. PKK'nin istekleri var, eşitlikle, demokrasiyle ilgili talepleri..."

Şemdinli, 12 Eylül 2009

Van'dan sabah vakti Şemdinli'ye doğru yola koyulduk.

Şehrin çıkışında, Hakkâri kavşağında kısa adı KTM olan Kabul Toplama Merkezi. Bölgedeki birliklerine sevk edilecek askerler için güvenlikli konvoylar oluşturuluyor.

Sapsarı ağaçsız tepeler...

Tekdüze, biraz sıkıcı.

İnsan kendi içine dönüyor.

Dağların arkasındaki çıplak sarılığın orta yerinde birdenbire yem-yeşil bir ova, Gülpınar. 1915 öncesi Gülpınar Ovası'nın köylerinde hep Ermeniler yaşarmış, sonra yitip gitmek zorunda kalmışlar kendi topraklarından, kendi evlerinden barklarından...

Ve Hoşap Kalesi!

Yalçın kayalıklar üstünde bir ortaçağ şatosu tüm haşmetiyle dikiliyor önümüzde.

Sanki bir peri masalı!

Dağların arasından geçiyoruz.

Rakım 2700 metre.

Önce Aynur'un sesi patlıyor. Botan, Cizre yöresinden Kürtçe bir türkü, *İncir Ağacısın!* Ama öyle böyle bir türkü değil, insanın içi kabarıyor, canhıraş zılgıtlarla ayaklanıyor.

Arkasından da Ahmet Kaya, insanın içine işleyen yanık sesiyle. 'Şafak Türküsü'nü söylüyor, bir idam mahkûmunun son saatlerini anlatan.

Uzun yolda içime dönüyorum.

Yazık değil mi, Kürtçe seslerin bunca yıl yasaklanmış olması? Demokrasi tarihimizin rezil sayfaları arasına katılmadı mı Ahmet Kaya'lara reva görülen baskılar? Devletin bu hoyratlıklarından kültürel zenginliğimiz kaybetmedi mi?

Başkale'ye iniyoruz.

Bir gün önce mayına basan iki askerin şehit olduğu ilçeyi geçtikten sonraki kavşakta bir yol Hakkâri-Çukurca-Şırnak'a gidiyor.

Biz Yüksekova, İran yazan tarafa sapıyoruz.

Jandarma kontrol noktası...

Zırhlı araçlar...

Kum torbaları, dikenli teller ve silahlı askerlerin etrafı gözlediği kuleler.

Barış değil savaş manzaraları...

Zap Suyu'nun bir kolu cılız akıyor. Kat kat sıra dağlar, günün değişen ışıklarında harikulade bir manzara oluşturuyor.

Sağ tarafımız Kuzey Irak. Sol taraf İran'a açılıyor.

PKK'nin en güçlü olduğu yerlerden biri olan ve buralı bir dostun "Sert abilerin yeri" diye nitelediği Yüksekova'nın içinden geçiyoruz.

Otelin adı ilginç, Oslo Oteli...

Yerel seçimlerde DTP'ye sandıktan yüzde 88 oy çıkmış Yüksekova'da.

Haruna Geçidi, rakım 2110.

Muhteşem sıfatına layık bir manzara daha açılıyor gözlerimizin önünde.

Şapatan Geçidi, rakım 1910.

Yine büyüleyici bir coğrafya. Aşağıda, dağların arasına sıkışmış yemyeşil, ağaçlıklı bir vadinin içinde Şemdinli'yi görüyoruz.

DTP'li belediyede sohbet hiç vakit kaybetmeksizin her durağımızda olduğu gibi 'Kürt açılımı'nda düğümleniyor.

Barış konusunda kabaran umut dalgası her yerde olduğu gibi Şemdinli'de de varlığını belli ediyor. Belediye başkanını makam odasında beklerken her kafadan bir ses çıkıyor.

Genellikle aynı tepkiler:

"Evet umut besliyoruz, ama soru işaretleri de var."

"Operasyonlar durmalı!"

"Operasyon olmazsa, çatışma da olmaz."

"Af çıkmalı, herkes kucaklaşmalı."

"Geçmiş unutulmalı!"

"Buralar, Şemdinli'nin içi sessiz ama sınır boyları öyle değil."

"İmralı'yla konuşulsun."

"Barış, İmralı'yla konuşmaktan geçer, başka çare yok."

Başkan'ın odası yapma çiçeklerle dolu. Hepsinde üç renk öne çıkıyor: Sarı, kırmızı, yeşil...

Belediye başkanı 26 yaşında bir avukat, Sedat Töre. Doğma büyüme Şemdinlili. Kuzey Kıbrıs'ta hukuk okumuş. Son seçimde yüzde 59 oyla kazanmış belediye başkanlığını. AKP'nin oyu yüzde 35'te kalmış ama buraları için yüksek bir oy oranı...

DTP'li başkan diyor ki:

"Önce silahların susması lazım. Önce bir sükûnet ortamı şart. Ve operasyonların durması tabii. Askerî operasyonlar maalesef devam ediyor."

Uzaktan savaş uçaklarının sesi kulağımıza çalınıyor. Başkan, "Şemdinli semalarından geçen uçaklar Hakurk'a doğru uçar. Kandil'e gidenler ise Çukurca üzerinden..."

Şemdinli, 15 Ağustos 1984'te PKK'nin Eruh'la birlikte devlete ilk silahı attığı yer. Eruh'taki baskından iki saat sonra PKK'liler üç saatlik bir baskın yapıyor Şemdinli'ye. Çarşıda propaganda konuşmaları ve dağıtılan bildirilerden sonra marş söyleyerek dağa doğru yönelip kayboluyorlar.

Çarşıda yürüyoruz esnafla sohbet ederek.

Umut Kitabevi yolumuzun üstünde.

Sefer Yılmaz, 2005 yılı Kasım ayında yaşanan 'Şemdinli olayı'ndan sonra kitabevini küçük bir müzeye dönüştürmüş.

"Yaşar Büyükanıt Paşa'nın iyi çocukları"nı anımsayarak dolaşıyorum küçük müzeyi...

Yerdeki bomba izleri, tavandaki şarapnel izleri ve Sefer Yılmaz'ın devam eden davası, bu ülkenin demokrasi ve hukuk yolculuğunun ne kadar zorlu geçeceğini gelecek kuşaklara anlatacak.

Van, 16 Eylül 2009

Açılım bölgede büyük bir umut dalgası kabartmış durumda. Artık dağdan ölüm haberleri gelmesin diyenler gözlerini Ankara'ya dikmiş bekliyor.

Umutlu bir bekleyiş bu.

Ama aynı zamanda kaygı ve tedirginlik var bu bekleyişte. Çünkü, bu umut verici sürecin 'sabote edilmesi'nden korkuluyor.

Beş günde 1500 kilometre yaptık.

Her durakta aynı şeyi gördüm.

Hava Kuvvetleri Komutanlığı'nın 30 Ağustos'taki devir teslim törenindeki o söz, **"Son terörist ölünceye kadar mücadele sürecek!"** sözü bölgede umutsuzluk ve güvensizliği körüklemiş durumda. Genelkurmay Başkanlığı tarafından da tekrarlanan bu söylemin barışa yatırım olduğunu sanmıyorum. Güneydoğu'da nereye gittiysek, bu söze büyük tepki vardı.

Şimdi denecek ki:

"Ne var yani, devlet kendine silah çekenle mücadele etmeyecek mi?"

Ama iş bununla bitmiyor ya da bu kadar kolay değil.

Bu mesele öyle ezberci yaklaşımlarla bitmez.

Nitekim bitmedi de.

Çeyrek yüzyıldır bu ezberci yaklaşımlardır, devletin ve siyasal iktidarların Kürt sorunu ve PKK politikalarına damgasını vuran...

Sonuç ne oldu?

Dağın yolu kesilebildi mi? Hayır. Dağa çıkışlar engellenebildi mi? Hayır. PKK dağdan temizlenebildi mi? Hayır. PKK'nin şehirlere siyaseten nüfuz etmesi önlenebildi mi? Hayır. PKK'ye dayanan güçlerin Güneydoğu'da belediyeleri halkın oyuyla kazanmaları önlenebildi mi? Hayır.

PKK'nin şehirlerde sivil toplum kuruluşlarını örgütlemesine set çekilebildi mi? Hayır. PKK'ye yönelik olarak Kürtlerde yer etmiş destek ve sempati azaltılabildi mi? Hayır. On yıldır hapiste olmasına rağmen Öcalan'ın hem PKK'deki, hem Kürt kitlelerindeki etkisi kırılabildi mi? Hayır.

Ve çeyrek yüzyıldır dağda PKK'li öldürmüyor mu devlet? Askerî yönetim dönemlerinde, sıkıyönetimlerde, olağanüstü hallerde işkencelerden faili meçhullere kadar her türlü baskı ve zulüm uygulanmadı mı Güneydoğu'da Kürt insanına?..

Peki, değişen ne oldu?..

Bakın, tekrar tekrar yıllarca aynı şeyi yapıp değişik bir sonuç beklemek, akıllı insan işi değildir.

Artık elde silah, 'öldürmek'le çözüm yoluna girilemez. Dağın yolu böyle kesilmez, kesilemez.

Geçmişin dersi budur.

Dağda öldürdüğünüz her PKK'li, şehirden dağa çıkacak yeni PKK'lilerin yolunu açar. Dağda öldürdüğünüz her PKK'li, örgütün kitleler nezdindeki destek ve sempatisini arttırır.

Bu yalın gerçeği görmeden, hissetmeden bu ülkede barışın yolu açılamaz, Kürt sorunu çözüm yoluna sokulamaz.

Devlet, cumhuriyetin kuruluşundan bu yana gelen ezberleriyle, klişeleriyle bu sorunu içinden çıkılmaz hale getirdi. Devlet, kendini Kürtlere böyle yabancılaştırdı.

Ve bu yabancılaşmada asker belirleyici rol oynadı. Çünkü bu alanı, cumhuriyetin kuruluşundan beri 'sivil siyaset'e kapattı, Kürt sorununu kendi tekeline aldı.

Dersim'deki gibi 'tenkil' siyasetiyle, Kürtlerin dilini, kimliğini inkâr eden asimilasyon siyasetiyle ve bir tek 'sopa'yla, aş ve işle bu meselenin üstesinden gelineceğini sandı devletle asker...

Çözüldü mü? Tek kelimeyle hayır.

Eğer 'bölücülük' diyorsanız, bölücülüğü asıl körükleyen, yani Kürtleri bu topraklarda küstüren, askerin damgasını vurduğu devlet politikalarıdır.

Artık kafayı değiştirmek lazım.

Kürtlere el uzatmak, aralarına girip onları anlamaya ve dertlerini hissetmeye çalışmak, kendinizi onların yerine koymaya gayret etmek şart.

Başka türlü anlayamazsınız. Kürtleri de, sorunu da anlayamazsınız bugüne kadar süregelen tutumunuzla...

Dikenli tellerin, kum torbalarının arkasına ya da sırça köşklere çekilerek, yani toplumla her türlü teması keserek ve de toplumsal ve siyasal gerçeklerle hiçbir ilintisi kalmamış, günlük deyişle cılkı çıkmış birtakım ezber ve klişelerle düşünürek bir yere varamazsınız.

Bugüne kadar varamadınız.

Bundan sonra hiç varamazsınız.

Elbette PKK'nin de, DTP'nin de yanlışları var. Arabayı atın önüne koymaya çalışan, gerçekçilikten kopuk yönelişleri var. O saflarda da 'barış süreci'ni sabote etmek isteyen güçler var. Ama hâkim eğilim barıştan yana, silah ve şiddetten değil.

Bu yüzden Erdoğan hükümeti eğer Ankara'da gerekli 'siyasal irade'yi gösterebilirse, Türkiye'nin çok ihtiyaç duyduğu barış açılımı devam eder.

Bu bir 'süreç'tir.

Zaman, sabır ve siyasal kararlılık isteyen bir süreç. Bugünden yarına bu mesele çözülmez. Kolayından zoruna doğru akacak bu sürecin kırılgan olduğunu bilerek yola çıkılması lazım.

Şimdi ne mi yapmalı?

Parmakları tetikten çekerek, dağda silahların sustuğu bir ortamda 'barış açılımı'na devam etmektir en iyisi...

Şemdinli çıkışında, Yüksekova'ya doğru kıvrılırken bir kontrol noktasında, hani fidan gibi derler ya, öyle gencecik askerler ile ayaküstü eğlenceli bir sohbet yaparken, "Yazık değil mi bu canlara," diye iç geçirdim...

Kürt meselesini Türkler, en cahilinden en okumuşuna, ne kadar biliyor?

2009'un Eylül ayı ortasında Güneydoğu'dan İstanbul'a dönerken yine sormuştum kendime:

Kürt meselesini Türkler ne kadar biliyor?

En okumuşundan en cahiline kadar Türkler, Kürt sorunu deyince ne anlıyor?

Bence Kürt sorununu bilen ve yüreğinde hisseden Türkler bu ülkede hâlâ küçük bir azınlığı oluşturuyor. Büyük çoğunluk bilmediği ve hissetmediği için de Türkiye'yi kanatan bu sorunda çözüm için gereken ağırlığı yaratamıyorlar.

Peki, bu sadece Türklerin kabahati mi?

Bu da meşru bir soru.

Çünkü, Türkler bu ülkenin tarihten gelen birçok temel sorununda olduğu gibi Kürt meselesinde de karanlıkta tutuldu. Devlet bunu bilinçli olarak yaptı. Okulda, üniversitede böyle bir sorundan habersiz kuşaklar yetiştirildi.

Ben de bunlardan biriydim.

Herkese öyle bir 'Türk milliyetçiliği' aşısı yapıldı ki, Kürtlerin varlığı, dili, kültürü her şeyi onca zaman inkâr edildi. Tersini söyleyenler baskı gördü, hapislere atıldı, vatan haini ilan edildi.

Dengir Mir Fırat Adıyamanlı bir Kürt. 2011 genel seçimlerine kadar Ak Parti Adana milletvekiliydi. Ayrıca uzun yıllar Ak Parti'nin genel başkan yardımcısıydı.

CNN *Türk*'teki Tecrübe Konuşuyor programında Dengir Bey'e de sormuştum 2009'un Eylül ayında:

"Kürtçeyi nasıl öğrendiniz?"

Yanıtı çok içtendi:

"Ankara Hukuk Fakültesi'ne başladığımda Kürtçe bilmiyordum. 1960'ların başlarıydı. Bir gün Cebeci'de, eski konservatuarın bulunduğu Atatürk Öğrenci Yurdu'ndan çıkmış yürüyordum. Sanıyorum 27 Mayıs'tı. O tarihlerde bu darbe bayram olarak kutlanırdı. Dikimevi'nin önünde, on beş yirmi metrelik şöyle bir pankart asılmıştı:

'Kürdüm diyenin yüzüne tükürün! Cumhurbaşkanı Cemal Gürsel.'

Gerisin geriye yurda, arkadaşlarımın yanına döndüm, Kürtçe öğrenmek istediğimi söyledim."

Dengir Bey'in dedesi, Kurtuluş Savaşı'na katılmış, ilk mecliste milletvekilliği yapmış. Ve ailesi tam dört kez, ilki 1920'lerde, sonuncusu 27 Mayıs Darbesi'nden sonra sürgüne uğramış, her sürgünde de mallarına el konmuş...

Şöyle dedi:

"Jandarma akşam vakti kapıyı çalar, ertesi sabah elinizde sadece tek bir bohçayla evinizden barkınızdan gideceğinizi söyler. Yürüyerek yola koyulursunuz, en yakın tren istasyonunda sizi bekleyen hayvan vagonlarına binmek üzere..."

Dengir Mir Fırat programı, "Ben insanım. Ben Kürdüm. Ben Türkiye Cumhuriyeti'nin vatandaşıyım. Devlet olarak bana saygı duyun!" diye bitirmişti.

Dengir Bey'in bu sözlerinden sonra şimdi kendi kendinize sorabilirsiniz, Kürt meselesi nedir, onu yüreğimde biraz olsun hissedebiliyor muyum diye...

BEŞİNCİ BÖLÜM

Habur kâbusunun altında boğulan demokratik açılım!

Heyecanlıydı, biraz da telaşlı, haber Kandil'den gelmişti. "Barış grupları yola çıkıyor, Kandil'den, Mahmur Kampı'ndan," dedi. İlk gerilla grubu hafta başı Habur'da bekleniyordu.

2009 yılı Ekim ayı.

Türkiye, 'demokratik açılım'da Habur olayına doğru yol alıyordu. Büyük umutlarla hayal kırıklıklarının iç içe yaşanacağı bir süreç hızlanmıştı.

Oyunun değişik ayakları vardı:

Ankara, İmralı, Kandil ve Irak Kürdistanı.

Cengiz Çandar'la birlikte *CNN Türk*'de yaptığımız 'Tecrübe Konuşuyor' isimli programımızı Kuzey Irak'a, Irak Kürdistanı'na taşıdık.

Iraklı Kürt liderler, Kürdistan Yönetimi Başkanı Mesud Barzani ve Irak Cumhurbaşkanı Celal Talabani elbette önce Ankara'nın duymak istediklerini söylediler:

"Açılımı destekliyoruz, PKK silah bırakmalı!"

Sonra eklemeyi unutmadılar:

"Tabii Türkiye'nin de yapacakları var."

Barzani: "Evet, PKK dağdan insin,
silah bıraksın! Tabii Türkiye'nin de
yapacakları var."

Selahaddin, 15 Ekim 2009

Irak Kürdistan Bölgesel Yönetimi Başkanı Mesud Barzani, Baş-
kanlık Sarayı'nda "Artık Türkiye'yle kış sona erdi, şimdi bahar hava-
sı geliyor," derken, 'Kürt açılımı'nı desteklediğini ve olumlu karşıla-
dığını belirtiyor, bunun bölgesel barış ve istikrara katkısının büyük
olacağını söylüyordu.

Mesud Barzani'ye ilk sorum:

"PKK dağdan inip silah bıraksın mı?"

Barzani sözü hiç uzatmadı:

"Evet, PKK'nin dağdan inmesi ve silah bırakması lazım. Ama bu
konuda Türkiye'nin de yapması gerekenler var tabii."

Bu konuda, "Türkiye'nin iç işidir," diyerek ayrıntıya girmekten
kaçınmakla birlikte, PKK'ye af dahil bazı adımların atılması gerekti-
ğini üstü örtülü bir dille belirtti.

Kürt sorunu ve PKK'ye ilişkin çözümün "Diyalogdan ve birbiri-
ni anlamaya çalışmaktan geçtiğini" söyledi ve ekledi:

"Türkiye Cumhuriyeti'yle ilişkilerimizin PKK'ye, PKK'nin dağ-
dan indirilmesine bağlanmasını doğru bulmuyoruz. Dağdan inmek
elbette olumlu etki yapacaktır. Ama şunu iyi bilin: PKK'nin politi-
kalarından biz sorumlu değiliz."

Barzani hiç olmadığı kadar olumlu bir havadaydı, yapıcıydı, daha
önemlisi güler yüzlüydü. Anlaşılan, bunun için Barzani'nin kurmay-
ları ciddi mesai yapmıştı.

Barzani, Ankara'nın attığı adımla bir 'barış süreci'nin açıldığını,
böylece 'psikolojik bir eşiğin' aşıldığını, 'psikolojik bir engel'in kırıl-
dığını belirtti ve şöyle dedi:

"Türkiye Cumhuriyeti'nin benimsemeye başladığı politika, sa-
vaşı durduracaktır. Psikolojik bir duvarı yıkacak bu politikayı tüm
gücümüzle destekliyoruz."

Barzani, açılımdan olumlu bir sonuç alınabilmesi için "silah kul-
lanılmasının, kan dökülmesinin durması" gerektiğini belirtirken
şunu da ekledi:

"Artık herhangi bir askerî operasyonu desteklemiyoruz. Silah-
lı ortama son vermemiz lazım. Barıştan, kardeşlikten söz ederken,
aynı zamanda silahı konuşmak olmaz."

Barzani'yle ilk mülakatımı 1993'te Irak Kürdistanı'nın Dohuk
kentinde yapmıştım. O zaman kendisine "Bağımsız bir Kürt dev-

leti ideali yüreğinizde yatıyor mu?" diye sormuştum. Barzani de "Evet," diye yanıtlamıştı.

Aradan on yıl geçtikten sonra, 2003 yılı Mayıs ayında ve Saddam Hüseyin'in devrilmesinden birkaç hafta sonra Selahaddin'deki bir mülakatımız sırasında aynı soruyu kendisine yöneltince şöyle demişti: "On yıl sonra da sorsanız yanıtım değişmeyecek, evet!"

Ben yine aynı soruya hazırlanırken, Barzani neyin geleceğini anladı ve gülmeye başladı, "Yanıtım değişmeyecek," demekle yetindi.

Talabani, Erdoğan için: "Kemalizm'den değil İslamcı gelenekten geliyor. Bu yüzden Kürt meselesine yaklaşımları farklı..."

Bağdat, 16 Ekim 2009

Irak Cumhurbaşkanı Celal Talabani'yle öğle ve akşam yemeğini birlikte yedik. Öğle yemeği Selahaddin'deydi ve Kürdistan Bölgesel Yönetimi Başkanı Barzani'nin davetlisiydik. Akşam yemeği ise Talabani'nin Bağdat'taki resmi ikametgâhındaydı.

Erbil'den Bağdat'a Cumhurbaşkanı Talabani'yle özel uçağında birlikte uçtuk. Akşam yemeğinde Talabani her zamanki gibi konukseverdi, konuşkandı. *Kürtler* isimli kitabımda yazdığım bir olayın bilmediğim bir boyutunu kendisinden dinlerken çok güldük.

1960'ların başında Mısır.

Nasır yönetimi izin verir, bir Kürtçe radyo yayına başlar. Ankara rahatsız olur. Kahire'deki Türkiye Büyükelçisi randevu alıp Başkan Nasır'a gider, hükümetinin rahatsızlığını iletir.

Nasır da şöyle der:

"Hem Türkiye'de Kürt yok diyorsunuz, hem de buradaki Kürtçe yayından rahatsız oluyorsunuz, bu nasıl iştir?"

Büyükelçi bunun üzerine Türkiye'de Kürtlerin bulunduğunu söylemek mecburiyetinde hisseder kendini. O zaman da Başkan Nasır, çekmecesinden bir kâğıt çıkarır, bizim büyükelçiye uzatır:

"Şu kâğıdın üstüne 'Türkiye'de Kürtler vardır!' diye yazıp bana verin, ben de o zaman Kürtçe radyoyu kapatacağım."

Kahire büyükelçimiz ıkınıp sıkınır ve bunu yapamayacağını söyler. Başkan Nasır'dan bunu bizzat duyduğunu söyleyen Celal Talabani, "Nereden nereye..." derken haklıydı.

1991 yılı başında, Cumhurbaşkanı Özal döneminde Ankara'ya nasıl ilk kez gizliden gizliye geldiğini, bu yüzden Özal'ın muhalefet tarafından nasıl 'vatan hainliği'yle suçlandığını anlatırken zamanın ne çabuk geçtiğini, birçok şeyin nasıl değiştiğini bir kez daha düşündüm.

Nasır'la, Çu En Lai'yla, Nixon'la, Kissinger'la yaşadıklarını keyifle ve zekâ pırıltılarıyla anlatan, Demirel'in 'Kürt realitesi'yle Çiller'in başbakanlığı dönemindeki 'Bask modeli'nden söz ederken ince ayrımlara özen gösteren ve Türkiye'ye bir zamanlar gizlice girebilen, sınır boyunda ancak kaymakamlarla muhatap olan Celal Talabani bugün Irak'ın cumhurbaşkanlığı koltuğunda oturuyor.

İlk kez 1992'nin Ekim ayında, Irak Kürdistanı'nın Şaklava'sında tanıdığım Mam Celal bir ara şöyle dedi:

"Bir zamanlar Kürtlerin dağlardan başka dostu yoktur derdik. Bugün artık öyle değil."

Bir gün önce Mesud Barzani'yi dinlerken de içimde benzer duygu ve düşünceler uyandı. Selahaddin'deki Başkanlık Sarayı'ndaki makamında Cengiz Çandar'la birlikte sorularımızı yanıtladıktan sonra Kuştepe Katliamı'nı anlattı bize.

Yıl 1983, Irak.

Saddam Hüseyin kuvvetleri Barzan aşiretlerini basıyor. 14 ile 90 yaş arasındaki tam 8 bin erkeği topluyor, Kuştepe mevkiinde bir kampa koyuyor. Ve bir gün Saddam tek bir emirle kamptaki 8 bin kişiyi katlettiriyor. Öldürülenler arasında Mesud Barzani'nin kendi ailesinden 37 kişi var.

Barzani, "Öldürülenler arasında üç kişi de benim öz ağabeylerimdi," diye ekledi.

Saddam'ın Kuştepe Katliamı'nı, Barzan'ı gösteren bir fotoğrafın önünde Barzani'nin kendi ağzından dinlerken dikkat ettim, yüz hatları kımıldamıyordu. Böylesine acılar yaşayan bir insan da bugün Kürdistan Bölgesel Yönetimi Başkanlığı koltuğunda oturuyor.

Barzani, Talabani'den farklıdır.

Daha mesafeli, yüzü fazla gülmeyen, az ve öz konuşan, kendi iç dünyasını ele vermek istemeyen, içine kapanık bir karakteri vardır. Ama bu kez karşımızda daha farklı bir Mesud Barzani vardı. Sık sık gülümsedi, hatta arada güldü. Daha da ileri gitti, bunca yıldır ilk defa bize yemek daveti de yaptı.

Bunları kendisine yemek sırasında ve de Celal Talabani'nin, Barham Salih'in, Sefin Dizayi'nin, efsanevi peşmerge lideri Kosrat Resul'un ve kurmaylarının önünde anımsatınca tepki göstermedi, hatta kendisindeki bu değişimi kabullenir gibiydi. "Türkiye'yle ilişkilerde kış geride kaldı, şimdi bahar vakti," sözünü tekrarladı.

Başbakan Erdoğan'ın bir gün önce yaptığı günübirlik Bağdat ziyareti öncesinde Mesud Barzani gibi Celal Talabani de olumlu mesajlar verdi Türkiye'ye. Bağdat'ta çarşamba akşamı birlikte yediğimiz yemek sırasında özetle şunları söyledi:

"Ankara'nın Kürt açılımı konusunda iyimserim, umutluyum. Bu kez çözüm yolunda gerçekten ciddi bir adım atıldı. Anlaşılan mutfakta bir şeyler pişiyor."

Talabani, Kürt meselesiyle ilgili olarak Cumhurbaşkanı Gül'ü, Tayyip Erdoğan'la hükümetini ayrı bir yere koyuyor.

Bir ara dikkat ettim, şöyle dedi:

"Kemalizmden gelmiyorlar. İslamcı gelenekten geliyorlar. Sanıyorum bu yüzden de Kürt meselesine yaklaşımları da farklı..."

Talabani çok fazla ayrıntıya girmek istemiyor ama, Türkiye'de bugün artık askerin de bir değişim içinde olduğunu dikkatli bir dille belirtiyor.

PKK'nin silah bırakmaktan ve dağdan inmekten başka bir çaresinin kalmadığını üstü örtülü de olsa söylüyor.

Bu açıdan İmralı'nın, yani Öcalan'ın da Kandil'e, bir başka deyişle PKK'nin dağ kadrolarına sözünü geçirebilecek tek adam olduğuna da işaret etmekten geri kalmıyor.

Ancak bu konuda, yine üstü örtülü biçimde, Ankara'nın af dahil bir şeyler yapması gerektiğini belirtiyor Talabani.

Şöyle demeye getiriyor:

"Sen dağdan in, ben de seni hapse atayım, olmaz tabii... İnmez o da..."

Kürt açılımının başarısı için affin, eve dönüş konusunun ne kadar önem taşıdığını salı gecesi Erbil'de, Kosrat Resul'ün evinde Irak Kürdistan Bölgesel Yönetimi'nin yeni başbakanı Barham Salih'ten de dinledik. Çok fazla ayrıntıya girmek istemedi. Ama af konusunu gündeme getirirken kısaca şöyle dedi:

"Küçük bir bölümü Avrupa'ya, bir kuzey ülkesine gönderilir. Büyük bölümü Türkiye'ye gider. Bir kısmı Irak Kürdistanı'na entegre edilir. Geri kalanı da İran'a, Suriye'ye... Af konusu, adını ne koyarsanız koyun işin püf noktası..."

Barham Salih, Kürt açılımıyla birlikte kaçırılmaması gereken 'stratejik bir an'dan, 'tarihî bir fırsat'tan söz ediyor.

Neçirvan Barzani de öyle.

Barham Salih'ten önce başbakanlık koltuğunda oturan Neçirvan Barzani, Ankara'daki Kürt açılımıyla birlikte önemsenmesi gereken kritik bir döneme girildiğini belirtirken, Ankara'yla aralarındaki 'stratejik diyalog'a da değindi. Bunun bir süredir daha çok kapalı kapılar arasında yürütüldüğünü söylerken, iki tarafın yakınlaşmaya başladığını belirtmeyi ihmal etmedi.

İlginç gelişmeler vardı kapalı kapılar arkasında!

PKK için dağ zorlaşıyordu.

Bir kenara not ediyorum.

Amerika Irak'tan çekilmeye hazırlanırken bölgede ister istemez bir şeyler değişiyor, değişecek. Bu 'bir şeyler', PKK'nin manevra alanını daraltırken, daha fazla dağda kalmasını zorlaştırıyor. Yine bu 'bir şeyler', Ankara'yla Irak Kürdistan yönetimini birbirine yakınlaştırıyor.

Erdoğan hükümeti eğer Kürt açılımını doğru adımlarla ileriye doğru götürmekte kararlı davranırsa, ufak ufak yaşanmakta olan barış süreci bölgenin barış ve istikrarına, Türklerin de, Kürtlerin de hayrına olan yeni gelişmelere kapıyı açabilir.

Sabah erkenden telefon... Ahmet Türk heyecanlı, "Telefonda Söyleyemem," diyor. Habur'dan 'barış grupları' yola çıkmış...

16 Ekim 2009

Sabah vakti DTP Genel Başkanı Ahmet Türk aradı. Önemli bir gelişme olduğunu ama telefonda anlatamayacağını, İstanbul'da olmadığı için de kendi yerine Emine Ayna'nın gelebileceğini söyledi.

Her zaman sakin bir insan olan Ahmet Türk bu kez sanki biraz telaşlıydı. Ben de o gün gazetede değildim, Emine Ayna evime geldi ve dedi ki:

"Murat Karayılan açıkladı, barış grupları yola çıkıyor, Kandil'den, Mahmur Kampı'ndan, Avrupa'dan... İlk grubun hafta başında Habur'a gelmesi bekleniyor."

Heyecanlıydı Emine Ayna.

PKK'liler dağdan iniyordu, bir yandan barış ve 'demokratik açılım' konusunda ciddi olduklarını göstermek, diğer yandan Erdoğan hükümetini sınamak istiyorlardı.

Gelişme hiç kuşkusuz önemliydi.

Kafamda tedirgin bazı soru işaretleri vardı. Acele işe şeytan karışır hissiyatı uyanmıştı içimde. Bunları Emine Ayna'ya söyledim, ertesi gün de *Milliyet*'te yazdım.

Aceleye getirilen bir şeyler mi vardı? Ters tepebilir miydi? Barışa hizmet derken ortalık karışabilir miydi? Olmadık provokasyonlara yol açılabilir miydi? 'Barış grupları'yla ilgili girişim sadece İmralı-Kandil ekseninde mi yapıldı? Yoksa Ankara-Bağdat-Erbil üçgeni de işin içinde var mıydı?

Bir başka deyişle:

Barış gruplarıyla ilgili senaryo daha önce kapalı kapılar arkasında, daha geniş çevrede mi oluşturuldu?

Böyle bir girişimin fazlasıyla sabır ve uzun zaman gerektiren 'demokratik açılım'a zarar vermesini engellemek lazım diye düşünüyordum. 1999 yılında da 'barış grupları' gelmişti Türkiye'ye. O zamanda düğmeye Öcalan basmıştı İmralı'da.

Fakat on yıl önce Öcalan, PKK'lilere bir talimat daha vermişti:

Parmaklarınızı tetikten çekin!

Sınır dışına çıkın!

Öcalan'dan PKK'ye bu defa böyle bir talimat yoktu. Biliyorum, buna karşılık söylenecek olanı: "Biz durduk, tek taraflı ateşkes ilanımız sürüyor. Biz parmağımızı tetikten çektik ama askerî operasyonlar durmuş değil."

Yine denilecek ki:

"Türkiye sınırlarının dışına çıkalım. İyi güzel ama 1999'da dışarıya çıkarken asker üstümüze geldi, 500 civarında kaybımız oldu. Bu sefer önce güvence verilsin, biz çekilirken üzerimize operasyon yapılmayacağına dair..."

Uyarı niteliğindeki yazımı şöyle noktalamıştm:

"Özellikle belirtmek istediğim üç nokta var. İlki, dağdan ölüm haberlerinin gelmediği, yani silahların sustuğu bir ortamın sağlanması... İkincisi, benim barış süreci diye tarif etmeyi sevdiğim açılımın bugünden yarına sona ermeyeceği, kesinlikle sabır ve zamana ihtiyaç gösterdiği... Üçüncüsü, 'Barış Grupları' için düğmeye basan Öcalan'ın aynı zamanda PKK'nin Türkiye sınırlarının dışına çıkması için de düğmeye basabilmesi..."[1]

Murat Karayılan, 2011'in Haziran ayı sonunda, Kandil'de bana Öcalan'ın da Habur konusunda o zaman kuşkuları olduğunu söyleyecek, bu arada "İşte dağdan iniyorlar!" havasıyla bir barış umudu yaratmak için Habur'u bizzat Başbakan Erdoğan'ın istediğini çıtlatacaktı.

19 Ekim 2009 Pazartesi sabahı Kandil'den, Irak Kürdistanı'ndaki Mahmur kampından ilk 'barış grubu'nu oluşturan kadınlı erkekli 34 PKK'li, silahsız olarak ama gerilla giysileriyle Habur sınır kapısına geldiler. 8'i Kandil'den 26'sı Mahmur'dandı. Kendilerini 'barış

---

1 Hasan Cemal, *Milliyet*, 18 Ekim 2009.

elçisi' diye tarif etmişlerdi. "Teslim olmuyoruz, misyonumuz barıştır," mesajıyla Habur'dan girdiler.

Ve tümü serbest bırakıldı.

Bir otobüsün üstünde, yanlarında DTP Genel Başkanı Ahmet Türk ve bazı DTP'li milletvekilleriyle zafer işareti yaparak Habur'dan giriş yaptılar ve Diyarbakır'a kadar sürecek büyük gösteriyi başlattılar.

Ertesi günkü yazımın başlığı uzundu:

"Önemli bir sayfa açılıyor, tarihî bir kavşak dönülebilir, ama dikkat edilmesi şartıyla!"

Hem umut hem kaygı taşıyan satırlar yazmıştım televizyon kanallarından yansıyan heyecanı izlerken:

"Evet, önemli bir gün. Kürt meselesinde gerçekten yeni bir sayfa açılabilir ya da tarihî bir dönüm noktası olabilir.

Ama dikkatli olunması koşuluyla...

Bu açıdan bazı açıklamaların çok da yutkunarak yapılmadığı dikkatimi çekiyor. Oysa soğukkanlı olmak lazım. Frene basmak, hangi sözün nereye gideceğini kestirmek gerekiyor.

Unutmayın, gelenler PKK'li...

'Dağ'dan geliyorlar.

Daha düne kadar ellerinde silah, dağda devlete karşı dolaşmışlar. Eğer bu noktaya yeterince dikkat edilmezse, bu konunun duyarlı boyutları, olayın kabarttığı heyecan dalgasının içinde gözardı edilirse, Habur'dan giriş ters de tepebilir.

Bir başka deyişle:

Türk kamuoyu meselesi...

Kürt meselesinin çözüm rayına oturmasını istemeyenlerin, bu ülkede barış ve demokrasiden korkanların gücü küçümsenmesin. Her yerde varlar!

"PKK'liler kahraman gibi karşılanıyor!" söylemi Türk kamuoyunda çok etkili olabilir. Habur'dan giriş yapan 'Barış grupları'yla ilgili olarak eğer soğukkanlı davranılmaz ve olayın heyecanıyla ölçüler kaçarsa, aşırı milliyetçi tepkilere çanak tutulmuş olur. Kürt açılımıyla uç veren 'barış süreci'nin ruhu zarar görür bundan..."[2]

Gösterilerde ölçü kaçmaya başlarken, muhalefet de ayağına gelen fırsatı kaçırmadı. Baykal'ın CHP'siyle Bahçeli'nin MHP'si ortalığı birbirine katmaya başladı. Bahçeli yanıltmamıştı Ak Parti kurmaylarını. Ancak Baykal'ın havayı bu kadar bulandıracağı öngörülmemişti.

---

2   Hasan Cemal, *Milliyet*, 20 Ekim 2009.

Bu arada, Başbakan Erdoğan'ın yakın çevresinde İçişleri Bakanı Beşir Atalay demokratik açılım konusunda eleştiriliyordu. Kendisinden alaylı ve küçümseyici bir üslupla "Bizim koordinatör," diye söz ediliyordu.

Türkiye'de muhalefet gerçekten büyük bir hayal kırıklığıydı. Baykal'ın CHP'si ile Bahçeli'nin MHP'si sorumluluktan da, yapıcılıktan da tümüyle uzak bir muhalefet çizgisine kaydı. Türkiye'yi bunca yıl acıtmış, kan ve gözyaşına mal olmuş, refaha akıtılacak kaynakların savaşa, silaha gömülmesine yol açmış devasa bir sorunda çözüm kapısı aralanmasına muhalefet el vermiyordu.

Bir barış süreci kör topal işlemeye başlamıştı. Kapalı kapılar arkasında, mutfakta bir şeyler pişiyordu. İçte ve dışta değişik taraflar, odaklar, artık dağdan ölüm haberleri gelmesin diye, Kürt sorununun silah ve şiddetle bağı koparılsın diye, barış ve istikrara giden bir yol nihayet açılabilsin diye samimi bir çaba içine girmişti.

Ama muhalefet buna sırtını dönüyordu.

Oysa dağdan inişin ilk sinyalleri veriliyordu. Bunca yıl sonra ilk PKK grubu Habur sınır kapısından giriş yapıyordu.

Ama muhalefet, 'Türk kamuoyu'nu kışkırtmaya, aşırı milliyetçi değirmenlere su taşımaya devam ediyor ve Kürt sorununun karşısına bu kez bir 'Türk sorunu' koymak için ellerinden geleni yapmaya çalışıyorlardı. Biri, "PKK'ye teslim olmak"tan dem vuruyor, öbürü, "PKK planının uygulamaya girdiği"ni öne sürebiliyordu.

Kan duracakmış, dağdan ölüm haberleri gelmeyecekmiş, analar gözyaşı dökmeyecekmiş, artık aileler çocuklarını gönül rahatlığı içinde askere gönderecekmiş, silaha harcanan olağanüstü kaynaklar bundan sonra aş ve iş için yatırılacakmış...

Bunların hiçbiri umurunda bile değildi Baykal'la Bahçeli'nin. İkisini de ağır dille eleştirdiğim 22 Ekim 2009 tarihli *Milliyet*'teki yazımda şöyle demiştim:

"Sizin siyaset anlayışınız yoksa 'savaş'tan mı besleniyor? 'Kan'dan mı besleniyor? 50 bin ölüm yetmedi mi? Bu ülkede demokrasinin, insan haklarının, hukukun canına eden bunca yıllık savaş durumu devam mı etsin? Oy uğruna böylesine derin bir sorumsuzluk çukuruna düşmüş olmak gerçekten acı ve acıklı. Sergilenen bu sorumsuzluk, tarih kitaplarına, barışa sırtını dönen, kanla, savaşla beslenmek isteyen, aşırı milliyetçilik illetine yakalanmış bir muhalefet anlayışı olarak yazılacaktır. Muhalefet gerçekten büyük bir hayal kırıklığıdır bu ülkede..."

Buna karşılık iktidar partisinin girişimiyle, 2009'un Kasım ayında, Türkiye Cumhuriyeti'nin seksen küsur yıllık tarihinde ilk kez

Kürt sorunu, üstelik adı konarak, TBMM çatısı altında tartışılacaktı.

Heyecan verici bir ilkti, tarihî bir olaydı.

Türkiye'nin en önemli sorununa meclisin el koyması, onu tüm boyutlarıyla görüşmesi, bu ülkede barış ve demokrasi açısından hiç kuşkusuz altı çizilmesi gereken bir gelişmeydi.

İki açıdan önemliydi.

İlki, özgür tartışma ortamı, öteki silahların susması. Kürt sorunu konusunda özgür tartışma daha yeni uç vermeye başladı. Cumhuriyet tarihimizde Kürt sorunu ilk kez son üç dört aydır 'demokratik açılım' süreciyle birlikte bu kadar serbestçe, tüm boyutlarıyla çekinilmeden, korkulmadan konuşulmaya başlandı.

Türkler, en cahilinden en tahsillisine kadar bu konuyu bilmiyordu. Demokratik açılımla birlikte uç veren serbest tartışma ortamının devam etmesi gerekiyordu.

Bırakın, ağzı olan konuşsun!

Korkmayın, herkes içindekini döksün.

Önce sorunu öğrenelim.

Kürt, Türk herkesin meşru acıları var. Hem Kürt anaları ağladı, hem de Türk anaları. 50 bin ölüm var çeyrek yüzyılda, hiç unutmayın 40 bini Kürt...

"İnsanların önce birbirlerinin acılarının farkına varması lazım, birbirlerinin acılarını ortaklaştırabilecek zeminleri kurmaları lazım," diye yazmıştım 2009'un Kasım ayındaki bir yazımda.

Muhalefet kanadı ise sürekli aynı plağı çalıyordu: "Neymiş açın da görelim şu açılımı, paket nerede?" Bölücüler affediliyor ve Türkiye'nin bölünme sürecine itiliyordu Baykal'a, Bahçeli'ye ve devletle askerin içindeki bazı odaklara göre...

Hey sen, farkında değil misin, asıl
bölücü sensin sen!

Hey sen! Yoksa farkında değil misin? Asıl bölücü sensin. Bölücüğün daniskasını yapan senden başkası değil.

Kürt açılımına, demokratik açılıma, barış sürecine karşı çıkarak bölücülük yapıyorsun.

İnsanların çektikleri acıları ortaklaştırmalarına, birbirlerinin acılarını anlamalarına, acılarına hep birlikte saygı göstermelerine engel olarak bölücülük yapıyorsun.

Hey sen!

Bu ülkenin en yakıcı sorununun Millet Meclisi çatısı altında ilk kez ele alınmasını boğuntuya getirmek isteyen... Kürt açılımını "Türkiye'nin temeline dinamit koymak" diye niteleyen... Farkında değil misin yoksa?

Savaş değil barış isteniyor. Dağdan inmek istiyorlar. Silah bırakmak istiyorlar.

Yoksa sen farkında değil misin, neye karşı çıktığının?..

Kan mı aksın?

Ölüm haberleri mi gelsin?

Gözyaşı mı aksın?

İstediğin bu mu?

Çeyrek yüzyıldır kırk küsur bin insanımız öldü. Yetmedi mi bu kadar acı? Daha çoğunu mu istiyorsun? Aklı başında olan, yüreği olan, vicdan sahibi bir insan, Allah aşkına, savaş ister mi, kan aksın ister mi?

Hey sen!

Yoksa farkında değil misin?

Barışa karşı bu tavrınla, asıl sen bu ülkenin temeline dinamit koyuyorsun.

Düşün biraz. Kürt yoktur dedin. Kürt dilini yasakladın. Kürt kimliğini inkâr ettin. Kürtleri demokrasinin gereği olan insan haklarından yoksun bıraktın.

Kısacası:

Kürtleri Türkleştirmek istedin. Olmadı. 28 isyan çıktı, şimdiki 29'uncusu.

Peki sonuç?

Yapamadın, başaramadın. Sadece kan ve gözyaşı aktı.

Kürtler Türkleşmedi!

Yoksa farkında değil misin?

Hayatında Diyarbakır'ın, Van'ın, Ağrı'nın, Hakkâri'nin, Şemdinli'nin, Cizre'nin, Şırnak'ın, Viranşehir'in ya da Kızıltepe'nin kahvelerinde, bahçelerinde bodur kürsülere hiç oturup sohbet ettin mi? Biraz sabredip o insanların sana yüreklerini açmalarını bekledin mi? Hiç hissetmeye çalıştın mı o insanların dertlerini kendi yüreğinde?

Düşün.

Bunu biraz yapsaydın, kökleri Türkiye Cumhuriyeti'nin kuruluşuna giden bir sorunun, Kürt sorununun ne olduğunu ve son çeyrek yüzyılda nasıl daha beter yakıcı hale geldiğini az da olsa anlayabilirdin.

Ama sen Türkiye'yi resmi tarih kitaplarından öğrenmeye çalıştın, o kadar. Ve bu yüzdendir ki, sen hâlâ analar biraz daha ağlasın, dağlardan biraz daha ölüm haberleri gelsin diyebiliyorsun, bunu isteyebiliyorsun.

Yazık, çok yazık.

Bunca yıl korkunç acılar çekildi.

Bunca yıl demokrasi ve hukukun kolu kanadı kırıldı.

Bunca yıl aş ve iş sorununun çözülmesi için kalkınma yolunda seferber edilebilecek kaynaklar silaha, dağa taşa yatırıldı.

Ve sen hâlâ kalkıp Kürt açılımına, demokratik açılıma karşı çıkabiliyorsun.

Hey sen!

Yoksa farkında değil misin?

Asıl sen bu tavrınla, Türkiye'nin temeline dinamit koyuyorsun.

Asıl bölücü sen oluyorsun.

Farkında değil misin?

Onca yıl Kürtlere Kürt değilsin diyen sensin. Onca yıl Kürtlere Kürtçe konuşmayı yasaklayan sensin. Onca yıl Kürtlerin kendi çocuklarına Kürt adı koymalarını yasaklayan sensin. Onca yıl Kürtçe şarkı, türkü çalınıp söylenmesini yasaklayan sensin. Onca yıl sarı, kırmızı, yeşil renkleri bile yasaklayan sensin. Onca yıl Kürt sözcüğünü, Kürdistan sözcüğünü telaffuz edeni hapse atan sensin.

Bilmiyor musun bunları?

Bunları yapan sensin.

Bunları yaptığın için Kürtleri soğuttun. Bunları yaptığın için Kürtleri devlete yabancılaştırdın.

Diyarbakır Askerî Cezaevi gibi işkencehaneler kurduğun için, faili meçhul cinayet işleyen çeteler kurduğun için, korkunç hukuk boşluklarında Susurluk'lar, Ergenekon'lar yarattığın için, hukuku askıya alıp insan haklarının canına okuduğun için, bütün bunları yaptığın için dağa ittin insanları...

Bütün bunları yaptığın için Kürtler dağa çıkan insanlara sempati duydu, onların arkasında durdu.

Bu yüzden bitmedi PKK.

Liderini, Öcalan'ı yakaladın, yargıladın, İmralı'ya koydun ama o da bitmedi.

Hey sen!

Farkında mısın bunların?

İşte bütün bunları yaptığın içindir ki, asıl bölücü sensin...

İşte bütün bunları yaptığın içindir ki, Türkiye'nin temeline dinamiti koyan asıl sensin...

Hey sen!

Farkında mısın?

Bu ülke günün birinde bölünürse, senin yüzünden bölünür. Kürt açılımına karşı çıktığın için, demokratik açılıma karşı çıktığın için, barış sürecine karşı çıktığın için bölünür.

Hey sen!

Asıl bölücü sensin!

Ama başaramayacaksın.

Çünkü barış ve demokrasiyi sevenler sana bu fırsatı vermeyecek.[3]

Umutların yerini hayal kırıklıkları
almaya başlıyor! Ve Kürtler ne istiyor
diyenler için bir örnek...

Demokratik açılım, Habur sonrası engellere takılmaya başladı. Yükselen umutlar yerini giderek hayal kırıklıklarına bırakıyordu. Muhalefetin kışkırtmaları Türk kamuoyu üstünde her geçen gün etkili oluyordu. Milliyetçi bir karşı dalga kabarıyordu.

Ak Parti kurmayları tedirgindiler.

Böyle bir ortama, PKK'nin Tokat'taki Reşadiye baskını bomba gibi düşecekti. Şehit yedi askerin cenaze töreninde en çok atılan slogan, "Kahrolsun demokratik açılım!"dı. Açılım sürecine bir darbe de Anayasa Mahkemesi'nden gelecek, 2009'un Aralık ayı ortasında DTP'yi kapatacaktı.

Ben de "Türkiye'yi siyasal partiler mezarlığına dönüştürerek bu ülkede barış ve demokrasi yolu açılamaz," diyen klasik tepkimi köşemde ve televizyon konuşmalarımda verecektim.

Bir Kürt aydını, Orhan Miroğlu, DTP'nin Anayasa Mahkemesinde kapatılmasından sonra 14 Aralık 2009'da *Taraf* gazetesinde şu satırları yazacaktı:

"Anayasa Mahkemesi'nin DTP'yi kapatma kararıyla birlikte benim payıma da 37 arkadaşımla beraber beş yıl siyaset yasağı düştü.

Bu beş yıllık standart ceza benim için ilk değil. İlki Kürtçe konuşmayla ilgiliydi. 2007 seçimlerinde, yasaların suç saydığı bir şey söylediğim ve propaganda yaptığım için değil, sadece seçim konuşmamı Kürtçe yaptığım için, Mersin'de bir mahkeme hakkımda altı ay hapis cezası, benzer bir suçu işleyip işlemeyeceğimi savcıların denetlemesi ve mahkemeye düzenli bilgiler vermesi için de beş yıl denetimli serbestlik cezası verdi.

Dava şimdi AİHM'de.

Denetimli serbestlik cezasının bir yılı bitti, dört yıl kaldı.

Bu sefer yeni bir ceza başladı:

---

3   12 Kasım 2009 tarihli *Milliyet*'te böyle bir yazıyla içimi dökmüştüm.

Beş yıl siyasetten men...

Yani beş yıl boyunca bana siyaset ve Kürtçe konuşmak yasak. Kürtler ne istiyor, anlamayanlara fena örnek sayılmaz, anlamak isterlerse tabii.

Kürtçe konuşmak ve siyaset yapmak istiyor Kürtler, ama bu iki ifade alanı da Kürtlere kapalı.

DTP benim siyasi olarak kendimi ait hissettiğim bir partiydi, kapatıldı. Bu ilk değil ama.

Anayasa Mahkemesi Başkanı Haşim Kılıç'ın bu kararı hukukla izah etmesine inanmak mümkün mü şimdi? Sayın Başkan'ın, Batasuna kararını dikkate aldık demesi de bu karara hiçbir şekilde hukuki bir mahiyet kazandırmıyor. Bu tamamen siyasi bir karardır.

Batasuna'nın temsilcisi olduğu halkın İspanya'da kullandığı hakların üçte birini kullanabilseydi Kürtler, şimdiye kadar beş partileri kapatılmazdı. Bu ülkede doğru dürüst bir demokrasi olurdu. Bu ülke Avrupa Birliği üyesi olurdu."

Öta yandan Başbakan Erdoğan tedirgindi.

Her hafta önüne konan kamuoyu araştırmalarında aşağı doğru bir iniş dikkati çekiyordu Ak Parti açısından. 'Demokratik açılım' artık prim yapmıyordu, muhalefet etkili oluyordu.

Ak Parti lideri, her ne kadar "İnadına demokrasi, inadına açılım" demeyi sürdürüyorsa da cumhuriyet tarihimizin en yürekli hamlesi olan 'demokratik açılım'da ayağını ufak ufak pedaldan çekmeye yönelecekti.

Demokratik açılıma evet diyenlerin oranı 2009'un Haziran ayında yüzde 69.3'ten, Ağustos'ta 45.6'ya, Habur'la birlikte Ekim ayında yüzde 32'ye, Kasım'da 31.1'e ve 2009 Aralık ayında da yüzde 27.1'e düşmüştü.

Ak Parti'de açılıma evet diyenlerin oranı ise 2009'un Haziran ayında yüzde 70.7'den Aralık'ta 47.5'a inecekti. CHP'de 2009 yılı Haziran ayında yüzde 73.4 olan destek oranı Habur'la birlikte tepetaklak gidecek yüzde 9.9'a, MHP'de yüzde 68.4'lük destek altı ayda yüzde 23.3'e inecekti.[4]

Başbakan Erdoğan'ın iç dünyasında Kürt siyasal hareketine dönük güvensizlik gitgide büyümeye başlamıştı. Yakın çevresine "Bunların derdi barış değil, bunlar Türkiye'yi bölmek istiyor," diye dert yandığı söyleniyordu.

---

4 Devrim Sevimay, Adil Gür'le Konuşma, *Milliyet*, 26 Temmuz 2010.

İmralı ve Kandil de Ankara ve Erdoğan'a güven beslemiyor, devleti samimi bulmuyordu. "PKK'yi bölüp tasfiye etmek istiyorlar" düşüncesi sürekli olarak kafalarının bir köşesinde duruyordu.

Diyarbakır'da, Şırnak'ta, Hakkâri'de sokağa inip Kürtlerle temas ettiğiniz zaman, karnından konuşmayan Kürtlerin barış konusunda iki noktayı özellikle öne çıkardıkları görülüyordu:

"Liderimiz Apo ne olacak, hapisten kurtulacak mı? Dağdakiler ne olacak, af çıkacak mı?"

2009'un sonuna doğru 'demokratik açılım'ın içine girdiği çıkmaz ister istemez geçmişte kaçırılan fırsatları da gündeme getirdi.

PKK tarafından tek taraflı olarak 1993 yılı baharında ilan edilen ateşkes, bir ara barış konusunda ciddi beklentiler uyandırmış, ancak Bingöl'de birliklerine giderken pusuya düşürülen 33 silahsız askerin şehit edilmesiyle sona ermişti.

İkinci büyük fırsat kapısı 1999'da Öcalan'ın mahkûm edilmesiyle birlikte başlayan İmralı sürecidir. O tarihlerde Öcalan'ın talimatıyla PKK sınır dışına çekilmişti. Silahların dağlarda sustuğu bu dönemde beş yıl boyunca devlet ve hükümetlerde Kürt sorunuyla ilgili olarak, AB'ye uyum çerçevesinde atılan bazı adımlar dışında, PKK'nin dağdan inmesini başlatabilecek herhangi bir hareketlilik görülmeyecekti.

Beş yıllık bu ateşkes dönemine gelince, ilginçtir, Erdoğan hükümetinin kapalı kapılar arkasında askerle kapıştığı ve AB'den üyelik müzakereleri için kritik görüşmeler yaptığı bir tarihte, 2004'ün Haziran ayı başında, yine Öcalan'ın talimatıyla sona ermişti.

Bu da kaçan ikinci fırsattı.

Öcalan'a göre kaçan fırsatlar ve komplo dönemleri...

Öcalan'a göre, kaçan fırsatların sayısı iki değil üçtür. 18 Mayıs 2011'de İmralı'da avukatlarına bu fırsatları komplo diyerek niteleyerek anlatmıştır.

Birinci komplo dönemi

Öcalan'a göre ilk komplo şöyledir:

"Birinci komplo, Cumhurbaşkanı Özal döneminde gerçekleşen komplodur. Ben buna çözüme karşı '93 komplosu diyorum.

Özal döneminde uluslararası bir gladio vardı. Türkiye'deki gladio da bunun içindeydi ve güçlüydü. Özal bu sorunu çözmek istiyordu.

Bana ilk haber gönderdiğinde 'Bu işi çözelim, çözmek istiyorum,' diyordu. Özal'ın çözebileceğine fazla ihtimal vermiyordum. 'Bu bir oyundur,' diyordum. Sorunu çözmek için Özal, Talabani'yi yanıma göndermişti. Talabani'ye bu kuşkumu dile getirdim. 'Özal bunu çözemez, çözebilir mi?,' dedim. Talabani bana 'Özal bu işi çözmek istiyor,' dedi. Özal Talabani'ye, 'Eşref Bitlis de [1993'teki Jandarma Genel Komutanı] benden yana, bu sorunu çözeceğim,' demişti. Talabani 'Yeter ki ateşkes ilan edilsin,' demişti. Ben başta buna kuşkulu bakıyordum, ancak uzun bir tereddütten sonra ikna oldum. Özal, silahlı birliklerin bir yerde toplanmasını, ateşkesin olmasını benden istedi. Çözüm için onları kırmadım. Onlar bu şekilde çözümün gelişeceğini söylüyorlardı. O dönem bu fırsata bir şans tanımak istedim. Barış, ateşkes ilan ettik.

Fakat devlet o dönem çözüme hazır değildi. Özal da devleti, askeri, partisini barışa hazırlamamıştı, barışa ikna edememişti. Ateşkesten sonra gladio devreye girdi. O dönem çözümü geliştirmeye çalışan Cumhurbaşkanı Özal'a ve Eşref Bitlis'e karşı darbe yapıldı. Özal'ı götürdüler. Eşref Bitlis'i de götürdüler. Eşref Bitlis'in ekibini de dağıttılar. Bahtiyar Aydın'ı, Mardin'deki Rıdvan Özden ve diğer bazı subayları tasfiye ettiler.

O dönem JİTEM de ikiye bölündü. Cem Ersever'i tasfiye ettiler, çünkü bunlar Eşref Bitlis'e bağlıydılar. O dönem bu gladio Doğan Güreş [Genelkurmay Başkanı], Tansu Çiller [Başbakan] eliyle yürütüldü.

'93'teki ateşkesin bozulmasıyla birlikte 93-94'te dört bin köy boşaltıldı, on binlerce faili meçhul cinayet işlendi. Adeta bir felaket yaşandı. Bu NATO gladiosunun çözüme karşı geliştirdiği ilk darbedir. Ben buna birinci komplo dönemi diyorum."

İkinci komplo dönemi

Öcalan devam eder:

"İkinci komplo dönemi 97-98 döneminde yaşandı. Genelkurmay Başkanı İsmail Hakkı Karadayı bu mevcut savaşı sınırlandırma isteğindeydi.

Başbakan Erbakan döneminde çözüme yönelik girişimler oldu. Erbakan iyi niyetle bazı girişimlerde bulundu. Abdülhalim Haddam da *Hürriyet*'te tekrar yazmış, doğrudur.[5] O dönem Başbakan Erbakan da Özal gibi, silahlı güçlerin bir yere toplanmasını, silahların susmasını ve bundan sonra çözüm için görüşmelerin yapılacağını, çözümün konuşulacağını söyledi.

Ben onu da kırmadım.

Ancak tekrar gladio devreye girdi. Birinci komplo döneminde gladionun başını çekenler **Güreş-Çiller** ekibiydi. Bu ikinci dönemde ise Türkiye'deki gladionun başını çeken kişi **Çevik Bir**'dir, [Genelkurmay İkinci Başkanı]. O dönem Doğan Güreş rolünü Çevik Bir oynadı. Hatta bu Çevik Bir, Kıvrıkoğlu'nun Genelkurmay Başkanı olmasını istemediği için ona suikast girişiminde bulundu.

Bu dönemde Karadayı, daha sonra da Kıvrıkoğlu her ikisi de savaşı sınırlandırmak istiyorlardı. Onlar da silahların susmasını, çatışmaların bitmesini, silahlı güçlerin bir yere toplanma-

---

5 Suriye Cumhurbaşkanı Hafız Esad'ın 21 yıl yardımcılığını yapan Abdülhalim Haddam, 29 Nisan 2011'de *Hürriyet*'e yaptığı açıklamalarda şöyle der:

"1996-1997 yılları arasında Başbakan olan Erbakan, danışmanları vasıtasıyla Lübnan'da faaliyet gösteren ve başkanlığını Faysal Mevlevi'nin yaptığı Sünni hareketi olan *Cemaat-i İslamî* ile ilişkiye girerek Türkiye ile PKK konusunda arabuluculuk yapmamızı istedi. Cemaat-i İslamî bunu bize iletince, konu hükümet nezdinde değerlendirilerek sorunun çözümü için gerekenin yapılması kararlaştırıldı.

Ben de Öcalan'ı çağırtarak kendisine durumu anlattım ve Türkiye'den ne istediğinin sorulduğunu, bunu bir mektupla bildireceğimizi söyledim.

Öcalan Türkiye'nin toprak bütünlüğüne karşı olmadıklarını, Türkiye'den toprak istemediklerini, PKK'nın Türkiye topraklarının dışına çekilmesini kabul ettiğini söyledi. Bunun dışında elindeki dosyada bu istekleri yerine getirmek için hazırlanan bazı planlar ve bilgiler yer alıyordu.

Bu bilgiler çerçevesinde o yıllarda Ankara Büyükelçimiz olan Abdülaziz Rifai vasıtasıyla Başbakan Necmettin Erbakan'a iletilmesi için bir mektup gönderdik. Erbakan bu mektuba verdiği cevapta, 'Bunlar bizim isteklerimizi karşılamıyor,' dedi ve bize Türkiye'nin şartlarını yazdığı yeni bir mektupla iletti.

Bu mektupta PKK'nın derhal silah bırakması ve Güneydoğu Anadolu toprakları dışına çekilmesi ile Öcalan'ın Suriye topraklarından çıkması isteniyordu.

Büyükelçimizden bu ikinci mektubu alınca, Öcalan'ı bir kez daha Başkan yardımcılığı ofisime çağırttım ve Türkiye'nin şartlarını bildirdim. Bu görüşmede kendisine aynı zamanda PKK ile tüm ilişkilerimizi kesme kararı aldığımızı, Türkiye ile artık sorun yaşamak istemediğimizi söyledim.

Öcalan durumu zaten yakından izliyordu, şartları kabul ettiğini söyledikten sonra, yanılmıyorsam Ekim 1998'in ilk günleriydi, yeni bir mektup hazırlayarak Ankara Büyükelçimiz Rifai'ye iletti.

Büyükelçimiz yeni mektubu ilettiğinde Erbakan, 'Tamam, ancak Genelkurmay Başkanı ile görüşeyim, sonra cevap veririm,' dedi. Ama daha sonra cevap vereceğine, aynı mektubu büyükelçimize 'Bu mektup sizde kalsın,' diyerek iade etti."

sını, ondan sonra çözüme dair her şeyin konuşulabileceğini söylüyorlardı.

Bize de haber gönderdiler. Cezaevine gidip Muzaffer Ayata ile görüşmüşlerdi, cezaevi üzerinden benimle de görüşme talepleri oldu. Muzaffer Ayata da *Tempo* dergisine anlatmıştı. Doğru söylüyor Ayata. Onlara ulaşmışlar, bana daha sonra telefon ettiler. Avrupa'ya da bir temsilcilerini göndermişler. Ben onların bu savaşı sınırlandırma isteğine karşılık verdim. Çözüme şans tanıdım. Ancak, Tansu Çiller'e [o zamanki Başbakan Yardımcısı] bağlı istihbarat şefi Bülent Orakoğlu bizim bu görüşmelerimizi tespit etmiş, dinlemeye almış, daha sonra deşifre etti. Yine uluslararası gladio devreye girdi. Bu dönemdeki çözüm arayışımız da bu şekilde komployla boşa çıkarıldı."

Üçüncü komplo dönemi

Öcalan, 'üçüncü komplo dönemi'ni de şöyle anlatır:

"1999'da daha çok askerî ağırlıklı heyet gelip benimle görüştü. O dönemdeki askerler tecrübeliydi, samimi gibiydiler. Onlardan birisi, 'Oyun büyük, bunu boşa çıkarmamız gerekiyor. Siz ülkeyi bölmek istemediğinizi belirtip şiddetten vazgeçerseniz, her konuyu konuşabiliriz,' dediler.

Bunun üzerine ateşkes ve sınır dışına çekilme çağrım oldu ve gerillalar sınır dışına çekildi. Ecevit o dönemde bir şeyler yapmak istiyordu çözüme yönelik. Rahşan affi da bu nedenle düşünülmüştü. Gerillayı da kapsayacaktı.

O dönemdeki heyetle olan görüşmelerimiz 2001'e kadar devam etti. Daha sonra bilindiği gibi tekrar NATO gladiosu Türkiye'deki gladio ile birlikte devreye girdi. Ecevit'i tasfiye ettiler.

Kürt hareketini de o dönemde ikiye ayırmak için çoktan hazırlıklarını yapmışlar. Bu durum Amerika'nın Irak'a müdahalesiyle doğrudan bağlantılıdır. **Osman-Botan alçağı** bu oyuna geldiler. Bunlar Güney'e gittiler, sığındılar. Diğerleri de Kandil'de kaldılar. Kandil'de kalanlar bu ayrılmayı zamanında önleyebilirlerdi ancak bunu başaramadılar, süreci iyi yönetemediler, yetersiz kaldılar.

Benim müdahale etmemi istediler. Ben o dönemde, 'Bir bedenimi ikiye ayırdıktan sonra birini tercih etmemi istiyorsunuz, ben bunu kabul edemem,' diyerek büyük bir öfkeyle karşılık verdim. Onlara çok öfke duydum, çok ağır eleştiriler yönelttim, çok ağır hakaretler ettim.

Adeta bedenimizi ikiye bölmelerini nasıl kabul edebilirdim? Ama o alçak **Osman-Botan**'lar kopup gittiler. Bine yakın kadro da eridi. O dönem zamanında yeterli bilgi getirilmedi bana. Kopukluklar oldu. Sonuçta örgüt ikiye bölmek istediler. Bu süreci *Bir Halkı Savunmak* kitabında geniş geniş anlattım. Hem Kürtlere karşı geliştirilen politikalar hem de Kürtlerin kendi içindeki kopuşlar hakkında çok detaylı çözümlemeler yaptım. Örgüt üzerindeki bu oyun, bu komplo 2002'de başladı. 2002-04 arası bu kopmalar, ayrışmalar, bu tasfiye politikası yaşandı. Tabii o dönem ABD'nin Ortadoğu ve özellikle Irak'a dönük politikaları söz konusuydu. İşte AKP de 2002'de bu temel üzerine, bu politikalar üzerine başa getirildi.

AKP'nin 2002'de iktidara gelmesiyle yeni bir konsept hayata geçirildi. NATO gladiosunun komploları farklı bir şekilde gelişmeye başladı. Bu, üçüncü komplo dönemiydi."

2009 yılı Aralık ayı: Demokratik açılımda 10 yanlış...

Yanlış 1
Demokratik açılım bir süreçtir. Bugünden yarına, öyle beş altı ay içinde bitecek kısa vadeli bir süreç değildir ama... Uzun sürebilecek zahmetli bir yolculuktur. İlgili tüm taraflar için de zaman, sabır ve siyasal kararlılık gerektiren bir 'barış yolculuğu'dur. Bu noktanın tam anlaşılamıyor olması, yanlışlardan biridir.

Yanlış 2
Demokratik açılım, Kürt sorunuyla silah ve şiddetin bağını koparmayı amaçlıyor. Bunun olabilmesi için de PKK'lilerin silahlarını bırakıp dağdan inmeleri gerekiyor, öyle değil mi? Peki nasıl inecekler? Dağa neden çıktılar, niye inecekler? Kandil Dağı'nda Murat Karayılan, geçen mayıs ayı başında bana "Otuz yıl önce dağa piknik yapmak için çıkmadık ki!" demişti. Sorun dağdakilerin inmesiyle barışçı bir çözüm yoluna girecekse, PKK ve bazı istekleri tümüyle görmezlikten gelinebilir mi?

Yanlış 3
Elde silah dağa çıkmış, otuz yıldır şiddet ve terörü siyaset aracı olarak benimsemiş bir örgüt, hele Türkiye koşullarında, bir hükümet tarafından muhatap alınabilir mi? PKK'nin doğrudan ya da açıktan muhatap alınamayacağı malum. Bunu onlar da biliyor. Nitekim, Murat Karayılan mayıs ayındaki Kandil röpor-

tajımda, "PKK değilse Öcalan, o değilse DTP, DTP değilse akil adamlar," diyerek değişik seçeneklerden söz etmişti. Demokratik açılım eğer sonuç verecekse, bu PKK'nin dağdan inmesi demektir. Bu durumda PKK görmezlikten gelinebilir mi? Üçüncü yanlış bu soru işaretinde kıvrılıyor.

Yanlış 4

PKK'li, DTP'li çevreler diyor ki Erdoğan hükümetine: "Siz Obama'yla, Barzani'yle birlik olup bizi tasfiye etmek istiyorsunuz, bizi dikkate almıyorsunuz. Bizleri yok sayarak bizi tasfiye edemezsiniz." DTP'li yetkililer, örneğin Ahmet Türk, hükümetin kendilerine diyalog penceresini açmadığını söylüyor. Bir yanlış da bu...

Yanlış 5

Demokratik açılım, Kürt meselesinde çözüm kapısını açacaksa, şunu yazın bir kenara, Öcalan da yok sayılamaz. Onun İmralı'dan vereceği işaretler olmadan silahların susması uzak ihtimaldir. PKK'ye 'terör örgütü', Öcalan'a 'Terörist başı' diyebilirsiniz, ama bununla bir yere varamazsınız.

Yanlış 6

Açılım konusunu düşünürken, bir başka temel yanlışı daha gözönünde tutmak lazım: Kürt sorunuyla PKK'yi birbirinden ayırmak! PKK bunca yıldır ayakta durabiliyorsa, Kürtlerin arasında kök saldığı içindir, ciddi bir toplumsal tabana ve sivil toplum desteğine sahip olduğu içindir. Bu nedenle, terörle mücadele deyip dağda PKK'li öldürürken, ovada Kürtleri yanına alabileceğini, Kürt sorununu çözüm rayına oturtacağını sanmak bir başka yanlışa işaret eder. Bunca yıl sonra Kürt sorunuyla PKK'yi birbirinden ayırmak gerçekçi bir beklenti olmaktan uzaktır çünkü...

Yanlış 7

Önceliklerle sonralıkların birbirine karıştırılması da bir başka yanlıştır. Atılacak adımların, yapılacak isteklerin kolayından zoruna doğru ve de uzun zamana yayılarak gündeme getirilmesi gerekir. Yoksa daha işin başında, en olmayacak taleplerle ortaya çıkmanın, sonra da feryat etmenin herhangi bir inandırıcılığı olamaz. Siyaset önce mümkün olabileni yapmaktan geçer.

Yanlış 8

Düğmeye basıp İstanbul'da, Diyarbakır'da, Hakkâri'de çocukları, gençleri ellerinde Molotof kokteyleriyle, taşlarla sokağa salmak, bir Serap'ın, bir Aydın'ın acı ölümleriyle vicdanları sarsan gelişmelere yol açmak da bir başka büyük yanlışın altını kalın biçimde çizer.

Yanlış 9

Üç milyon oy alan bir siyasal partinin, DTP'nin Anayasa Mahkemesi tarafından kapatılması gerçekten çok büyük bir yanlış olacaktır (Bu yanlış yapıldı ve 2009 Aralık ayında kapatıldı). Bu konuda, İspanya'dan Batasuna'nın kapatılması anımsatılıyor. Ama bir nokta nedense unutuluyor. İspanya'da örneğin Baskların, Katalanların kendi yerel parlamentoları var, kendi yerel hükümetleri var, kendi oylarıyla seçtikleri. Yani kendi kendilerini yönetiyorlar. İspanyolcanın yanı sıra kendi dillerini her alanda kullanıyor, kendi dillerinde eğitim yapıyorlar. Franko diktasından kurtulup demokrasiyle birlikte AB'ye adım attığından beri durum böyle İspanya'da. Unutulan ikinci noktaya gelince... İspanya'dan Batasuna örneği verilirken, Britanya'nın savunduğu çizgi, IRA-Sinn Fein örneği unutuluyor. IRA'nın siyasal kolu Sinn Fein kapatılmadı Britanya'da. Özellikle Londra'daki siyasal iktidarlar, demokrasilerde parti kapatılmasının siyasal çıkmazları daha fazla büyüttüğünü savundular, ki ben de öteden beri bu görüşteyim.

Yanlış 10

2009'un Mayıs ayında Kandil Dağı'na çıkıp Murat Karayılan'la yaptığım röportajdan beri bir noktayı inatla savunmaya çalışıyorum.

Parmak ve tetik meselesi bu.

Eğer açılım yolculuğunda ciddiysek, iyi istasyonlara varmak istiyorsak, önce tarafların parmaklarını tetikten çekmeleri gerekir.

Yani operasyon olmasın, mayın döşenmesin bu yolculukta!

Ve dağda silahların sustuğu bir iklimde konuşulur, tartışılır, pazarlıklar yapılır, gizli kanallar açılır, paketler oluşturulur, zamana yayılarak kolayından zoruna doğru yol alınır.

Bu bir süreçtir!

Bir kez daha daha vurguluyorum:

Zaman, sabır ve siyasal kararlılık isteyen bir barış süreci...

Acele işe de şeytan karışır![6]

Türk gibi başla, İngiliz gibi bitir!

Acele işe seytan karışmaya başlamıştı.

Bir başka deyişle:

'Demokratik açılım'ın bir süreç, bir barış süreci olduğu, olması gerektiği gözardı edildi ya da çok çabuk unutuldu.

Erdoğan hükümeti demokratik açılım için düğmeye, kamuoyuna açık olarak, 2009'un Temmuz ayında bastı. Tabii daha önce mut-

---

6   10 Aralık 2009 tarihli *Milliyet*'te 'demokratik açılım'ın çıkmaza girmesini dair yanlışları böyle özetlemiştim.

fakta bir şeylerin piştiğine dair kokular hassas burunlara çalınmıştı. İlk hazırlıklar 2005'e, 2006'ya gidiyordu.

Hükümet, askere sormuştu:

"PKK'yı silahla bitirebilir misin?"

Askerden olumlu yanıtı gelmeyince[7], hükümet devreye girmiş, o zamana kadar İmralı'yı tekelinde tutan asker geri çekilmeye başlamış, MİT kanalıyla hükümet Öcalan'la kendi görüşme kanalını açmıştı.

MİT'in bir numarası olan ve 'Kürt dosyası'nı iyi bilen Emre Taner aracılığıyla, özellikle **Ankara-İmralı-Erbil-Kandil** dörtgeninde "PKK nasıl dağdan iner?" konulu senaryolar yazılmaya, oyun planları oluşturulmaya başlanmıştı, 2009'un 'demokratik açılımı'na uzanan...

Cengiz Çandar'ın *PKK Nasıl Silah Bırakır?* raporunda yer alan bu senaryolarda, genel afla birlikte lider kadrosu hariç dağdakiler için siyaset yapma izni, Öcalan'a ev hapsi, PKK'nin 60-65 kişilik lider kadrosu için Irak Kürdistanı'nda beş yıllık ikamet, yeni anayasa ve Öcalan'ın beş yılın sonunda serbest bırakılması gibi hususlar bazıları muğlak olmakla birlikte vardı.

Ama acıklı olan, açılımın kamuoyu önünde oynanmaya başlanmasıyla birlikte daha beş ay bile geçmeden çıkmaza saplanmasıydı.

Cengiz Çandar, Habur'un bir yol kazası olduğu kanısındadır:

"Devlet organları arasında eşgüdüm yoktu. Sadece devlet organlarında değil, hükümetin kendi içinde de bir eşgüdüm yoktu. Bir amatörlük felaketiydi Habur. Ortak bir devlet aklı ve yol haritası olsaydı Habur bitmezdi. Habur, kademeli olarak dağdan iniş sürecinin başlamasının ilk adımıydı. Arkasından yeni adımlar gelecekti. Dağdan inişlerle Avrupa'dan gelişler birleşecek ve bir genel affa doğru gidilecekti."

Çandar şunu da ekler:

"Başbakan Erdoğan'ın onayladığı projedir bu. Özal'ınki de böyle bir projeydi zaten. Öcalan ve yönetici kadro için Özal'ın projesinde de beş yıl süresi vardı. Bu proje, Özal'ınkinin güncellenmiş hali bir anlamda..."[8]

Anlaşılan o ki:

7   Erdoğan hükümetinin Genelkurmay'dan böyle bir yanıt aldığı Cengiz Çandar'ın *PKK Nasıl Silah Bırakır?* isimli taşıyan Haziran 2011 tarihli TESEV raporunda var. O dönemde Kara Kuvvetleri Komutanı olan İlker Başbuğ kendisinin böyle bir yanıttan haberdar olmadığını, böyle bir şey olsa o zaman kendisinin bunu bileceğini söylemiştir. Bkz. Fikret Bila, *Milliyet*, 9 Ağustos 2011.

8   Neşe Düzel, Pazartesi Konuşmaları, *Taraf*, 27 Haziran 2011.

Habur olayı bu süreci kesti.

Devletin kayıtlarına **29. Kürt İsyanı** diye geçen büyük çatışmayı barışa dönüştürmek için hiç beş ay yeterli olabilir miydi? Elbette hayır.

Örneğin, Kuzey İrlanda sorununda IRA'nın silahlara vedası ve şiddetten kopması, ateşkesi izleyen dokuz yılın sonunda gerçekleşmişti. Tam dokuz yıl devam eden sancılı bir barış süreci! Biz ise her şey dört-beş ayda olup bitsin istiyorduk.

> *Kuzey İrlanda sorunu nasıl çözüldü,*
> *IRA'nın silahlara vedası nasıl gerçekleşti?*

Londra, 25 Temmuz 2011

Kuzey İrlanda sorunu nasıl çözüldü? IRA, silahlara nasıl veda etti? Sorunun şiddetle bağı nasıl koparıldı?

Ve barış nasıl geldi?

Bu soruların yanıtlarını dinliyorum.[9]

Anlatan Jonathan Powell, İşçi Partisi'ne yakın bir diplomat. Kuzey İrlanda barış sürecinde, 1997 ile 2007 arasındaki on yıl boyunca Britanya Başbakanı Blair'in sağ kolu, hatta barışın 'yaratıcı beyni'.

Başbakan Blair'le IRA'nın siyasal kolu Sinn Fein arasında 'gizli kanal'ların nasıl açıldığını, o kanallar arasında yıllar yılı süren gel-gitleri anlatıyor.

Başbakan Blair'le birlikte Kuzey İrlanda'nın başkenti Belfast'ta yaptıkları ilk gizli görüşmede Sinn Fein liderleri Gerry Adams'la Martin McGuinness'ın ellerini sıkamadığını; çünkü babasıyla erkek kardeşinin IRA saldırılarında yaralandığını, kardeşinin yıllar yılı IRA'nın 'ölüm listesi'nde yer aldığını anlatıyor.

Jonathan Powell'ın Kuzey İrlanda tecrübesine ve barışa ilişkin sözlerinin önemsediğim bölümlerini altını çiziyorum herhangi bir yorum katmaksızın.

Cesaret ve siyasal güç

"Liderlik hayati bir konu..."

"Yalnız cesaret yetmiyor, aynı zamanda sağlam bir siyasi güç lazım. Blair 1997'de büyük bir seçim zaferiyle birlikte barışa soyundu."

---

9 Demokratik Gelişim Enstitüsü'nün Londra, Belfast ve Edinburgh üçgeninde düzenlediği altı günlük bir gezinin ilk durağı Londra. Masanın çevresinde Ak Parti, CHP ve BDP'den liderlerinin onayıyla katılan 8 milletvekiliyle bazı gazeteci ve akademisyenlerden oluşan yirmi kişilik bir katılımcı grup var.

"Güçlü bir hükümet, kararlı bir lider! İkisi olmadan olmaz."

Askerî yollar tıkanmıştı!

"Her iki taraf da birbirini askerî yollardan bitiremeyeceğini artık görmüştü. Britanya ordusu IRA'yı yenemeyeceğini, IRA da Britanya ordusunu Kuzey İrlanda'dan askerî yöntemlerle atamayacağını anlamıştı."

"Her iki tarafta da güçlü siyasal liderler sahneye çıkmıştı."

Bisiklet teorisi...

"Barış bir süreçtir. Eğer süreç yoksa, boşluk vardır ve bu boşluğu şiddet doldurur. Halbuki süreç varsa, umut vardır."

"Ben 'bisiklet teorisi'nden söz ederim. Bisiklete binince pedal çevirmek zorundasınızdır, yoksa yere kapaklanırsınız."

"Barış sürecine asılacaksın!"

"Ön koşul koymak hatadır!"

"Muhafazakâr Başbakan John Major 1990'ların başında müzakereye başlamak için IRA'nın silah bırakmasını ön koşul olarak öne sürdü. Silahların gölgesinde görüşmem dedi. Oysa silah bırakma, yani silahsızlanma en sona bırakılacak bir iştir. Karşı tarafta teslim oluyormuş gibi bir hava yaratılmamasıdır doğru olan... Ön koşullar koymak hatadır."

"Risk almadan olmaz!"

"Risk almadan, bedel ödemeden, taviz vermeden barış olmaz. İki taraf için de geçerlidir bu..."

"Barışa giden yolda anlaşmayı iki tarafa da satman gerekir. Yani iki tarafın da kamuoylarını ikna etmen şarttır. İki taraf da barıştan kazançlı çıkacağına inanmalıdır."

"Barış bir günde olmaz. Anlaşmayı yaparsınız, ama onun bir süreç içinde uygulanmasına sıra gelir. Ve bu süreç içinde taraflar arasında güven oluşur. En önemli konu bu güvendir."

"Taraflar arasında Kutsal Cuma Anlaşması 1998'de yapıldı. Harika bir anlaşmaydı. Ama nihai barış 2007'de, tam dokuz yıl sonra geldi."

Asker ve medyanın rolü...

"İngiliz basını 1970'lerde fena halde İrlanda düşmanıydı. Aslında iki taraf da öyleydi, son derece hissiydi. Ancak 1990'lardan itibaren medyanın tutumu makul ve yapıcı bir raya oturmaya başladı. Medya çok önemli. Son derece tahripkâr da olabiliyor, yapıcı da..."

"Britanya ordusunun Kanlı Pazar katliamında, tutuklamalarda, bazı işkence olaylarında olumsuz rolü oldu. Sonra polis ön plana çıktı Kuzey İrlanda'da. Bu arada unutmayın, Britanya'da ordu yüzyıllardır sivil otoriteye bağlıdır."

Partiler üstü politika...

"1997 öncesi, yani Blair'in büyük seçim zaferiyle başbakanlık koltuğuna oturmasına kadar iktidarla muhalefet Kuzey İrlanda konusunda siyah-beyaz tavırlar içinde oldular. Ancak Blair'le birlikte partizanlık sona ermeye, mesele partiler üstü kalmaya başladı."

"Blair, barış konusunda çok samimiydi; barışa gerçekten inanıyordu. Seçimi kazandıktan sonra ilk gezisini Kuzey İrlanda'ya yaptı. Ve aynı zamanda bunu yapan ilk Britanya başbakanı oldu."

Ateşkes yapmak, silah bırakmak...

"Demokratik bir hükümet için, senin vatandaşını öldüren bir örgütle ateşkes yapmak hiç de kolay değildir."

"Önce ateşkes... En sonra bir hakemin gözetiminde silahları bırakmak, toprağa gömmek..."

Savaşçı, terörist, milletvekili!

Belfast, 26 Temmuz 2011

Kuzey İrlanda'nın başkenti Belfast'ta, Stormont adını taşıyan görkemli parlamento binasında büyük bir oda.

Adı, Gerry Kelly.

Sinn Fein partisinin bir milletvekili.

"Ben bir savaşçıydım!" diyor.

Kısa adı IRA olan İrlanda Cumhuriyet Ordusu'nun bir üyesi olarak yıllar yılı yeraltında savaştığını anlatıyor. Birkaç hafta öncesine kadar bakanmış. Elli yaşlarında. Uzun boylu, sırım gibi, tipik bir İrlandalı. Sanki enerjisi taşan bir adam.

Bağımsızlık için savaştık ama...

IRA'da savaşırken amaçlarının Büyük Britanya'dan ayrılıp Güney'le, yani (başkenti Dublin olan serbest) İrlanda'yla birleşmek olduğunu belirttikten sonra ekliyor:

"Sinn Fein olarak bugün de Britanya'dan kopup İrlanda'yla birleşme amacımız değişmedi. Parti programımızın en başında yer alıyor. Ama bu defa silahla değil, siyasetle... Anayasada kendi kaderimizi tayin hakkımız var."

Gülüyor:

"Bölünme konusu yani..."

İrlandaca isim koymak yasaktı!

Makineli tüfek gibi konuşuyor:

"Annem, bundan elli beş yıl önce erkek kardeşime kendi istediği ismi koyamazdı, İrlandaca bir ismi nüfus kütüğüne yazdıramazdı. Yasaktı çünkü. İngilizce bir isim koymak zorundaydı. İşte ayrımcılık buydu. Britanya sömürgeciliği buydu."

Eski bir savaşçı, bir terörist!

Gerry Kelly'ye diyorum ki:

"Parlamento koridorlarında dolanırken duvara çakılı bir plaket gördüm. Üstünde, 'Güney Belfast Milletvekili Edgar Graham'ın anısına, 7 Ocak 1983'te teröristlerce öldürüldü' yazıyordu. Kimlerdi bu teröristler?.."

Bakıyor yüzüme:

"Evet, biz savaşçılara öyle derlerdi."

Bir anısını anlatıyor:

"Sinn Fein üyesi olarak Britanya'yla müzakere masasına oturduğum zaman karşımda Jonathan Powell oturuyordu. IRA'ya terör örgütü deyince, ben de ona Britanya ordusunun terör örgütü olduğunu söylemiştim."

Herkesin acıları var!

Jonathan Powell'ın tokalaşmaktan kaçınmasına ilişkin sorumu gayet sakin yanıtlıyor:

"Onunki de anlaşılabilir bir tutum... Acıları var. Bana da çok güç gelmişti, Britanyalılarla tokalaşmak... Ama kendinizi düşmanınızın, hasmınızın yerine koymanız, biraz da öyle düşünmeniz lazım. Bizim için hedef Britanyalılardı. İrlanda'ya onları kimse davet etmemişti. Ama gelip İrlanda'yı sömürgeleştiren de onlardı."

"Kötü muamele bizi şiddete itti."

Gerry Kelly, 'savaşçılık'a nasıl girdiğini anlatıyor:

"Kuzey İrlanda'da bize, Katoliklere karşı büyük bir ayrımcılık vardı. Eşitlik yoktu, adalet yoktu. Bize kötü davranıldı. Benim ailemde şiddet yoktu, sivil itaatsizlik vardı. Ancak, ayrımcılık ve kötü muamele biz gençleri şiddete yöneltti. Biz, iki İrlanda'nın birleşmesini istiyorduk."

IRA'ya 1970'lerin başlarında girmiş. Toplam on beş yıl yattığı hapishanelerden birkaç kez kaçmış. Hayatı roman bir 'savaşçı'...

Eski düşmanlar bir arada...

'Savaşçılık'tan siyasete, yani Sinn Fein üyeliğine geçişini şöyle anlatıyor:

"Şimdi bulunduğumuz bu parlamento binası Stormont, Britanya egemenliği döneminde inşa edildi, 1932'de. Kolay olmadı buralara gelmemiz. Şimdi eski düşmanlar bu çatının altında konuşuyoruz. Ama hâlâ bu parlamento çatısı altında, koridorlarda benimle göz göze gelmek istemeyen, uzaktan yolunu değiştirenler de yok değil. 1970'lerdi. Hapisten kaçıp IRA'ya katılmıştım. Hapiste açlık grevleri yaptım. 1986'da Amsterdam'da tekrar tutuklandım. Çıkınca bu kez gizli, militer örgüt olan IRA'ya geri dönmedim. IRA'yla hedefi aynı olan, yani İrlanda'yla birleşmek olan, ama siyasal bir yapı olan Sinn Fein'e girdim."

"Neden?"

"Askerî yapıya tekrar dönmek istemedim. Çünkü çatışmadan uzaklaşarak da siyasal ideallerimizi gerçekleştirebileceğimizi anlamaya başladım. Bu bir değişimdi. Siyasetin ağır basmaya başladığı bu süreçte, yirmi yıl boyunca yasaklanmış, sansürlenmiş olan politik yapı Sinn Fein ön plana çıktı. Britanya öylesine sansür uyguluyordu ki, örneğin Sinn Fein Lideri Gerry Adams kendi sesiyle değil, bir dublör aracılığıyla konuşabiliyordu BBC'de..."

Ne zafer ne yenilgi...

Gerry Kelly, silahı bıraktıktan sonra Sinn Fein temsilcisi olarak 1980'lerin sonundan itibaren Britanya'yla barış sürecinde çok kritik roller üsleniyor. Süreçte tarihi bir dönüm noktası olan 1998 yılı Ağustos tarihli Kutsal Cuma Anlaşması'nın önde gelen mimarlarından biri oluyor.

Barış sürecini şöyle anlatıyor:

"Bir nokta gelir artık anlarsın, ne zafer ne de yenilgi mümkündür. İki taraf da bunu görür. Masanın yolu böyle açıldı, Britanya'yla gizli temaslar böyle başladı. Çatışmayı bırakarak siyasal olarak anlaşabiliriz dedik. Ben de Kutsal Cuma Anlaşması yapılırken, çatışmanın tam kalbindeki meselelerle uğraştım."

"Önce niyetleri bizi masada yenmekti."

Bu arada ilginç bir noktaya değiniyor:

"Britanya masaya otururken, kafasının arkasında başka şey vardı. Bizi, Cumhuriyetçileri bu kez masada yenmeyi amaçlamıştı. Başlangıçta niyetleri sorunu çözmek değildi. Kendilerini çok güçlü görüyor, bizi küçümsüyor ve biz bunları şimdi müzakere masasında hallederiz diye düşünüyorlardı. Ama masada müzakereler başlayınca değiştiler. Bunun olamayacağını gördüler. Ve barış süreci ciddileşti. Bu arada bizim acılarımızı da anlamaya başladılar."

Müzakere masasında ön koşul koymanın yanlış olduğunu, işleri zorlaştırdığını düşünüyor:

"IRA, masada silah bırakma konusunun başlangıçta konuşulmasına karşıydı. Ama biz Sinn Fein olarak buna tamam dedik, Britanya tarafına, gelin bunu da konuşalım, dedik."

Muhatap almadan çözmek!

Soru ilginçti:

"Britanya, sizi, yani Sinn Fein'i muhatap almadan Kuzey İrlanda sorununu çözebilir miydi?"

Gerry Kelly'nin yanıtı da ilginçti:

"Bunu denedi Britanya, yani bizi muhatap almadan sorunu çözmeye kalktı bir ara... Varsayıma dayalı bir soru... Yapabilir miydi?"

İhtimal vermedi buna...

Sözlerini şöyle sürdürüyor:

"Savaş 2005'te bitti, IRA da kapandı gitti.[10]

Barış dostla değil, düşmanla yapılır!

Belfast, 27 Temmuz 2011

Şehrin sokaklarında sabah vakti tur atıyoruz bir otobüsün içinde. Yaşamak için ille de acı mı çekmek lazım? Yine dipsiz bir kuyunun karanlıklarından kulağıma çalınıyor o uğultu...

Hep böyle zamanlarda duyarım bu sesi. İnsanoğlunun cennette nasıl cehennem yarattığına şahit olduğum ya da düşündüğüm zamanlar...

Güneşli pırıl pırıl bir gün. Kuzey İrlanda memleketinde seyrek rastlanan enfes bir havada, yemyeşil ağaçlarla kaplı sükûnet içinde bir sokaktan geçiyoruz.

Duvarlar, korku duvarları!

Dikenli teller, ilki 1969'da inşa edilen bariyerler, demir parmaklıklı pencereler... Sokağın bir tarafı Protestanların, diğer tarafı Katoliklerin. Protestan tarafında Britanya bayrakları, Katolik tarafında bağımsız İrlanda bayrakları...

Çatışmalı dönem 2005'te bitmiş ama iki dünya arasındaki bölünmüşlük devam ediyor.

Sir Kieran Prendergast'ın[11] esprisini anımsıyorum.

---

10 "Kuzey İrlanda sorununda 30 yıl boyunca 3700 kişi ölüyor. Her hafta en az 2 ölü. Nüfusa oranlanırsa, ABD'de 600 bin, Britanya'da 150 bin ölüm demek. Eski savaşçıların üçte biri şimdi bu parlamento çatısı altında. Milletvekili olarak yılda kırk bin pound alıyoruz. Bunun asgari ücrete tekabül eden bölümünü kendimize ayırıyoruz, gerisini halka harcanmak üzere örgüte veriyoruz."

Ve şöyle noktalıyor konuşmasını Sinn Fein milletvekili Gerry Kelly:

"Biz halktan geldik, uzaydan gelmedik. Ve bugün yine halkın içindeyiz. Hedefimiz de değişmedi, Birleşik İrlanda ama bu kez siyasi yollardan..."

11 Muhafazakâr Parti'ye yakın emekli bir diplomat. Ankara'da büyükelçilik yaptıktan sonra, eski BM Genel Sekreteri Kofi Annan'ın siyasal konularda bir numaralı yardımcılığında bulunmuş ve Kıbrıs'a ilişkin Annan Planı'nda önemli rol aldı.

Uçak Belfast'a inişe geçerken pilotun sesi duyulur:
"Aman saatlerinize dikkat edin, üç yüz yıl geriye gidebilir."
Belfast'ta taksi şoförü sorar müşteriye:
"Protestan mısın, Katolik mi?"
Adam ürker:
"Yahudi'yim."
"Katolik Yahudi mi, Protestan Yahudi mi?"
Katolik mahallesindeki rengârenk duvar resimleri acılı bir geçmişi anlatıyor. Hapishanedeki açlık grevinde ölenler, IRA'nın kahramanları, açlık grevindeyken milletvekili seçilen Bobby Sands...
Bu resimler korumaya alınmış, silinmeleri yasak! "Bunlar bizim geçmişimiz, bunları silerek geçmişin acıları iyileşmez," diyor.

Tarih bir kâbus mu?

Geçmiş hâlâ geçmiş değil. James Joyce'ın *Ulysses*'indeki o cümle: "Stephen dedi ki, tarih uyanmak için uğraştığım bir kâbustur."
Kuzey İrlanda böyle. Topu topu iki milyona bile varmayan nüfusuyla bir kâbusun içinden geçmiş, ama hâlâ tam uyanamamış.
Barış gelmiş ama bölünmüşlük devam ediyor.
Mahalleler ayrı, okullar ayrı.
Duvarlar, dikenli teller...
Halkın yüzde 90'ı kendi duvarlarının arkasına çekilmiş yaşıyor. Çocukların yüzde 90'ı Katolik ya da Protestan okullarına gidiyor. Çatışma yok ama duvarlar var.
Bir yıl önce üç hafta geçirdiğim Güney Afrika'daki gibi... Demokrasiyle barış, kâğıt üstünde eşitlik bir zamanlar ırkçılığın kol gezdiği bu güzel ülkeye 1990'larda gelmişti; ama siyahlarla beyazlar arasındaki uçurum ve bölünmüşlük tüm çarpıcılığıyla devam ediyordu.
Belfast'ta da gördüm aynı şeyi.
Yaralar daha kabuk bağlamış değil.

Çatışmanın kökleri hâlâ sağlam!

Protestanların, Demokratik Birlikçi Partisi Milletvekili Jeffrey Donaldson acıyı anlatıyor:
"Çocukluğumda annem babam gezmeye gidince beni Katolik komşularıma bırakırdı. Çocuklar hep birlikte oynar, top peşinde koştururduk. Okullarımız yine bugünkü gibi ayrıydı, ama mutluyduk. Sonra 1969'da çatışmalar başladı, koptuk birbirimizden... Bugün çocuklar arasında yeniden bir kaynaşma başladı, ama ertesi sabah herkes kendi okuluna gidiyor. Bu da iyi değil."
Jeffrey Donaldson, Kuzey İrlanda'da Britanya ordusunda görev yapmış. Sonra ayrılıp otuz yaşına doğru siyasete girmiş. Barış sürecinde müzakerelere katılmış, diyor ki:

"Ben de Cumhuriyetçilerin, Sinn Fein temsilcilerinin başlangıçta ellerini sıkamadım, onlarla tokalaşmakta zorlandım. Benim aile üyelerim arasında da IRA şiddetine kurban gidenler vardı. Ama Nelson Mandela'nın sözünü unutmayın. 'Barış, dostlar değil, düşmanlar arasında yapılır,' der. Çok haklı. Biz de barışı böyle yaptık. Uzlaştık, tavizler verdik karşılıklı..."

Belirttiği şu nokta da önemli:

"Bu arada barış sürecinde çalışırken, müzakereleri etkilemek, birbirimizi baskı altına almak için şiddete başvurmayacağımıza dair de söz verdik birbirimize, masaya otururken... Şimdi aynı parlamentoda, aynı koalisyon hükümetinde barış sürecini Kuzey İrlanda'da daha ileriye götürmek için birlikte çalışıyoruz."

"Geçmişte yaşanmaz!"

O da aynı şeyi söylüyor:

"Barış bir süreç! Bunu unutmayın. Tek bir anlaşma imzasıyla olup bitmiyor, süreci devam ettirmek lazım. Barış süreci gayet güçlü, eski karanlık günlerin bir daha geleceğini sanmıyorum."

Ve ekliyor:

"Geçmişte yaşamak olmaz. Geçmişin acıları, geçmişte yaşamakla iyileşmez. Biliyorum zaman alacak, kolay olmayacak geçmişin acılı yükünden kurtulmak. Ama başka çaremiz var mı? Artık ne yapacaksak, barışçı yollardan, siyasetle yapacağız. Acıların bize öğrettiği en büyük ders budur."

Evet, acılar olgunlaştırır!

Bizim Güneydoğu'daki gibi, Kuzey İrlanda'da da acının değmediği aile neredeyse yok. Ama bu barışı yakalamaya engel olmamış...

Bono'nun sesi kulağımda, Pazar, kanlı Pazar... Ve değişim ne yapsan, kendini hayata dayatır!

Belfast'ta Bono'nun sesi kulağımda dolaşıyorum. İnsanın yüreğini dağlıyor Bono'nun sesi:

Pazar, kanlı pazar
Gözyaşlarını sil gözlerinden
Gözyaşlarını sil
Pazar, kanlı pazar
Gözlerindeki kanları sil.

30 Ocak 1972, Pazar günü.

Yer, Kuzey İrlanda'da Katoliklerin Derry, Protestanların Londonderry dedikleri şehir.

Katolik göstericiler yürüyüş yapıyor, Londra'yı insan hakları konusunda protesto etmek için gösteri halindeler.

Ağır, kurşuni bir hava.

İngiliz ordusunun en seçkin paraşütçü birlikleri ellerinde otomatik silahlar köşebaşlarını tutmuş.

Tansiyon gitgide tırmanıyor.

Birdenbire ateş açılıyor askerden, genç insanlar birbiri ardından kanlar içinde yere seriliyor. 14 gösterici ölüyor.

Kanlı pazar!

Kuzey İrlanda tarihinin en acı günlerinden biri.

Bono'nun sesi insanın yüreğini dağlıyor:

Gözyaşlarını sil
Gözyaşlarını tamamen sil
Gözlerindeki kanları sil
Pazar, kanlı Pazar
Ve bugün milyonlar ağlıyor.

Londra'dan resmi açıklama:

Kalabalığın içinden açılan ateş sonucu, askerler kendilerini savunmak için...

Oysa gerçek öyle değil.

İngiliz özel kuvvetleri, önceden düşünülmüş taşınılmış bir 'provokasyon'un ürünü olarak Katolik gösterilerin üstüne ateş açıyorlar.

Amaç, barışçı yollardan haklarını arayan Katolikleri şiddete itmek! Yani 'kanlı pazar' düşünülmüş taşınılmış bir katliam...

Ama gerçeğin ortaya çıkması 38 yıl alıyor. Başbakan Blair düğmeye basıyor, parlamentoda bir soruşturma komisyonu kurulması için. Çalışma yıllar boyu sürüyor. Ve 2010'un Haziran ayında komisyon raporu açıklanıyor:

Askerimiz hatalıdır!

Yer, Londonderry'de Kanlı Pazar'ın yaşandığı büyük meydan. İki dev ekran kurulmuş meydanın iki köşesine. İrlandalı Katolikler Londra'dan, parlamentodan yapılacak canlı yayını bekliyorlar.

Şu sözler Bono'nun:

"Çok güzel, güneşli bir gün. Çiçeği burnunda Britanya Başbakanı David Cameron ekranda gözüküyor. Hiç kimsenin aklından bile geçiremeyeceği sözcükler dökülüyor Başbakan'ın ağzından:

'Ülkem adına, son derece üzgünüm.'

Özellikle muhafazakâr siyasetçilerden hiç hazzetmeyen meydandaki o kalabalık bir anda neşeyle dalgalanıyor.

Şöyle devam ediyor Başbakan: 'Yaşanmış olan, hiç yaşanmamış olmalıydı. Silahlı Kuvvetlerimizin bazı mensupları hatalı davrandılar. Silahlı kuvvetlerin yaptıklarından nihai olarak sorumlu olan o ülkenin hükümetidir. Bu nedenle hükümetim adına, elbette ülkemiz adına, yaşananlardan dolayı son derece üzgünüm.'

Muhafazakâr bir başbakanın ağzından böylesine sözlerin dökülmesi akıl alır gibi değildi. Böyle bir şey hayal bile edilemezdi. Elbette 11 dakikalık bir konuşmayla, o 38 yıl bir anda yitip gitmedi, unutulmadı. Ama bir şeyler değişiyor ve David Cameron başbakanlıktan, devlet adamlığına terfi ediyordu."

Kanlı Pazar filminde kahrolarak izlediğim kanlı manzaraların yaşandığı o meydan gözümün önünden geçip gidiyor, Bono'yu, U2'yu dinlerken:

> *Pazar, kanlı pazar*
> *Bugünkü haberlere inanamıyorum*
> *Ah, gözlerimi kapayamıyorum*
> *Ne kadar sürer*
> *Bu şarkıyı söylememiz ne kadar sürer*
> *Ne kadar ne kadar*

Muhafazakâr bir siyaset adamı, Britanya Başbakanı Cameron, Kanlı Pazar'dan dolayı ülkesi adına, hükümeti adına özür diliyor 38 yıl sonra...

Britanya tarihinde bu bir ilk.

Şu sözler de başbakanın parlamentodaki konuşmasından:

"Sayın Başkan; çok vatansever bir insanım. Ülkem hakkında kötü bir şeye inanmak aklımdan bile geçmez. Dünyanın en iyisi olduklarına inandığım askerlerimizden ve ordumuzdan en ufak bir kuşku duymam. Ancak parlamento soruşturma komisyonunun vardığı sonuçlar son derece açık. Herhangi bir kuşku yok, karışıklık yok, her şey çok açık. Kanlı Pazar'da yaşananlar haksızdır, savunulamaz ve yanlıştır."

Söz yeniden Bono'nun:

"Bazı şeyler çok çabuk kötüye gider, iyileşmeleri uzun zaman alır. İnişli çıkışlı geçer yıllar, hayal kırıklıklarıyla, yanlış başlangıçlarla, daha berbatı trajik ölümlerle... Ama sonunda, her iki tarafta da, geleceği görebilen, risk almaktan korkmayan kahramanlar sayesinde değişim gerçeği bir noktada kendini yine hayata dayatır."[12]

Belfast'ta Bono'yu dinlerken aklıma takılıyor. Acaba günün birinde, örneğin faili meçhul cinayetlerden, Kürt kimliğinin cumhuriyetin kuruluşundan itibaren inkâr edilmesinden ya da 1938 Dersim kıyımından dolayı hükümeti ve ülkesi adına Kürtlerden özür dileyebilecek bir başbakan çıkabilecek mi Türkiye'de de?..

İskoçya'nın bağımsızlığını isteyen milliyetçi parti seçimleri kazanıyor ama...

Edinburgh, 28 Temmuz 2011

Islak, kül rengi bir sabaha uyanmak! Üstelik bir şatoda, İskoçya'da bir yerde...

Gün yeni ağarıyor.

Pencereyi açtım, önüne oturdum. İç bayıltıcı ıhlamur kokularıyla güne başlamak güzel. Tepeler, ağaçlar sis altında. Sanki bir tül perde inmiş her tarafa. Koyunlar, yeşilin üstünde beyaz benekler halinde hiç kımıldamadan otlanıyor.

Sabah serinliğinde mutlak bir sessizlik, muhteşem, insanı içine çekiyor.

On dokuzuncu yüzyıldan kalma bir banyo... Buralara mahsus duşu olmayan büyük bir küvet... Ve eski mavi yolculuk teknelerindeki gibi pompalı, koltuk gibi bir tuvalet... Hepsi insanı zaman tüneline sokuyor. Aşağıdan mis gibi taze kahve kokuları...

Erkenden Edinburgh'a doğru yola koyulmak lazım. Yağmur çiselemeye başladı, kurşuni bir hava. Bu harikulade manzaralar, İskoçya sınırları. İskoçlarla İngilizler bu coğrafyada asırlar boyu savaşmış. Birbirlerinin köylerini basıp sürülerini kaçırmış.

1707'de kapatıldıktan sonra 1998'de tekrar açılan İskoç parlamentosunda iktidar partisinden bir kadın milletvekilini dinliyoruz:

"Biz İskoçlar yüzyıllar boyunca savaştık İngilizlerle. Özgür ama yoksul bir İskoçya'mız vardı. 1707'de bağımsızlığımız elden gitti.

---

12 Bono'nun 19 Haziran 2010 tarihli *New York Times*'ta çıkan makalesinden.

Soylular ve zenginler, İngilizlerle işbirliği yaptı, parlamentolar birleşti. Ama birleşmeye karşı çıkan İskoç halkı o zamanlar Edinburgh'ta ayaklanmıştı."

Kadın milletvekili, İskoçya Milliyetçi Partisi'nden. Son seçimleri tek başına kazanan Milliyetçi Parti, İskoçya'nın Britanya'dan ayrılmasını ve bağımsız bir devlet olmasını istiyor. Yani ayrılıkçı bir parti. Tabii 'bölücü' de diyebilirsiniz.

"Biz İskoçya'nın bağımsızlığını istiyoruz; ama barışçı yollardan, şiddete kesinlikle prim vermeden," diyor. İskoçya, Kuzey İrlanda'dan farklı, şiddeti yaşamamış geçen yüzyıldan beri. Kadın milletvekili devam ediyor:

"Bağımsızlığı savunmak, ama şiddeti dışlayarak, her zaman yasal oldu. Böyle bir demokratik ortam olmasaydı, yeraltına inilirdi."

Soruyorum:

"Ne bekliyorsunuz bağımsızlık için? Madem mutlak çoğunluğunuz var İskoç parlamentosunda, ilan edin gitsin."

Bağımsızlığa karşı olan ama mevcut özerkliğin derinleştirilmesinden yana olan Liberal Parti'den erkek milletvekili kıs kıs gülüyor.

Cevap yok, devam ediyorum:

"Kamuoyu yoklamalarında durum ne?"

Kadın milletvekili sanki sıkışıyor:

"Yoklamalara güvenmiyorum."

Liberal milletvekili araya giriyor:

"Bağımsızlık için referandum, iki yıl sonra... İktidar partisi böyle istedi ama yoklamalar parlak değil. Halkın ancak yüzde 20'si bağımsızlıktan yana... Büyük çoğunluk özellikle ekonomik nedenlerden dolayı Britanya'dan ayrılmaktan yana değil. Liberaller olarak biz de ayrılmaktan yana değiliz. Daha çok yetki devri istiyoruz."

İskoçlar, bağımsızlıktan yana Milliyetçi Parti'ye oylarını vermiş ama Britanya'dan kopmaktan yana da değiller. Kadın milletvekili şunları söylüyor:

"İngilizler seçim sistemini öyle düzenlemişti ki, bağımsızlıktan yana olan bizim milliyetçi partimizin hep muhalefete mahkûm kalacağını sandılar. Ama öyle olmadı. Referanduma daha çok var, değişir her şey..."

Kısacası, halk İskoçya'nın 'özerkliği'nden yana, bugün için bağımsızlık istemiyor.

Özerklik nasıl işliyor İskoçya'da?

Britanya'nın bir parçası olarak 300 yıllık bir aradan sonra kendi parlamentosuna 2000'lerin başında yeniden kavuşmuş İskoçya. Bu özerklik süreci, İşçi Partisi iktidarları döneminde başlatılmış. 1969'da Harold Wilson hükümetinin kurduğu bir komisyonun raporu şöyle çıkıyor:

"İskoçya'da ayrılıkçı milliyetçilik güçleniyor, özerklik verelim, bazı merkezî yetkileri devredelim."

İşçi Partisi iktidarı döneminde, özellikle Tony Blair'in başbakanlığında, 1997 sonrası İskoçya'ya yetki devri hızlandırılıyor. Bugün dış politika, savunma, vergi ve sosyal güvenlik işleri yine merkeze, Londra'ya ait. Genel bütçe Londra'da belirleniyor, İskoçya parlamentosuna gönderiliyor. İskoçya harcamayı kendi istediği biçimde yapıyor, ama son onay mercii yine Britanya parlamentosu, yani merkez...

Adalet, sağlık, eğitim, çevre, yerel yönetimlerde İskoçya kendi kendini yönetiyor.

Futbolda milli takımları da var.

Bu arada özerklik, yani yetki devri bir süreç niteliğini koruyor. Londra'yla Edinburgh arasında daha hangi alanlarda yetki devredilebileceğine dair görüşme ve pazarlıklar devam ediyor.

İktidardaki İskoçya Milliyetçi Partisi'nin kadın milletvekili, sözü bir ara Kuzey İrlanda'ya getiriyor. Britanya'dan ayrılarak serbest İrlanda'yla birleşmeyi savunuyor.

Kuzey İrlanda'da da Britanya'ya bağlı olarak bir 'özerklik' düzeni işliyor. İskoçya ve Galler'e benzeyen bir sistem. Model olarak farklılıklar içeriyor.

Dış politika, savunma, bütçe, vergi konuları, ulusal güvenlik, sosyal güvenlik merkezin, Londra'nın yetki alanında. Yargı düzeni Britanya yasaları çerçevesinde işliyor. Sağlık, eğitim, yerel yönetimler, konut, polis (ulusal güvenlik dışında) adalet işleri Kuzey İrlanda'nın yetki alanında.

Örneğin polis olayı çok netameli bir alan Kuzey İrlanda'da, çünkü iki taraf birbirine güvenmiyor.

Eğitim sistemi ve dile gelince... Kuzey İrlanda'da iki sistem var. Biri tam İngilizce ve büyük çoğunluğu oluşturuyor. Diğeri genellikle İngilizce, az İrlandaca. Kuzey İrlanda parlamentosunda İngilizce konuşuluyor. Ama isteyen milletvekilleri İrlanda dilini kullanabiliyor.

İskoçya, Kuzey İrlanda ve Galler'deki değişik modellerin iç işleyişlerinde farklı düzenleme ve mekanizmalar var. İskoçya'daki gibi

Kuzey İrlanda'da da yetki devri bir süreç, sürekli geliştirilmek istenen, bunun için de sürekli pazarlık mekanizmaları olan bir süreç...

İskoçyalı kadın parlamenter, sözü Kuzey İrlanda'ya getirerek, "Bize göre işleri daha zor. Çünkü kan dökülmüşse, nesiller alır kanın temizlenmesi," diyor.

Edinburgh, 29 Temmuz 2011

Dokuz asırlık bir şato, İskoçya'nın en eskisiymiş. "27 kral ve kraliçe gördü bu şato," diyor. Çoğu avlanmak için gelirmiş...

Akşam yemeği.

Şatonun kapısında etekli bir İskoç tarafından karşılanıyoruz, pür ciddiyet gaydasını çalıyor.

Şömine çıtır çıtır...

Ayaküstü sohbet. Uzun, yorucu bir günün sonunda böyle bir ortam ve buz gibi şampanya doğrusu iyi geliyor. Kütüphanenin bir tarafında, sayfaları sararmış, eprimiş bir kitapçık gözüme ilişiyor.

Üstünde kocaman bir sözcük:

BARIŞ.

"Barış için bir dilek ya da bir makale, mevcut ayrılıkları gidermek amacıyla..." yazılı üstünde.

1690'da basılmış.

Biri kalkmış üç yüz küsur yıl önce İskoçya'da barışa dair ayrılıklar ve çözüm yolları üzerine düşüncelerini yazıya dökmüş, kitaplaştırmış... Ama gel gör ki, üç asır sonra bile daha bu topraklarda hâlâ barış ve koşulları tam oturmuş değil.

Londra'dan başladık, Belfast üzerinden Edinburgh'a geldik, barışı konuşa konuşa, barışı tartışa tartışa. Güney Afrika, Kuzey İrlanda ve İskoçya tecrübeleri nedir sorusunun karşılıklarını, konuyu çok iyi ya da hayatın içinde bilen kişilerden dinledik.

Şiddet-barış ilişkisini konuştuk. Londra'da Güney Afrikalı beyaz bir siyaset bilimcisinden dinledik King College'de:

"Siyahlarla beyazlar arasındaki ilk gizli buluşmada, birbirlerine güven sıfırdı. Konuşmaları olanaksız gibiydi. Bir taraf diğerine terörist, öbür taraf da diğerine faşist diktatör diyordu. Ama zamanla diyalog kanalları açıldı. Ve Güney Afrika'da çözüm üç aşamada geldi: Siyasal tutukluların serbest bırakılması... Siyasal faaliyetlerin serbest bırakılması... Ve yeni anayasa..."

"Düşmanını yüreğinle değilse
bile aklınla affet!"

Kuzey İrlanda parlamentosu Stormont'un çatısı altında kulağıma çalınan iki cümle:

"Bir zamanların teröristi ama sonra bir özgürlük savaşçısı..."

"Düşmanını yüreğinle affedemezsin ama aklınla affedebilirsin, eğer barış diyorsan..."

Peki, bu barış saati ne zaman çalar?

Londra-Belfast-Edinburgh üçgeninde dolaşırken hep aynı noktaya geldim:

İki taraf da birbirini silahla, şiddetle tüketemeyeceğini anlayınca...

Şiddetin pençesinde yıllar yılı kıvranan Kuzey İrlanda'da böyle olmuş, Türkiye'de neden olmasın ki?.. Kuzey İrlanda barışını yapan İşçi Partisi'nin eski lideri ve Britanya başbakanlarından Tony Blair, 'barışın olgunlaşması'ndan söz eder siyasal anılarında. Muhafazakârlara yakın, emekli büyükelçi Sir Kieran Prendergast da Londra'daki toplantımızda şu soruları gündeme getirdi barışla ilgili olarak:

"Çözüm için taraflar birbirine ne kadar uzak, ne kadar yakın? Çözüme ilişkin şartlar olgun mu, değil mi? Taraflarda çözüm için iyi niyet ne kadar var?"

Sir Prendergast barışa ilişkin şu noktaları da vurguladı:

"Gerçek barış tek taraflı olamaz. Kalıcı barış bir tarafa dikte edilemez. Hakça bir barış diyorsak, her iki taraf da kazançlı çıkmalıdır bundan. Barış istiyorsak, sabır ve sebat şarttır."

Şunu da söyledi:

"Britanya olarak IRA'yı askerî yoldan bitiremezdik. Halkın desteğine sahipti çünkü..."

Ve son olarak:

"Gerçekten çözüm ve barış istiyorsan, kendi hasmını ya da düşmanını şeytanlaştırmaktan, onu insan olarak aşağılamaktan kaçınman gerekir."

Devam ediyor:

"Böyle yapmazsan, kendi kamuoyunu çözüm ve barış konusunda ikna etmen çok, hem de çok zorlaşır."

Sir Prendergast'ın bu sözleri bana Tayyip Erdoğan'ın 12 Haziran 2011 seçim kampanyası sırasındaki söylemini anımsattı:

"Ben 1999'da başbakan olsaydım, Öcalan'ı asardım!"

Barış önünde sonunda kapıyı çalıyor.

Önemli olan savaştan, çatışmadan barışa giden yolu olabildiğince kısaltmak. Bunun için de gerçek liderlik lazım, güçlü siyasal irade ve cesaret şart.

Ama aynı zamanda 'barış'ın bir süreç olduğunu, Kuzey İrlanda ve IRA örneğinde dokuz yıl sürebildiğini akılda tutmak lazım. Ama biz bunu Türkiye'de başaramadık. Barış süreciyle ilgili 2009'daki birinci deneme kısa sürede çöktü.

Hani bir söz vardır, "Türk gibi başlamak İngiliz gibi bitirmek." Bu satırların yazıldığı 2011 yazında biz bunu daha yapamamıştık.

ALTINCI BÖLÜM

*KCK operasyonları: Başbakan Tayyip Erdoğan'ın
'çözüm projesi' var mı, yok mu?*

*Şehirde siyaset yapan, seçimle gelen üç
bin kişiyi hapse at, sonra da dağdakiler
neden inmiyor diye düşün dur!*

Türkiye, Habur sonrası 2009 yılı Aralık ayının son haftasına büyük bir 'KCK operasyonu'yla girecekti.

Kürt sorununun silahla bağını koparmaktan, 'siyasal çözüm'e varmaktan, 'dağın yolunu kesmek'ten söz edilen bir dönemde, 'ovada siyaset yapanlar' kendilerini demir parmaklık arkasında bulacaktı.

Önemli bir bölümünü Kürtlerin oylarıyla seçilmiş BDP'lilerin, belediye başkanlarının oluşturduğu iki binden fazla Kürt, dalgalar halinde tutuklanacaktı.

KCK operasyonunun simgesine gelince, 26 Aralık 2009 tarihli gazetelerde yayımlanan elleri kelepçeli BDP'lilerdi. O gün çıkan yazımda operasyonu eleştirirken şöyle demiştim:

"Hedef, sorunun şiddetle bağını koparmaksa, bunun anlamı dağdaki PKK'lilerin inmesi değil mi? Evet öyle. Eğer dağdakileri gerçekten indirmek istiyorsak dağın yolu böyle mi kesilir? Şiddet böyle mi devre dışı bırakılır? Şehirdekileri, ovadakileri hapse doldurmaya başlarsak, dağın yolu açılmaz mı? Öcalan'la, PKK'yle Kürtler ve Kürt siyasal hareketi arasında duvar çekemezsiniz. Plastik kelepçelerle, savaş esiri gibi fotoğrafçılara poz verdirtilmek durumunda bırakılan, o fotoğraf barış adına son derece talihsiz bir görüntüdür."

Neydi KCK?

KCK'nın Kürtçesi, *Koma Civaken Kurdistan,* Türkçesi, Kürdistan Topluluklar Birliği'dir. Orhan Miroğlu KCK'yı şöyle anlatır:

"PKK'nin silahlı mücadelesinin ortaya çıkardığı kurumların birbirleriyle olan ilişkileri, temsiliyet hakları büyük oranda KCK tarafından karar altına alınmakta, bu kurumlardan ve siyasi aktörlerden bu kararlara uygun davranışlar içinde olmaları beklenmektedir.

Bu kurumların Türkiye'ye dönük bir yüzleri var tabii, ama bir kısmı meşruiyet sorunu yaşadığı için Türkiye'ye dönük olan bu yüz, buzdağının parçası gibi duruyor.

Kürt siyasetinin yaşadığı 'meşruiyet' sorunu nedeniyle HEP'le başlayan süreçten bu yana kurulan ve sonrasında da kapatılan partilerin PKK'yle ilişkileri söz konusu olduğunda, Kürt siyasi aktörleri çeşitli sebeplerle bu ilişkilerin işin doğası gereği kaçınılmaz olduğunu yıllarca söyleyememiş, bu konuda ya suskunluk politikası, ya da siyasi inkâr politikası benimsenmiştir. Ama ne inkâr, ne de suskun kalmak bir işe yaramamış ve kurulan partilerin tümü de ortalama üç yıl yaşadıktan sonra Anayasa Mahkemesi tarafından kapatılmıştır.

Bu partilerin yaşaması için mücadele eden insanlardan, sürekli olarak PKK'yle aralarına mesafe koymaları talep edilmiştir. Gerçek hayatta hiçbir karşılığı olmayan bu talep Brüksel'de de, Ankara'da da, Washington'da da aynı hassasiyetle ve yıllarca gündemde kalmış ve legal Kürt hareketinin başında Demokles'in kılıcı gibi sallanıp durmuştur.

Kürt sorununu daha soğukkanlı ve gerçekçi tartışmaya başlayan Türkiye'nin, özellikle açılım politikalarından bu yana, nihayet karşısındaki siyasi merkezin bu legal partiler değil, aslında PKK'nin ta kendisi olduğunu artık anlamış olması gerekiyor.

Doğrusu, İrlanda'da Sinn Fein'in IRA'ya rağmen kullandığı siyasi temsiliyet hakkı, özerk duruşu, Kürt partilerinde PKK'ye rağmen kullanılan bir hak ve özerk duruş haline gelememiştir.

Bunun sebepleri vardır.

Örneğin Sinn Fein, IRA'dan önce kurulmuş bir siyasi partidir. Oysa bizde tam tersi bir durum söz konusudur. Önce PKK sonra legal Kürt partileri kurulmuştur. İrlanda'da Gerry Adams gibi politikacılar yetişmiştir, Kürtler arasından bir Garry Adams çıkamamıştır filan.

Yani Kürt siyasetinde belirleyici olan silahlı mücadeledir. PKK'nin silahlı mücadelesi, legal Kürt siyasetinin doğmasını sağlamış, ama bu partiler hep kabul edilebilir sınırda ve kabul edilebilir bir oy potansiyeli içinde tutulmuş, devletin ve PKK'nin uyguladığı şiddet politikası bu partilerin büyümesini engellemiş ve önünü kesmiştir."[1]

KCK operasyonunda tutuklananlardan biri de eski Viranşehir Belediye Başkanı Emrullah Cin'di. Kendisini başkanlığı döneminden tanıyordum.

Emrullah Cin hapisteyken on yaşındaki kızı Berdil'den gelen bir mektubu köşeme almış ve babasına bir açık mektup yazmıştım.

Polisler götürdü babamı, ben de ağladım.

Günaydın Emrullah Cin, nasılsın?

Kızın Berdil bana bir mektup göndermiş. Daha on yaşında ama duygu ve düşüncelerini kâğıda çok iyi dökmüş.

Seninle tanıştığımızda Berdil daha doğmamıştı. Bölgeye gelip gittiğimde Viranşehir'e uğramayı ihmal etmezdim. Belediyede, makamında yediğimiz kebapların tadı hâlâ damağımda...

Hatırlıyorum, 2004 yılı Eylül ayında yeni açılan Viranşehir Kültür ve Sanat Merkezi'ni gezdirmiştin bana.

Heyecanlıydın.

Merkezde hafta sonları çocuk oyunları sahnelendiğini anlatmıştın. Çocuklar için yine hafta sonları bedava sinema vardı. Alt katta folklor çalışması yapan çocukları, kütüphaneye gelen çocukları göstermiştin.

Devletten yakınmıştın.

Viranşehir'de devletin değil kültür ve sanat merkezi, bir kütüphanesi bile olmadığını, ama aynı devletin belediye olanaklarıyla yapılan merkeze nasıl ilgisiz kaldığını belirtmiştin.

Kürtleri yok saymanın, inkârcılığın bu topraklarda sadece kan ve gözyaşına yol açtığını söyledikten sonra, merkezin girişine asılı iki sözcüğe işaret ettin:

YAŞASIN BARIŞ!

Sevgili Emrullah Cin,

Barış hâlâ gelmedi.

Bir yılı geçti hapistesin, KCK'dan dolayı. Üstelik Kürtçe savunma yapmanız da engelleniyor. Eğer barış isteniyorsa, eğer barış

---

1 Orhan Miroğlu, *Taraf,* 28 Ekim 2010.

gelecekse, sizin hapiste değil, dışarıda, özgürlük içinde yaşamanız gerekir.

Seninle birlikte hapis yatmakta olan birçok dostuma en sıcak selamlarımı söyle. Barıştan umut kesilmez, hele Berdil'ler oldukça...

Bak, ne güzel yazmış:

Ben 1 yılı aşkın süredir cezaevinde yatan Emrullah Cin'in kızıyım. 10 yaşında, ilköğretim 4. sınıftayım. Birinci sınıfa giden erkek kardeşim var.

Babamın cezaevinde olması beni birçok yönden etkiledi. Özellikle derslerimde, sınavlarda, dersi dinlemede... Mesela mahkeme süresinde olduğum sınavlar çok kötü geçti.

Babamsız olan doğum günümü kutlamadım. Babamın çıkacağı ümidiyle doğum günü kutlamasını erteledim ve hâlâ ümitliyim ve ne olursa olsun ümidimi yitirmiyecem. Ve babam gelmeden doğum günümü kutlamicam.

Bugün bir haberde siyaset dışı yatan ve insanları zehirleyen tutukluların cezaevinden tahliye olduklarını öğrendim.

Bunun haksızlık olduğunu düşünüyorum. Çünkü onlar, binlerce insanı zehirleyerek öldürdüler ama benim babam gibi siyaseten yatanlar hiçbir şey yapmadı.

Babamın ilk tutuklandığını şöyle öğrendim. Uyandığımda annem ağlıyordu. Ne olduğunu sordum sabah polislerin gelip babamı götürdüklerini söyledi.

Önce çok şaşırdım ve korktum, sonra ağlamaya başladım. Sonra polislerin dağıttığı evi topladık.

O gece odamdan çıkmadım. Küçük kardeşim ağlamadı, üzüldüğünü belli etmedi. Çünkü kardeşim babama çekmiş. Beni teselli etti, merak etme babam çıkacak dedi.

Babamın tutuklu haberini alınca da ağlamadı, çünkü hiçbir zaman üzüldüğünü belli etmez. Tekrar beni teselli etmeye başladı. Bir dahaki mahkemesinde çıkacağını söyledi ama yine çıkmadı.

Babam 10 yıl Viranşehir'de belediye başkanlığı yaptı. O çöl Viranşehir'i güzelleştirdi. Belediyedeki işi bitince İngilizce öğrenmek için İngiltere'ye 6 aylığına gitti. Geldikten 1 ay sonra tutuklandı.

Açıkçası babamı pek fazla görmedim. Eğer babam kötü bir şey yapmışsa bu da halka hizmettir.

Bir çocuğun babasıyla birlikte olması hakkıdır. Ama ben son 1 yılda babamı ayda 1 saat görebiliyorum. Hem de o 1 saati görmek için cezaevinde bin bir türlü eziyet çekiyorum.

Kapalı görüşe de gitmek istemiyorum, çünkü camın arkasından görmek, ona dokunamamak bana acı veriyor.
Ben artık bir an önce babama kavuşmak istiyorum, sesimi bütün Türkiye'ye duyurmak istiyorum.
Berdil Cin.[2]

Erdoğan'ın Habur'a misillemesi miydi, elleri kelepçeli KCK'lıların fotoğrafı...

KCK operasyonları sırasında akıllara takılan bir soruydu: Basına polis tarafından dağıtılan, savaş esirleri ya da bir toplama kampı sakinleri gibi çıkmış o bilekler kelepçeli fotoğraf, acaba Başbakan Erdoğan'ın bir misillemesi miydi?

Habur'da, otobüsün üstünde zafer işareti yapan o gerilla fotoğrafına bir misilleme olabilir miydi?

Yoksa devlet, "Herkes haddini bilsin!" demek istemiş ve Erdoğan da buna rıza mı göstermişti?..

Ankara'da kimileri Kürt sorununu, PKK'yi devletin resmi raporlarından, belgelerinden veya kitaplardan öğrenmeye çalışmıştır. Devletin memurudur, askerdir, diplomattır ya da siyasetçidir, akademisyendir veya gazeteci de olabilir böyleleri.

Kendi dünyalarına kapanıp Kürt sorunu gibi karmaşık, çetrefil bir konuyu daha çok kâğıt üstünde anlamaya gayret ederler.

Böylece kendileri kitabi, değerlendirmeleri de mekanik kalır; toplumla temas etmedikleri için de 'empati'den fazla iz olmaz yaklaşımlarında...

Mesela, 12 Eylül askerî döneminin Diyarbakır Cezaevi gerçeğini ne kadar bilirler? Orada insanlığa karşı işlenen suçlarla ne kadar ilgilendiler? Bu askerî cezaevinde yaşanan utancı ne kadar hissettiler?

"Yaşama korkusu, ölüm korkusundan büyüktü."

Mustafa Yavuz:
Diyarbakır Cezaevi'nde esas duruşta uyurduk, Aradan otuz yıl geçti. Sabahları uyandığımda hâlâ esas duruşta uyandığımı görüyorum.
O cezaevinde ölümü denedim olmadı.

---

2   Hasan Cemal, *Milliyet*, 30 Ocak 2011.

Yaşama korkusu ölüm korkusundan büyüktü.

Ben hayatımda ilk kez ve burada ölmeme korkusunun, ölüm korkusundan büyük olduğunu gördüm ve yaşadım.

Bir baba ve üç kardeş olarak girdik bu cezaevine, bir kardeşimizi, Mehmet Emin Yavuz'u kaybettik.

"İki subayın yaptığı işkence sonucu öldü babam..."

Serdıl Büyükkaya (Necmettin Büyükkaya'nın kızı, babası işkenceyle 1984 Ocak'ında bu cezaevinde öldürüldüğünde, Serdıl o yıllarda çocuk yaştaydı.):

Burada sanki hâlâ bitmemiş bir yas var... Ve ben hâlâ içimde büyümeden kalan o küçük kızı hatırlıyorum.

Bir görüş gününde bizi içeri aldılar. Yüzünüzü duvara dönün dediler.

Anneannem bana kızım dön de bak bakalım dedi, ne oluyor?

Küçüktüm, döndüğümü fark etmediler, dönüp baktım.

Bir cezaevi aracından elleri ve ayakları kelepçeli insanlar indiriliyordu. O anda aklıma seyrettiğim ve köleleri anlatan diziler geldi. O dizilerdeki insanlar siyahtı, ama bu gördüğüm insanların rengi beyazdı...

Beyaz köleler gibiydiler...

Bir gün açık bir görüş gününde babama sarıldım. Kulaklarıma şöyle fısıldadı babam: "Annene söyle, burada şartlar çok kötü..."

O görüş günlerinde gördüğüm insanlar parlak yeşil gözlü insanlar gibi görünüyorlardı bana.

Kafaları tıraşlıydı. Yeşil yeşil bize bakıyorlardı. Bize bakıyorlar ve gözleri nemleniyordu bizi gördüklerinde.

41 yaşındaydı babam, **Yüzbaşı Abdullah Kahraman** ve **Ali Osman** adındaki bir subayın yaptığı işkence sonucu hayatını kaybetti.

Beyninde tümör var diye rapor tuttular.

Bütün bu yaşananları nasıl hissetmeliyim diye soruyorum kendime... Affetmek diyorum, ama affedeceğim kimse yok ortada... Hoş benden özür dileyen de yok.

"Parmakları kalmamış, çukurlaşmıştı."

Serap Mutlu Doğan (Mazlum Doğan'ın ablası. Mazlum Doğan 21 Mart 1982 günü, hücresinde kendini astı):

Mazlum'un parmakları kalmamış, çukurlaşmıştı.

Acaba fareler mi yemişti parmaklarını, yoksa elektrikle mi yakılmıştı, bilemedik.

"Türkçe bilmeyen kadınları zorla bağırtırlardı, 'Biz Atatürk'ün kadınlarıyız,' diye..."

Kadınlar koğuşunda yaşananları anlattı Mehdiye Özhan Özbay:
Çocuklar vardı bu koğuşta. Hüsniye Killi'nin kızı Helin, iki buçuk yaşındaydı. Sonra Recep vardı. O da iki buçuk yaşındaydı. Biz Reco derdik.
Reco toplu dayak sırasında annesini gardiyanlar dövmesin diye, gardiyanların bacaklarına sarılırdı.
Bir gece Reco'nun feryadıyla uyandık. Fareler elini ısırmıştı.
Aramızda yetmiş yaşında kadınlar vardı.
Türkçe bilmiyorlardı.
Bu yaşlı kadınları havalandırmaya çıkarır, onları zorla "Biz Atatürk kadınlarıyız," diye bağırtırlardı.[3]

"İşkence çığlıkları gelirken, Evren radyoda konuşuyordu: Türklerin karakterinde işkence yoktur!"

Avukat Hüseyin Yıldırım anlatıyor:
Beni ip sarılı bir makaraya götürdüler.
İpin ucunu halka yapmışlar.
Çok affedersiniz...
Çok affedersiniz...
İpi cinsel organıma geçirdiler. Biri ipi tutuyor, biri ipi çekiyor.
Çok utandım.
Diyarbakır polis soruşturma bölümünde her odadan işkence çığlıkları gelirken, Evren radyoda konuşuyordu. "Türklerin karakterinde işkence yoktur," diye bağırıyordu.
Hürriyet'in Diyarbakır muhabirini röportaj yapması için cezaevine getirdiler. "Diyarbakır Cezaevi güllük gülistanlık," diye yazdı. Bu haber 1982 baharında yayımlandı *Hürriyet*'te..."[4]

Kürt sorununa kitabi bakanlar, resmi ezber ve klişelerin çerçevesini çizilen raporlardan öğrenenler, acaba 12 Eylül askerî yönetiminin Diyarbakır Cezaevi'nde yaşanan insanlık suçlarıyla, bu utançla yüzleşmeden gerçek bir barışın kapımızı çalamayacağını hiç düşündüler mi?

---

3   Orhan Miroğlu, *Taraf*, 27 Eylül 2010.
4   Neşe Düzel, Pazartesi Konuşmaları, *Taraf*, 26 Temmuz 2010.

Bunları düşünmeden Kürt sorununun silah ve şiddetle bağının koparılamayacağı gerçeğinin acaba ne kadar farkındalar? Beyinleri devletin ezberleri tarafından yıllar boyu tutsak alınanlar, devletin çizdiği, dikte ettiği 'kırmızı çizgiler'in dışına çıkamaz.

Yıl 1981, yeni diplomatlara hizmet içi eğitim: Kürt yok, Kürtçe yok!

Yıl 1981. Dışişleri Bakanlığı sınavını kazanan ve dış göreve hazırlanan bir diplomat, o tarihlerde aldıkları meslek içi eğitimi şöyle anlatır:

"Bize kurslar veriyorlardı. Kürt meselesini anlatmak için MİT'ten bir görevli gelmişti Dışişleri'ne. 'Kürt diye bir şey yoktur, dağda yürürken kart kurt sesi çıkaran, dağlarda yaşayan göçebe Türklerdir bunlar' dedi. Kenan Evren meydanlarda söylemişti ama bunun bize, Türkiye'yi dışarıda temsil edecek diplomatlara da söylenmesine inanamadık.

MİT görevlisi devam etti: 'Kürtçe diye bir lisan da yoktur. Bunların iki üç lehçeleri vardır, onlar da uyduruktur.'

Bizler genç, acemi diplomatlardık. Böyle bir yaklaşımı kabul etmemiz mümkün olmadığı gibi, yabancı muhataplarımıza söylemekten utanacağımızı da biliyorduk.

Ama askerî rejim vardı, koşullar belliydi, sessiz kaldık."[5]

Kürt sorunuyla ilgili kırmızı çizgilerin bizim devletteki gerçek sahibi cumhuriyetin kuruluşundan beri 'asker'den başkası olmadı. Kürt sorunu her zaman askerin tekeli altında kaldı.

Bu açıdan bir örnek İmralı'daki Öcalan'dan verilebilir.

Apo 1999'da yakalanır.

2005 yılına kadar İmralı'nın kapısı sivillere açılmaz. Öcalan'la sadece asker görüşür. Sivil bürokratların Öcalan'la görüşmesine Genelkurmay izin vermez.

İlk kez 2005'te MİT Müsteşar Yardımcısı Emre Taner, o da yanında ancak bir albay olduğu halde görüşür Abdullah Öcalan'la...

Bu kritik bir tarih sayılabilir.

Bu görüşmeyle birlikte belki de ilk kez bir sivil iktidar, Erdoğan hükümeti, Kürt meselesinde inisiyatif almaya başlıyordu. Askerin yaptığı görüşmelerde olduğu gibi, bu ilk temasta başlangıçta,

---

5   Murat Yetkin, *Radikal*, 21 Ağustos 2010.

"Öcalan'ı nasıl kullanırız?" sorusunda düğümlenmiş olsa da 2009 yılındaki 'demokratik açılım'a, "PKK'yi dağdan indirme" planlarına kadar uzanacak önemli bir 'sivil' gelişmeydi.

Kürt sorunu ve PKK konusunda sivil siyasi otorite, Erdoğan-Gül ikilisiyle birlikte ilk kez askerin yanında kendine bir yer açıyor, "Ben de varım!" demeye getiriyordu.

2000'li yılların öncesinde bazı başbakanlar iktidara geldikleri ilk dönemde, askerin 'kırmızı çizgileri'nin dışına çıkarak iyi niyetle yeni bir şeyler yapmak istemişti. Ama bir süre sonra asker onlara Genelkurmay'da brifing vermiş, önlerine askerin eski hamam eski tas politikalarını sürmüş ve değişen bir şey olmamıştı.

Demirel'in Kürt realitesi, Çiller'in Bask modeli saman alevi gibi yanıp söndü. Asker, kısa sürede onlara da kendi kırmızı çizgilerini devlet politikası olarak dayattı.

1980'ler, 1990'lar böyle geçti.

O korkunç yıllara ve Öcalan'ın İmralı'ya hapsedilmesine rağmen sorun çözüldü mü, PKK bitti mi? Hayır... Tam tersine PKK Kürtlerin içinde daha çok kök saldı; belediyelerle, sivil toplum kuruluşlarıyla ve daha önemlisi siyasal partisiyle şehirlere de yerleşti, yayıldı.

Kürt sorunuyla PKK'yi bugün artık birbirinden ayırmak, ikisinin arasına duvar çekmek olanaksızdır. Kısacası 1990'larda isabetli olabilecek bir politika 2000'li yıllarda geçerli değildir.

Ancak, KCK operasyonlarıyla 2010 yılına girerken anlaşılan o ki, Ankara'da kimileri böyle düşünmüyordu.

"Hem KCK'yı, hem PKK'yi döveriz, hem partilerini kapatırız, hem PKK'nin bel kemiğini kırarız, hem dağın yolunu keseriz; çünkü eşzamanlı olarak sorunu çözmeye yönelik gereken adımları da ihmal etmeyiz," diyenler vardı Ankara'da.

"Erbakan hareketinden kopmuş bir parti gibi davranıyorlar, Kürtlerle PKK'yi ayıralım, '**Kürtler bizim din kardeşimiz, onları Müslümanlıkla hallederiz,**' fikrinde olanlar var."[6]

Ve bunlar Başbakan Erdoğan'ı etkiliyordu.

---

6 Murat Belge, *Radikal*, 4 Temmuz 2011.

"Hükümetin bir çözüm projesi yok.
Bireysel haklar bağlamında kültürel
kırıntılarla Kürtleri avutmak ve
PKK'yi daha ince yöntemlerle tasfiye
niyeti yani..."

Brüksel, 3 Şubat 2010

Bir Lübnan lokantası. Urfalı Kürt aşçının enfes kebaplarını yerken Kürt sorunu, demokratik açılım ve PKK'yi konuşuyoruz.

Gözlerden uzak bir köşedeki masada dört kişiyiz. Kongra-Gel'in Başkanı Remzi Kartal, eski başkan ve KCK Yürütme Konseyi üyesi Zübeyr Aydar ve Oral Çalışlar'la ben.

Remzi Kartal'la Zübeyr Aydar çok uzun yıllardır Brüksel'de sürgünde yaşıyor. Avrupa'daki Kürt diasporasının en önde gelen isimleri.

Avrupa Parlamentosu çatısı altında iki gün süren Kürt konferansında Erdoğan hükümetine yönelik olarak kendini belli eden hayal kırıklığı ve tepki havası, Kartal ve Aydar ikilisinde de çok belirgin. Demokratik açılım bir aldatmaca olarak niteleniyor.

Demokratik açılım için hükümet düğmeye bastığında, beklenti çıtasının çok yüksek olduğunu, bu nedenle hayal kırıklığının da büyük olduğunu belirtiyor ikisi de.

Şu cümle ilginç:

"Açılım önce Türklere yönelik olmalıydı. Başbakan önce Türkleri ikna etmeye çalışmalıydı. Bunun için 81 vilayete gideceğini söylemişti ama arkası gelmedi. Bunun yerine bazı Kürt illerine gitti."

Yerel seçimlerden sonra 14 Nisan 2009'da KCK'ya yönelik tutuklama operasyonlarının dalga dalga büyüdüğünü, yaz ortasında düğmeye basılan 'demokratik açılım'la birlikte durulduğunu, ancak DTP'nin 2009 Aralık ayında kapatılmasından sonra operasyonların patladığını belirtiyorlar.

Özetle diyorlar ki:

"12 Eylül askerî darbesinden beri bu boyutlarda kitlesel tutuklama görülmedi. Neredeyse askerî darbeden farksız. Altı yedi bin kişi gözaltına alındı. Özellikle son seçimlerde aktif olanlar içeri alındı. AKP seçim sandığında yapamadığını polisle yapmaya başladı. Örgütsel altyapımız tahrip ediliyor."

Habur konusunda:

"Açılımda bir tıkanıklık yaşanıyordu. Bir şeyler yapılması konusunda bize Ankara'dan bazı beklentiler ulaştı. 19 Ekim'deki Habur'a gelişler son derece iyi niyetle düzenlendi. 25 yıldır dağdan sadece cenaze indirilmişti. Şimdi ilk defa canlı Kürtler geliyordu. Bu da bir barış sevinci yarattı Kürtler arasında."

Yedi askerin şehit olduğu PKK'nin Reşadiye saldırısını sorunca yanıt şu oluyor:

"4 Aralık'ta Cudi operasyonu oldu, iki arkadaşımız öldü. 6 Aralık'ta da Reşadiye..."

Erdoğan hükümetinin, Ak Parti'nin Kürt sorununa ilişkin çözüm niyetini ve içtenliğini sohbet boyunca sürekli sorguluyorlar:

"Bu hükümetin baştan itibaren herhangi bir çözüm projesi yoktur. Kervan yolda düzülür anlayışı damgasını vuruyor. Bireysel haklar bağlamında ufak tefek kültürel kırıntılarla Kürtleri avutmak, ikna etmek istiyorlar. PKK'yi daha ince yöntemlerle çözmek, tasfiye etmek niyeti yani... Oysa biz özgür ve eşit yaşamak istiyoruz. Tutuklama dalgası bir sivil operasyon... Anlaşılan sonra askerî operasyonlar gelecek."

Peki sonuç?..

Bahar aylarıyla birlikte yine ölüm haberleri, kan ve gözyaşı mı? Bu soru "Evet öyle!" diye yanıtlanmıyor:

"Elbette silah çözüm değil. Bütün bunlara, olumsuzluklara rağmen biz de her şeyin bir günde olup bitmesini beklemiyoruz. Silahsız çözümden yanayız. Bunun için en başta siyasi ve askerî operasyonlar dursun. Ama bu arada tutuklanan KCK'lılar bir an önce serbest bırakılsın. Başkanımıza dönük tecrit kaldırılsın ve muhatap alınsın."

Başbakan Erdoğan'ın niyeti sorgulanıyor:

"Kürt sorununu gerçekten çözmek istiyor mu? Niyeti var mı, yok mu? Kürt sorununu hakikaten hissediyor mu? Kürtleri eşit vatandaşlar olarak görebiliyor mu?"

Remzi Kartal ve Zübeyr Aydar'la Brüksel'de ertesi gece bu kez bir İtalyan restoranında buluştuk. Aydar, vedalaşırken şöyle dedi:

"Silahlar konuşacağına, insanlar konuşsun!"

Arkasından ekledi:

"Ve bizi Türk yapmaktan vazgeçsin devlet!"

YEDİNCİ BÖLÜM

*Silahların gölgesinde Kürtler ya da APO ve
PKK eleştirisi!*

*"PKK tek başına silah bıraksa,
Kürt halkının mücadelesine
hizmet eder. Çünkü karşı
tarafın elindeki silahı düşürür."*
*"Silahlar var oldukça,
Kürt toplum demokratikleşmez!"*
*"PKK'nin eleştiriye ihtiyacı var,
demokrat olmanın ölçütü,
ifade özgürlüğüdür!"*

Bağdat'ta tank sesiyle uyumak!
9 Mayıs 2003.

Tank sesiyle uyandığımı hatırlıyorum, 12 Eylül 1980 sabahı Ankara'da...

Ama tank sesiyle hiç uyumamıştım.

Gürültü beni rahatsız eder. Tank sesiyle mışıl mışıl uyuyacağımı rüyamda görsem inanmazdım.

Ama hayat bu, oluyor işte.

Amerikan tankları, Filistin Oteli'nin çevresinde yirmi dört saat nöbette. Motorları büyük bir homurtuyla gece gündüz çalışıyor.

Hava çok sıcak.

Kapı pencere ardına kadar açık yatıyorum.

Tank sesi de baş ucumda!

Ama ben yastığa başımı koyar koymaz uyuyorum. Ya aşırı yorgunluk ve stres ya da belki genlerimdeki militarist bir şeylerden dolayı tank sesi sanki ninni sesi...

Her yerde tank var.

Amerikan tankları, bütün kritik köşeleri tutmuş durumda. Iraklı Kürt lider Celal Talabani'yle görüşmeye giderken dikkatimi çekiyor. Adalet Bakanlığı'nın tam girişinde koca bir tank. İçişleri Bakanlığı'nın tam girişinde koca bir tank. Yağmalanan, kültürel bir soykırım örneğine sahne olan Milli Kütüphane'yle Irak Müzesi'nin tam girişinde koca birer tank...

Talabani neşeli.

1993'ten beri ilk kez görüşüyoruz. Tepeden tırnağa silahlı peşmergelerin koruduğu bahçe içindeki mükellef villasında çok keyifli bir hali var Kürdistan Yurtseverler Birliği (KYP) lideri Talabani.

"Mutlusunuz!"

"Nasıl mutlu olmam. Bak şimdi Bağdat'tayım. Bir hayaldi, gerçek oldu."

Türkiye'nin Irak'a kuzeyden ikinci bir cephe açmasını TBMM'nin reddetmiş olması Talabani'yi memnun etmiş. Türk Silahlı Kuvvetleri'ni kastederek "Aman aman kardeşlerimiz evlerinde otursun," diyor. Arapların da Türkiye'nin Kuzey Irak'a girmesine karşı olduğunu söylüyor, "Hatta Araplar bize Türkiye'ye karşı ortak gösteri bile teklif etti."

Her zamanki gibi Ankara siyasetini yakından izleme çabasında. Başbakan Erdoğan'ı tanımaya çalışıyor. Genelkurmay Başkanı Orgeneral Hilmi Özkök'e ilişkin üslubu olumlu. Türkiye'nin Avrupa Birliği yolunda ilerlemesinin, bunun için reformlar yapmasının Kürt sorununu da çözeceğine inanıyor Talabani...

Türkiye'yle ilişkilerin daha iyiye gideceğini belirtiyor, nedenlerini şöyle özetliyor:

"(1) Türkiye, Türkmenlerin durumu dahil Irak'ın realitelerini daha iyi görecek. (2) Talabani'yle Barzani'nin, Irak'ın bölünmesinden değil, birliğinden yana olduklarını Türkiye görüyor. (3) Irak'ta güçlü bir radikal İslamcı akım var, Kürtler ise laik... Türkiye hangi tarafta olacak? Herhalde 'laikler'in... (4) Irak birçok bakımdan Türkiye için önemli bir ülke. Artık biz Kürtler de Bağdat'ta olacağız, iktidar ortağı olarak. Yani Türk-Irak ilişkilerinde biz Kürtlerin yeri önem kazanacak. (5) Bizimle, Irak Kürtleriyle iyi ilişki, Türkiye'nin kendi Kürtleriyle de iyi ilişki içinde olması demektir."

146

*Amerika Kandil'i, PKK'yi
karıştırmaya başlıyor! General
Petraeus, Osman Öcalan'la
temas kuruyor.*

Bir süre sonra Irak'ta cumhurbaşkanlığı koltuğuna oturacak olan Celal Talabani, Saddam Hüseyin'in Amerika tarafından devrilmesinden bir ay sonra Bağdat'ta Türk-Kürt ilişki çerçevesini çizmeye başlarken Kandil de kaynamaya başlamıştı.

PKK bölünmenin eşiğinde gibiydi.

Amerika, Irak Kürtleriyle birlikte elini PKK'nin içine sokmuş karıştırıyordu. Apo'nun kardeşi Osman Öcalan'la Washington temas kurmuştu. 2011'de CIA'in başına gelecek olan 'çuvalcı' General Petraeus de Osman Öcalan'la görüşecekti.

Osman Öcalan, PKK'nin silahlı mücadeleyi bırakma konusunu örgütün gündemine 1993 yılında ilk defa getirdiğinde kıyamet kopmuştu, "haindir, satılmıştır," diye... "Hakkımda şartlı idam kararı vermişlerdi," diye anlatmıştı bana 2009'un Mayıs ayında Irak Kürdistanı'ında, Köysancak'taki evinde...

Amerikan yönetiminin hedefi, PKK'yi Türkiye'yle ilişkilerinde sorun olmaktan çıkarmaktı.

Bunu sağlayabilirse, Irak'ta bir yandan Türkiye'nin desteğini yanına alabilecek, öbür yandan Türkiye-Irak Kürdistanı ilişkilerinin düzelmesine kapı açacaktı. Bu da Irak'ta istikrara açılan yol demekti.

Bu yüzden Washington, PKK'nin dağdan inmesini, Kürt sorununun silahla bağının koparılmasını istiyordu. Ayrıca, Erdoğan hükümetinin Avrupa Birliği yolunda atacağı reformcu adımlarla bu süreci kolaylaştıracağını savunuyordu.

Nitekim Başbakan Erdoğan da AB'ye uyumun gereklerini yerine getirecek adımları atmaya yöneliyordu 2003'te...

PKK'nin Kandil'deki lider kadrosunda, komutanlar arasında ikilik baş göstermişti. Amerika'nın Irak'a girmesi, Baas rejiminin yıkılması, Irak Kürdistanı'nda bir Kürt devleti sürecinin hızlanması ve Türkiye'nin AB yolunda hareketlenmesi, bütün bu gelişmeler, Kandil'de bir kanadı, "Artık biz de silah bırakalım, siyasete yönelelim; silahın kullanım süresi doldu," çizgisine getirmişti.

Silahlı mücadeleyi bırakalım diyenlerin içinde yalnız Osman Öcalan bulunmuyordu. Ondan çok daha önemlisi, kod adı Botan olan ve PKK'nin genelkurmay başkanı sayılan Nizamettin Taş da silahtan vazgeçilmesini savunuyordu.

Botan'ın yanında yine PKK'nin önemli komutanlarından kod adı Ebubekir olan Halil Ataç ve kod adı Ekrem olan Hıdır Sarıkaya da yer almıştı. Sarıkaya, 12 Eylül'de o korkunç Diyarbakır Cezaevi'nin yöneticisi Yüzbaşı Esat Oktay Yıldıran'ı İstanbul'da öldürmüştü.

Botan ve arkadaşları, PKK içinde ciddi bir destek elde etmişlerdi. Gelişmeler Kandil'i karıştırıp PKK'yi bölünmenin eşiğine getirince, İmralı devreye sokuldu.

Öcalan "Osman-Botan alçağı" dedi.

Silahlı mücadelenin bırakılmasına karşı çıktı ve Botan ve arkadaşlarını örgütten tasfiyeleri için düğmeye bastı İmralı'da...

Bu tasfiye sürecinde PKK kan kaybetti, Öcalan'ın deyişiyle "Bine yakın kadro eridi," ve Botan yanlısı bazı PKK'liler siyasal cinayetlerin hedefi yapıldı.

Çok önemli bir başka gelişme daha yaşandı.

1999'dan, yani Öcalan'ın yakalamasından beri ateşkes ilan etmiş ve Öcalan'ın talimatıyla Türkiye sınırlarının dışına çıkmış olan PKK, yine Öcalan'ın yeşil ışığıyla 1 Haziran 2004'ten itibaren eylem kararı almıştı.

Neden?

Bu soruya genellikle farklı yanıtlar verilir.

Denir ki:

Apo, kendi durumunda herhangi bir değişiklik olmadan ne diye PKK'nin silah bırakmasına rıza göstersin ki! Günün birinde İmralı'dan kurtulmak için Apo'nun elinde tek bir koz var, o da dağdaki silahlı PKK...

Bu bakış açısında gerçek payı vardır.

PKK silah bırakacaksa, bunun en önemli bacaklarından biri, Öcalan'ın ev hapsinden başlayarak serbest kalması, günün birinde tümüyle dışarı çıkması, diğeri Kandil'deki lider kadrosuyla ilgili 'af'tır.

"Savaş olmasa, asker siyasete nasıl müdahale edebilir ki?"

Denir ki:

Asker, PKK'yi hep kullandı, Türkiye'nin daha çok demokratikleşmesini önlemek, rejimin sivilleşmesine köstek olmak için...

Bunda da gerçek payı var.

Botan kod adlı Nizamettin Taş, 1 Haziran 2004'de beş yıllık ateşkesin sona ermesini şöyle değerlendirir: **"Savaş kararını Genelkurmay iradesi diye yorumlamıştık. Devlet müdahalesidir. PKK'nin siyasallaşması, Genelkurmay'ın hesabını bozacaktı. Savaş olmasa, ordu siyasete nasıl müdahale edecekti?"**[1]

Öcalan'ın bir yandan kendini bilinçli olarak kullandırtırken, aynı zamanda hem kendi konumunu, hem örgütü güçlendirdiği, bir başka deyişle kendini kullananları onun da kullandığı söylenebilir.

1980'lerin başında Öcalan Şam'da kendisine, **"Hafız Esat rejimi seni Türkiye'ye karşı kullanıyor,"** diyen Taner Akçam'a özetle şöyle demiştir: **"Ama ben de onu kullanıp güçleniyorum."**

Taner Akçam, 2010 Temmuz ayında bana gönderdiği bir elektronik postada şöyle anlatır:

"1982 yılıydı. Şam'da Apo'yla karşılıklı oturmuş, Suriye devletinin bizden istediği şartları konuşuyorduk. Ben, bir devletin kontrolüne girmenin tehlikelerini, bizi istedikleri gibi kullanıp sonra limon gibi sıkacaklarını Apo'ya söylüyordum. Apo aksi kanaatte idi: **'Bana zaman lazım,'"** diyordu, **'kullansınlar mesele değil. Beni limon gibi sıkmak istedikleri vakit onlar için çok geç olacak.'**

Apo Suriye'de kaldı.

Aradan yıllar geçti, Suriye Apo'yu kovdu. Geriye bakalım, kim kârlı çıktı bu işten: Apo ve PKK...

Apo kendisini kullandırdı ama o bu, Kürt hareketini Suriye'nin oyuncağı olmayacağı bir yere taşıdı.

Şimdi Ankara'ya bakalım.

Türkiye'nin terör örgütü ilan ettiği bir örgütün lideri, her hafta hapishaneden örgütü yöneten bildiri ve tebliğler sunuyor.

Niye? Çünkü Ankara'da birileri, Apo'yu istedikleri gibi Apo'yu kullandığını sanıyor ve Apo'yu kullanarak PKK'yi kontrol edeceğini, böylece Kürt meselesini de denetleyebileceğini sanıyor.

Tıpkı Suriye'dekiler gibi...

Ankara'dakiler de bilmiyor ki, bu oyunu Apo onlarla severek oynuyor."

Denir ki:

PKK eşittir Ergenekon!

---

1 Cengiz Çandar, *PKK Nasıl Silah Bırakır?*, TESEV, 2011.

Denir ki:

2005'e kadar Öcalan'la temasların tümü asker eliyle olmuştur ve bu askerlerin çoğunluğu **Ergenekon** ve **Balyoz** davalarında sanık olmuştur.

Özellikle 2009 sonunda 'demokratik açılım'ın çıkmaza girmesi ve KCK operasyonlarının başlamasıyla birlikte Erdoğan'ın yakın çevresinde **Ergenekon'un, 'derin devlet'in PKK'yi kullandığı teması** çok rağbet buldu. Türkiye 2011'deki 12 Haziran genel seçimlerine giderken, Ak Parti bu konuyu fazlasıyla seçim propagandasına malzeme olarak kullandı.

Ne kadar inandırıcıydı?

Cengiz Çandar, PKK-Ergenekon konusunda şöyle der: "Ergenekon'un uzantısıdır PKK deniyor. Ak Parti hükümetine kılavuzluk eden, emniyet içerisinde etkili ve emniyetin düşünce kuruluşu gibi çalışan çevrelerin söylemi böyle... PKK ile JİTEM'in yollarının, Güneydoğu'nun dağlarında, vadilerinde, şehir merkezlerinde, sorgu odalarında kesişmemiş olması mümkün olmadığına göre, PKK ile bugün adına Ergenekon denen 'şebeke' arasında temas elbette olmuştur.

Ancak PKK'yi Ergenekon'un uzantısı olmakla açıklamak, PKK'nin 'taşeron örgüt' olduğu iddiası ve algısıyla örtüşen ve hakikati yansıtmayan bir anlayıştır. Bu anlayış, Kürt sorununa ilişkin, konuyu esas olarak bir 'güvenlik sorunu', bir 'terör' gibi alan bakış açısına ve bunun diline geri dönüldüğü izlenimini veriyor.

KCK operasyonları büyük ölçüde bu çevrelerin yol göstermesi ve yönlendirmesiyle gerçekleşti. Bunlar tezlerinde şu noktadan hareket ediyorlar: Kürt açılımıyla Ergenekon'un elindeki en güçlü kozlardan biri yok olacaktı; çünkü Ergenekon, Kürt sorununun çözümsüzlüğü üzerinden pek çok kutuplaşmayı oluşturuyor.

Bu tezin uzantısı şöyle:

Açılım süreci PKK'nin işine gelmiyordu; çünkü PKK varlığını silahlı eylemlerde bulan bir örgüt; dolayısıyla Ergenekoncular bu açılım sürecini sekteye uğratmak için varoluşsal bir sıkıntı yaşayan PKK'yi kullanmaya başladılar; buna göre zaten taşeron bir örgüt olan PKK, kendi mevcudiyetini sağlamak için Ergenekon'la işbirliği yapar.

Dolayısıyla, bu KCK operasyonlarıyla PKK'nin Ergenekon namına girişeceği eylemlerin önünü kesmek amaçlanmıştır.

Böylece açılıma manevra alanı kazandırılmış ve Kürt halkı PKK baskısından kurtarılmıştır.

Ama siz eğer PKK'nin 'sosyolojik boyutu'nu ihmal ederseniz, PKK'nin Türkiye'deki 'Kürt sorunu'nu oluşturan Kürt nüfusuyla doğrudan ve organik bağını göremezseniz, PKK'nin 'Türkiye Kürt sosyolojisi' içindeki varlığını anlamazsanız, hiçbir şeyi fark etmemiş, anlamamış demeksinizdir ki, bu durumda Kürt sorununun çözümünde fazla yol alamazsınız.

PKK, Kürt sorununun bir ürünüdür. Üç beş kişinin uyuşturucu kaçakçılığı yapmak, oraya buraya saldırmak için kurduğu bir çetecilik faaliyeti değildir. Kürt sorunu PKK'yle başlamadı ve Kürt sorunu PKK ortadan kalkarsa yok olacak değil. Uluslaşma sürecinde bir hayli yol kat etmiş olan Kürtlerin milliyetçi atılımlarının silahlı ifadesidir PKK.

Bugün PKK'ye, siz legal bir örgütsünüz ve seçimlere girin denilse, alacağı oy BDP'nin alacağı oy civarında olur. Aileleriyle birlikte beş altı milyonluk bir kitle demektir ki bu, oldukça ciddi bir rakamdır.

25 yıl içinde 40 bin kişinin öldüğü söyleniyor. Bunun 5 bini asker, polis, korucu... Geri kalan 2 bin kişi sivil... Geriye kalan 33 bin kişi PKK'li. Bu insanların annesi, babası, oğlu, kızı, kuzeni, sevgilisi, karısı kocası olduğunu düşünürseniz, çarpan etkisiyle hesap ederseniz, nasıl bir halk tabanıyla karşı karşıya olduğumuzu anlarsınız.

'Ama onlar teröristti!' deyip meseleyi halledemezsiniz. Sorunu, Ergenekon taşeron örgütü PKK diye tarif ederseniz ve 'KCK operasyonları yap, yakaladığını içeri at, Kandil'i bombala, Heron uçakları al, sınıra ısıya karşı duyarlı sensörler yerleştir, yolda kontrol noktaları oluştur'dan öteye siyaset geliştiremezseniz, kemikleşen sorunu kangrene çevirirsiniz."[2]

Cengiz Çandar'ın bu PKK-Ergenekon tahlilinde gerçek payı büyüktür.

Kürt sorunuyla PKK'yi birbirinden ayırmak, PKK'yi döverken Kürt sorununu çözeceğini sanmak, bundan sonraki bölümlerde de değineceğim gibi çıkmaz yoldur.

Asıl bu yol, çözümsüzlük olduğu içindir ki, Ergenekon'un işine yarar. Kürt sorununun çözüm rayına girmemesi ve dağda silahların patlamaya devam etmesi, askerin siyasete müdahalesini kolaylaştırır, Ergenekon'un değirmenine su taşır.

---

2 Funda Tosun, Cengiz Çandar'la mülakat, *Agos*, 23 Temmuz 2010.

Denir ki:

Öcalan, 1 Haziran 2004'te beş yıldan beri devam eden ateş-kesi sona erdirirken, o tarihlerde Türkiye'nin AB yolunu kesmeye çalışan askerin ekmeğine yağ sürmüş oldu.

Bunda da gerçek payı var.

Erdoğan hükümeti, 2003 ve 2004 yıllarında AB'den müzakere tarihi almak için hem Kıbrıs'ta, hem reform yolunda ince manevralar içindeydi. Askerin içinde Sarıkız, Ayışığı isimleri taşıyan darbe tertipleri tezgâhlanıyordu.[3]

Soruyu şöyle sormak da mümkündü:

Öcalan ateşkesi, sadece bu cuntacıların tezgâhına su taşımak için mi, yoksa PKK'de silah bırakmaktan yana olan Botan'cıları 'hain' ilan edip tasfiye etmek için mi 1 Haziran 2004'te bitirmişti?

Gerçek belki de ikisinin arasında bir yerdeydi. Çünkü dağda PKK'nin tek taraflı 'ateşkes'inin ya da 'eylemsizliği'nin sona ermesi, her iki tarafın da o koşullarda işine gelmiş olabilirdi.

PKK'de Botan ekibi tasfiye edilirken, örgüt saflarında kanlı infazlar, cinayetler yaşanmıştı. Öcalan'a muhalefet yazmıyordu PKK'nin kitabında. Muhalefet her seferinde infaza kadar varan en sert yöntemlerle tasfiye edilmişti.

"Elde silah, onurumla ölürüm
dağda o zaman..."

Erbil, 27 Haziran 2011,
Hotel International.

Nizamettin Taş, kod adı Botan... Halil Ataç, Ebubekir... Hıdır Sarıkaya, Ekrem... Öcalan'ın komutanları, hatta Botan için bir zamanlar PKK'nin genelkurmay başkanıydı denebilir.

Hepsi, 2003-2004 sürecinde PKK'nin artık silahlı mücadeleden vazgeçmesini, silahla değil siyasetle yol alınabileceğini savundukları için, İmralı'nın onayıyla 'hain' ilan edilerek tasfiye edildi.

Otelin lobisinde sohbet ediyoruz. Dağdan sonra şehre alışamadıklarını söylüyor Botan. "Kaç yıl oldu hâlâ alışamadık," diyor, "görüştüklerimiz bir elin parmağını geçmez."

Dağın hasretini çekiyorlar.

Anıları hep dağla ilgili.

---

3 Daha fazla ayrıntı için bkz. Hasan Cemal, *Türkiye'nin Asker Sorunu*, Doğan Kitap, 2010.

Daha çok Botan konuşuyor:

"Kışın dağda kapalı mekânlarda, mağaralarda eğitim alınır. Çok konuşan, ukala biri, sürekli Mao'dan dem vuruyor, Mao şöyle dedi, Giap böyle dedi. Köyden örgüte katılmış bir gerillayı ise bu Mao nutukları fena halde bunaltır, zaten bunlardan bir şey anlamaz da... Bahar gelir, esas askerî eğitim için araziye çıkılır. Bir gün kayalık bir tepeye tırmanırken köylü en öndedir. O Mao'cu en arkada kalır, biraz yavaş diye bağırınca, bizim köylü, 'Söyle bakalım, böyle bir tepeye tırmanış konusunda Mao ne buyurmuş?' diye seslenir aşağıya..."

Botan, 1984 yılı Ağustos ayında PKK ayaklanmasını başlatan Eruh baskınındaki 32 gerilladan biri...

Şöyle anlatıyor:

"Yanımıza dört de milis almıştık. Milisler yol gösterir, yardım yataklık ederler. O milislerden biri sonra itirafçı oldu ve Musa Anter cinayetinde tetikçilik yaptı. Hamit'ti adı..."

Botan ve arkadaşlarıyla Erbil'deki otelin lobisinde sohbet koyulaşırken, konu PKK'nin dağdan indirilmesine geldi.

Botan çok yalın bir tahlil yaptı:

"PKK'nin dağdan inmesi için iki konuya dikkat edilmesi gerekir öncelikle. Biri, Apo ne olacak? İkincisi, dağdaki lider kadrosu ne olacak? Bu iki soru aydınlığa kavuşmadan PKK'yi hiçbir güç dağdan indiremez. Kod adı Cuma olan Cemil Bayık, Abbas olan Duran Kalkan ya da Mustafa Karasu, bunlar kendi hoşlarına gitmeyecek bir çözümü her zaman rahatça sabote ederler. Bir baskın, bir mayın... İş bozulur."

Şunu da ekliyor Botan:

"Neden çıkmışlar dağa? Bunu da çok iyi düşünmek lazım. Hiçbir şey olmadan neden insin ki? O zaman der ki kendi kendine, elimde silah onurumla öleyim dağda..."

Botan gözlerinde, kulaklarında dağdan kalma sıkıntılar yaşıyor. Görme zorluğu var. Moskova'da ameliyat geçirmiş ama tam iyileşmemiş...

Irak Kürdistan yönetimiyle Amerika'nın, Irak'ın İran sınırını PKK'ye bıraktıklarını, bundan da memnun olduklarını belirtiyor. Bu arada PJAK'ın da PKK olduğunu sözlerine ekliyor.

Botan ve arkadaşları 2004 yılı yazında PKK'den ayrıldıktan sonra ayrı bir örgüt kurdu. Onlarla birlikte binle iki bin arasında PKK'li dağdan indi.

PKK'nin tepkisi çok şiddetli oldu. Önce bazı kişilerin PKK'nin 'ölüm listesi'ne alındığı ve 'infaz timleri'nin yola çıkarıldığı haberleri dolaşmaya başlamış...

PKK'nin Apo'yla birlikte kurucu kadrosundan olan ve bir zamanlar örgütün Avrupa sorumluluğunu taşıyan Kani Yılmaz arabasıyla birlikte Kuzey Irak'ın Süleymaniye kentinde 11 Şubat 2005'te havaya uçuruldu. Ebubekir, bu suikastı anlatırken "Kani yanmış, kömür olmuştu. Yanmaz bir maddeden yapılmış olmalı ki, saatinden tanıyabildik onu," dedi.

Botan'ın arkadaşlarından bir diğerinin PKK tarafından Suriye'de öldürüldüğünü, siyasal cinayete kurban giden üçüncü kişinin Hikmet Fidan olduğunu söylediler.

Hikmet Fidan, 6 Temmuz 2005'te Diyarbakır'da PKK tarafından öldürüldü. HADEP'in eski genel başkan yardımcısıydı. Kırk yaşlarındaydı. Kürt siyasal hareketi içinde etkili bir isimdi.

İmralı talimatlı siyasete karşı çıkıyordu; silahların gölgesinde politika yapılmasından yana değildi; şiddet ve terör eylemlerine karşıydı; Kürtlerin saflarında artık siyasetin şeffaflaştırılmasını ve silahlı mücadeleden vazgeçilmesini savunuyordu.

Diyarbakır'da bir gün telefonu çaldı. Bir yere çağrıldı. Verilen adrese tek başına gitti. Kimlerle buluşmaya gittiğini bildiği söyleniyordu. Geldiği apartmanın kapısında kurşun yağmuruna tutularak öldürüldü.

PKK'ye her zaman mesafesini korumuş bir Kürt aydını Ümit Fırat şöyle der:

"Devleti karşınıza alırsanız ne olur? Eğer işinizi bir faili meçhulle bitirmezse, hapse atar, dava açar. Avrupa İnsan Hakları Mahkemesi'ne gidersiniz, Batı'ya sığınırsınız, vs... Ama öbür tarafın bir tek metodu var. Suçlu bulunduğunuz zaman hainsiniz. Bunun onların ceza sistemindeki müeyyidesi de ölümdür. PKK ile birkaç yıl ya da bir süre iyi ilişkiler kuran ve daha sonra PKK çizgisinden nispeten ayrışan bir Kürt aydını ya da siyasetçisi için işte böyle bir paradoks var. Kopamıyorlar, bağlarını koparamıyorlar."[4]

Hikmet Fidan'ın PKK tarafından 'infaz edilmesi' sonrasında ben de *Milliyet*'te yazdığım birkaç yazıyla PKK'ye sert eleştiriler yöneltmiştim.

İsmail Beşikçi de PKK'yi eleştirecekti.

Kürtler hakkında 36 kitap yazan, 17 yıl hapis yatan bir Türk aydını olarak Beşikçi 1999'dan, Öcalan'ın İmralı'ya konulmasından itibaren devam eden suskunluğunu bozacak ve bu yöntemlerle PKK'nin barışa ulaşmasının imkânsız olduğuna işaret edecekti.

---

4   Selin Olgun, Ümit Fırat'la konuşma, *www.t24.com.tr*, 16 Ağustos 2010.

İsmail Beşikçi'den
PKK eleştirisi...

İsmail Beşikçi'nin PKK'ye yönelik sorgulayıcı ve eleştirel bir yazısı 7 Ekim 2010'da *Taraf*'ta çıktı.

"Evlatları devlet güçlerince öldürülenler haklarını arayabiliyorlar. Yakınları PKK tarafından infaz edilenler sessizliğe gömülmüş durumdadırlar," diyen İsmail Beşikçi, *Aydınlar*... başlıklı uzun yazısında şöyle der:

"Son birkaç yıldır Kürt sorununun yoğun bir şekilde konuşulduğunu, tartışıldığını görüyoruz.

Bu ortam nasıl yaratıldı? Bu ortama nasıl geldik?

Bu ortamın yaratılmasında gerilla mücadelesinin çok büyük rol oynadığı açıktır.

Eğer bugün Kürtler, Kürt dili, edebiyatı, Kürt kültürü, Kürt sorunu etkin bir şekilde tartışılabiliyorsa, burada PKK'nin çok büyük rolü vardır ama bu saptama, PKK hakkında eleştirilerin yapılmasına engel olmamalıdır.

PKK örgütlerinin isimlerinde, yazılarında, konuşmalarında 'demokratik' sözcüğü çok kullanılıyor. PKK, bu sözcüğü çok kullanarak demokrat olduğu izlenimini yaratmaya çalışıyor.

Demokratik ulus, demokratik vatan, demokratik özerklik vs. sözcüklerini sık sık kullanarak demokrat olamazsınız.

Demokrat olmanın tek ölçütü vardır.

O da ifade özgürlüğüdür.

İfade özgürlüğü yaşama geçmeden demokrat, demokratik olamazsınız. İfade özgürlüğünün yaşama geçmesi PKK için önemli olmalıdır.

PKK'nin övgüye değil eleştiriye ihtiyacı vardır. PKK'yi ilerletecek olan eleştiridir. Özeleştiri de şüphesiz önemlidir.

Barış ve Demokrasi Partisi bugün devletten özerklik talep ediyor. BDP İmralı'ya karşı özerkçe hareket edemezken, bu süreçten olumlu bir sonuç çıkmaz."

Kemal Burkay'dan
PKK ve şiddet eleştirisi...

31 yıl sürgünde yaşadıktan sonra 2011'in Temmuz ayında İsveç'ten Türkiye'ye dönen değerli Kürt aydını, siyasetçi ve şair Kemal Burkay da Öcalan'la PKK'yi yıllar boyu eleştirmiştir.

Şu sözler onundur:

"Öcalan altı ayda bir yeni bir hedef, bir proje ortaya atar. PKK ve legal parti gözü kapalı ona uyar. Kürtler için bu bir kurt kapanıdır, bir trajedidir bu. Öcalan özgür değil ki. Askerin kontrolü altında. Öcalan'ın Genelkurmay'a rağmen İmralı'dan örgütünü yönetmesi, talimatlar gödermesi mümkün değil. Öcalan, İmralı'da hep AKP'yi suçladı. Orduyu hiç suçlamadı. İstese de savaşı bırakamıyor. Derin devlet fırsat vermiyor."[5]

Kemal Burkay, 31 yıllık bir aradan sonra yurduna dönerken Oral Çalışlar'a "Silahlar özgürleşmeye engeldir," diyecek ve PKK'nin tek taraflı silah bırakmasını da şöyle savunacaktı:

"Kürt siyasetinin ve Türk siyasetinin normalleşmesi için silahların susması gerekiyor. Kürt siyasetinde bir kesim (PKK ve çevresi) silahları güvence olarak görüyorlar. Hem kazanımların nedeni, hem yeni kazanımların sigortası gibi görüyorlar.

Ben buna katılmıyorum.

Rejim bizi bir bakıma silahlı mücadele minderine çekmeye çalıştı. Hem sol hareketi, hem Kürt hareketini... Buna gelmeyebilirdik bence. Silahlı olmayan mücadele biçimleriyle daha da başarılı olabilirdik.

Hatta ben şunu da söylüyorum:

Bu aşamada gücümüz karşılıklı olarak silah bırakmaya yetmiyorsa, **PKK tek başına silah bıraksa, Kürt halkının mücadelesine hizmet eder.** Çünkü karşı tarafın elindeki silahı düşürür. Onu gayrimeşru hale getirir. Türkiye'nin iç dinamikleri bu bakımdan daha olgun, Kürtlerin mücadelelerini barışçı yöntemlerle sürdürmeleri için.

1960'lı, 1970'li yıllar gibi değil.

O dönemde bir gazete bile çıkaramıyorduk. En ufak bir adımımızda şiddetle karşılaşıyorduk. Şimdi Türk kesiminde de bir hayli dostları var Kürtlerin. Bir kamuoyu var. Silahların susması halinde bunun çok daha büyüyeceği kanısındayım.

Ayrıca Kürt toplumu oldukça organize oldu, bilinçlendi. Geçmişe dönmek artık mümkün değil. Yüze yakın belediye var. Parlamentoda her şeye rağmen, yüzde 10 engeline rağmen bir grup var, bu daha da büyüyebilir.

Dolayısıyla hem uluslararası koşullar, hem değişen dünya ve Türkiye'deki durumun barışçı yöntemler için çok daha uy-

---

5 Neşe Düzel, Pazartesi Konuşmaları, *Taraf*, 2-3 Ağustos 2010.

gun olduğu, olgulaştığı kanaatindeyim. Kürtler mücadelelerini barışçı ve kitlesel yöntemlerle sürdürürlerse daha başarılı olurlar.

Siyaset normalleşir.

Yalnız Kürt siyaseti değil, Türk siyaseti normalleşir. Silahlar var oldukça, Kürt toplumunun demokratikleşmesi güçtür. **Silahın hegemonyası çok sesliliğe engeldir.**"⁶

Sen galiba Kürtçe ağlıyorsun
deyince bir anda susar çocuk!

Brüksel, 6 Mart 2008
Adı Le Cirio, kendi başıma dolaşırken tesadüfen bulduğum bir kahve. Beyaz gömlek, siyah papyon, siyah yelek, siyah önlüklü, yaşlı ve de aksi garsonların çabuk adımlarla dolaştıkları eski bir kahve...
Ruhu, kişiliği olan bir kahve olduğu her halinden belli. Müşterileri de galiba buna göre. Herkes okuyor. Gazete, dergi, kitap...
Ben de iki gün süren 'Kürt Konferansı'ndan kalan notları yazıyorum bir kenara. Avrupa Parlamentosu'nda Türkiye'nin AB üyeliğini destekleyen üç grubun, sosyalist, liberal ve yeşillerin birlikte düzenledikleri bir konferanstı.
Konferansın son oturumunda, Aynur Doğan'ın söyledikleri aklıma takılıyor.
Tunceli'den bir Kürt, Alevi.
Küçükken ailesi İstanbul'a göçmüş. Aynur'un sesinin güzelliğine ilk kez Fatih Akın'ın *İstanbul Hatırası*'nda tanık olmuştum. Sonra da Hrant Dink'in birinci ölüm yıldönümünde dinlemiştik Aynur'u...
İnsanı alıp başka diyarlara götüren büyülü bir sesi var. Kürtçe söylüyor. Siyasetin ağır bastığı konferans ortamında değişik bir sesti. Şiddet ve ölüm ortamlarında yaşamanın güçlüğünden söz ediyordu. **"Kılıcın yerini, kalem alsın"** diyen bir cümle yüzünden bir Kürtçe albümü yasaklanmıştı. Konser için hâlâ sabıka kayıtlarının istenmesinden yakınıyordu.
Diyarbakır'da birkaç yıl önce, 8 Mart Emekçi Kadınlar Günü'nde konser için sahneye çıktığı zaman yanı başında bir polis bitmiş, albümündeki on bir parçadan sadece üçünü söyleyebileceğini, yoksa gözaltına alınacağını kendisine tebliğ etmişti.

---

6 Oral Çalışlar, Kemal Burkay'la Röportaj, *Radikal*, 30 Temmuz 2011.

Kişisel tarihinde yaşadığı hüznü ve acıyı gözlerinin içi gülerek anlatmak kolay olmasa gerek... Ana diliyle bağının, yedi yaşında ilkokulla birlikte nasıl kesildiğini, bunun iç dünyasında açtığı yarayı sakin bir sesle anlatırken konferans salonunda çıt çıkmıyordu.

Annesi Türkçe bilmediği için evde mecburen Kürtçe konuşuyorlardı. Ama çocukken, okula başladıklarında kendilerini hiç bırakmayan Kürtçe korkusu vardı.

Bir gün küçük kardeşinin ağlamaya başladığını, kimsenin onu susturamadığını, ama dayı oğlunun **"Sen galiba Kürtçe ağlıyorsun!"** deyince, kardeşinin ağlamayı zınk diye kestiğini anlatınca hep birlikte güldük ama...

Aynur, insanın kendi ana diliyle bağını koparmaya çalışmanın ne denli korkunç olduğunu, kendi kültürünün içine daha çok girmek istediğini anlattı.[7]

Konferans sırasında Kürt aydınlarıyla siyasetçilerine dikkat ettim. Büyük çoğunluğunda bir açıdan herhangi bir değişiklik yoktu. Böylesi platformlarda bir şeyden özenle kaçınmaya devam ediyorlar:

PKK eleştirisi...

PKK'yi eleştirmiyorlar!

Oysa, her seferinde olduğu gibi konferans kulisinde, yemeklerde PKK'ye dönük eleştiriler kulaklara çalınıyor.

Bunu yine yaşadım.

Birçoğunu yıllardan beri tanıdığım Kürt dostların Kürt sorunu çerçevesindeki haklı yakınma ve eleştirilerini yine dikkatle dinledim, bazılarını not ettim.

Ama kendi konuşmamda bu noktalara katılırken, onları eleştirmekten de geri kalmadım. Mesela Türkiye'nin Kuzey Irak operasyonunu konuştular. Eleştirdiler. Operasyonla ilgili birçok neden sıraladılar.

Ama bir konuya değinmediler:

PKK...

Sanki PKK, Kuzey Irak operasyonuna yol açan Gabar ya da Dağlıca saldırılarını yapmamış, o kadar ölüme yol açmamıştı.

Kürt sorununu konuştular.

Ama PKK yine yoktu.

---

7 Aynur Doğan, 2011 yılı Temmuz'unda İstanbul Caz Festivali'ndeki konseri sırasında da Açıkhava Sahnesi'nde ırkçı bir protestoya uğradı.

Duran Kalkan sert:
"Çizgiyi biz, dağdakiler çeker!"

PKK eleştirisi neden yoktu?

PKK'nin önde gelen komutanlarından Duran Kalkan, 2010 yılı Ekim ayında Fırat Haber Ajansı'na yaptığı bir açıklamada şöyle der:

"Unutmamak gerekir ki, ölçü zindandaki ve dağdaki direniştir. Bu herkes için geçerlidir. Sadece dışta kalan bazıları için değil, hareketimiz etrafından toplanan, ben Kürt özgürlüğünden ve demokrasisinden yanayım diyen herkes için geçerlidir.

Eğer öyleysen, o zaman zindanda kahramanlıklar olurken, dağda kahramanlıklar olurken, binlerce insan kahramanca direniş içinde şehit düşerken sen ne yapıyordun?

Ne kadar katkı sundun buna?

Herkesin konuşma hakkı da, yaşama hakkı da buna göredir.

Kimse ölçüyü şaşırmamalı, kaybetmemeli!

Özgürlük Hareketimiz yaşıyor, yok olmamıştır. Kendi ölçüsünü ortaya koyuyor, yargılama hakkını kullanıyor.

PKK büyük bir tarihsel yargılama hareketidir, adalet hareketidir. Herkes bu adalet terazisinde tartılacak.

Kürtlük adına, Kürdistan adına, özgürlük adına PKK terazisinde tartılmadan doğrular ortaya çıkmaz, adalet yerini bulmaz. Bunu herkes bilmeli."

Özetle:

Dağdaki bir PKK lideri çizgiyi çekmiştir: Dağda elde silah savaştıkça, ölçüyü biz koyarız, çizgiyi biz çekeriz, herkes buna uyar, silahlar susmadıkça bu böyledir!

İki ateş arasında Kürt aydınları...

PKK'nin bu tavrı, özellikle Kürt aydınlarını yıllar yılı 'iki ateş arasında' bırakmıştır. Bir yanda devlet, bir yanda PKK'nin ateşi...

1992'de, *Sabah*'ta "İki ateş arasında Kürt aydınları..." başlığını taşıyan bir yazı yazmıştım.

Bir bölümü şöyleydi:

"Türkiye'de PKK'ye, onun şiddet politikasına karşı olan Kürtler de var. Kürt sorununun teröre başvurmakla değil, ancak demokrasi ve insan hakları çerçevesinde çözülebileceğini savunuyorlar.

Bu Kürt aydınlarından oluşan bir grup İstanbul'da bir araya geldi. Kendilerini, *Demokratikleşme İçin Kürt Aydın İnisiyatifi* diye niteleyen bu grup adına **Tarık Ziya Ekinci** bir açıklama yaptı.

Şiddetin hiçbir sorunu çözemeyeceğini, "Kürt dili ve kültürü üzerindeki baskıların kaldırılması, Kürt dilinde her türlü yayının yapılması, Kürt kültürünün geliştirilmesi ve Kürtçe eğitim yapılabilmesi için yürürlükteki yasal ve idari engellerin kaldırılması doğrultusunda mücadele edeceğiz," dedi.

Ne acıdır ki, bu açıklamanın çerçevesini çizdiği tutum Türkiye'de yasak duvarına çarpıyor. 'Kürt realitesi'ni, hatta Kürt sözcüğünü bile dile getirmek bugünkü yasalara göre suç oluşturuyor.

Onun içindir ki:

Bu Kürt aydınları bir çıkmazın içindeler. Bir yandan devlet, diğer yandan PKK sıkıştırıyor onları. İki ateş arasında kalmış durumdalar.

Bir yanda PKK ve terörü var.

Öbür yanda devletin askerî gücü...

PKK de devlet de demokratik bir Kürt hareketine geçit vermek istemiyor."[8]

1990'lardan, özgürlüğü kıskaç
altında tutan yıllardan sonra
2003-2004'ün değişimi...

1990'lar Türkiye'sinde özgürlükler ve insan hakları düzeni tam bir kıskaca alınmıştı. Tek başına Kürt sözcüğü, Kürtçe bir kaset ya da sarı kırmızı yeşil renkleri bile hapishanenin kapılarını açabiliyordu.

2000'lerin başından itibaren bu ağır baskı havası dağılmaya yüz tuttu.

Apo'nun 1999'da yakalanması, Ecevit'in başbakanlığında DSP-MHP-ANAP'tan oluşan üçlü koalisyon hükümetinin AB'ye uyumun gerektirdiği bazı adımları atmaya başlaması ve 2002 yılı sonunda Ak Parti'nin tek başına iktidara gelmesiyle Kürt sorununu da ilgilendiren demokratik değişimler yaşanmaya başladı.

Özellikle 2003 ve 2004 döneminde bu 'değişim' hızlandı.

---

8 Hasan Cemal, *Sabah*, 11 Ağustos 1992.

Diyarbakır, 25 Ekim 2003

İtalya'da, Siena'da katıldığım Türkiye ile AB ilişkilerini konu alan bir konferansta altı çizilmişti:

"AB'ye uyum yasaları çıktı, iyi güzel! Reformcu adımlar gerçekten etkileyici. Peki ya uygulama ne durumda?.."

Ben de Diyarbakır'da bu sorunun karşılığını merak ettim. İstanbul ve Diyarbakır'dan aydınların girişimiyle bir yıl önce kurulmuş olan Diyarbakır Sanat Merkezi'nin davetlisiydim. Merkez, yapacağım sohbetin konusunu tek sözcükle duyurmuş:

"Kürtler."

Benim 2003 yılbaşında çıkan kitabımın adı.

Uygulama diye sorunca ilk yanıt şöyle geldi:

"Uyum yasaları öncesinde, konusu Kürtler olarak açıklanacak bir toplantı herhalde yapılamazdı. Ya da kesinlikle bugünkü kadar kolay olmazdı."

Öte yandan İnsan Hakları Derneği, 1 Eylül Dünya Barış Günü dolayısıyla Diyarbakır caddelerine kocaman Kürtçe afişler asmış.

Bu konuda dediler ki:

"Bir sabah baktık, bilbordlarda Atatürk'ün 'Yurtta barış, dünyada barış!' sloganı ama Kürtçe! Hiçbir şey olmadı."

'Hiçbir şey olmadı' cümlesinin altı çizilmeliydi. Çünkü, çok değil bundan bir yıl öncesine kadar Atatürk'ün bir sözünü Kürtçe olarak Diyarbakır caddelerinde, bilbordlarda görmek hayal dahi edilemezdi.

Yani ne demek?

Uygulama iyi mi gidiyor?

İyi demek için erken. Geleceğe dönük beklentiler olumlu. Ama çarkın yavaş döndüğü anlaşılıyor. Güvenilir kaynaklardan dinlediklerim şu noktalarda özetlenebilir:

(1) Kürtçe dergi, gazete, kitap yayınında herhangi bir kısıtlama yok. Türkçe çıkan yerel gazetelerin, dergilerin bazı sayfaları da Kürtçe basılıyor.

(2) Yerel radyo ve televizyonlarda ideolojik olmamak kaydıyla her türlü Kürtçe şarkının, türkünün kaseti çalınabiliyor, klibi gösterilebiliyor.

(3) Ancak, yerel radyo ve televizyonlarda henüz Kürtçe haber ve tartışma programları yapılamıyor. Bu konuyu serbest bırakan uyum yasaları Ecevit koalisyonu döneminde 3 Ağustos 2002'de çıkmıştı. Ama daha uygulama başlamadı.

Şöyle dediler:

"Top hâlâ ortada. Bir ara TRT bu işe soyundu. Hatta Diyarbakır'da çok iyi Kürtçe bilen, 'ideolojik olmayan' bir sunucu da bulundu. Taslak programlar oluşturuldu. Ve hazırlıkların değerlendirilmesi için Ankara'dan davet beklendi. 2003'ün Ocak, Şubat aylarında Kürtçe haber yayınının TRT'den yapılması söz konusuydu. Sonra ses seda çıkmadı. Kürtçe radyo ve televizyon yayınları hâlâ beklemede..."

(4) Uyum yasaları çıkmasına rağmen hâlâ beklemede olan bir konu daha var:

Kürt dili öğretimi.

Kürtçe öğreten kurs ya da dershanelerin açılması konusunda herhangi bir yasal engel kalmadı. Ama bu konu şimdilik ağırdan alınıyor. Özellikle Diyarbakır'da öyle. Ağırdan alan bu kez galiba devlet değil. Bazı kişilerin yerel belediyelerden aldıkları destekle düğmeye basmaları bekleniyor.

Batman'da gelişmeler daha hızlı. Kürtçe kurs için resmi başvurunun şu günlerde yapılması gündemdeymiş...

Bu arada bir not:

Batman'da açılacak olan Kürtçe dershane binasının girişine bir Atatürk büstü konmuş, altına da Kürtçe "Hayatta en hakiki mürşit ilimdir" yazılmış...

Uygulamada özet böyle.

Biri şöyle dedi:

"Uygulamada adımların hızlanması lazım. Gecikme özellikle sokaktaki adamın nezdinde belirsizlik yaratıyor. 'Bunlar yasaları Avrupa'yı aldatmak için çıkardılar' duygusu uç veriyor. Rahmetli Felat Cemiloğlu'nun bir sözü vardı. 'Önemli olan, mahalle karakolundaki polisle sokaktaki vatandaşın kucaklaşmasıdır,' derdi. Eğer uygulama hızlanırsa, bu hava daha çabuk oluşur."

Uyum yasalarından bu yana bürokrasinin tutumundaki genel bir 'yumuşama'dan söz ediliyor. Uygulamalar konusunda 'direniş'in alt kademelerde daha çok dikkat çektiğini, yukarıya çıktıkça anlayış ve sempati havasının ağır bastığı belirtiliyor.

Bölgeyi iyi bilen Diyarbakırlı bir aydının deyişiyle:

"Uygulama konusunda yol kazaları olabilir. Gecikmeler gerilime yol açabilir, açıyor da... Ama bir nokta kesin. Türkiye artık demokratikleşme rayına oturdu. Avrupa Birliği rayı bu. Bundan geri dönüş yapabileceğine ihtimal vermiyorum."

Nereden nereye, Hülya Avşar'la
Şivan...

2004'ün Mayıs sonu

On yıl öncesi. 1990'ların başı olmalı. Diyarbakır çarşısında, Nuri Usta'nın sabahçı kahvesinde gün daha yeni doğarken sohbet ediyorduk.

Biri demişti ki:

"Michael Jackson'lar geliyor İstanbul'a. Statları doldurup İngilizce konserler veriliyor. Ne olurdu sanki bir Şivan, bir Tatlıses de Diyarbakır stadında Kürtçe konser verse, dünya mı yıkılır?"

Tabii yıkılmazdı.

Ama yasaktı o zamanlar.

Kürtçe korkulu sözcüktü.

Şivan Perwer'in yirmi küsur yıllık sürgünden sonra Türkiye'ye geleceğini (yıl 2011, hâlâ gelemedi) okuyunca anımsadım, Nuri Usta'nın kahvesinde dile getirilen bu özlemi...

Perwer, Kürtler arasında belki de en çok sevilen, en çok dinlenen, kasetleri en çok satan şarkıcı. Uzun sürgün yıllarından sonra geri gelmek istiyor. Diyarbakır stadında konser verecek mi, bilmiyorum.

Artık Kürtçe serbest.

Kürtçe konser de...

Batman'da, Diyarbakır'da, İstanbul'da çoktan verildi Kürtçe konserler... Kürtçe dil kursları açılmaya başladı.

Yasaklar tarihe karışıyor.

Tabular yıkılıyor.

Bir haber:

TRT, Kürtçe yayına başlayacak.

Nereden nereye?

Bir başka haber:

Kürtçe klip, *Hülya Avşar Şov*'da!

Kardeş Türküler'in Kürtçe klibini birçok televizyon kanalı yayınlamayınca, *Hülya Avşar Şov*'un yapımcıları devreye girmiş... Bu arada Mehmet Ali Birand *CNN Türk*'te Kürtçe klibi hafta içinde yayınlayıverdi.

Kolay gelinmedi buralara.

Değil Kürtçe yayın yapmak, Kürtçe konser vermek, Kürtçe dil kursu açmak, sadece Kürt sözcüğü bile yıllar yılı insanların başına ne belalar sardı.

1993 yılıydı.

163

Bir avukat, Ahmet Zeki Okçuoğlu, Kürt ve Kürdistan sözcüklerini kullandığı için 22 ay hapis cezasına mahkûm olmuştu.

Üstelik terörist olarak!

Çünkü Terörle Mücadele Yasası'nın ünlü 8. maddesi yalnız şiddeti değil, düşünceyi de cezalandırıyordu. Düşünce suçu da olsa, bu madde uyarınca ceza aldın mı, terörist olup hapsi boyluyordun. Demir parmaklıklar arkasında bunun bazı ekstra zorlukları vardı.

Şimdi 8. madde yok, geçen yıl değişti.

Demokrasiye uygun hale geldi. (Ama 8. Madde sonra yine değiştirildi ve bu satırların yazıldığı 2011'in Ağustos ayında ifade özgürlüğünü hâlâ sınırlamaya devam ediyor.)

Evet, demokrasi neskafe yapmaya benzemiyor. Zaman alıyor. Sancılı oluyor. Bir zamanlar ağzına aldığın için hapsi boyladığın Kürtçe sözcüğü artık gazete manşetlerine, *Hülya Avşar Şov*'lara tırmanıyor.

Diyarbakır, 8 Haziran 2004

28 Mayıs 2004'le 6 Haziran günleri arasında kültür ve sanat festivali vardı Diyarbakır'da. Festivali duyuran broşürler Türkçe ve Kürtçe basılmıştı. Bilbordlardaki afişler Türkçe, Kürtçe, İngilizce ve Arapça olmak üzere dört dildeydi.

Kürtçe oyun sahnelendi.

Iraklı Kürt yönetmen Hüner Selim'in Venedik Film Festivali'nde ödül alan *Vodka - Lemon* filmi gösterildi. Erivan'daki Kürtlerin yaşamını anlatan film Kürtçe ve Fransızcaydı.

Kürt dili üzerine Kürtçe paneller düzenlendi.

Arapça konser verildi.

Gâvur Mahallesi'ndeki Keldani Kilisesi'nde önce kilisenin çocuk korosu ilahiler okudu. Antakya Kilise Korosu, dünya barışını konu alan bir gösteri gerçekleştirdi. Kilise'nin avlusunda son olarak İstanbul Sema Topluluğu semazenlerle hoşgörü ve barış çağrısı yaptı.

Goran Bregoviç ise Bosna'da, Kosova'da, Balkanlar'da yaşanan şiddeti, acıları anlattığı konserinde barışı dillendirdi.

Bütün bunlar Diyarbakır'da yaşandı. Hem de dokuz gün boyunca. Kimse dudak bükmesin. Kolay gelinmedi bugünlere.

Güneydoğu'da Türkiye'nin AB üyeliğini isteyenlerin oranı yüzde 90'ın üzerinde seyrediyor. Bu açıdan Türkiye ortalaması yüzde 70 civarındayken, Kürtler arasında AB vatandaşlığı isteği bundan da büyük bir çoğunluğu oluşturuyor.

Sorular çok yalın:

PKK, AB'yi mi engellemek istiyor? PKK, Kürtlerin neredeyse tümünün istediği bir yola, Türkiye'nin AB yoluna mı taş koymak istiyor? 1 Haziran 2004'le beş yıllık ateşi sona erdiren PKK liderliği ve İmralı, gerçeklerden bu kadar kopuk mu? Diyarbakır'dan yazdığım 8 Haziran 2004 tarihli yazımı böyle noktalamıştım.

Silahlara veda vakti
ve af konusu...

Diyarbakır, 21 Eylül 2004
Ulucami civarında, eski Buğday Pazarı'nda sohbet ediyoruz. Öfkeli. Ulucami'nin kapısındaki tezgâhını kaldırmış belediye. "Kırk yıldır ekmek yiyordum bu tezgâhtan. İnsanın namusu sadece karının donuna mı girdi? Ekmeğidir insanın namusu aynı zamanda," diyor.

Adı, Mehmet Salih Satmaz, 59 yaşında.

"Yaz!" diye başlıyor söze:

"Benim çocuğum faili meçhulle öldürüldü. Arkadan kafasına bir kurşunla vurdular. Niye katili yakalamıyor devlet? Silahlar sussun, barış olsun! Devlet gelip yatırım yapsın. Diyarbakır zenginleri gelip yatırım yapsın."

Dükkân sahibi sözü alıyor:

"Kürtlerin de arzusu, Türkiye'nin Avrupa Birliği'ne girmesidir. Kürtlerin de televizyonu olsun, okulu olsun. Samimi bir af çıkarsa, dağdakiler de iner, teslim olur. Şu anda devlet merhametli davranıyor. Beş altı yıl öncesinin hakareti, zulmü yoktur. Bir zamanlar kötüydü. Bir seferinde bu çarşıdan 15 kişi birden gitmişti dağa. Kimi çıraktı, kimi lokantacı, kimi tezgâhtar..."

'Samimi af' sözünün altını çiziyorum.

İlginç olan şu:

Düzelmeyi AB'ye bağlıyor, soruyorum:

"Madem AB yüzünden işler düzelmeye başladı. O zaman Apo'nun 1 Haziran itibariyle yeniden silahlı mücadele çağrısı yapmış olması doğru mu? AB'yi istemeyenlerin işine gelmiyor mu Apo'nun bu yaptığı? Demokratikleşmeden, reformlardan hoşlanmayanların, Kürt, Kürtçe sözünden bile tüyleri diken diken olanların elini güçlendirmiyor mu silahlı mücadele çağrısı? O eski günlere dönmek hiç iyi olabilir mi?"

Diyarbakır'da ilk günüm.

Dikkat ediyorum, yukarıdaki sorulardan rahatsız olmayan yok. Bodur kürsülere tünemiş, bir yandan çaylarımızı yudumluyoruz.

Dükkân sahibi devam ediyor:

"Avrupa Birliği havası olmasa, çok şey kötüye giderdi. Evet, Avrupa Birliği derken silahlı mücadele yapmak zarardır. Verheugen gelmiş, devletin insanını öldürüyorsun... Hiç olacak şey mi? Bu arada eğer Apo'nun lafı hâlâ para ediyorsa, adamı biraz rahatlatın. İmralı'da tek başına kafayı yiyecek. Af olmuyorsa, gelsin bir cezaevinde yaşamaya başlasın."

Bir başka dükkân sahibi geliyor. Kürsüye tünedikten sonra ilk sözü:

"Bir Kürt bireyi olarak konuşuyorum."

Kültürel adımlar ona göre yetersiz, hatta devede kulak. Ayrıca samimi bulmuyor Kürtçe radyo televizyon, Kürtçe kurs gibi adımları... Ama AB'yi önemsiyor.

Aynı şeyi soruyorum:

"AB'yi, Türkiye'nin Avrupa yolunu önemsediğine göre, PKK'nin geçen 1 Haziran'da ateşkese son verip silahlı mücadele için düğmeye basmasına ne diyorsun? Doğru mu oldu bu?"

Yanıtlarken zorlanmıyor:

"Silahların patlaması elbette AB sürecini güçleştiriyor. Doğru değil bu. Kürt halkı olarak silahı istemiyoruz. Ama devlet anlayışı da değişmeli. Karşılıklı mutabakat lazım. Artık acı çekmek, gözyaşı dökmek istemiyoruz."

Güneydoğu'da ilk günüm.

Ama daha ilk sohbetlerde açıkça belli oluyor. PKK'nin 1 Haziran 2004'de yeniden silaha sarılmış olması büyük rahatsızlık yaratmış. Biraz deşince bu kendini ele veriyor. Bu işte mantık olmadığı, bu işte bir yanlışlık olduğu teslim ediliyor.

Gerekçelenmesi ayrı bir konu.

Önemli olan, Güneydoğu'da silahlara veda zamanının gelip çattığı görüşünün bazen açık bazen üstü örtülü biçimde, ama sık sık vurgulanması... Eski zamanları istemiyoruz diyenlerin ezici çoğunluğu oluşturmaya başlaması... Türkiye'nin AB yolu zarar görmesin diyen seslerin daha çok duyulur hale gelmesi... Bütün bu seslerin de silahlı mücadele için bastıran Apo'yla PKK'yi gitgide sıkıştırması...

Bu hemen hissediliyor.

İki tür söylem var.

Biri resmi, biri özel.

Resmi söylemde Apo'ya, PKK'ye ses edilmiyor. Devlet işin içine çekiliyor, bazı bakımlardan eleştiriliyor. Ama sohbet ilerleyince, PKK'nin resmi söylemi bir yana bırakıldıkça Apo, örgüt ve silahlı mücadelenin mantığı eleştirilmeye başlanıyor. Özellikle Türkiye'nin AB yoluna zarar verilmesine karşı çıkılıyor.

Gerekçe çok açık:

Kürt kimliğini inkâr edenlerle AB'ye karşı çıkanlar, malum, aynı odaklar; AB yolunda reformcu yürüyüşünü sürdürmek isteyen hükümeti zayıflatmak isteyenler de aynı malum odaklar; PKK'nin yeniden başlayan silahlı mücadelesi de bunların elini güçlendiriyor.

O zaman ne yapmalı?

Diyarbakır Büyükşehir Belediye Başkanı Osman Baydemir'le makamında baş başa sohbet ediyoruz. Şöyle diyor:

"Yaşadıklarımı tekrar yaşamak istemem. O günleri bölgede kimse yaşamak istemez."

Ve ekliyor:

"Türkiye'nin çıkarı şiddette değil, silahta değil. Bu çağda silahla özgürlük talebi olmaz. Özgürlük talebi silahla zorlaşıyor, olanaksızlaşıyor. Devir artık isyan devri değil, inşa devridir."

Ve ekliyor Baydemir:

"Silahlara veda zamanıdır."

Baydemir'in bir barış planı var, 13 maddelik:

(1) Yeniden çatışmasızlık haline geçmek. Buna ateşkes de denebilir. (2) Hapiste yatan 6 bin PKK'liden bini hasta, sağlık durumu kötü. Bunların affını, salınmasını gündeme getirmek. Bunun için cumhurbaşkanı da devreye girebilir. (3) PKK'nin "Silahlara veda ediyoruz, Türkiye'ye gelmek istiyoruz," çağrısı yapması... (4) Ankara'da ille de af adı konmayacak bir yasal düzenlemeyle, hem hapisteki hem de dağdaki PKK'lilerin normal hayata dönüş kapılarının açılması... Üst düzey yöneticiler için farklı düzenlemelerin öngörülmesi; siyaset yasakları, İskandinav ülkelerine sığınma hakkı gibi... (5) Apo'nun tecridinin aşamalı olarak kaldırılması, zaman içinde İmralı'dan bir başka cezaevine naklinin mümkün olup olmadığı... (6) Köye dönüş ve kırsal kalkınma projesi. (7) Bölgeye yatırımların teşviki için özel planlama... (8) Yüzde 10 seçim barajının hiç olmazsa yüzde 6-7'ye indirilmesi ve siyasal katılım yollarının genişletilmesi. (9) Siyasal Partiler Yasası'nda, Seçim Yasası'nda Kürtçe propaganda konusundaki kısıtlamaların aşılması. (10) Anayasada bazı değişikliklerle sivilleştirmenin derinleştirilmesi... (11) Türklük, Kürtlük konusunda aşırılıkları törpüleyen ve Türkiyelilik üst kimliğini öne çıkaran yönelişler. (12) Koruculuk sisteminin lağvı, mağdur

edilmeleri önlenerek... (13) Türkiye'nin AB yolu gibi ortak paydalar oluşturmak.

"Verheugen'e Türkiye'nin müzakere takvimini hak ettiğini söyledim," diyen Diyarbakır Büyükşehir Belediye Başkanı Baydemir ekliyor:

"Türkiye'deki Kürt yurttaşların bu ülkeye, bu devlete aidiyet duygusunu yaşayacakları bir psikolojik ortam yaratmak zorundayız Kürt sorununu çözmek için... Bu ülke benim, bu devlet de benim diyebilmeleri lazım. Kürt muhalefetini silahsızlandırıp Türkiye'nin içine katabilmeliyiz. Bunun demokratik siyasete katılımını sağlayıp AB sürecinde siyasal normalleşmenin kapısını açmalıyız."

Baydemir öne doğru eğilip bir noktayı bir kez daha vurguluyor:
"Adını ne koyarsanız koyun. Ama **af konusu** işin esası..."

"Devletin ama mama demeden samimi bir af çıkarması şart. Dağdaki başka türlü inmez!"

Batman, 22 Eylül 2004
Diyarbakır'dan sabah erken yola çıktık. Batman Ovası'nda yemyeşil pamuk tarlaları, göz alabildiğine... "Burada pamuk bire iki verir," diyor Yılmaz.

Bazı yerlerde pamuk patlamış. Güneşin altındaki yeşilliklerin arasından saçılan gümüşi parıltılar göz alıcı.

Batman'a girerken aklıma önce ne yazık ki Hizbullah ve 1990'ların faili meçhulleri geliyor. Yani enseye sıkılan tek kurşunlu o korkunç cinayetler...

Ve kadın intiharları!

Batman'da bu berbat imajı silmek için düzenlenen sanat ve kültür festivalinin ikincisi yapılıyor 28 Eylül'de. **Turgut Özal Bulvarı**'yla **Demokrasi Bulvarı** kesişiyor ve karşımızda **Yaşar Kemal Caddesi...**

Makine değil, bıçak kıymasıyla yapılıyor kebap. Eski Sanayi'de Cuma Usta'nın yeri. 1953'te petrolle birlikte Diyarbakır'dan Batman'a gelmiş. O zaman Batman'ın yerinde adı İluh olan bir köy varmış. Cuma Usta kebabını petrol işçilerine yapmaya başlamış. Dükkânın zemini toprakmış, çamurmuş. Çizmeyle çalışırlarmış. Tuzu masaya dökerlermiş...

Enfes kebabın üstüne bir tek Ceffan köyünde yetişen mayhoş kavun iyi geliyor. Kabuğu ince ve çağla yeşili. İstanbul'da bir tek Fatih'in Kadınlar Pazarı'nda, Siirtlilerin merkezinde bulunurmuş bu kavun...

"Batman 1996, 1997'den beri sakin," diyor Sabih Ataç. Kırklı yaşlarda bir avukat, eski baro başkanı. "Evvelce iyi yaşamadık. Çok acılar çekildi. Arada bir hayattan iyi anlar çaldık, o kadar. Ama son beş altı yıldır hayat iyi. Huzur var. Bunun devam etmesi lazım," diyor.

Bu noktada duruyor.

1 Haziran 2004'ten itibaren PKK'nin ateşkese son vermesini onaylamadığını belli ediyor. Sokaktaki adamın durumunun da farklı olmadığını belirtiyor.

Bir hafta öncesine kadar daha açık konuştuklarını, ama sonra Apo'nun, "Beni anlamıyorlar; onlar haindir; onları gençlere havale ediyorum," gibi tehdit kokan bir notu ortaya çıkınca, sözlerine daha dikkat etmeye başladıklarını belirtiyor.

Bir noktayı koyuyor:

"Ama demeden, fakat demeden silaha karşı durmak gerekir."

Şöyle devam ediyor:

"Türkiye Kürtleri bugün her şeyi tartışabilir durumda. Hatta Apo posteri elinde, Kürtçe 'Bijî Serok Apo!' [Yaşasın Başkan Apo] diyerek yürüyorlar. Polis filmini çekiyor. Suçluysa alıp adliyeye teslim ediyor, o kadar... Eskiden neler olurdu. Ben istediğimi söyleyebiliyorsam silaha ne gerek var? Örgütün de bugün yapacağı amasız, fakatsız silah bırakmasıdır."

'Devlet'e neyin düştüğüne gelince...

Af konusunu şöyle özetliyor:

"Devletin de ama mama demeden samimi bir af çıkarması şart. Dağdakinin silahı bırakıp inmesi başka türlü olmaz. Yanlış anlaşılmasın. Bunun alternatifi silahtır, bu olmazsa silah olur demek istemiyorum. Hiç kimse için koşul moşul olmadan bunların yapılması gerekiyor."

Bir gün önce Diyarbakır'da kulağıma çalınan bir konuya Batman'da da tanık oluyorum:

"17 Aralık, yani AB'nin Türkiye'yle ilgili tarih toplantısı öncesinde yeniden ateşkes gündeme gelebilir. PKK'den böyle bir çağrının yapılması yakın ihtimal. Hükümet acaba 17 Aralık sonrası af konusunu gündeme getirebilecek mi? Bu bakımdan üstü örtülü de olsa herhangi sinyal var mı Ankara'dan, olabilir mi?"

Benzer düşünce ve sorular, dikkat ediyorum, Diyarbakır Büyükşehir Belediye Başkanı Osman Baydemir gibi Batman'ın DTP'li belediye başkanı Hüseyin Kalkan'da da var. Makamında baş başa sohbet ediyoruz.

42 yaşında, lise terk. Daha doğrusu lise ikideyken 12 Eylül oluyor. 1980'de iki yıl Diyarbakır Askerî Cezaevi 'cehennemi'ni yaşamaya başlıyor. Yargılanmış, beraat etmiş.

"Kardeşim Amasya Cezaevi'nde yatıyor 15 yıldır. 32 yaşında ve idam aldı PKK'den. Hâlâ ağlıyor anam," diye anlatıyor, "ben yüzde 74.2 oyla seçildim Batman Belediye Başkanlığı'na. Türkiye'deki en yüksek oy oranı bu..."

Soruyorum:

"Diyarbakır'dan sonra Batman'da da hava farklı değil. İnsanlar, ateşkesin sona erdirilmiş olmasından, PKK'nin eline yeniden silah almasından rahatsız. Bu hava yalnız sokaktaki adamda değil, Kürt aydınlarında, yerel siyasetçilerde de dikkati çekiyor. Ne diyorsunuz?"

Yanıt farklı değil:

"Bunu halka anlatmak zor!"

Devamını şöyle getiriyor:

"Altı yıllık huzur ortamından sonra, çekilen bütün acılardan sonra artık silahların susması gerekiyor. Halktan, demokratik kitle örgütlerinde de barış talepleri yoğun..."

Yoksulluğun had safhada olduğunu, işsizliğin had safhada olduğunu, bu açıdan özellikle gençlerin çok kötü durumda olduklarını belirtiyor. Ateşkesin tek taraflı olarak sona ermiş olmasını kendilerinin de kabullenemediklerini çok dikkatli bir dille ifade ediyor. Ateşkesin devamından yana olduklarını söylüyor.

Ama noktayı koyuyor:

"Püf noktası aftır."

Diyarbakır'da konuştuğum 'insan hakları aktivistleri'nin deyişiyle:

"Ayrımsız politik af..."

"Gençlerin kimisi dağda, kimisi hapiste... İnsinler, çıksınlar," dedikten sonra devam ediyor:

"AB sürecinin kesintiye uğramaması lazım Türkiye için. AB aynı zamanda daha çok kalkınma demektir. Seksen yıldır kanayan bir yara olan Kürt sorununun çözülmesi demektir."

Ateşkes konusuna daha fazla girmek istemiyor. "Biz hizmeti esas aldık," diyor, Osman Öcalan'ı da eleştiriyor.

Kafaların bulanıklığı gündeme geliyor. Bir zamanlarki 'bağımsız Kürdistan'dan bugünkü 'demokratik cumhuriyet'e gelindiği konuşuluyor. Kafa karışıklığının bundan kaynaklandığı anlatılmak isteniyor.

Sohbet sırasında "Buralarda neredeyse herkes İmralı'ya bakıyor, İmralı'ya rağmen politika yapmak güç buralarda," cümlesi kulağıma çalınıyor.

Diyarbakır'da siyasetin içindeki bir Kürt aydınının sözünü anımsıyorum:

"PKK istemezse, kahvelerde bir bardak çay bile vermezler."

İlginç... Diyarbakır'da olduğu gibi, Batman'da da Öcalan soyadıyla, Apo adıyla bu ülkede siyaset yapmanın güçlüğüne, imkânsızlığına değiniyorum. Bunu bazen biraz da kışkırtıcı bir üslupla sorguluyorum bazı örneklerle.

Öyle çok fazla tepki almıyorum bunun karşılığında. Hatta dikkatli bir dille "Galiba haklısınız," yanıtının bile geldiği oluyor.

Türkiye'nin AB yoluna köstek olunmasına Batman Belediye Başkanı Hüseyin Kalkan da kesin dille karşı çıkıyor. AB'nin silahla baltalanmasına karşı çıktığını söylerken, "Ben de halk gibi düşünüyorum," diyor bir ara.

Şu sözler de onun:

"Yazık oldu bu ülkeye. Büyük acılar çekildi. Ben ilkokula başlarken tek kelime Türkçe bilmiyordum. Kendi kimliğinden utanıyordum. Olacak iş mi? Kimliğim reddediliyordu, kültürüm kabul edilmiyordu. Yazık değil mi? Bunları aşalım. Avrupa Birliği bunun için doğru bir hedef. Dikkatli olmakta yarar var. Derin devlette olduğu gibi örgütün içinde de provokatif unsurlar olabilir."

AB'den tarih
ya da barış!

Kızıltepe, Viranşehir, 23 Eylül 2004

Birinci Kızıltepe Kültür-Sanat Festivali barış yürüyüşüyle açılıyor. Festivalin adı ilginç:

Başak Tadında Sanat. Kürtçesi *Huner Di Tahma Simbilan De.*

Broşür Türkçe ve Kürtçe olarak basılmış. Emniyetten festival izni alınırken üç harfte sıkıntı yaşanmış: x, w, q... Dernekler Masası demiş ki:

"Türk alfabesinde bu üç harf yok, böyle basamazsınız."

Broşüre bakıyorum, anlaşılan bu sıkıntı uygulamada aşılmış... Kürt dili ve edebiyatıyla ilgili bir panel, Yılmaz Güney'in *Yol* filmi, Kürtçe konserler, sergiler, yurttaşlık bilinci ve hukuk konulu toplantılar, şiir-müzik dinletileri yer alıyor dört günlük festival programında.

Kuzey Irak'tan da Kürt konukları var Kızıltepe Belediyesi'nin. Zaho, Selahaddin ve Semene belediye başkanlarıyla Kürt Yazarlar Birliği'nden bir heyet katılıyor festivale...

Birkaç yıl öncesine kadar bunların hiçbiri hayal dahi edilemezdi. Olağanüstü Hal Yönetimi, değil Kürtçe sözcüğüne, değil kültürel etkinliklere, spor kulüplerinin kurulup bölgede yarışmalarına bile izin vermiyordu.

Hem Kızıltepe Belediye Başkanı Cihan Sincar, hem Viranşehir Belediye Başkanı Emrullah Cin'le ayrı ayrı yaptığım sohbetlerde yaşanan bu gelişmeleri konuştum. İkisi de teslim ediyordu olumlu gelişmeleri.

Sıkıntı ve eksikler elbette var, olacak da. Özellikle zihniyet değişimi zaman alacak.

Emrullah Cin'le Viranşehir Kültür ve Sanat Merkezi'ni geziyoruz. Kütüphanesiyle, sinema ve konferans salonlarıyla, üniversiteye hazırlık için derslikleriyle, kilim dokuma tezgâhlarıyla pırıl pırıl, dört dörtlük bir kültür merkezi inşa edilmiş. Yöneticiliğini Ankara'da okumuş, Doğubayazıt doğumlu, peyzaj mimarı genç bir adam yapıyor, odasında hafif klasik müzik çalan...

AB yolunda Türkiye'nin demokrasi ve hukuk açısından, aş ve iş açısından çıtalarının yükseleceğine inandığını söyledi.

Kızıltepe Belediye Başkanı Cihan Sincar da farklı düşünmüyordu. İkisiyle de geçen yıllarda yaptığımız sohbetlerden bu yana alınmış olan olumlu mesafe ortadaydı.

Peki o zaman bu yolu kesmek isteyenler, Türkiye-Avrupa yolunu çomaklamak isteyenler sahnede etkisizleşirken, 1 Haziran ne oluyordu, yanlış değil miydi?

Apo artık Türkiye'nin AB yolunu kesmek isteyenlerle birlik mi oldu? Osman Öcalan bunun için mi "Apo Kemalist oldu!" diyordu?

Öyle değilse, AB'ye tam üyeliğe ilişkin müzakere tarihiyle ilgili kritik bir dönemde hükümete şantaj mı yapmak istemişti Apo? Dikkat mi çekmek istiyordu silaha yeniden sarılma çağrısıyla? Oyun içinde oyun mu gündemdeydi?

Viranşehir ve Kızıltepe belediye başkanları, ikisi de, ateşkesin bozulmuş olmasını onaylamıyordu. Artık silahın çıkmaz sokak olduğunu her ikisi de kabul ediyordu. Sokaktaki adamın da bundan rahatsız olduğunu saklamıyorlardı.

Ama sözü, Diyarbakır ve Batman'da olduğu gibi, Viranşehir ve Kızıltepe'de de bir noktaya getirip bağlıyorlardı:

Samimi bir af...

Kasrı Kanco, 24 Eylül 2004

Bir şairin, "Venedik'i gör, sonra öl!" dizesi aklıma takılıyor. Kasrı Kanco'da horoz sesleriyle uyanıp Mezopotamya Ovası'ndan güneşin sonsuza uzanan ufuk çizgisi harikulade...

Kasır, taştan büyük ev demek. Kanco da Ahmet Türk'ün dedesinin adı, Hüseyin Kanco. 126 yıl önce inşa edilmiş. Ovada, sonsuza uzanan düzlükte kale gibi, tüm heybetiyle yükseliyor.

Diyarbakır, Batman, Viranşehir ve Kızıltepe'den sonra Kasrı Kanco. Bütün bu duraklarda dikkatimi çeken bir nokta var:

Apo tartışılıyor.

Apo sorgulanıyor.

Apo eleştiriliyor.

Eskiden bu olmazdı. Bu açıdan özellikle 1 Haziran'ın, yani ateşkesi sona erdirme kararının etkili olduğu anlaşılıyor. Bu karar Apo bakımından bir kırılma noktası gibi...

Bu konuda tabii Apo'nun 1999'da yaptığı İmralı savunmaları da rol oynadığı söylenebilir. İmralı'daki Apo'nun sergilediği fikri değişim, bölgede Kürtler arasında kafaları karıştırmış.

"Kafalar bulanık!"

Bu söz birçok kez kulağıma çalındı gezi sırasında. Biri şöyle dedi:

"Bir zamanlar bağımsız, demokratik Kürdistan derdi, Apo. Şimdi üniter devlete, demokratik cumhuriyete geldi. Hatta bugün Kemalizm'i övüyor. Nereden nereye? Apo'daki bu değişim kafaları karıştırdı. O zaman bunca kan niye döküldü diye hesap soruluyor."

Şöyle devam ediyor:

"Ayrıca bugün artık silah prim yapmıyor. Yükselen terör ve şiddet dalgasıyla dünyada silahlı mücadele gündemden düşmüş durumda. AB ve Türkiye'de demokratik hukuk devleti konusundaki olumlu gelişmelerle legal siyaset ön plana çıktı. Artık silahla bir yere gidilemeyeceği çok açık biçimde anlaşılmaya başladı Kürtler arasında. Beş yıl önce legal siyaset desen, karşı çıkılırdı. Şimdi değişti."

Kimine göre 1 Haziran da zoraki bir karar.

Daha çok kırsal kesimde ara sıra patlayan silahlar, zoraki bir mücadelenin parçası. Eski deyişle kerhen yapıldığı söyleniyor. Uzun süreli, kalıcı olmadığı belirtiliyor. Son altı yılın huzur havasına bölge halkının haklı olarak alıştığını söyleyen Ahmet Türk ilginç bir noktaya değindi:

"İnsanlar bu yeni dönemde yeniden tarlalarına döndü. Yatırım yapmaya başladı. Kızıltepe'yle Derik arasında 2 bin kuyu açıldı. Bunlar sulama amaçlı artezyen kuyuları. Her biri için 50 milyar yatırım yapıldı. Çatışmalar şiddetlense, yeniden eskiye dönülse, bütün bunlar havaya gidecek. Kim ister bunu? Silah istenmiyor."

Bir başkasının şu sözleri ilginç:

"Eskiden birkaç gerilla bir köye gelse korkulurdu. Şimdi onlara tepki duyuluyor, huzur yeniden bozulacak diye... Altını çizin bu noktanın. Ama gerilla da bunun farkında..."

Çare? Diyarbakır, Batman, Viranşehir ve Kızıltepe duraklarından sonra Kasrı Kanco'da da aynı çare öne sürülüyor:

Af!

Ahmet Türk'ün söyledikleri:

"Bugün dağda silahlı 3 bin kişi var. 2 bin kişi de örgütten, silahlı mücadeleden kopmuş, daha çok Barzani tarafına, aile düzeniyle yerleşmiş durumda. Af çıksa, yüzde 99'u geri döner. Af formülünü bulurken rencide etmemek lazım, pişmanlık falan diye. Şiddet 15 yıl boyunca yaşandı. Kürtlerin canı yandı. Ayrımcı politikalar, ayrılıkçılık Kürtlere acıdan başka bir şey getirmedi. Getirmez de... Bugün siyasal bir affa kilitlendi bölgede her şey. Apo'yu dışında tutan, 70-80 üst düzey yöneticisi için farklı formül -örneğin Avrupa'ya gitmelerini sağlamak gibi- öngören samimi bir afla Türkiye kendi Kürtleriyle barışır. Hem Kürtler hem Türkler, tüm Türkiye kazanır. Yeni yılda bunu inandırıcı biçimde gündeme getirmesi çok iyi olur hükümetin, Ankara'nın... Af çok şeyi değiştirir burada, bütün samimiyetimle söylüyorum."

ABD Büyükelçiliği belgelerinde
dağdakiler için genel af meselesi...

19 Mart 2009

ABD'nin Ankara Büyükelçisi James Jeffrey, PKK'ya af konusunu işleyen gizli bir telgraf gönderir Washington'a:

PKK'ya af konusu, Türk siyasetinin 'Bermuda (şeytan) Üçgeni'dir. Karşılıklı olarak birbirinden şüphe duyan üç kurumla ilgili tehlikeli bir konudur:

• Kürt meselesini çözmek isteyen ama aynı zamanda kendisini Türk milliyetçilerinin saldırılarına açık hale getirecek adımlar atmaktan korkan güçlü fakat güvensiz AKP;

- PKK'nın siyasi heveslerinin yanısıra, Kürtlere çok fazla zemin kazandırmaktan da varoluşsal bir korku duyan, ama görünüşte sonu gelmeyen ve çok maliyetli olan bu soruna güvenilir bir 'askerî' çözüm de getiremeyen ordu;
- Ve Kürtlerin kendi işlevsellikten uzak siyasetleri ki, hâlâ Öcalan'a ve onun şiddete dayalı kurtuluş mücadelesi öngören miadı dolmuş ideolojisine sarılan PKK, halihazırda buradaki en muktedir siyasi güç ve sıradan Kürtlerin hayatlarının iyileştirilmesinin önündeki en büyük engel...

Bununla birlikte, Türklerin çoğunluğu şiddeti sona erdiren, Türkiye'nin toprak toprak bütünlüğünü koruyan ve devletin terörizme boyun eğdiği şeklinde algılanmayacak olan bir çözümü muhtemelen destekleyeceklerdir. Birkaç seçmen grubu, bunun açıkça söylemekten çekinse bile silah bırak(tır)manın, böyle bir paketin parçası olması gerektiğini anlıyor.[9]

"İşin esası aftır, dağdan inip hapse neden girelim?.."

Diyarbakır, 25 Eylül 2004

Dört gündür dolaşıyorum. Hep aynı soru kulağımın içinde çınlıyor: Kimsenin anasının yüreği yanmasın, ama nasıl? Defter notla dolu, hangisini yazayım?

Diyor ki:

"Apo, Irak Savaşı öncesi 'Amerikan kartı'nı oynamak istedi. Bölgeye demokrasi getirecekse, Amerika'ya yardımcı olmaya, yedek güç olmaya hazırız havasını yaydı. Ama Washington, Barzani ve Talabani'yle oynamaya karar verip kendisine yüz vermeyince, anti-Amerikan olmaya başladı Apo. Barzani ve Talabani'yi ilkel milliyetçilikle suçladı. Bush yönetiminin Irak'ı bölmek istediğini, Türkiye'ye yönelik hesaplarının da bu olduğunu yaymaya başladı."

"Ateşkesi 1 Haziran'da neden sona erdirdi?"

"Değişik mesajlar var ateşkesin sona erdirilmesinde. Amerika'ya dönük olarak, 'Beni muhatap al, yoksa ben de bu bölgeyi istikrarsızlaştırırım,' mesajı... Kuzey Irak'taki federe bir Kürt devletinin Türkiye Kürtleri için de bir cazibe merkezi olarak ortaya çıkmasını ve kendi otoritesinin çözülmesini önleyebilmek... Ve uzun yıllardır dağda eylemsiz duran örgütü toplamak... Belki daha önemlisi, AB

---

9   Wikileaks Türkiye Belgeleri,*Taraf*, 7 Nisan 2011.

ile kritik bir dönüm noktasındaki AKP hükümetini sıkıştırmak, ileriye dönük şantaj yapmak... Bunu yaparken de özellikle askerî çevrelerdeki bazı odaklara sempatik gözükmek... Bu arada tabii altı yıl boyunca af beklediler. Karşılanmadı bu beklenti..."

Şöyle devam ediyor:

"PKK'nin yerini alan ve Türkçesi 'Halk Kongresi' olan Kongra-Gel'in başında Zübeyr Aydar gözüküyor. Ama dağda asıl gücü elinde tutan Murat Karayılan. Örgütü fiilen yöneten o. Karayılan, silahın bırakılmasına karşı çıkıyor."

Apo'yla ilgili bir değerlendirme:

"Belediyelerde, parti örgütlerinde yıllar yılı parti komiserleri oldu. Bugün de herhalde farklı değil. Bir köşeye oturup dinlediler. Son sözü onlar söyledi, legal iş yapanların yanında. Arkada hep Apo'nun gölgesi oldu. Apo bugün İmralı'da! Artık bunun böyle gidemeyeceği yaygın kabul görüyor, tartışılıyor. Bu yüzden Apo'nun psikolojisi bozuk. 'Ben Kürtlerin sadece manevi şeyhi olmam!' dediği naklediliyor. Ama bir yandan da Apo tarzı siyaset anlayışı bugünün koşullarında gitgide çözülüyor, tepki görüyor. Kimi açıktan, kimi kapalı kapıların arkasında konuşuyor, eleştiriyor bu tarzı..."

Devam ediyor:

"Kulakları İmralı'dan kurtararak siyaset yapmak gerekiyor Kürtler arasında. Apo bu gelişmelerden rahatsız. Örneğin Leyla Zana'dan da rahatsız. Osman Öcalan'ı zaten hain ilan etti. O da ağabeyine Kemalist diyor."

"Hareket bölünüyor mu?"

"PKK'nin bölünmüşlüğü yeni değil. Özellikle Apo'nun yakalanmasından sonra hızlanan bir süreç bu. Ama ana gövde dün olduğu gibi bugün de Apo'nun yanında. Osman Öcalan'ın kurduğu yeni parti de [PWD, Yurtsever Demokratik Parti] bu süreci hızlandırıyor. Hareketi çok fazla bölmenin de tehlikesi var. Yeni serseri mayınlar ortaya çıkar. Hepsi ister istemez bir başka gücün, devletin kontrolü altında girer ve bölgede istikrarsızlaştırıcı kuvvetler haline gelirler. Kör terör olayı patlak verebilir."

AB konusu...

Güneydoğu'da hangi durakta dursam, kiminle konuşsam değişmiyor. AB ipine sarılmanın önemi sürekli vurgulanıyor.

Ben de şunu soruyorum:

"Madem Türkiye'de hukuk devleti çıtasının, demokrasi ve insan hakları çıtasının, aş ve iş çıtasının yükselmesi anlamına geliyor AB... O zaman en kritik dönemde, 17 Aralık'ta tarih verilmesi gündemdeyken, tekrar silaha sarılmak, şiddeti başlatmak niye?"

Diyarbakır'da bazı insan hakları aktivistleri şu yanıtı veriyor:

"İnsanlar onca yılın yaralarının sarılacağını gerçekten hissetmeye başlasın. Hiç olmazsa ayrımsız bir politik affin gündeme geleceğinin sinyali hükümetten verilsin. AB'den tarih konusu elbette çok önemli. Bazı AKP milletvekilleri bize geldiler, 'Tarih alamazsak, siz de bitersiniz, biz de biteriz,' dediler... Silahların susması an meselesidir."

"17 Aralık'tan önce..."

"Evet, yine susabilir."

Şöyle devam ediyor:

"İşin esası aftır. Biz dağdan inip gelelim ama hapse girelim. Kim kabul eder bunu. Ölümü göze alıp zaten dağa çıkmış. Sloganların ötesinden eğilmeliyiz konuya..."

Bir siyasal partinin yerel örgütünde yöneticilik yapan bir siyaset adamı, afla ilgili şunları söylüyor:

"Huzur yolu ancak dağdakileri indirerek açılabilir. Bunu yaparken de onların onuruyla oynanmaması lazım. Onları hain yaparak bu iş olmaz. Affin bir elma şekeri mantığıyla ele alınmaması gerekir. Af ama aşağılamayan, incitmeyen bir af... Af ama topluma gerçekten kazandıracak bir af... Geçen yılki yasal düzenleme bunlardan yoksundu. Bu yüzden de işe yaramadığı görüldü. Bu bölgede üç kişiden birinin canı yanmıştır. Şimdi ateş közlenmiş durumda. Bunu söndürmenin yolu öncelikle gerçek bir aftan geçiyor. Bunu Ankara da, hükümet de unutmasın."

Ve bir uyarı yapıyor:

"Bir tehlike göz ardı edilmesin. Kürt sorunu çözüm yoluna sokulmazsa... Kürt kimliği eğer ezilirse... Bu arada aş ve iş sorunu da çözüm yoluna girmezse... İşte o zaman **Kürtler arasında radikal İslam**'ın yükselmesi, köktendinciliğin yayılması gündeme gelebilir. Herhalde bundan en çok El Kaideciler sevinir bu coğrafyada..."

"Bunun için herhalde Irak'ın kökten dincilerin elinde bir terör ve şiddet üssü haline de gelmemesi lazım."

"Hiç kuşkusuz öyle. Türkiye'nin bir yandan kendi Kürtlerini kazanması lazım. Aynı zamanda kendi Kürtlerinin kardeşlerini de, yani Irak Kürtlerini de kazanması, hiç olmazsa karşısına almaması lazım. AB yolundaki böyle bir Türkiye zamanla bölgenin en güçlü ülkesi ve başta bütün Kürtler için olmak üzere tam bir cazibe merkezi haline gelir."

"Benim ezilen yanım Kürtlüğüm...
Bekledim, ama çan sesleri
gelmedi, çünkü gitmişti Süryaniler..."

Diyarbakır, 26 Eylül 2004

Nuri Usta ölmüş...

1990'ların başından beri ne zaman Diyarbakır'a gelsem ilk durağım olmuştu.

Nuri Usta'nın Çay Ocağı.

Gazi Caddesi'nde, Çarşı Karakolu'nun hemen arkasındaki bir sabahçı kahvesi.

Duvarda Atatürk'ün mareşal üniformalı renkli bir fotoğrafı. Gaz lambası. Güneydoğu'da ender rastlanan bir şey, Fenerbahçe'nin bir posteri. *Kuran*'dan bir ayet. Ve siyah beyaz dönemin bir televizyonu, altında, "Lütfen dokunmayın, Nuri Usta" yazıyor.

Bu şirin çay ocağında her sabah bir meclis kurulurdu. Toplumun her kesiminden Diyarbakırlılar kürsülere kurulur, Nuri Usta'nın kömür ateşinde demlediği çayları keyifle yudumlarken bağıra çağıra memleket meselelerini tartışırlardı.

Ne zaman yolum buraya düşse aynı şeyi düşünürdüm. Ülkeyi yöneten devlet büyükleri, başbakanlar, genelkurmay başkanları ya da Kürt sözcüğünü duyunca tüyleri diken diken olan yazarlar, gazeteciler Diyarbakır'a gelip Nuri Usta'nın Çay Ocağı'nda birkaç sabah geçirse, belki bunca acı çekilmez, anaların yüreği bu kadar ağlamazdı diye düşünürdüm.

Kimlikleri inkâr etmek, insanları kendi ana dilinden koparmaya çalışmak çok büyük bir haksızlık, çok büyük bir yanlış. Cumhuriyet tarihimizde bu haksızlık ve yanlış yapıldı. Sonuçları hiç de iyi olmadı. Özellikle Kürtlerin canı çok yandı.

Batman'da eski baro başkanı Sabih Ataç'la sohbet ediyoruz. 1950'lerin Batman'ını, petrol göçü ile kurulan bu kenti anlatıyor. Petrolün çıkışıyla birlikte her taraftan göç alan Batman'ın bir uzlaşma kenti olarak kurulduğunu belirtiyor.

"Türkiye'nin her yanından geldiler," diyor, "ama 1970'lerde siyaset kutuplaşınca, sertleşince de gitmeye başladılar. Süryaniler gitti. Aleviler gitti. Tokatlılar, Adanalılar gitti. Sonra o korkunç, korku filmi gibi 1990'ları yaşadık. Faili meçhulleri... Sosyal patlamaları, düş kırıklıklarını... Keşke o uzlaşma kenti yaşasaydı. Batman'ın kuruluşundaki o rengârenk sosyal doku bozulmasaydı."

"Ben çok kültürlüyüm!"

Bu söz, Sabih Ataç'ın, şöyle devam etti:

"Benim ezilen yanım Kürtlüğüm."

Anlatıyor:

"Dargeçitliyim. Çocukken yazları damda yatardık. Ezan sesiyle uyanırdım sabahları. Arkasından hayvanların, horozların, kuşların, ineklerin sesi gelirdi. Son olarak da Süryani Kilisesi'nin çan sesi... Böyle büyüdüm ben. **Yıllar sonra yine Dargeçit'e gittim. Damda yattım. Ezan sesiyle uyandım. Hayvan seslerini duydum. Sonra bekledim, ama çan sesleri gelmedi. Çünkü gitmişti Süryaniler...**

Keşke gitmeselerdi. Demek ki onlar da benim bir parçam olmuş... Sezen Aksu'yu dinlemeden olur mu? Kıyametleri koparırım. Ama Cegerxwîn'i de [Kürt ozanı] okumadan hiç olur mu?"

Abdurrahman Kurt, Ak Parti Diyarbakır İl Başkanı. Kırk yaşlarında. Yıldız Teknik Üniversitesi'nden mezun bir mühendis.

İslamcı siyasetten geliyor.

Demokrasi ve AB konularını önemseyen, dünya ve Türkiye hallerini yakından izleyen, yerli yerine oturtabilen bir siyasetçi.

Kendisiyle bir sabah vakti Diyarbakır'da kimlikleri konuştuk. Ne düşündüğünü kendi ailesinden anlattı:

"Ben Diyarbakır doğumlu bir Kürt'üm. Eşim mimar, Karadeniz Teknik Üniversitesi'nden mezun. Bayburtlu bir Türk, hem de halisinden... Kendisiyle bir bilgisayar kursunda tanıştık, evlendik. İki çocuğumuz var, onlar hem Türk hem Kürt... Yeni evlenmiştik. Eşimin anneannesi beni tanımak için Bayburt'tan İstanbul'a geldi. Yer sofrasında yemek yiyoruz. Kayınbiraderim geldi. Anneanne dedi ki, 'Gel, otur sofraya. Bir şeyler ye, güçlen ki bir Kürt'ün belini yere vurasın.' Ben gülmeye başladım. Eşim bozuldu, annesine döndü, 'Abdurrahman, Kürt, bilmiyor mu?' dedi. Anneanne istifini bozmadı, 'O namazında niyazında; bizim damat Kürt değil Müslüman,' diye karşılık verdi."

Şöyle devam etti Abdullah Kurt:

"**Hem Türk hem Kürt olmak...** Bizim ailemiz bu ülke için, geleceğimiz için bir model... Bir büyük ailenin içinde huzur ve barış içinde birlikte yaşamaktan daha güzel ne olabilir ki? Batı'yla Doğu arasındaki Türkiye'nin yerini Turgut Özal çok iyi anlamıştı. Bir ayağımız Doğu'nun, bir ayağımız Batı'nın derinliklerine gidiyor. İkisinin çatışmayacağı, kendi Kürt'üyle barışık, AB için de, bölge Kürtleri için de cazibe merkezi olan bir Türkiye..."

Etnik milliyetçilikleri aşabilmek!

Milliyetçilikleri törpülemek demokrasi içinde...

Başka çare var mı? Avrupa'yı düşünün.

Yaşlı kıta, bütün büyük savaşların anasıydı. Oluk gibi kan aktı milliyetçiliklerin, dinci fanatizmlerin kavgalarında. Sonunda İkinci Dünya Savaşı'yla noktayı koydular. Yüzyıllar boyu birbirlerini tüketmeye çalışmış Fransızlarla Almanlar el ele verip tarihin en büyük 'barış projesi'nin temelini attılar.

Avrupa Birliği böyle doğdu.

Bir barış projesi olarak. Ve milliyetçiliği aşmak için... Dinci bağnazlığı, fanatizmi aşmak için...

Eğer Türkiye de tarihin bu en iddialı 'barış projesi' içinde yerini alırsa, AB'nin uluslarüstü yapıları içinde yerini alırsa, barış ve huzuru kalıcı olarak yakalamış olur.

Türkiye 17 Aralık 2004'te AB'den üyelik müzakerelerie başlamak için tarih alacaktı. Başbakan Erdoğan'ın haklı olarak bir dönüm noktası olarak nitelediği 17 Aralık tarihi için Fransız *Liberation* gazetesi birinci sayfasına kapak yapacaktı:

Avrupa devrimi!

Ben de yazıma "Haydi, kolay gelsin Türkiye!" başlığını atacaktım.

SEKİZİNCİ BÖLÜM

Kürtçenin çiğnenen onuru: Bir insanın ana diliyle bağını koparmak vahşettir!

O linç gecesinin insanları...
Ya da insanın diliyle bağını
koparmanın korkunçluğu!

Paris, 6 Aralık 2010
Kendi dilinde, Kürtçe bir kaset hazırladığını, bunu yayınlayacak babayiğit bir televizyon kanalı aradığını söylüyor.
Üstüne çullanıyorlar.
İnsanlar unutulunca ölür!
Bazı insanlar vardır, öldükten sonra da yaşamaya devam eder. Hayatta iz bıraktıkları için ölümsüzdür onlar. Kimi yüreklerde, kimi vicdanlarda, kimi akıllarda hatırlanmaya devam ettikleri için aramızdan ayrılmazlar.
Notlar çiziktiriyorum, Ümit Kıvanç'ın içimi acıtan Ahmet Kaya belgeselini izlerken.
Tek kelimeyle korkunç!
Ahmet Kaya'yı linç gecesi.
Veyahut:
Linç gecesinin insanları!
İstanbul, 12 Şubat 1999.
O hakaretler, o yüz hatları, o gerilmiş burun delikleri, her türlü seviyeden yoksun o protesto tarzları...
Neden, neden?
Ahmet Kaya, Magazin Gazetecileri Derneği'nin ödülünü aldıktan sonra Kürtçe bir kaset hazırladığını, bunu yayınlayacak 'delikanlı', 'babayiğit' bir televizyon kanalı aradığını söylüyor. Hepsi bu.
Kıyamet kopuyor salonda, küfürün bini bir para.

181

Kulağıma en çok iki sözcük çalınıyor:

"Vatan haini!"

Neden bir türlü aklımız ermiyor. İnsanların ana diliyle, insanların kökleriyle bağını koparmaya kalkışmak, insanların ana dilini, köklerini inkâr etmeye çalışmak çok kötü bir şeydir.

İnsanlığa karşı suçtur.

Cinayettir.

Bu suç, bu ülkede cumhuriyetin kuruluşundan beri tüm şiddetiyle işlendi, eskisi kadar olmasa da hâlâ işlenmeye devam ediyor.

Ve bu suç yüzünden otuz yıldır kanlı bir kısır döngünün içinde kıvranmıyor muyuz?..

Ahmet Kaya'yı izliyorum belgeselde.

Dipten gelen bir insanın tüm sahiciliği vuruyor her haline. Tutkulu, yaşamayı seven, kafa tutmayı seven, yaşama sevincini karşısındakilere de aşılamaktan hoşlanan ve de sürekli itirazları olan bir insan...

Niçin linç etmek istediniz?

Haksızlıklara, düzene başkaldırdığı için mi, belki daha önemlisi kitleler üzerinde etkili olmaya başladığı için mi linç etmek istediniz Ahmet Kaya'yı?

O geceyi "Ahmet Kaya yuhlandı" başlığını taşıyan küçük bir haberle öğrenmiştim.

İçime dokunmuştu.

Ertesi gün *Özlemek!* başlıklı bir yazı yazmıştım, "Düşlerin, sözcüklerin özgürce uçuştuğu bir Türkiye özlüyorum. Öyle bir Türkiye ki, düşünce polisleri olmayan, düşünce diktatörleri olmayan bir Türkiye... İsteyenin Ahmet Kaya dinlediği, isteyenin Yılmaz Güney'in *Yol* filmini izlediği, isteyenin Orhan Pamuk okuduğu bir Türkiye," diye başlayan...

Ümit Kıvanç'ın belgeselinde Ahmet Kaya'nın "Sağol gözüm, sağol!" derkenki o içtenliği yüreğimi burkuyor.

"Şarkılarım dağlara!" diye yükseltiyor sesini. "Dağda ölen gerillaya da, askere de yazık," diye, "Bu kirli savaş bitmek zorunda!" diye sesleniyor. "Düşünceye özgürlük, inanca saygı, türbana özgürlük," diye yapıyor çağrısını...

Daha ne desin ki?

Neden linç etmeye kalkıştınız ki Ahmet Kaya'yı? Neydi onunla alıp veremediğiniz? İnsanların ana dilleriyle, kökleriyle uğraşılır mı hiç?

Paris'in 10. bölgesindeki görkemli belediye binasının bir salonunda, ilk kez 1993'te Paris'te tanışıp hakkında yazdığım Siverek doğumlu Kendal Nezan, Kürt Enstitüsü'nün Başkanı konuşuyor, o bilge adam tarzıyla...

Şivan Perwer söz alıyor.

Silvan doğumlu.

36 yıldır Türkiye'ye adımını atmamış. Sürgünde kendine büyük bir dünya kurmuş sesiyle, müziğiyle, sanatçı kişiliğiyle, Kürtlerin kahramanı olmuş şarkılarıyla...

Perihan Mağden her zamanki sahici, samimi ve sivri dilli, özellikle bizim medya düzenini bombardıman ederken...

Gülten Kaya, Ahmet Kaya'dan, "İtirazları olan bir insandı," diye söz ediyor, 'sürgün acısı'ndan açıyor konuyu, eşini olağanüstü bir yalınlıkla, acıyı kendine saklayarak, içine bastırarak anlatıyor.

Ahmet Kaya'nın mezar taşının üstünde, *Sürgün Acısı* isimli şarkısından şu sözler yazılı:

> *Tarifi imkânsız acılar içindeyim*
> *Gurbette akşam oldu yine*
> *Rüzgâr peşindeyim*
> *Yurdumdan uzak yağmur içindeyim.*

Daha 43 yaşındaydı, gurbette öldüğünde...

Uzun bir Paris gecesi.

Ahmet Kaya'nın sevdiği Gare du Nord'un karşısındaki Terminus Nord isimli restoranda Ahmet Kaya'yı dinliyoruz eşim Ayşe'yle; kızı Melis'ten, Şivan'dan, Kendal'dan, Gülten Kaya'dan, sürgün dönemindeki Paris arkadaşlarından...

Devletin, 'linç gecesi insanları'nın hoyratlığı ne zaman bitecek?

"Hep yaşayacak Ahmet Kaya," diye bitiyor konuşmam, "çünkü onun '**Başkaldırıyorum!**' diyen sesi, haksızlığa, adaletsizliğe karşı olan vicdanlı insanların kulağında her zaman çınlamaya devam edecek."

> *Başbakan Yardımcısı Arınç,*
> *Meclis kürsüsünden Kürtçe*
> *konuşur, "Bilinmeyen bir dilde*
> *konuştu," diye geçer zabıtlara...*

Kürt sorunu ne mi?

En başta, Kürtlerin kendi ana dilleriyle bağını devlet zoruyla, yasaklarla, hapislerle, Ahmet Kaya örneğindeki gibi linçlerle koparmaya kalkışmaktır.

Yaşar Kemal'in 1990'lı yıllarda Devlet Güvenlik Mahkemesi'nde Kürt sorunundan dolayı yargılanırken dediği gibi: "Bir milletin dilini keserseniz, onu yok edersiniz. Kürtlerin dili kesildi, kesilmek istendi. Bu ne büyük bir vahşettir."

2010 yılı Aralık ayı. Ak Parti hükümetinin başbakan yardımcısı Bülent Arınç, meclis kürsüsünden konuşurken araya bir cümle de Kürtçe koyar. Bu konuşma meclis zabıtlarına şöyle geçer: "Bilinmeyen bir dilde konuşuldu."

Mehmed Uzun: "Sürgünden söz etmek zordur, söz gırtlakta kalır."

Diyarbakır, 17 Kasım 2006

Mehmed Uzun gayet sakin, sükûnet içinde, her noktasını, her virgülünü koyarak konuşuyor, iç barışını sağlamış insanlara mahsus bir özgüven havasında... O kadar yumuşak bakışlı ki, yüz ifadesi, yüz çizgileri öyle ki, özü sözü bir insan diyorsun.

Zayıflamış, süzülmüş.

"Mehmed Uzun geçen temmuz ortası Stockholm'den Diyarbakır'a geldiği vakit, ancak bir hafta on gün daha yaşar demişlerdi," diye anlatıyor Şeyhmus Diken, "donup kalmıştık. Modern Kürt edebiyatının ikinci adamı da, yirminci adamı da yoktu çünkü. Kürt dilini, modern edebiyatımızı dünyaya tanıtan tek edebiyatçımızdı, romancımızdı Mehmed Uzun... Onun için donup kaldık."

Kanser, midesinden vurmuş. Belki de uzun sürgün yıllarındaki kahredici çalışmaların ürünü...

Ya da sürgünün acısı...

Karısı Zozan başıyla onaylıyor.

Sürgünün yarattığı bir edebiyatçı Mehmed Uzun. *Yitik Bir Aşkın Gölgesinde* adını taşıyan romanının ön sayfasına "Sevgili Hasan Cemal, sürgünden söz etmek hep zordur, söz gırtlakta kalır," diye yazmış...

İsveç'teki sürgün yıllarından sonra ölmeye gelmemiş kendi topraklarına. "Yukarı Mezopotamya'nın şifa kaynağıdır," diyerek iyileşmeye gelmiş Diyarbakır'a...

Hastanenin önünde, Dağkapı Meydanı'nda onun için divan kurmuş dengbêjler. Şeyhmus'un deyişiyle "sözün bitmediği yerden seslenen" dengbêjler... Mehmed Uzun bir an önce şifa bulsun diye Kürtçe şarkılar, türküler söylemişler ona, Kürtçe destanlar okumuşlar.

Tıpkı çocukluğundaki gibi.

"Çocukluğumda dengbêjler vardı evimize gelen. Onlar, Kürtçe sözlü anlatımın ustalarıydı. Kürt klasik şarkılarını, destanlarını evimizde söylerlerdi."

"Türkçe konuş diye tokat yedim
ilkokul birin ilk gününde...
Türkçe bilmiyordum ki!"

1953 Urfa, Siverek doğumlu.

"Geniş bir aşiret eviydi," diye anlatıyor, "evde, mahallede Kürtçe konuşurduk. Ana dilimdi Kürtçe, konuşma dilim. Ama bana okuma yazma öğreten olmadı. Yıllar sonra 12 Mart'ta [1971], hapishanede öğrendim Kürtçe okuma yazmayı. 18 yaşındaydım. Musa Anter'le amca oğlum Ferit Uzun öğretti. Kürtçeyle ilk ciddi ilişkim böyle başladı."

"Siverek'te ilkokulun birinci günü bir tokat yedim, bugün bile aklımdan çıkmaz. Okul bahçesinde sıraya girmeye çalışırken aramızda Kürtçe konuşuyorduk. Bir tokat attı İstanbullu yedeksubay öğretmen, Türkçe konuş diye. Ama Türkçe bilmiyordum ki..."

Amin Maalouf, Lübnanlı yazar, *Ölümcül Kimlikler* isimli kitabında bir insanın ana diliyle bağını koparmak kadar tehlikeli bir şeyin olmadığını anlatır.

"Dili yasaklamak
insanlık suçudur!"

Mehmed Uzun şöyle diyor:

"Ben de bir tokatla tanıştım Türkçeyle. Benim ana dilimle bağım böyle koptu. Eğitim dilinin, kültür dilinin Türkçe olması, Kürtçeyle bağımı kopardı. Dili yasaklamak insanlık suçudur. İnsanı ana dilinden koparmak vahşettir. Bir insanı kendi dilinden koparmak, insanın ruhunu, kişiliğini zedeliyor, gelişimini engelliyor. Bence bu Kürtçe yasağı, Türkiye Cumhuriyeti'nin en büyük yanlışlarından biriydi."

Babasını anımsıyor:

"Altı kardeştik. Kürtçeyle bağımız kopmasın diye babam bize Kürtçe şarkılar söylerdi evimizde. Aile bir ikilem içindeydi. Bir yandan çocuklarının okumasını istiyorlardı. Onlardan esirgenmiş bir şeydi bu. Ama öbür yandan da kendi kültürümüze, dilimize olan bağlılık nasıl devam edecek diye kara kara düşünüyorlardı."

12 Mart darbesi...

"Tutuklandım, Kürtçülükten. 18 yaşındaydım. Duvarlara yazılar yazılmıştı Siverek'te. 28 kişi birlikte Diyarbakır Askerî Cezaevi'ne gönderildik. Kürtçeyle ilk ciddi tanışmam böyle oldu. Herkes vardı hapishanede. Tarık Ziya Ekinci, Mehmet Emin Bozarslan, Musa Anter, Ferit Uzun...

3 Mart 1972'de tutuklandım. Hem Kürt aydınları, öğrencileri vardı hapiste, hem de Kürt köylüleri ve Kürt ağaları, beyleri, yani eşraftan insanlar vardı, Barzani'ye yardım etmekten dolayı tutuklanan...

Aydınlar Türkçe konuşurdu, eşraf da Kürtçe...

Dengbêjler de vardı bizimle içeri atılan. Her lehçeden, yani Kurmancî, Soranî, Zazaca, her lehçeyi konuşan Kürtler vardı. Kürtçenin zenginliğini hapiste böyle tanıdım ilk kez. Sonraki sürgün yıllarımda Kürtçe roman dilimi geliştirmeye başlayınca, Kurmancî'nin başka ağızlarıyla da temasa geldim."

Sonra Diyarbakır'dan Ankara'ya, Mamak Askerî Cezaevi'ne gönderiliyor. O yıllardan bir acısı var Mehmed Uzun'un, hiç unutamadığı:

"Hapishanelerde, mahkemelerde Kürtçeye çok hakaret ediliyordu. Devlet Güvenlik Mahkemeleri'nde askerî savcılar, 'Kürtçe diye bir dil yok!' dedikçe, çok kırılıyordum. Kürtçenin zengin bir dil olduğunu, eski bir dil olduğunu, modern metinlerin de Kürtçeyle yazılabileceğini söylemek, göstermek istiyordum."

1976'daki davayı anımsıyor.

Rızgari davasını...

İsmail Beşikçi'nin de imzasız yazı yazdığı *Rızgari* dergisinde sorumlu yönetmenliği var Mehmed Uzun'un. Derginin siyasal çizgisi muhalif ve de radikal...

9 ay hapis yatıyor 1976'da.

"DGM'de askerî savcı, iddianamesinde Kürtçe diye bir dil yok diyordu. Nasıl olur?" diye anlatıyor Mehmed Uzun, "ben bu dille doğdum. Anamla babamla bu dili konuştum. Kürt yok, Kürtçe yok dediklerini duydukça, o kadar kırılıyordum ki... Mahkemede, böyle bir durumda, insan kendini çok güçsüz hissediyor, çaresiz hissediyor. Böyle hukuk olur mu diye haykırmak geliyor içinden... Böylece bir duygu tomurcuklanması yaşamaya başladım hapishanede, modern bir dil olarak Kürtçeyi edebiyatta kullanmak için..."

Hapisten kararlı çıkıyor.

Mahkûmiyetinin kesinleşeceğini anlayınca da sürgüne, İsveç'e gidiyor.

Şöyle diyor Mehmed Uzun:

"Eğer sürgüne gitmeseydim, yaratmış olduğum Kürtçe edebiyatı yaratamazdım."

Sürgünde öteki Kürtlerle, Suriyeli, Iraklı, İranlı, Kafkasyalı Kürt yazarlarla temasa geçiyor. Cegerxwîn, Osman Sabri, Hasan Hişyar, Ruşen Bedirhan, Nurettin Zaza, İbrahim Ahmet, **Kürt milli marşının yazarı** olarak belirttiği İranlı bir Kürt olan Hejar...

Daha çok 1920'lerde, özellikle Şeyh Said İsyanı sonrasında Türkiye'den Suriye'ye göç etmiş, Latin harfleriyle yazan Kürt edebiyatçılarıyla tanışma, öğrenme dönemi...

Zorluğunu şöyle anlatıyor:

"Kürtçe roman yazmak, Türkçe ya da Farsça yazmak gibi değil. Çünkü senin dilin yasaklı bir dil. Eğitimden, iletişimden, modern yaşamdan uzaklaşmış bir dil. İğdiş edilmiş bir dil yani. Bu dille zengin, modern bir edebiyat yapmak çok zordu."

Burada ekliyor:

"Orhan Pamuk'un böyle bir zorluğu yoktu. Çünkü kendi ana diliyle, Türkçeyle yazıyor. Zengin bir edebiyatı, gelişmiş bir dili var. Kitapları, yazarları, okulları, üniversiteleri, sözlükleri, ansiklopedileri var. Ama ben oturup Kürtçe yazmaya karar verdiğim zaman, bunların hiçbirisi yoktu. Hiçbirine sahip değildim. Bütün bunlardan yoksun olarak da zengin bir roman dili geliştirmek çok zordu."

Duruyor, düşünüyor. Yutkunarak konuşuyor yeniden:

"Kürtçe roman yazmaya başladığım zaman elimde Musa Anter'in 1960'larda hapiste hazırladığı incecik bir sözlük vardı. Bir de Mehmet Emin Bozarslan'ın sözlüğü, 19. yüzyıldan kalma bir sözlüğün çevirisi... Türkiye'ye gelemiyordum. Daha çok Suriye'ye gidip Kürtlerle, halktan insanlarla, amatör şair, şarkıcılarla, dengbêjlerle birlikte oluyor, Kürt dilini keşfediyordum. Çiçeklerin, ağaçların, kuşların Kürtçe isimlerini öğrenip kaydediyordum. Diaspora'da benden önce yapılmış Kürtçe edebi çalışmaları, dergileri, kitapları tanıyordum."

Araya giriyorum:

"Kahredici bir çalışma bu, anlaşılan sonunda midene vurdu."

"Galiba," diyor Mehmed Uzun. Odanın bir köşesinde bizi sessizce izleyen Zozan [Türkçesi Yayla], yine başıyla onaylıyor.

Mehmed Uzun itiraf ediyor, 1970'lerde siyaseten çok keskin, radikal olduğunu. "O zamanki Türkiye ortamı da insanı keskinleştiriyordu," diyor.

Zaman içinde törpüleniyor.

Siyasal çizgiler yumuşuyor.

Siyasetin ağır basmadığı bir hayattan yana kullandığı tercihini şöyle gerekçeliyor:

"Kürtçe yeni bir şeyler yapmak istiyordum, modern bir şeyler. Bunun eksikliğini içimde sürekli hissediyordum."

Kürt edebiyatında Mehmed Uzun'a kadar geleneksel çizgiler ağır basar. Yerel, taşralı ya da şehirli olmayan bir edebiyat...

"Kapalı toplumun ürünüydü bu edebiyat," diyor Mehmed Uzun, "modern değildi. Açık topluma, demokratik, çağdaş topluma, bugüne ait Kürtçe bir roman dili, bir edebi dil yakalamak istiyordum. Bunun için Kürtçenin canlandırılması, yenilenmesi ve tabii sevdirilmesi gerekiyordu."

Romanlarını Türkçe değil, Kürtçe yazmak için ilke kararı alıyor. Denemelerini, makalelerini ise Türkçe yazıyor.

İlk Kürtçe romanının adına gelince:

Tû!

Türkçesi "Sen"...

Peki, neden Sen?

"Kürtlerde birey mefhumu çok zayıftı. Hep cemaat-kul ilişkisi ağır basıyordu. Siyasal Kürt örgütlerinde de böyleydi. Stalinist, totaliter çizgiler belirgindi her zaman. İllegalite de sorundu. Bu nedenle insani, entelektüel ilişkiler geri plana itilmişti. Buna karşı çıktım. Bu ilişki yapısını eleştirdim. Onun için *Tû*, yani "Sen" koydum ilk Kürtçe romanımın adını, bireyi öne çıkarmak için..."

Mehmed Uzun, Muhsin Kızılkaya'nın deyişiyle, Kürtçenin çiğnenen onurunu kurtarmak için yürümeye başlıyor.

Kürtler, PKK
ve bağımsız aydın duruşu...

Bu arada ekliyor:

"PKK ile ilişkilerimde de pürüzler yaşadım bu yüzden. Bağımsız aydın duruşuna alışık değiller. Mesafe koydum. Düşmanlık içinde olmadım, ama gerektiğinde eleştirel de bakabildim."

Bağımsız aydın duruşu...

Bu konuyu çok önemsiyor.

Dedikleri şöyle:

"Kendi yazarlığımı, bir siyasi propaganda aracı, bir ideolojik araç olarak görmedim. Edebiyatın kendisine özgü kaygıları, kuralları var. Bunlara uymak, bu konuda özen göstermek gerekir. Bu yüzden Kürt siyasetine, örgütlerine dönük mesafemi korumaya çalıştım. Tabii onlara çok uzak, çok tepeden bakarak değil. Tartışma ve diyalog kanallarını da kapamadım. Ben farklı bir şey yapıyordum."

Neydi bu farklılık?

Bu sorunun bir yanıtı, Mehmed Uzun'un sık kullandığı bir sözcükte düğümleniyor:

Hümanizm.

"Kendimden söz etmeyeyim ama," diye başlıyor, "hümanist bir tutum içinde olmam lazım diye düşündüm. Kürt dilinin bütün temsilcileriyle, hiç ayrım yapmadan, sağcısıyla solcusuyla, dincisiyle laikiyle, Nurcusuyla Süleymancısıyla genciyle yaşlısıyla, Iraklısıyla, Suriyeli ya da İranlısıyla, hepsiyle iletişim kurdum."

Mehmed Uzun bir an susuyor, sonra bir cümle daha:

"Ben sürgün yazarıyım!"

Ne demek sürgün yazarı?

O cümlesi aklıma takılıyor:

"Sürgünden söz etmek hep zordur; söz gırtlakta kalır çünkü..."

Sürgün, bir yerde çokkültürlülük demek. Birden çok dille, kültür ortamıyla içiçe yaşamak mecburiyeti demek. Kürtçeydi, Türkçeydi, İsveççeydi derken, insanın kendi kişiliğinde hissetmeye başladığı parçalanmışlık, bölünmüşlük duygusu demek...

Mehmed Uzun'un yorumu şöyle:

"Ama unutma, bu çokkültürlülüğü bir güç haline getirmek de mümkün..."

Mehmed Uzun, Orhan Pamuk'a Nobel Edebiyat Ödülü verilmesinden dolayı Türkiye'de yapılanları kınıyor. Bunları 'kışla kültürü'nün bir ürünü sayıyor. "Bir aydın, neden resmi ideolojinin doğrularıyla davransın ki?" dedikten sonra şunları ekliyor:

"Çin hariç hiçbir ülkede Orhan'a yapılanlar yapılmadı. Jose Saramago, Portekiz'de düzen karşıtı ve komünist bir edebiyatçıydı. İspanya'da yaşadı bu yüzden. Ama Nobel'i alınca Portekiz'de de yüceltildi, cumhurbaşkanına kadar herkes kutladı. Macar Yahudisi İmre Kertesz de Macaristan'da değil, Berlin'de yaşadı, ülkesindeki düzeni eleştirdi. Fakat edebiyatta Nobel'i alınca, Macaristan da kendisini bağrına bastı. Harold Pinter, Günter Grass, onlar da kendi ülkelerinin, İngiltere'nin, Almanya'nın geçmişini, düzenini sorgulayan radikallerdi. Nobel'i aldılar ama Orhan Pamuk'un karşılaştığı gayrimedeni davranışları yaşamadılar kendi ülkelerinde. Orhan'a yapılanlar, bir tek Çin'de Gao Ziyang'a yapıldı. *Ruhlar Dağı*'nın yazarı Ziyang, biliyorsun, Mao Çini'nde, Kültür Devrimi sırasında kitapları yakılmış, Paris'e kaçmak zorunda kalmıştı. Nobel'i alınca, Çin Komünist Partisi Gao Ziyang'ı neredeyse vatan haini ilan etti."

Şöyle devam etti:

"Maalesef Orhan Pamuk'a uygarca davranılmadı, sürekli pompalanan milliyetçilik yüzünden..."

Ve noktayı şöyle koydu:

"Kürt sorunu ne mi? Resmi ideoloji, Türkiye'ye giydirilmiş bir deli gömleğidir. Türkiye gerçekten modern olmak istiyorsa, bu taşralılıktan kurtulması gerekir."

Acılar olgunlaştırıyor!

Mehmed Uzun, modern Kürt edebiyatının dünyadaki en büyük ismi, silah ve şiddetle arasına mesafe koymuş bir barış insanı.

Kanserle boğuşmak ve şifa bulmak için 2006 yazında geldiği Diyarbakır'da barış güvercini olmuş. Diyarbakır onu bağrına basarken, o da barışın odak noktası olmuş bölgede.

Bugüne kadar bir araya gelemeyenleri, farklı siyasetlerin ayırdığı Kürt aydınlarını buluşturmuş, barıştırmış. Bir zamanların 'radikal'i Mehmed Uzun... Ama şimdi barışa, demokrasiye giden yolun ille de savaştan, silahtan, zordan, şiddetten geçmediği gerçeğini içine sindirmiş.

Ağzından sözcükler tane tane dökülen, yumuşacık konuşan Mehmed Uzun'u dinlerken yine düşünüyorum:

"Acı olgunlaştırıyor!"

Barışa ulaşmak, ama nasıl?

Şöyle yanıtlıyor Mehmed Uzun:

"PKK de değişmeye başladı. Eskisi gibi değil. Şiddetle Kürt sorununu çözmenin mümkün olmadığı gittikçe daha çok anlaşılıyor. Devlet de şiddet kullanarak bu sorunu ortadan kaldıramaz. Kaldırabilmiş olsa seksen yıldır kaldırırdı."

Ne yapmalı sorusuna Mehmed Uzun'un kısa yanıtı:

"Kürt dilinin, Kürt kimliğinin önündeki engelleri kaldırmak... Kürt'ün kendini Kürt olarak daha rahat ifade edebilmesi... Göçün, işsizliğin acılarını sarmak... Kürtlerin sivil siyasete, demokratik siyasete daha çok katılımlarını sağlamak... Bakın, yüzde 10 barajıyla olmuyor, iki milyon oy boşa gidiyor. Kürtler dışlandıklarını, parlamentoda temsil edilmediklerini söylüyorlar ki, bu konuda son derece haklılar. Bu dışlanmışlığa da son vermek lazım."

Bir de AB'yi destekliyor:

"AB sürecini sonuna kadar destekliyorum. Türkiye mutlaka AB'ye girmeli, Avrupa'ya ait olmalı. Bölge halkı da AB sürecini yakından izliyor, önemsiyor. Değişime son derece açık, Kürtler. Ama buna yardımcı olmak için devletin de 'resmi görüş'ünü değiştirmesi gerekiyor. Bu arada AB konusunda hükümetin attığı bazı adımlar devrim niteliğinde..."

Uzun lafın kısası:

Mehmed Uzun artık silah sesi duymak istemiyor!

Mehmed Uzun'u dinlerken bir kez daha düşündüm. Çekilen sıkıntı ve acılar, bu dünyada güzeli yakalamanın faturası oluyor. İnsan hayatında da, toplum yaşamında da öyle. Anlaşılan o faturayı ödemeden barış da gelemiyor, demokrasi de, hukuk da.

Bunu kendi yaşamıyla en iyi bilenlerin başında hiç kuşkusuz Mehmed Uzun gelir.

Kanser, olanca acısıyla midesine vurdu ama Uzun'un sözü öylesine değer kazandı ki, bu topraklarda da barış ve kardeşliğin kıymeti böylece daha çok anlaşıldı.

Mehmed Uzun, 11 Ekim 2007'de Diyarbakır'da hayata gözlerini yumdu.

"Ya ana dilde eğitim hakkım,
ya da şu dağlar..."

Cengiz Çandar anlatır:

"Yıl 1995. Van'dan Ahlat'a giderken Tatvan'da durmuştuk. Sokakta tanıyanlar çıktı. Orta yaşlı, iyi giyimli biri yaklaştı. Tatvan'ın yaslandığı Hizan yönündeki yüce dağları göstererek 'Bakın,' dedi, 'eğer ana dilde eğitim hakkı verilmezse, bu yaşımda şu dağlara çıkarım ben.'"

Devam etti:

'Ben çocuğumu Kürtçe okutan bir okula göndermeyebilirim. Hatta imkânım olsa, Türkçe okutana da değil, İngilizce eğitim verene gönderirim. Ama ana dilde eğitim benim hakkım. Hakkımı elde etmek için kellemi verebilirim. Sahip olduğum hakkı nasıl kullanacağım ise bana ait...'

Ana dilde eğitim hakkı, yeme içme gibi bir haktır. Tartışma götürmemesi gereken bir konudur. Hatta bu yönüyle siyasi değil, 'ahlaki' bir meseledir."[1]

Evet öyledir.

Devlet bugün 'Kürt kimliği'ni tanıyorsa, Kürtçeyi tanımak zorundadır. Dili tanımadan kimliği tanımış olamazsın, bu bir aldatmacadır çünkü.

Bir dili tanımak ise onu tüm yasaklardan arındırmakla mümkündür.

Kürtlerin de 'birinci sınıf' vatandaş olduğu iddian varsa, Kürtçeye ilişkin tüm yasakları kaldırman gerekir. Kürtler ancak böyle 'eşit vatandaş' olabilir Türkiye'de.

Bunun için de 12 Eylül anayasasının "Türkçeden başka hiçbir dil, eğitim ve öğretim kurumlarında Türk vatandaşlarına ana dilleri olarak okutulamaz ve öğretilemez..." diyen 42. maddesinden kurtulmaktan başka çare yoktur. Kürtler için 'eşitlik' ve 'birinci sınıflık' ancak o zaman Türkiye'nin kapısını çalar.

Kürtçe eğitim bir yana, Türkiye daha Kürtçe konuşulmasına ilişkin birçok yasaktan bile arınabilmiş değildir. Hâlâ o kadar çok örnek verilebilir ki.

DTP Genel Başkanı Ahmet Türk, 2009'un Şubat ayında Kürtçe konuştu, partisinin meclis grubunda.

Kıyamet kopmadı.

Ama 1991 yılı Kasım ayında, TBMM'deki yemin töreni sırasında Leyla Zana, meclis kürsüsünden Kürtçe konuşmayı deneyince kızılca kıyamet kopmuş, siyaset meydanı birbirine girmişti.

1980 öncesi Ecevit hükümetinde Bayındırlık Bakanı olan Şerafettin Elçi, meclis kürsüsünden "Evet ben Kürdüm!" deyince ortalık fena halde karışmıştı. 12 Haziran 2011 seçimlerinde BDP milletvekili olan Elçi, 12 Eylül Darbesi'yle birlikte mahkûm edilerek hapse atılmıştı.

Yıllar geçti, evet olumlu değişiklikler yaşandı. Belki birçok şeye de alıştık. 24 saat Kürtçe yayın yapan bir devlet kanalı, *TRT 6* var. Başbakan Erdoğan bu kanalı açarken Kürtçe bile konuştu.

Ama Kürtçe yasakları bitti mi?

Hayır bitmedi.

Kürtçeye ilişkin yasak ve baskılar devam etti gitti.

İşte bazı düşündürücü örnekler:[2]

---

1 Cengiz Çandar, *Radikal*, 28 Eylül 2010.
2 Bu bölüm, Baskın Oran'ın 25 Mayıs 2008 ve 15 Şubat 2009 tarihli *Radikal İKİ*'deki yazılarından özetlendi. Dil uygulamaları açısından Fransa örneğini

Davet edildikleri ABD'de sekiz dilde şarkı söyleyen Diyarbakır Yenişehir Belediyesi Çocuk Korosu'ndan üç çocuğa, 1940'ta yazılmış *Ey Raqîp* adlı Kürtçe bir marş da okudukları için "terör örgütünün propagandasını yapmak"tan beş yıl istemiyle dava açıldı.

Hazırladığı bir iddianamede "Sözde Kürt halkı" diyen savcı hakkında Kürtçe bir şikâyet dilekçesi veren yayıncı Mehdi Tanrıkulu, dilekçesinde w, q gibi harfler bulunduğu için, 1928 tarihli "Türk Harflerinin Kabulü ve Tatbiki Hakkında Kanun"a muhalefetten mahkemeye verildi.

Duruşmada tercüman yardımıyla Kürtçe ifade ve ayrıca Kürtçe yazılı savunma veren Tanrıkulu, 'Koridorlarda Türkçe ama duruşmada Kürtçe konuşmuştur, maksadı üzüm yemek değil bağcı dövmektir' gerekçesiyle ve 'suç işleme konusunda ısrarlı pervasız tutumu, kastının yoğunluğu, geçmiş mahkûmiyet durumu dikkate alınarak' beş ay hapse çarptırıldı.

Savcılık, Kürtçe yazılı savunma için yine 1928 tarihli yasaya muhalefetten Tanrıkulu hakkında ikinci bir dava daha açtı.

DTP'nin Nevruz için bastırdığı, üzerinde 'Kum saati içinde bir çift göz ve kaş'ın yer aldığı afiş, "muhtemelen Abdullah Öcalan'a ait olduğu" ve ayrıca "Êdî Bese" (Artık Yeter) cümlesinin Zazaca, İngilizce ve İspanyolca versiyonlarını içerdiği için Diyarbakır 5. Ağır Ceza Mahkemesi'nce toplatıldı, karar Van'da da uygulandı.

Kürtçe konusunda açılan bazı başka soruşturma ve dava örnekleri şöyle:

Hapiste annesiyle Kürtçe konuşmak (*Radikal*, 15.05.08).

Cep telefonuyla sokakta Kürtçe konuşmak (*Radikal*, 06.06.08).

Parka Kürtçe çiçek adı vermek (*Antenna*, no. 25, 15.08.08).

Kürtçe cola markası yapmak (*Radikal*, 30.08.08).

Kürtçe seçim konuşması yapmak (*BİA*, 12.09.08).

Kürtçe pankart asarak bayram kutlamak (*Radikal*, 02.10.08).

Mahkemede Kürtçe savunma yapmak (*Taraf*, 11.10.08).

TBMM'ye Kürtçe davetiye yollamak (*Taraf*, 03.11.08).

Kürtçe bayram tebriği yollamak (*Radikal*, 23.11.08).

Mezar taşına Kürtçe "El Fatiha" yazdırmak (*Radikal*, 23.11.08).

Kürtçe hatır sormak (*Taraf*, 07.12.08).

Q, w, x harflerini kullanmak, hatta isminde varsa, bununla yurt dışından giriş yapmak (*Radikal*, 27.12.08).

öğrenmek isteyenler, yine Baskın Oran'ın *Ulus-devlet Fransa* başlığını taşıyan, 28 Eylül 2008 tarihli *Radikal İKİ*'deki yazısını ve yine Baskın Oran'ın İletişim Yayınları'ndan 2010'da çıkan *Türkiye'li Kürtler Üzerine Yazılar* isimli kitabını okuyabilir.

Kürtçe su istemek ve Kürtçe "merhaba" demek (*Radikal*, 13.01.09).

Öte yandan, KCK davasında sanıkların Kürtçe savunma yapmaları Diyarbakır'da engellendi.

Kürtçeyi cumhuriyetin kuruluşundan beri hedef almış olan bütün bu engellerin temel insan haklarını çiğnediğini, insanlığa karşı suç oluşturduğunu, insanın kendi ana diliyle bağını koparmaya kalkışmanın gerçekten bir vahşet olduğu gün gelecek bu topraklarda da anlaşılacak.

Ama yazıktır çekilen acılara.

Bakın, sınırın biraz ötesinde de Kürtler yaşıyor, Irak Kürdistanı'nda. Yirmi yıldır kendi okullar var Kürtçe, kendi üniversiteleri var Kürtçe, kendi radyo ve televizyonları, gazeteleri var Kürtçe...

Kürtçe eğitim görüyorlar.

Kendi parlamentoları var.

Hükümetleri var.

Belediyeleri var.

Polisleri, askerleri var.

Üstelik petrolleri var, refah çıtaları gitgide yükseliyor.

Güneyde, hemen sınırlarımızın dibinde.

Farkında mısınız?

Sizi bilmem ama Türkiyeli Kürtler çok iyi farkında ve de gururla izliyorlar Irak Bölgesel Kürdistan yönetimindeki gelişmeleri...

Ve bu memlekette **bölücülük** değirmenine hâlâ su taşımaya demokrasi ve insan haklarını hiçe sayanlar devam ediyor.

DOKUZUNCU BÖLÜM

Tarihimiz acılarla tanıktır ki, Kürt sorunu askere bırakılmayacak kadar önemli bir sorundur!

Yıl 1931

Genelkurmay Başkanı Orgeneral Fevzi Çakmak, zamanın hükümetine verdiği raporda der ki:

"Dersimli okşanmakla kazanılmaz!"

Yıl 1960

27 Mayıs Darbesi'nin lideri, Genelkurmay Başkanı Orgeneral Cemal Gürsel Diyarbakır'da der ki:

"Ben Kürdüm diyenin yüzüne tükürürüm."

Yıl 1980

12 Eylül Darbesi'nin lideri, Genelkurmay Başkanı Orgeneral Kenan Evren, Kürtçe konuşulmasını kanunla yasaklar.

Yıl 2007

27 Nisan e-muhtırasının yazarı, Genelkurmay Başkanı Orgeneral Yaşar Büyükanıt, gece yarısı genelkurmayın internet sitesinde yayınladığı bildiride der ki:

"Cumhuriyetimizin kurucusu Ulu Önder Atatürk'ün, 'Ne mutlu Türküm diyene!' anlayışına karşı çıkan herkes Türkiye Cumhuriyeti'nin düşmanıdır ve öyle kalacaktır."

27 Nisan Muhtırası bir kırılma noktası oldu. Çünkü Erdoğan hükümeti muhtıra karşında dik durdu.

Bu bir ilkti.

Başbakan Erdoğan'ın asker karşısında eğilmeyen bu tutumuyla birlikte **askerî vesayet sistemi** Türkiye'de inişe geçti. Askerin demokrasi ve hukukun üstünlüğünü kösteklleyen freni boşalmaya başladı.

Askerin **Çankaya kalesi** de Abdullah Gül'ün 22 Temmuz seçimleri sonrasında Ak Parti tarafından Cumhurbaşkanı seçilmesiyle düşecekti.

Benim de ilk günden muhtıraya amasız **hayır** diyerek destek verdiğim, Tayyip Erdoğan'ın bu dik duruşuyla Türkiye'de sivilleşme, demokratikleşme süreci nihayet hızlanmaya başladı.

Türkiye'yi kanatan Kürt sorununa sivil ve demokratik bir çözüm bulunması açısından büyük önem taşıyan bu süreci, 2010 Mayıs ayında çıkan *Türkiye'nin Asker Sorunu* isimli kitabımda anlatmıştım. 27 Nisan Muhtırası sonrasında Ak Parti 22 Temmuz 2007'de erken seçime gitme kararı aldı. Asker önünde eğilmeyen Tayyip Erdoğan Kürtler arasında büyümüştü. Ben de nabız tutmak için Güneydoğu yollarına koyuldum.

*"Ak Partili değilim ama oyum
Ak Parti'ye, çünkü dik durdu!"*

Şırnak, 5 Temmuz 2007
Bu bölgede herkesin anlatacak bir hikâyesi var. İnsanın yüreğini burkan hikâyeler...
İdil'de bir et lokantası, Divan Restoran. "Çok severdim, ninenim ismini koydum," diyor Yusuf Vesek.
Anlatıyor:
"12 yıl hapis yattım. Bak, fırının başında hamur yoğuran oğlum Ali, o da 6 yıl yattı. Mazlum, 1 yılla kurtardı, Adana'da okuyor. Büyük oğlan, Ramazan kasada... CHP'de, SHP'de siyaset yaptık. Hiçbir işe yaramadı. DTP'yi destekliyoruz. 15 yaşında Adana'nın bir köyünde çobanlık yaparken, bana ilk Türkçe kelimeyi bir Yörük kadını öğretti. Sonra da Kürt'üm diyebilmenin cesaretini bana bazı Türk aydınları verdi."
Devam ediyor:
"Benim gençliğim gitti. Hapse girdiğim için kızlarımı okutamadım. Hepsi okulu terk etti. Benim aileme yapılan tahribatı artık kimse tamir edemez. Buraları yazarken itinayla yazın, kelimeleri seçerken daha duyarlı olun."
İdil'in Nevzat Çay Ocağı.
Kürsülere oturmuş, etrafta millet, Şırnak bağımsız adayı Hasip Kaplan'la siyaset konuşuyoruz sabah vakti. Küçük çukur tabaklardaki 'meyir'i kaşıklıyor, çayla 'sirik peynir'i yiyoruz.
Meyir, koyu cacık gibi. Ama içinde salatalık yerine, buğday taneleri var. Sirik ise Şırnak dağlarından toplanan bir bitki...
Hasip Kaplan, İdilli.

Aşiret bağları var. İstanbul Üniversitesi Hukuk Fakültesi mezunu bir insan hakları avukatı. 1984'le 1993 arasındaki en sıcak zamanlarda o İdil'de, Orhan Doğan Cizre'de avukatlık yapmış. Çok sevilen, sayılan bir insan.

Güneydoğu'daki insan hakları ihlallerini, 1989'da Cizre'nin Yeşilyurt köylülerine dışkı yedirilmesi olayıyla ilk kez Avrupa İnsan Hakları Mahkemesi'ne [Türkiye 1987'de, Başbakan Özal döneminde bireysel başvuru hakkını kabul etmişti] taşıyan hukuk adamı... Diyarbakır kahvelerinde olduğu gibi burada da duyuluyor şu sözler:

"Ak Partili falan değilim. Ama bu kez oyum Ak Parti'ye. Cumhurbaşkanı seçiminden, askerî muhtıradan dolayı... Dik durdular."

Hasip Kaplan, 20'nin üzerinde bağımsız milletvekiliyle 22 Temmuz sonrası parlamentoda grup oluşturmasına kesin gözüyle bakılan DTP'ye (Demokratik Toplum Partisi) bölge halkının mesajı nedir sorusunu şöyle yanıtlıyor:

"Bize verilen mesaj çok net: 'Yeter artık, gençlerimiz de ölmesin, askerlerimiz de! Seçilirseniz, bizim bu sesimizi Meclis'te duyurun.' Annelerin yüreği yanıyor. Hem Kürt annelerinin, hem Türk annelerinin yüreği..."

Hava çok sıcak.

Öğle vakti Kasrik Boğazı'ndan Şırnak'a doğru yol alıyoruz. Sağ taraf Cudi Dağı, arkası da Irak. Sol taraf, Gabar Dağı. Ortasından Kızıl Su akıyor. Yeniden askerî kontrol noktaları kurulmuş. Kimliklerimizi gösterip geçiyoruz.

Hep aynı düşüncelerle kim bilir kaç kez tırmanıyorum Kasrik Boğazı'nı. Barış gelse, bu harikulade doğa, turizm yoluyla bu coğrafyayı ihya eder!

Orhan Doğan'dan: "Kelepçeli çözüm mantığı dayatılmaz!"

Cizre, 6 Temmuz 2007

Dicle Nehri'nin dibindeki Atatürk Parkı taziye çadırı olmuş. Yaşamının on buçuk yılını hapiste geçiren eski DEP milletvekili, Cizreli insan hakları avukatı Orhan Doğan'ın yası tutuluyor.

Üçüncü gün, hâlâ dolup dolup boşalıyor taziye çadırı. Görkemli bir cenaze töreninin ardından, siyahlar giyinmiş ailenin önünde uzun kuyruklar oluşmaya devam ediyor.

İki ağacın arasına asılı:

"Özgürlük ve demokrasi şehidimiz Orhan Doğan; unutmayacağız."

Sabah vakti sıcak, yaprak kımıldamıyor. Acı yüklü sessizlikte Bitlisli ozan Seydayê Xelat'ın titreyen sesi yükseliyor, benim anlamadığım bir dilde, Kürtçe:

"Halk onu kendi kalbine gömdü."

Orhan Doğan için yazdığı şiirini okuyor. Kırmızı gülün tazeliğinden, seher yelinden söz ediyor. Bilge ve yiğit insan Orhan Doğan'ın ölümüyle Kürdistan'ın sarsıldığını söylüyor.

Herkes başını önüne eğmiş. Öyle kımıldamadan, sessizlik içinde dinliyor Bitlisli ozanı. Siyah çarşaflı kadının yanaklarından sicim gibi gözyaşı akıyor.

Düşünüyorum.

Batıda şehit cenazeleri...

Doğuda taziye çadırları...

Ölüm!

Her iki tarafta da analar babalar var, derin acılarla yüklü. Acıları karşılaştırmak yanlış. Herkesin kendi acısı var. Ama herkes sadece kendi acısını düşünmesin. Acıları ne kadar ortaklaştırabilirsek, o kadar büyük mesafe alırız barış yolunda...

Hasip Kaplan:

"Kim geliyor, tanıdınız mı?" diyor, "Yeşilyurt Köyü'nün muhtarı Abdurrahman Müştak..."

Fotoğraflarından tanıyorum.

Hasan Cemal deyince o da beni hatırlıyor, sarılıp öpüyor.

1989 yılıydı

Cumhuriyet'te genel yayın müdürüydüm. Celal Başlangıç Cizre'den bir haber göndermişti, Yeşilyurt Köyü'ne yapılan bir askerî operasyonda muhtara ve bazı köylülere dışkı yedirildiğine dair...

Avukat Hasip Kaplan, köylüler adına şikâyet dilekçesini savcılığa vermişti. Ben bu dilekçeyi herhangi bir yorum yapmadan köşemde yayınlayınca kıyamet kopmuş ve Türkiye'yi ilk kez Avrupa İnsan Hakları Mahkemesi'ne götürecek ve mahkûm olmasına yol açacak bir süreç başlamıştı.

Acılar olgunlaştırıyor mu?

Bilemiyorum.

Biraz ileride Leyla Zana, Selim Sadak. Benim yanımda Hatip Dicle. Orhan Doğan'la birlikte on buçuk yıl hapis yatan eski DEP milletvekilleri. Kürtlerin arasında hepsi kahraman gibi muamele görüyor. Özellikle Leyla Zana efsane isim haline gelmiş...

Orhan Doğan'ın 2 Mart 1994'te, dokunulmazlıklarının kaldırılıp hapse atıldıkları gün meclis kürsüsünden yaptığı son konuşmanın metnini veriyor Hasip Kaplan.

Şu satırların altını çiziyorum:

"Sevgili arkadaşlar;

Kürt sorunu yıllardan beri tekdüze, alışılagelmiş ve sonu hep kan ve gözyaşıyla boğulmuş yöntemlerle çözülmeye çalışıldı. Bizim Kürt sorununun çözümüne ilişkin görüş ve düşüncelerimiz farklı olduğu içindir ki, sanık sandalyesine oturtulmak üzereyiz. Kelepçeli çözümde ısrar etmenin mantığını anlamak mümkün değildir. Nasıl ki tek çiçekli bir bahçe, tek sazlı bir orkestra olamazsa, Türkiye insanının da tek tip düşünmesi beklenmemelidir. Türk ve Kürt halkları da kendi özgün kimlik ve kültürünü geliştirerek bir arada yaşama şansına sahiptir hâlâ... Asıl bölücü olanlar, seçilmişleri daha yargı kararı bile olmadan hain ilan edebilenlerdir."

On üç yıl geçmiş.

Bu konuşmayı yaptıktan birkaç saat sonra bileklerine meclis çatısı altında kelepçe vurulup karga tulumba polis otosuna atıldıktan sonra hapishaneye götürülmüştü.

Hatip Dicle'yle ilk kez 1992 yılında Diyarbakır'da uzun bir röportaj yapmıştım. O zaman DEP milletvekiliydi. İstanbul Teknik Üniversitesi'ni 1979'da birincilikle bitirmiş bir mühendis...

Çekilen acılardan söz ederken şöyle diyor:

"Geçenlerde oturup acıların listesini çıkarmaya, kâğıda dökmeye çalıştım. Tam 36 yakın arkadaşım faili meçhul cinayete kurban gitmiş. Vedat Aydın'dan başlayarak, Mehmet Sincar'a, Musa Anter'e kadar 36 yakın arkadaş..."

Herkesin o kadar meşru acıları var ki, yürekleri hiç durmaksızın dağlayan. Evet, batıda şehit cenazeleri, doğuda taziye çadırları... Herkes birbirinin meşru acısını anlamaya çalışmak zorunda...

Siyah çarşaflı kadınlar uzun bir kuyruk oluşturuyor taziye çadırında. Hatip Dicle "Bu bir ilk," diyor, "siyah çarşaflı kadınların gelip el sıkarak taziyede bulunmaları, buralara da mahsus bir ilk..."

Kuzey Irak'tan, Zaho'dan gelenler de kuyrukta bekliyor. Cenazeye büyük katılım olmuş Kuzey Irak'tan da...

Diyor ki:

"Bölge halkı cenaze haberlerini daha çok Barzani'nin *Kürdistan TV*'sinden, Talabani'nin *Kürt-Sat*'ından izledi. Eskiden böyle değildi. Irak'taki Kürt televizyonları bize fazla ilgi göstermezdi. Şimdi öyle değil, her gün Güneydoğu'dan birçok haber veriyorlar. Habercileri çalışıyor bölgede... Son zamanlarda *Roj TV* bölgede iyi izlenemiyor, çünkü yayın bozucu faaliyet var."

Diyarbakır'dan İdil'e, Cizre'den Şırnak'a, Genç'ten Bingöl'e, Bingöl'ün Çeltiksuyu Köyü'ne, dört gün boyunca nereye gittiysem, her yerde Kuzey Irak'ı da sordum. Orada olan bitene büyük ilgi elbette sürpriz olmadı benim için.

"Kuzey Irak'a askerî
müdahale rahatsız eder!"

Bingöl, 7 Temmuz 2007

Sabah vakti erken Diyarbakır'dan yola koyulduk. İki yanımız uçsuz bucaksız sarılık, güneş altında göz alıyor. Ekinler yeni biçilmiş, ot kokusu güzel.

Dağlara doğru Terkan Ovası uzanıyor. Beş altı yıl önce bu yol güvenlik gerekçesiyle kapalıydı.

Hani, Lice, Kulp.

1970'lerin sonunda Apo'nun Lice yakınlarında ortadan kaybolup örgütün yapısal çalışmalarını yaptığı söylenir. Bu coğrafya dün olduğu gibi bugün de hareketli. PKK'nin aktif olduğu bir bölge. Yani çatışma, sıcak temas, mayın...

Dağlar başlıyor.

Arkasından Fis Ovası.

Hani kavşağında jandarma kontrol noktası, durdurmuyorlar. Bingöl il sınırından geçtikten sonra tepelerde bir zincirin halkaları gibi belirli aralıklarla askerî düzenler dikkati çekiyor.

Yollar çok virajlı.

Bingöl'e doğru iniyoruz.

Murat Nehri'nin kıyısında, yeşiller içinde Genç ilçesi. Çam ağaçlarıyla kaplı bir yamaçtan silahlı askerler tek kol halinde yola iniyor.

Ağaç biçme atölyesinde mola.

Berat Ticaret yazıyor üstünde.

Bilgiçlik taslıyorum:

"Bingöl öteden beri muhafazakâr bir yermiş. Aşiret ve tarikat ilişkileri ağır basıyormuş. Sünni-Hanefi olan Zaza Kürtleri çoğunlukmuş. Ayrıca Zazalar sert karakterli olur derler, öyle mi?"

Uzattın der gibi bakıyor:

"Sert adam ciddidir, yalanı olmaz. Tarikat pek kalmadı buralarda. Aşiret var Bingöl'de, ama eskisi kadar kuvvetli değil."

"Hangi parti kazanır?"

"Cumhurbaşkanı seçimi zoruma gitti. Abdullah Gül'ü seçseydin ne olurdu?"

"Kim engelledi?"

Gülüyor:

"Baykal'la Sezer..."

"Başka?.."

Gülüyor:

"Sen biliyorsun."

"Asker, muhtıra..."

Gülüyor.

Gübre dükkânının sahibi:

"Biz eski Doğru Yol'cuyuz. Mehmet Ağar meclise girseydi, burada oyları bölerdi. Ama şimdi milletin tepkisi büyük."

Bingöl'den Yayla'ya geldik. Dağ başı, püfür püfür esiyor. Bodur meşe dallarıyla kaplı çardağın altında pilav üstü dağ kavurması istedik akşam yemeği niyetine. Yanında da çardağın dibindeki bahçeden taze kesilmiş beyaz soğan, domates, sivribiber...

Meslektaşım Ramazan Yavuz "Dağ kavurması sabahleyin de iyidir. Hele akşamdan kalmaysan, sabah imha eder onu," diyor gülerek...

Bingöl'e yirmi kilometre uzaklıkta adı Kadimadrak olan bir köye gideceğiz diyorlar. Köyün girişindeki tabelada Çeltiksuyu Köyü yazıyor. "Köyün resmi adı bu," deyip yola sapıyoruz.

Köy evinin önüne çekilmiş rengârenk minibüsün üstünde "Bir isim bin umut. Bin umut adayı Mehmet Nuri Özmen" yazılı. DTP'nin bağımsız adayı Mehmet Nuri, Ankara Üniversitesi Hukuk Fakültesi 1992 mezunu.

Soruyorum, Kuzey Irak'ta olan bitenleri izleyip izlemediğini, Türkiye'nin bir askerî müdahalesini nasıl karşılayacağını...

Yanıtının özeti şöyle:

"Evet, takip ediyorum. Türkmenistan'a, Bulgaristan'daki Türklere bir şey olsa, nasıl tepki duyulacaksa, biz de Kuzey Irak'a müdahaleden rahatsız oluruz. Kendimize yapılmış hissederiz."

22 Temmuz 2007 genel seçimlerinden Ak Parti zaferle, yüzde 47 oyla çıktı. Seçim gecesi *CNN Türk*'te sonuçlar belli olunca ilk tepkim şöyle olmuştu: "İşte bu da milletin muhtırası!"

Kürt oylarının çoğunluğunu Ak Parti almış, DTP de parlamento çatısı altında ilk kez grup oluşturacak sayıyı, 20 milletvekilini yakalamıştı.

Ak Parti'nin Kürt oylarını arttırmasında rol oynayan faktörler arasında 27 Nisan'a dik durmasının yanı sıra, Kuzey Irak'a yönelik askerî operasyona karşı çıkması da vardı.

Ancak seçim sonrası, özellikle PKK'nin ekim ayındaki Dağlıca baskınında 12 askerin şehit olmasıyla ve şehit sayısının bir ayda 45'e yükselmesiyle birlikte hükümet üstündeki baskılar daha fazla artmaya başladı.

PKK saldırılarını kınıyordum. Şehitler benim de içimi acıtıyordu. Ancak operasyona karşıydım.

Hiçbir yararı olamayacağını savunuyordum *Milliyet*'te. Barzani'yi vurmaya kalkışmanın da, Kandil'i vurmanın da yanlış olacağını, Türkiye'nin sorunlarını çoğaltacağını, derinleştireceğini söylüyordum.

Ertuğrul Özkök benim gibi düşünmüyordu. 2007'nin Ekim ayı sonlarına doğru *Hürriyet*'teki bir yazısının başlığını şöyle koymuştu: "Artık hedefimiz Barzani!"

Yazısı şöyle devam ediyordu:

"Genelkurmay Başkanı Orgeneral Yaşar Büyükanıt'la konuştum. Bir gün önce aramıştım, sadece 'Arkanızdayız Paşam,' demek için. Son derece kararlı bir ifadeyle 'Yazınız çok önemli ve anlamlı. Takdir bana düşmez ama teşhis budur.' Artık söz, Türk F-16'larına doğru gitmektedir."

O günlerde Diyarbakır'da yaşayan ve PKK'ye mesafeli olan bir Kürt aydınının şu sözlerini yazıma almıştım:

"Türkiye Kürtleri, Kuzey Irak'taki oluşumu öteden beri yakın ilgiyle izler. Bu konuda kimsenin kuşkusu olmasın. Kuzey Irak ya da Irak Kürdistanı özel bir durum Türkiye Kürtleri için de... O yüzden Kuzey Irak'a operasyon dendiğinde, 'Türkiye'nin derdi PKK, terör falan değil. Türkiye'nin esas derdi, Kuzey Irak'taki devletleşme oluşumu... Asıl gidip onu vurmak, onu yıkmak istiyorlar' düşüncesi sokaktaki adam dahil çok yaygın Güneydoğu'da... Bu nedenle operasyon fikri, emin olun Türkiye'nin Kürtleri arasında da tepkiyle izleniyor, rahatsızlık yaratıyor."

2007'nin Ekim ayı sonunda Kuzey Irak'a gittim.

> **Mesud Barzani:**
> **"PKK silah bırakmalı!"**

Selahaddin, 30 Ekim 2007

Karayoluyla Habur'dan giriş yaptım Kuzey Irak'a. Sınır kapısının üstünde 1992'den beri değişmeyen tabelanın üstünde 'Irak Kürdistan Bölgesi'ne hoş geldiniz' yazıyordu.

Irak bayrağı yoktu.

Kırmızı, beyaz, yeşil renklerle, ortasında sarı güneş figüründen oluşan Kürdistan yönetimi bayrağı dalgalanıyordu bir tek...

Dört yıllık bir aradan sonra ilk kez geliyorum bu topraklara. Son defa 2003 yılı Kasım ayında Bağdat dönüşü geçmiştim buralardan.

Kaç gündür dolaşıyorum. Erbil, Kerkük, Süleymaniye, Selahaddin. Herkesin gözü kulağı Türkiye'de. Radyolarda, televizyonlarda birinci haber de, sonuncu haber de bizimle ilgili.

Türkiye operasyon yapacak mı?

Sınırlı mı olacak? Yoksa büyük harekât mı? Şantaj mı yapıyor Ankara? Yoksa ciddi mi? Konuştuğum herkes, 'kritik bir hafta'ya girildiğinin farkında.

Ve bir nokta her sohbette vurgulanıyor:

Operasyon çare değil!

Halkta, sokaktaki adamın gözünde Türkiye gitgide kötü haber haline geliyor. Kürtlerin arasında Türkiye'ye karşı husumet duyguları yükselmeye başlamış...

Irak Kürtdistan Bölgesi Başkanı Mesud Barzani'yle konuştum önce... Barzani'yle ilk kez 1993'te Dohuk'ta uzun bir görüşme yapmıştım. Son mülakatım ise dört yıl önce 2003'ün Kasım ayında yine Selahaddin'de gerçekleşmişti.

Bu sefer farklı olan, Selahaddin'de ve Başkanlık Sarayı'nda güvenlik önlemlerinin olağanüstü sıkılaştırılmış olmasıydı. Barzani'nin kartal yuvasını andıran karargâhı ve Başkanlık Sarayı dağın tepesinde, Seri Reş'te.

Büyük bir toplantı salonunun ortasındaki upuzun bir masaya karşılıklı olarak oturduk. Kürtçe, Türkçe ve İngilizce bilen dört çevirmen iki yanımıza sıralandılar.

203

Barzani'nin sağ yanında Başkanlık Divanı Başdanışmanı Dr. Fuat Hüseyin oturuyordu. Barzani arada bir ona danışıyor, onun önüne verdiği notlara göz atıyordu.

"Türkiye'de yangın var!" diye söze girdim.

1 ayda 45 şehit!

PKK'ye karşı ne yapacaksınız, diye sordum. Barzani önce mesajlarını verdi. Tırnak içindeki sözleri şöyleydi:

"Ben Türk milletinin dostuyum, düşmanı değil. Türk halkının, Türkiye'nin dostuyum."

"Kürtlerle Türkler kardeştir, öyle kalmalı ve yaşamalıdırlar."

"Onlarca defa söyledim, PKK silah bırakmalıdır diye... Silahın, şiddetin zamanı artık geçmiştir diye..."

Mesud Barzani, Türk kamuoyundaki yangının farkında olduğunu, bundan kaygı duyduğunu belirtiyor:

"Türk kamuoyunda sorunun rotasını değiştirmek isteyenler var. Sanki sorunun nedeni bizmişiz gibi bir hava yaratılıyor. Bu doğru değil. Ben hayatım boyunca savaştım. Ama bir gün bile şiddete, teröre inanmadım. Biliyorum askerler öldü, şehit oldu. Bundan dolayı duyduğumuz üzüntüyü acıyı hem kamuoyuna duyurduk, hem de şehitlerin ailelerine..."

Türk medyasındaki havadan yakınıyor Barzani.

Hürriyet'in adını zikrediyor.

Bu arada cebinden bir kâğıt çıkarıyor, gözlüğünü taktıktan sonra **Ertuğrul Özkök**'ün adını okuyor. Belli çok alınmış, sesinde sinirli titreşimlerle tepki veriyor:

"Beni yok etmek çözüm mü olacak? Sorunlar bitecek mi? Kabul edilemez bir üslup bu. Ben kardeşlikten yanayım. Şiddete karşıyım. Ama halkımın haklarını da sonuna kadar savunurum. Bundan da korkmam. Ben dostuyum Türkiye'nin. Ama değil Türkiye'den, kimseden de talimat almam."

Mesud Barzani, açıklamaları sırasında Türkiye'deki askerin tutumunu da eleştirmekten geri kalmıyor:

"PKK olayı ve saldırılar son birkaç ayın olayı değil ki. Sanki böyle bir hava yaratılıyor. Herkes sorsun kendine. Türk askeri 23 yıldır neden bitirmedi PKK'yi? Bu soruyu da sorun. Şimdi neden bu başarısızlık başkalarına havale ediliyor ki?.."

Barzani, PKK bahane gibi kullanılmakta demeye getiriyor:

"Tecrübe gösterdi ki bu sorun askerî yolla, savaşla çözülmüyor. Askerî operasyonlar kaç defa yapıldı. Bir ikisine biz de katıldık, ne oldu? Gelin nedenlerin üzerine yürüyelim. Kürt sorunu çözüldükçe PKK de biter."

Barzani'ye soruyorum: "Yanınızda
Baasçı bir Türkiye mi, yoksa
AB üyesi bir Türkiye mi?"

Bir noktayı belirtiyorum:
"PKK'nin terör ve şiddeti, bir yandan derin acılara, kan ve gözyaşına yol açıyor. Ama aynı zamanda demokrasiyi sevmeyenlerin, hukuktan hoşlanmayanların ve Türkiye'nin AB yolunu kesmek ve ABD ile arasını açmak isteyenlerin de değirmenine su taşıyor. Bütün bunların size bir yararı var mı? Demokratik, AB yolunda bir komşu mu istiyorsunuz, yoksa tersi mi? Örneğin Baasçı bir Türkiye mi?"

Barzani, bu sorumu herhangi bir kuşkuya yer bırakmadan yanıtlıyor. Demokrasiyle yönetilen, AB yolunda ve Amerika'nın dostu bir Türkiye'yle komşu olmanın kendi çıkarlarına da olduğunu belirtiyor.

Ve ekliyor:
"Türkiye de bir şeyler yapmalı, bazı adımlar atmalı. Bunların arasında af da düşünülmelidir, dağdakileri indirmek için..."

Şöyle devam ediyor:
"PKK geçen yıl da ateşkes ilan etti. Biz de bunun için baskı yapmıştık. Asker ise böyle bir ateşkes ilan edilmemiş gibi davrandı, algısı bu oldu. Barışçı çözüm için bir niyet, bir siyasal irade olursa yol açılır barışçı çözüme doğru..."

Barzani'nin bir eleştirisi daha var Ankara'ya yönelik:
"Benimle konuşmuyorsun Türkiye olarak. Sonra da benden bir şey istiyorsun PKK'ye karşı... Bu nasıl iş?"

Barzani'nin, Erdoğan'la asker arasında siyasal bir rekabetin varlığına inanan bir üslubu var. Anlaşılan o ki, hükümetin Kuzey Irak'a çekilerek zayıflatılmak istendiğine ilişkin bir soru işaretinin çengeli Barzani'nin zihninde kıvrılıyor.

Talabani'den de mesaj aynı:
PKK silah bırakmak zorunda!

Bağdat, 31 Ekim 2007
Süleymaniye'den uçakla geldik Bağdat'a. Uçağımızın tekerlekleri piste sağ salim değince "Ana gibi yar olmaz, Bağdat gibi diyar olmaz!" diyor Namık Durukan...
Ama o Bağdat, herhalde bu Bağdat değildi.

205

Savaş halleri vardı bu Bağdat'ta.

Havalimanından çıkar çıkmaz kendimizi tank gibi zırhlı kocaman bir cipin içinde bulduk. Önümüzde, Irak Cumhurbaşkanı Celal Talabani'nin ofisi tarafından gönderilen silahlı korumalarla dolu iki ciple birlikte hiç vakit geçirmeden büyük bir hızla yola koyulduk. Üç cip de yolda zikzaklar çizerek gidiyordu. Bazı kavşaklarda sirenlerimizi çığlık çığlığa öttürürken fırlıyorduk. Tehlikeli yerlerde böyle yapılıyormuş. Uzaktan kumandalı mayın ya da roketlere karşı da önlemmiş bu seyir hali...

İç içe beton duvarlardan oluşan Bağdat manzaralarını seyrederek gittik bir süre. Hayat surların, kum torbalarının, dikenli tellerin gerisine çekilmiş gibiydi.

Dicle'nin üstündeki bir köprüyü geçerken, nehrin kıyısında, rüzgâr altında nazlı nazlı sallanan hurma ağaçlarını görünce içim biraz ısındı.

Etraftaki zırhlı araçların tozlu, tuhaf görüntüleri, siren sesleri ve tepemizden pata pata sesleriyle hiç eksik olmayan helikopterlerin irkiltici uğultularıyla Çadiriya semtine ulaştık.

Betondan yüksek surların arkasında, Barış adı verilen Cumhurbaşkanlığı Sarayı buradaydı. Irak Cumhurbaşkanı Talabani'yle akşam yemeği dahil üç saat sohbet ettik. Yanında bazı danışmanlarıyla birlikte, Irak'ın ekonomiden sorumlu başbakan yardımcısı Barham Salih vardı, 1992'den beri tanıdığım...

Talabani'yle ilk mülakatımı 1992'de yapmıştım. O tarihte de PKK'yi eleştirmiş, Apo'yu ağır dille suçlamıştı. PKK'nin Türkiye'yle başlarını belaya soktuğunu söylemişti.

Talabani sözlerine yine PKK'yi eleştirerek başladı:

"PKK silah bırakmak zorunda!

PKK eğer bu dönemde tümden silah bırakmaya hazır değilse, o zaman koşulsuz ve ucu açık bir ateşkes ilan etmelidir.

Ateşkeste samimi olduğunu göstermelidir PKK. Ateşkesin gereğini yapmalı ve herhangi bir çatışmaya imkân vermeyecek, Türk askerinin hedefi olmayacak şekilde geri çekilmelidir, Irak'a gelmelidir tümüyle. Hem ateşkes ilan edip hem de pratikte gereğini yapmaktan kaçınmak olmaz. Geçmişte böyle örnekleri var PKK'nin...

Dışişleri Bakanı Ali Babacan'a üç dört gün önce Bağdat'ta söyledim. Allah *Kuran*'da der ki, kuldan yapabileceği şeyi isteyin! Biz nasıl Kandil'e gidip beş bin PKK'liyi yakalayıp Türkiye'ye teslim edebileceğiz ki. Olabilecek şey var, olmayacak şey! Türkiye bizden imkânsızı istemesin.

PKK'nin bu yaptıkları, Türkiye'deki şovenist ve demokrasiye karşı çevrelerin elini güçlendiriyor. PKK'nin bu yaptıkları, Türkiye'de demokrasi düşmanlarının elini güçlendiriyor. Biz demokratik, AB'ye üye bir Türkiye'yi komşu olarak istiyoruz, Baasçı bir Türkiye'yi değil. PKK her seferinde 'Biz hazırız silah bırakmaya ama...' diyor. Bu 'ama'yla birlikte af konusunu gündeme getiriyor. Apo'nun hapishane durumunu gündeme getiriyor."

Sözü askere getiriyor:

"En üst düzeyde komutanların, 'Barzani kim, Talabani kim ki, aşiret reisi olmaktan başka,' söylemleri hiç hoş değil. Ama ben bunların üzerinde durmadım. Ama Başbakan Erdoğan'a yakındım."

Cumhurbaşkanı Talabani kaygılı.

Türkiye operasyon yapabilir mi? Türkiye, Barzani'yi de hedef haline getirebilir mi?

Talabani: "Türkiye tuzağa çekiliyor!"

Kürt lider, bu iki sorunun yanıtını ararken, aynı zamanda Türkiye'yi ve Erdoğan hükümetini rahatlatmak için özellikle PKK konusunda acilen ne yapılması gerektiğine kafa yoruyor. Talabani, geçmişteki örnekleri de hatırlatarak bir askerî operasyonun PKK konusunda çare olamayacağını söylüyor. Fazla ayrıntıya girmeden Kürt sorunu üzerinde duruyor.

Barham Salih ise operasyonu bir tuzak olarak niteliyor. Tuzağa düşecek bir Türkiye'nin yalnız Kürtlerle, Irak'la değil; ABD ve AB ile de ilişkilerinin bozulacağını belirtiyor Talabani de...

Mülakat ve arkasından yemek tabii, Talabani'nin sofrasına oturmak bir ayrıcalıktır çünkü...

Kebaplar, bizim etli ekmeğe benzeyen, bulgurdan yapma Musul kuppası, içli köfte tadında Halep köftesi, pirinç pilavı, etli bamya, tavuk...

Her akşam böyle mi diye sorunca, Talabani'den "Misafir olunca," yanıtı geliyor.

Barham Salih gülüyor:

"Akşamları misafir hiç eksik olmaz ki Mam Celal'in sofrasından."

Talabani'nin de malum sözü:

"Misafir, ev sahibinin bayramıdır, şenliğidir der Kürtler."

Bağdat, 3 Kasım 2007
Geceleri kolay uyku tutmuyor Bağdat'ta. Helikopter sesleri insanı uyutmuyor.
Çok alçaktan uçuyorlar.
Kaldığımız ev bazen temellerinden titriyor. Tam dalar gibi olurken sıçrayarak uyanmak hoş bir duygu değil.
Her şehrin bir sesi vardır.
Bu sesi dinlemek, o şehrin ruhuyla ilgili ipuçları verir. Bağdat'ın sesi de bunlar mı? Helikopter uğultuları, arada bir uzaktan gelen patlama ve silah sesleri, gece karanlığını yırtan sirenler...
Yine uyku yok.
Kalktım, terasa çıktım.
Silahlı nöbetçiler... Ve betondan surlar!
İtici bir manzara. Yollar, evler birbirlerinden yüksek beton duvarlarla ayrılmış durumda. Fazla bir şey göremiyorsun. Seyirlik tek güzel şey, görkemli hurma ağaçlarının hafif rüzgâr altında bir o yana bir bu yana salınmaları...
Not defterimi karıştırıyorum.
Erbil'de bir yetkili şöyle demiş:
"Bakın, açıkça söyleyemiyoruz, ama bu PKK bizim başımıza da bela. Görüyorsun, Kürdistan ne büyük bir hızla gelişiyor. Her taraf şantiye halinde. Ekonomik bir patlama yaşıyoruz. Bunda Türk şirketlerinin payı ve katkısı çok büyük. 4 milyon Irak Kürdü'nün hayat standardı gitgide yükseliyor. Şimdi yazık değil mi, PKK yüzünden bunların darbe yemesi..."
Şöyle devam etmiş:
"Bir tuzak kuruluyor. Kürtler, Türkler, Türkiye, hep birlikte bu tuzağa düşecek miyiz?"
Evet, PKK'ye kızılıyor. Eskiden de böyleydi. Özellikle yönetici elitle toplumun kreması içinde PKK'ye öteden beri tepki vardır, Türkiye'yle başlarını belaya soktukları için...
Fakat sokaktaki adamın duygu ve düşünceleri daha farklı PKK konusunda. Defterimin bir kenarına not düşmüşüm:
"Kürdistan parlamentosuna gidiyoruz. Yeni Erbil denilen bölge şantiye halinde. Park Hotel Kempinsky bitmek üzere... Amerikalıların yaptığı Kongre Sarayı ortaya çıkmış... Yeni açılan Erbil Uluslararası Fuarı'nın önünden geçiyoruz. Süleymaniye'de yeni kurulmakta olan Amerikan Üniversitesi'nin kampüs binaları gözümün önüne

geliyor. İnşaatların çoğu Türk şirketlerinin... Ahmet Kaya'nın yanık sesi yükseliyor kasetten. Alevi türküleri söylüyor: Derdin ne senin, derdin ne senin?.."

Irak Cumhurbaşkanı Talabani'nin yakın çevresinden birinin sözlerini okuyorum not defterimde:

"Hiç kuşkun olmasın. PKK çok mutludur şu günlerde. Kendini uluslararası sahnenin ortasına oturtmuş durumda. Herkes ondan söz ediyor. Böyle giderse, Türkiye'de seçim zamanı kaybetmiş olduğu zemini kazanmaya başlar. Bence kazanmaya başladı bile. Şu üç noktanın altını çiz: (1) Kürt sorunu uluslararası sahneye daha çok çıkıyor. (2) Türkiye, saldırgan ve istilacı bir güç gibi gösterilmeye başladı. (3) Daha kötüsü, hem bizim hem sizin Kürtleriniz arasında Türkiye'ye husumet, düşmanlık büyüyor."

Süleymaniye'de, Ebu Sena Oteli'nin lobisinde sabah vakti kahvemi içiyorum. *Kürdistan TV*'de haberler. Londra'dan, Oslo'dan, Berlin'den Türkiye'yi protesto gösterileri...

Erbil'de, *Hewlêr* gazetesinin Genel Yayın Yönetmeni Rebwar Kerim Veli'yle sohbet ediyoruz. Türkçesi mükemmel. Yaz tatillerini İstanbul'da geçiren otuzlu yaşlardaki genç gazeteci şöyle diyor:

"Burada halkın yorumu çok açık: Türkiye PKK'yi değil, bizim devletimizi, Kürt bölgesini hedefliyor. En üst düzeydeki askerî komutanlarınızdan biri daha geçenlerde, 'PKK'yi bitirebiliriz ama esas tehlike bağımsız Kürt devletidir,' demişti. Zaten tarihte ne zaman Irak Kürtleri bazı haklar elde etmiş olsa, Türkiye de, İran da buna karşı müdahale etti. 1983'tü. Talabani, otonom bölge konusunda Saddam'la anlaşmak üzereydi. Türkiye devreye girdi ve güç durumda olan Saddam'ı caydırdı."

Kürt gazeteci devam ediyor:

"Son dönemdeki Kuzey Irak'a gireriz söylemi, tehdidi yüzünden Türkiye, Irak Kürtleri arasında düşman olarak algılanmaya başladı. Erbil'de bir anket yaptık, halkın yüzde 70'i Türkiye'yi düşman, PKK'yi özgürlük savaşçısı olarak görmeye başlamış. Emin ol, eskiden bu böyle değildi."

Bir Amerikan helikopteri daha... Berbat uğultusuyla evin üzerinden geçiyor. Yer gök titriyor. Terasta huzursuz oluyorum. Ama yapacak bir şey yok, notlarımı düzene sokmaktan başka...

Kerkük'te Türkmenler
tedirgin ama...

Erbil'den Kerkük'e geliyoruz, 27 Ekim 2007 günü. Kente yaklaştıkça dikenli tellerle kum torbalarının çepeçevre sardığı peşmerge kontrol noktalarının sayısı çoğalıyor. Kerkük'e sızabilecek 'intihar arabaları'na karşı yoğun önlem lazım diyorlar. Muhsin Restoran'da ilginç bir öğle yemeğinde buluyoruz kendimizi. Kürt ve Türkmen milletvekilleri uzunca zamandan beri ilk kez bir 'barış yemeği'nde buluşmuş. Türkmenler bir yıldır Kerkük Meclisi'ni boykot ettikleri için önemliymiş bu buluşma... Restoranın özel bir odasındaki yemeğin ev sahipliğini Kerkük Meclis Başkanı Rizgar Ali Hamajan yapıyor. Türkmen Cephesi'nden, partilerinden milletvekilleri var. Ali Mehdi, Tahsin Kaya... Ali Mehdi bir ara kulağıma eğilip diyor ki: "Bazı Türkmen evlerine dün gece kapının altından bazı bildiriler atılmış, Türkiye askeri, askerî operasyon yaparsa, buraya girerse, biz de size şunu yaparız, bunu yaparız diye..."
Türkmenler tedirgin...
Kerkük Meclis Başkanı Ali Hamajan ise "Türkiye'den iyi haberler yok, haberler hep kötü," diyor, Kürtlerin de çok kaygılı olduklarını belli ederek...
Söylediklerinin özeti şöyle:
"Türkiye'nin dostluğu bizim için çok önemli. 1991 sonrasının Kürdistanı'nın yeniden yapılanmasında Türkiye çok şeyler yaptı bizim için. Avrupa'yla aramızda büyük bir köprü... Ayrıca Türkiye'yle ticari ve ekonomik ilişkilerimiz hayati... Çözüm nedir? Bu coğrafyada yaşamak zorundayız. Bir başka yere gidemeyiz ki! Burası bizim ülkemiz. Türkler, Farslar, Araplar gibi, biz Kürtlerin de hakları var."
Şöyle devam ediyor:
"Türkiye'nin Güneydoğu sorunu var. Aslında Kürt sorunu... Türkiye bu sorunu bugüne kadar çözmedi ki PKK problemi çözülsün. Kandil Dağları'nı bugüne kadar kim kontrol edebildi ki, biz edelim. İran da edemiyor. PJAK da orada değil mi? Şunu bilin. Burada Kürtlerin bildiği tek şey var. Türkiye'nin derdi, PKK ile değil, bizim Kürdistan'dır, Kerkük ve petroldür, diyorlar. Ben de dağlarda savaştım, bilirim gerillayı. Bir orada, bir buradadır. Kontrolü güçtür o yüzden..."
Ve ekliyor Kerkük Meclis Başkanı:
"Bütün samimiyetimle söylüyorum. Bu PKK sizin için de, bizim için de problemdir. 1992'de Kürt medyası bizleri hain ilan etti,

210

Türkiye'yle birlikte PKK'ye karşı savaştığımız, bazı PKK'lileri Türkiye'ye teslim ettiğimiz için... Bunu da unutmayın."

Kerkük Meclisi'nin Kürt başkanı Ali Hamajan son olarak şunları söylüyor:

"Yazın gazeteci kardeşim. Benim evim burada, işim burada, rızkım burada şimdi. Kaybedecek çok şeyim var! Bunları kaybetmek istemem. Ama PKK öyle değil. Bir İran'a, bir Irak'a, bir Türkiye'ye geçer. Biz de 1991'e kadar böyleydik. Kontrolü kolay değil bu yüzden. PKK'ye çok defa söyledik, bizim başımıza bela olma, çek git diye, her defasında sözünü tutmadı."

"PKK bizim değil,
Türkiye'nin sorunu..."

Amman, 4 Kasım 2007
Bağdat'la İstanbul arasındaki uçak seferleri kısa bir süre önce Türkiye tarafından kaldırıldığı için Ürdün'ün başkentinde bir gün geçirmek zorunda kalıyorum.

Erbil, Selahaddin, Kerkük ve Süleymaniye kentlerinde dört gün dolaştım. Uçakla Süleymaniye'den geçtiğim Bağdat'taysa üç gün kaldım.

15 maddelik değerlendirmem:

(1) Bu geziye çıkmadan önce, Türkiye'nin Kuzey Irak'a askerî operasyonunun PKK ile mücadelede çare olamayacağını yazıyordum. Gezi sonrası bu görüşüm zayıflamadı, güçlendi.

(2) PKK'nin Kuzey Irak'ta barınması, buradan Türkiye'ye sızarak şiddet ve terör eylemleri koyması, askerlerimizi şehit etmesi hiç kuşkusuz kabul edilemez. Bunu önlemek ve PKK'ye karşı ciddi işbirliğini sağlamak için Türkiye'nin gerek Bağdat, gerekse Kürdistan Bölgesel Yönetimi üzerinde baskı uygulaması haklı ve meşrudur.

(3) PKK, Kuzey Irak'taki Kürt siyasi eliti içinde, her zaman açıkça ifade edilmese de Türkiye'yle başlarını belaya sokan bir güç olarak görülüyor.

Bu nedenle, Irak Kürtlerinin son on beş yıllık kazanımlarını tehlikeye atan PKK'nin etkisiz kılınması gerektiği bu çevrelerde yaygın bir görüş. O yüzden, Türkiye'nin Amerika'yla birlikte baskısı, istenen sonuçları vermeye başlayabilir.

(4) Kuzey Irak'ta PKK'ye karşı Türkiye'yi tatmin edecek somut bir şeylerin yapılmasından yana bir Kürt yetkili, Erbil'de bana şunları da söyledi: "Unutmayın, PKK bizim değil Türkiye'nin sorunu. Yeni de değil, eskiye gidiyor. PKK'nin asıl kökleri, Türkiye Kürtlerinin içinde. PKK asıl desteğine Türkiye'nin Güneydoğu'sunda sahip. Şimdi siz PKK'den dolayı Kuzey Irak'a bomba yağdıracaksanız, hatta bazı aklıevvellere uyup Barzani'yi de hedef alacaksanız, o zaman aynı mantıkla dönüp kendi Güneydoğu'nuzu da mı bombalayacaksınız?.."

(5) Türkiye, Kuzey Irak'a bir askerî operasyon ihtimali nedeniyle daha şimdiden dünya kamuoyunda saldırgan, istilacı bir güç olarak gösteriliyor. Ayrıca, Kuzey Irak Kürtleri arasında Türkiye'ye karşı düşmanlık, husumet duyguları yaygınlaşmaya başlamış. Bu durum zamanla Türkiye Kürtleri arasında da huzursuzluk yaratır. Irak Kürtlerinin düşmanlığını kazanmak, Türkiye'nin çıkarına değildir.

Irak Kürtleri devletleşiyor!

(6) Kuzey Irak'a, Erbil'e ilk kez *Cumhuriyet*'in genç bir muhabiri olarak 1974'te gelmiştim. Saddam'ın bu topraklardan çekilmek zorunda bırakıldığı 1991'den beri bu bölgeye sık sık gelip gittim. Son on beş yıllık, hele son dört yıllık ekonomik gelişmenin olağanüstü olduğunu söyleyebilirim.

(7) Evet, Irak Kürtleri aynı zamanda devletleşiyor. Ama bunun resmiyet kazanması öyle kolay değil. Ancak, bu fiili devletleşmeyi de bu saatten sonra tersine çevirmek imkânsızdır.

Tersine çevirme hayalini, Saddam'ın 2003'ün Nisan ayında devrilmesine kadar Ankara'da görenler vardı. Dünya konjonktürü değişir ve Saddam'la Türkiye bir gün birlik olup Kuzey Irak'taki Kürt oluşumunu tersine çevirir düşüncesi bir zamanlar Ankara'daki iktidar odaklarında yaygındı.

Bu artık geçti, mümkün değil.

Bir başka noktaya Erbil'deki bir Kürt yetkili şöyle değindi: "Kuzey Irak'ın dünyayla köprü kurması açısından Türkiye çok önemli. Ama bu arada Kuzey Irak da dünyayla yeni yeni köprüler kuruyor. Bakın, Amerika'yla İngiltere Erbil'de konsolosluk açtı. Yılbaşında Fransa açıyor. Sırada on ülke var. İran'ı var, Rusya'sı var."[1]

---

1 Türkiye 2010'nun Kasım ayında Erbil'de başkonsolosluk açacak ve 12 Haziran 2011 genel seçimleri öncesinde Mart ayında Başbakan Erdoğan Erbil'e gelerek

(8) Habur'dan Kuzey Irak'a geçen hafta giriş yaparken, bir tır şoförü yanıma geldi. "Kapı kapatılacak mı?" diye sordu, "Habur kapatılırsa her iki taraf için de ekmek kapısı kapanır, perişan oluruz."

(9) Habur'dan Zaho'ya doğru giderken yol boyu not ettim: Ülker, Arçelik, Evyap, Eti, Florant Boru, Mutlu Akü, Fırat, İstikbal, Beko, Saray, Sibel Can'lı Frutti, Lassa, Profilo... Ve Kuzey Irak'ta nereye gitsek, iş yapan Türk şirketleri ve müteahhitleri...

(10) Erbil'de bir Kürt'ün sözleri:
"Biz Irak Kürtleri Sünniyiz; laiklikse laikiz; İran'daki gibi bir rejime kesinlikle karşıyız; radikal İslam'ın buralara gelmesini istemiyoruz; Türkiye'deki demokrasiyi takdir ediyor ve örnek almak istiyoruz; ayrıca Türkiye aracılığıyla AB'ye komşu olarak yaşamak istiyoruz. Peki, siz bizi neden istemiyorsunuz?"

Bu sözleri düşünmekte yarar var.

Türkiye'yle Irak Kürdistan bölgesinin iyi ilişkiler içinde olması her iki tarafın da çıkarınadır. Kuzey Irak'ta dolaşırken bir kez daha gördüm. Türkiye Kürtleri ile Irak Kürtleri arasına Çin Seddi çekilemez, böyle bir şey düşünülemez bile.

Bir tarafın Kürtlerine ne olursa, bundan öteki tarafın Kürtleri de şöyle ya da böyle etkilenir. Kimse bunun tersini düşünmesin. Bölgede barış ve istikrar ancak bu gerçeği hesaba katarak gerçekleşebilir.

PKK silahı bırakmalı!

(11) Ve o klasik soru:
Ne yapmalı?
Irak Kürt liderliği, PKK'ye karşı kendi bölgelerinde gerekenin ciddiyetle yapıldığı konusunda Türkiye'yi tatmin etmelidir. PKK'nin önce ucu açık, önşartsız bir ateşkes ilan etmesi ve bunun gereğini yerine getirmesi sağlanmalıdır.

Bundan sonraki aşama, PKK'nin şiddet ve silahlı mücadeleden vazgeçmesi olmalıdır. Bunun için Irak Kürt liderliği, ABD ve AB de devrede olurken, Türkiye'nin PKK'yi dağdan indirmek için yapabi-

---

Irak Bölgesel Kürdistan Yönetimi Başkanı Mesud Barzani'yle buzları eritecek, yıllar sonra Türkiye-Irak Kürdistanı arasındaki ilişkiler normalleşme rayına oturacaktı. Cumhurbaşkanı Özal'ın 1991 yılı Ocak ayında Iraklı Kürt liderleri Ankara'ya davet ederek attığı yürekli ve akıllı adım yirmi yıl sonra bir bakıma hedefine varacaktı. Özal'ın bu adımının ayrıntılı hikâyesi 2003 yılında yayımlanan *Kürtler* kitabımdan okunabilir.

leceği yasal düzenlemeler zaman içinde gündeme gelmelidir. Böyle bir paketi büyük bir gizlilikle oluşturmak -öyle kolay olmasa da- altı çizilmesi gereken bir noktadır.

Kürt sorunu çözülmek isteniyorsa,
Önce Ankara'da askerle hükümet
masaya otursun!

(12) Erbil'de "Ne yapmalı?" sorusunun karşılığını tartışırken Iraklı bir Kürt bana şöyle dedi:
"İstanbul'da yaşayan bir Kürt arkadaşım bana bir keresinde şöyle demişti: 'Türkiye eğer PKK probleminden kurtulmak istiyorsa, önce Kürt meselesini çözmelidir. Ama bunun için de Türkiye'de öncelikle hükümetle asker bir masaya oturmak zorundadır.' İsabet var bu teşhiste... Belki size aşırı gelebilir, ama burada yaygın olan bir görüş var. PKK ortadan kalksa sizin derin devlet bir başka PKK kurdurur."

(13) PKK silah bırakmadıkça, PKK'ye karşı Türkiye'nin haklı ve meşru mücadelesi devam edecek. Ama siyasal iktidarın, Erdoğan hükümetinin Kürt sorunu konusunu çok daha ciddiye alması gerekir. Bu nokta göz ardı edilerek PKK'nin Türkiye'de etkisizleştirilmesi uzak ihtimaldir.

(14) Türkiye, Kıbrıs konusunda uzun yıllar 'çözümün değil, sorunun tarafı' olmuştu. Erdoğan hükümeti 2003'ten itibaren bunu tersine çevirdi. Siyasal kararlılık göstererek, 'bir adım önde' politikasıyla çözümün tarafı oldu. Böylece Türkiye'ye AB yolu açıldı, müzakereler başladı.

Şimdi Kürt sorununda böyle bir kararlılığı gösterebilecek mi Başbakan Erdoğan? Yoksa **Erdoğan da zamanla devlet tarafından teslim alınıp** 'eskiler'in rayına mı oturacak?

(15) Bakın, Türkiye'nin en yakıcı sorunu öteden beri Kürt sorunudur. Bunu kimse görmezden gelmesin. PKK bu sorunun bir ürünüdür. Her iki sorun da bugünden yarına şipşak çözülemez. Kürt sorununu çözüm yoluna sokamadığımız sürece, Türkiye'nin barış ve istikrarı bu sorunun ve 'başkaları'nın ya da 'dış güçler'in insafına kalır.

Tam düzeldiğimizi, iyi yola girdiğimizi sandığımız sırada, 'dışarı'dan birileri düğmeye basar, şehit cenazeleri doğudan batıya gelirken, biz de ayaklanır, savaş tamtamlarıyla yedi düvele meydan okumaya başlarız.

214

Bu kısırdöngünün kırılması şarttır, eğer istikrarı kalıcı kılmak is-- tiyorsak... Eğer o başkalarının ya da klasik deyişle o 'dış güçler'in oyuncağı olmak istemiyorsak... PKK tarafından da 'rehin alınmak' istemiyorsak... O zaman herkes Kürt ve PKK sorununun altına elini sokmalıdır.

Bu sorun sadece bir terör ve şiddet sorunu değildir, sadece askerî yoldan çözülecek bir sorun değildir.

Ve Kürt sorunu, tarihimizin de acılarla, kan ve gözyaşlarıyla tanık olduğu gibi, **askere bırakılmayacak kadar önemli bir sorun**dur.

Başbakan Erdoğan'la
Dolmabahçe ofisinde görüşme...

Türkiye aralık ayı içinde Irak'a askerî operasyon yaptı. Gece vakti Kandil bombalandı, asker karadan girdi Kuzey Irak'a. Kamuoyunu heyecana getirmek ve operasyonu başarılı göstermek için asker tarafından 'psikolojik seferberlik' yapıldı neredeyse.

Sonuç?

Operasyon sırasında Genelkurmay Başkanı olan, psikolojik savaş için düğmeye basan Orgeneral Yaşar Büyükanıt, emekli olduktan sonra 8 Mayıs 2009'da Mehmet Ali Birand'a *32. Gün*'de şöyle diyecekti:

"Türk Silahlı Kuvvetleri'nin tümü gitse Kandil'i temizleyemez."

Bu arada Büyükanıt Paşa'nın PKK'nin askerî bakımdan bitirilebileceğine de pek inanmadığı söylenebilirdi. Bağdat'ta Irak Cumhurbaşkanı Talabani'yle sohbet ederken bana şöyle demişti:

"Amerikalı General Ralston, [eski NATO Başkomutanı ve Amerikan Genelkurmay Başkanı] **kapalı kapılar arkasındaki görüşmelerinde Büyükanıt'ın kendisine, PKK'nın askerî yoldan artık bitirilemeyeceğini söylediğini, ama kamuoyu önünde farklı konuştuğunu söyledi."**

2007'nin Aralık ayında kış koşulları Kuzey Irak'ın dağlık kesiminde berbattı.

Bu nedenle, operasyonun kısa tutulmak zorunda kalındığına ve dağda donarak şehit düşen askerlerin sayısının açıklanmadığına dair duyumlar Ankara'nın yüksek kulislerinde dolaşmış, hatta çok zor durumda kalan askere Irak Kürt yönetiminin yardım elini uzatmış olduğu kulaklara çalınmıştı.

Kuzey Irak ve Bağdat'tan dönünce Başbakan Erdoğan'la İstanbul Dolmabahçe'deki ofisinde yazılmamak kaydıyla bir görüşme yaptım. O dönem medyadan sorumlu danışmanı Akif Beki de vardı yanında.

Başbakan ertesi sabah Washington'a uçacaktı, Başkan Bush'la görüşmek ve PKK konusunda da Amerikan yönetimine bastırmak için...

Başbakan Erdoğan'dan edindiğim bazı izlenimlerimi dört yıl sonra şöyle özetleyebilirim:

(1) Ankara'nın Kuzey Irak operasyonuyla ilgili fazla bir beklentisi yoktu askerî bakımdan... (2) Genelkurmay Başkanı Büyükanıt da pek öyle taraftar gözükmüyordu operasyona... (3) Galiba Büyükanıt Paşa'nın gözünde askerî harekât daha çok kamuoyuna yönelik bir 'psikolojik harekât'tı, ama aynı zamanda hakiki bir manevra...

Peki ya şehitler?

Yoksa yine 'söz konusu vatansa, gerisi teferruat' mıydı?

ONUNCU BÖLÜM

DERSİM '38: Mağaralarda fare gibi zehirlemek Dersimlileri!

Yıl 1931, Genelkurmay Başkanı Fevzi Çakmak: "Dersimli okşanmakla kazanılmaz!"

"Söz konusu vatansa gerisi teferruattır" zihniyetinin cumhuriyet tarihinde en içler acısı örneği, 1937 ve 1938 yıllarında Dersim'de yaşanan kıyımdır.

Resmi tarih Dersim'den, "Tunceli'de eşkıya isyan etti, bastırıldı," diye bahseder.

Gerçek bu değildir.

Dersim'de isyan olmadı.

Dersim'de, Dersimlilerin 'Tertele' dedikleri bir kıyım yaşandı.

Devrin hükümetleri tarafından planlı programlı olarak önceden hazırlanmış ve acımasızca uygulanmış olan, eski deyişle bir 'tenkil' harekâtı, bir katliam...

Yıl 1926

Mülkiye müfettişi Hamdi Bey raporunu yazar İçişleri Bakanlığına:

> Dersim gittikçe Kürtleşiyor, tehlike büyüyor. Dersim, Cumhuriyet için bir çıbandır. Bu çıban üzerinde kesin bir ameliyat yaparak acı sonuç ihtimali önlenmelidir.

Yıl 1931

Genelkurmay Başkanı Fevzi Çakmak, hükümete verdiği raporunda, "Dersimli okşanmakla kazanılmaz," dedikten sonra askerin tavsiyelerini şöyle sıralar:

217

Dersim cahildir.

Zorunlu iskan uygulanmalıdır.

Yüksek memurlara koloni [sömürge] yönetimlerindeki yetkiler verilmeli.

Türklük telkini yapılmalı.

Kürt kökenli yerli memurlar tümüyle bölgeden çıkarılmalı.

Dersimli okşanmakla kazanılmaz!

Silahlı kuvvetlerin müdahalesi, Dersimliye daha çok tesir yapar ve iyileştirmenin esasını oluşturur.

Türk toplumu içinde Kürtlük eritilmelidir.

Yıl 1932

İçişleri Bakanı Şükrü Kaya'nın hükümete verdiği rapor:

Kuzey Dersim halkı batıya göç ettirilmelidir.

Askerî harekât başlamadan önce tüm silahlar toplanmalıdır.

Yerli memurlar casustur.

Dersimlilere kendilerinin aslen Türk olduklarını öğretmek lazımdır.

Uçakların talim uçuşları Dersim üzerinde yapılmalıdır.[1]

Üstelik hâlâ korkuyorlardı!

Ne olmuştu Dersim 1937/38'de?

Ailesi Kürt ve Alevi'ydi.

Tunceli'den, yani esas adıyla Dersim'dendi.

"Okula ilk gittiğimde bana sıkı sıkıya tembih ettiler. Kimselere Alevi olduğunu söylemeyeceksin ve hiç kimseyle de Zazaca konuşmayacaksın," dediler.

Sema Kaygusuz *Yüzünde Bir Yer* isimli romanında Dersim'i şöyle anlatır:

"Zülfü üst üste birkaç sigara içti. Türkçesi zaman zaman kayıp Zazacanın içinde kayboluyor, sonra tekrar yüzeye çıkıyordu.

'Bir köprü olmasaydı eğer,' diyordu, 'Munzur'un üstünden geçen Harput Köprüsü olmasaydı, Dersim cehennem olurdu.' Meğer ki köprü sayesinde kaçabilenler kıyımdan kurtulmuştu.

---

1 Bu alıntılar kolektif bir çalışmanın ürünü olan SETA'nın yayımladığı *Türkiye'nin Kürt Sorunu Hafızası* kitabından alınmıştır.

Köye varıncaya jandarmalar defalarca yolunu keserek insanı sindiren anlamsız bir öfkeyle her keresinde kimliğini istemiş, yanındaki fotoğraf makinesi yüzünden gazeteci misin nesin, kime geldin, niye geldin diye biteviye sorgulamışlardı seni. Kayalara çizilmiş devasa komando figürlerinin verdiği tedirginlikten başka, buzlanmış bir tinsellikle örtülüydü orası.

Çığın altında kalan insanlar, otuz sekiz yılında çoluk çocuk katledilenler, meçhul bir sesin peşinden gidip geri dönmeyenler sanki dipdiri bir kederle etrafta dolaşıyorlardı. Yarı Türkçe yarı Zazaca konuştukları için onları doğru dürüst anlayamıyordun.

Babaannenin anlatmaya koyulup belli belirsiz bir ağlayışla yarıda kestiği trajik olayları niçin tamamıyla anlatmadığını, anlatamadığını köylülerin yüzüne bakar bakmaz anladın.

Utanç aranıza gerilen bir perde gibiydi.

Kardan yansıyan ışınlarla kırış kırış olmuş bu yüzlerde berrak bir hafızanın derinleştirdiği başka çizgiler de vardı.

Acı bilginin yerleştiği derin çizgiler...

Bu topraklarda olup bitenleri saymaya gücü yoktu hiçbirinin. Üstelik hâlâ korkuyorlardı."

Devlet adım adım kuşattı ve
fethetti Dersim'i...

Ne olmuştu Dersim 1937/38 sorusunu, ODTÜ Sosyoloji Bölümü'nden Mesut Yeğen şöyle yanıtlar:

"1930'lara gelindiğinde Cumhuriyet, Tanzimat'tan beri boyun eğdirilemeyen Dersim'i, önce İskan Kanunu (1934), ardından da Tunceli Kanunu'yla adım adım kuşattı, 1937 ve 38'deki harekâtla da 'fethetti.'

Dersim'in Alevi-Kürtleri fiziki ve kültürel habitatlarına kasteden bu fetih harekâtına, rehberleri Seyyid Rıza'nın önderliğinde direndi direnmesine, lakin sonuç hüsran oldu.

Hülasa, 1937-38'de ne bir anda patlayıp da bastırılan bir isyan vardı ortada, ne de örgütlü, planlı bir ayaklanma. Olan biten, Dersimlilerin 'hayat alanlarını', 'hali' korumak için gösterdikleri ve bedelini 'mübalağa katliam, mübalağa sürgün' ödedikleri kararlı ve fakat 'nafile' bir direnişten ibaretti."[2]

Tarih, 17 Haziran 1937.

---

2 Prof. Dr. Mesut Yeğen, "Dersim Kürtleşiyor", *Star*, 27 Aralık 2009.

Son Posta gazetesi manşet atar:

"Dersim meselesi tarihe karıştı!"

Haberin devamı:

"Asiler sıkı bir çember içine alındılar. Tunceli'de kahraman kuvvetlerimiz vaziyete hâkimdir. Asiler sığındıkları sarp dağlarda imha ediliyorlar."

Yüzleşmezsek, hiçbir şey geçmiş olmuyor.

Berlin, 26 Kasım 2010

Hayatımda ilk kez Dersim üzerine bir konferans izliyorum: *1937/1938 Dersim: Bir Soykırımın Tanınması.*

"Tertele'yi, kıyımı konuşmak istiyorum," diye başlıyorum, "acıların üstüne, unutturulmak ve bastırılmak istenen acılar üstüne..." Şöyle devam ediyorum:

"Acıların kaynağında inkâr edilen kimlikler var, hayat tarzları var. İnkâr edilen kökler var. Yine acıların temelinde yatan dinî kimlikler, mezhepler üstüne konuşmak istiyorum. Kimlikler, kökler kaybolmuyor. Acılar unutulmuyor."

New York'ta, Manhattan'daki Dervish Restourant'ın barında bu yakınlarda bir öğle vakti Galatasaray'ın yenildiği bir maçı seyrederken tesadüfen tanıştığım 'Bingöllü pizzacı' Kasım'ı anlatıyorum.

1990'larda iki kız kardeşi dağda ölen Kasım'ın "Ben onlar kadar cesur değildim, dağa gitmedim," derken suratından akan hüznü tarif etmeye çalışıyorum.

Yedi kardeşlermiş, iki kız, beş erkek.

Kız kardeşlerinden biri 1969 doğumlu, işletme okumuş Diyarbakır'da; diğeri 1972 doğumlu, liseyi bitirip İstanbul'da çalışmaya gitmiş. Biri, 1993'ün Eylül'ünde, öteki 1994'ün Ağustos'unda dağa gitmiş... Kız kardeşlerinden birinin ölüm haberini 1995'te Anneler Günü'nde almış, diğerininkini 1998 Haziran'ında...

Soruyorum:

Acı dokunmayan aile kaldı mı?

Geçmişle, gerçekle yüzleşmeden barış ve huzuru yakalamak da, özgürlükler düzenini yakalamak da çok uzak ihtimaldir, diyorum.

Dersim acısının, 'Tertele'nin resmi tarih tarafından nasıl unutturulmak istendiğine işaret ediyorum. Kürtlerin, Alevilerin acılarını yıllar yılı nasıl içlerine gömdüklerine, acılarını nasıl gizlice yaşadıklarına değiniyorum.

Seyid Rıza'nın cenazesinin bile yok edildiğini, mezarının bile yok edildiğini söylüyorum.

Resmi tarih buyurdu ki:

Yalanda yaşayacaksın!

Bir süre yaşadık, ama sonra resmi tarihe burada olduğu gibi isyan ettik.

Seyid Rıza'nın idam sehpasına yürürken "**Kerbela evladıyız! Hatasız, günahsız. Bu ayıptır! Bu zulümdür, cinayettir!**" çığlığına hiç olmazsa bu kadar yıl sonra kulağımızı açabildik.

İşte bakın, yetmiş yıl sonra bile olsa, Haydar Işık'ın deyişiyle: "Dersim yattığı kış uykusundan uyanıyor artık..."

Cengiz Çandar'ın deyişiyle "**Onur Öymen'in sakil bir cümlesi**"yle Dersim, tarih sahnesine yeniden çıkımış oluyor.

Seyid Rıza'nın darağacına giderken attığı çığlığı bizzat duyan zamanın emniyet müdürlerinden [1960'larda Demirel hükümetlerinin Dışişleri Bakanı] **İhsan Sabri Çağlayangil**, kendisi de Dersimli olan CHP Kemal Başkanı Kemal Kılıçdaroğlu'nun teybine 1986 yılında şöyle der:

"**Mağaralara iltica etmişlerdi. Ordu, zehirli gaz kullandı, mağaraların kapısının içinden. Bunları fare gibi zehirledi. Yediden yetmişe o Dersim Kürtlerini kestiler.**"

Eski Hava Kuvvetleri komutanlarından, 12 Mart Darbesi'nin altında imzası olan rahmetli **Muhsin Batur Paşa** anılarında, genç bir havacı subay olarak Dersim'deki 'özel görevi'nden şöyle söz eder:

"**Elazığ'ın biraz uzağında, Harput'un eteklerinde çadırlı ordugâh kurduk. Bir müddet sonra ilk durak Pertek olmak üzere harekete geçtik. Ve iki ayı aşkın süre özel görev yaptık. Okuyucularımdan özür diliyor ve yaşantımın bu bölümünü anlatmaktan kaçınıyorum.**"

Özel görev neydi?

Muhsin Paşa onca yıl sonra anlatmaktan niçin kaçınmıştı?

Aslında lafı uzatmak yersiz.

221

Demirel: "Dersim'de
korkunç şeyler olmuştur."

Erdoğan: "Dersim'de
50 bin kişi katledildi."

Demirel, 1991'in Şubat ayında, daha DYP'nin başında ana muhalefet lideriyken, bir akşam Ankara'da, Anadolu Kulübü'nde bana şöyle demişti:

"Asker 1980 öncesi benden 'Dersim Kanunu' istedi. Vermedim. Benden bunu istemeyin dedim. Dersim'de korkunç şeyler olmuştur. Renkli bir mozaiktir Anadolu. Yirmi küsur dil vardır. 'Ne mutlu Türküm diyene'ye gelinceye... Bakmayın, 'olana' dememiş falan, biraz ırkçılık kokar."[3]

Başbakan Erdoğan'ın daha yakın geçmişteki "Dersim'de 50 bin kişi katledildi," sözüyle birlikte, Çağlayangil'in tanıklığı ve Muhsin Paşa'nın söyledikleri bile kendi başına Dersim '37-38'in nasıl bir kıyım olduğu gerçeğinin altını çiziyor.

Aradan 70 küsur yıl geçmiş olmasına rağmen tarihimizin bu rezil sayfasının bugün bile hâlâ gizli tutulmaya, unutturulmaya çalışılması ve devlet arşivlerinin yasak olmamasına rağmen hâlâ açılmamış olması, yalnız acı değil, aynı zamanda acıklıdır.

Cafer Solgun'un dediği gibi, **"Yüzleşmezsek, hiçbir şey geçmiş olmuyor."**[4]

"Barışın değerini en çok savaşanlar
bilir."

Muzaffer Ayata'yla aynı paneldeyiz.

PKK'nin kurucu çekirdek kadrosuna 1970'lerin sonunda katılan, 1976'da Ankara-Cebeci'deki Siyasal Bilgiler Fakültesi yurdunda ilk kez Apo'yla tanışan, kesintisiz 21 yıl hapis yatan, hapisteyken Sabri Ok'la birlikte askerin Apo'yla mesaj göndermek için temas kurduğu, (bunu bana uzun bir Berlin gecesinde kısaca anlatmış, ben de 25 Kasım 2010 tarihli *Milliyet*'te yazmıştım) PKK'nin Avrupa'daki en önde gelen isimlerinden Muzaffer Ayata, konuşmasına Kürtçe başlıyor.

---

3   Hasan Cemal, *Kürtler*, Doğan Kitap, 2003, s.123.
4   Cafer Solgun, *Dersim... Dersim...*, Timaş Yayınları, 2010.

"Çeviri yok," sesleri üzerine Türkçeye dönüyor:

"Türkçeyi öğrettiler bize, kendimizi unutturmak için..."

Devam ediyor:

"Büyük acılar, büyük bedeller ödendi. Ama bugünlere geldik, Kürtçe de konuşuyoruz, Dersim'i de... Evet, artık silahın, şiddetin dilini devreden çıkararak yol almamız lazım. Şunu unutmayın, barışın değerini en çok savaşanlar anlar."

Arşivlerin açılmamasını eleştiriyor Ayata:

"Devlet arşivleri bunca yıl sonra hâlâ neden gizli tutuluyor? Neden açılmıyor? Şeyh Said'le, Dersim'le ilgili arşivler hâlâ yasak. Neden? Devletin tepelediği şakilerse, devletin tepelediği eşkıyaysa arşivler milletten niçin gizleniyor ki?"

Yine Kürtçeye getiriyor sözü PKK'nin kurucu çekirdek kadrosundan Muzaffer Ayata:

"Bir tek Kürt kelimesi bile geçmedi yıllar yılı Türkiye'de. Kürt siyasal hareketleri yıllar yılı yeraltına, illegaliteye itildi, yasaklandı, kapatıldı. Herkes Türk olacak denildi. Biz çaresiz dağlara çıktığımızda da, direnmeye başladığımızda da üstümüze geldiler. Bunu yapanlara, Kürt sözcüğünü bile yasaklayanlara ben şimdi nasıl güveneyim ki?.. Kürtler inkâr edilmelerine karşı ses çıkardılar."

Irkçılığa getiriyor sesi:

"Türkiye'de ırkçılık suç değil. Otuz yıldır kimse ırkçılık yaptığı için hapse atılmadı. Ama Kürtçe konuştu, yazdı diye atıldı. Kürtler ana dillerinde eğitim yaparlarsa Lazlar, Araplar, Çerkesler, Süryaniler hepsi ister sonra diyorlar. Bu bakış açısı da Türkiye'de ırkçılığın nasıl derine gitttiğni gösteriyor.

Tehlikedir, insanın kendi acısıyla kabuklanması!

Sema Kaygusuz, Dersim'i yaşamış babaannesinin kendisine Dersim 38'i anlatmadan öldüğünü anlatıyor ve soruyor:

"Bir insan niçin susar? Çok düşündüm. Utanç, insanı en çok susturan şey... Bir insan, bir insana bunları nasıl yapar? Babaannem belki bana mağdur duygusu bırakmak istemedi. Belki kin, intikam duygusu aşılamak istemedi. Ama tehlikedir, insanın kendi acısıyla kabuklanması..."

2010'un Kasım ayı sonunda Dersim'le ilgili konferansı Berlin'de izlerken bir yandan da not defterime çiziktiriyordum.

Bir köşesinde şu not var:
"Dersim kıyımının sorumluları mı?.. Atatürk, İsmet İnönü, Celal Bayar..."

Asker paşalar,
sivil paşalar!

Berlin'deki Dersim Konferansı'nda tuttuğum not defterimi karıştırıyorum.

Hayat, klişe ve sığ ezberlerin parantezine alınmayacak kadar karmaşıktır, çeşitlilik ve renk barındırır içinde.

Hayatın realitelerine hiç uymayan sloganımsı deyimlerle 'Kürt realitesi'ni, 'PKK realitesi'ni anlamak ve barışa giden yolu açmak çok zordur.

Ey asker paşalar, sivil paşalar!

Yıllar yılı bu gerçeği anlayamadınız.

Bu gerçeği hep pas geçtiniz.

Yüreklerinizde hissetmeye de çalışmadınız.

Bu yüzdendi ki, bu toprakların kapısını hakiki barış bir türlü çalamadı.

Bu nedenledir ki, bu topraklar kan ve gözyaşına, trajediye doymak bilmedi.

Asker paşalar bu bakımdan yerli yerinde bir örneği 2010'un 30 Ağustos'unda vermişti. Eski ve yeni genelkurmay başkanları **Orgeneral İlker Başbuğ**'la **Orgeneral Işık Koşaner**'in devir teslim törenindeki konuşmalarını izlemiş, notlar almıştım.

Vardığım sonuçlara gelince...

(1) Türkiye'nin işi, 'değişim'e bu kadar kapalı zihniyetlerle gerçekten zor!

(2) En tepedeki komutanlar, Kürt sorunu başta olmak üzere bazı temel meselelere böyle bakmaya devam ediyorsa ve bu kafa yapısı Türk Silahlı Kuvvetleri'nin diğer komuta kademelerine de damgasını vurabiliyorsa, o zaman bu ülkeyi yöneten ve yönetecek olan siyasal kadroların şapkayı önlerine koyup düşünmeleri gerekir.

(3) Üstelik çok ciddi düşünmeleri gerekir. Çünkü, örneğin Kürt sorunu gibi yakıcı bir sorunla baş edebilmeleri için askerdeki değişime karşı bu zihniyeti değiştirmekten başka çareleri yoktur.

(4) Yoksa askerdeki bu kafa yapısı, sivil siyaset kadrolarını geçmişte olduğu gibi yine teslim alır ve Türkiye'deki sorunların anası sayılabilecek Kürt sorunu biraz daha düğümlenir.

(5) Cumhuriyetin kuruluşundan beri 'askerin tekeli'nde olan Kürt sorunu, 1980'lerde PKK ile birlikte kan ve şiddetle beslenerek bugün içinden çıkılmaz hale gelmişse bunda en büyük pay askerin değişime kapalı zihniyet dünyasıdır.

(6) Askerin değişime kapalı bu kafa yapısı eğer değişmezse, "Türkiye'yi böldürmeyiz!" diye ne kadar nutuk çekilirse çekilsin, bu ülkede bölücülük geçmişte olduğu gibi güç kazanacaktır.

(7) Başbuğ ve Koşaner paşaların konuşmalarına bakıyorum, Kürt sözcüğü bir kez bile geçmiyor. Sorunun adını bile koyamadan, Kürt diyemeden, değişime bu kadar kapalı bir bakış açısıyla Kürt sorunu da, PKK sorunu da çok daha derinleşir.

(8) İki konuşmada da, 1920'lerin üç ilkesi tekrarlanıyor: **Ulus devlet, üniter devlet, laik devlet...**

İyi güzel de geçen yüzyılın başındaki bu 'tarifler'in katılığı, kimlikler konusunda, inançlar konusunda, laiklik ve din-devlet ilişkileri konusunda bugünlere sarkan ne gibi sorunlara yol açtığı hâlâ görmezlikten mi geliniyor? Örneğin Kürt yok diyerek Kürt sorununu tarih sahnesine çıkartan da bu tariflerdeki sakatlıklar değil mi?

(9) Bu tarifler İkinci Dünya Savaşı sonrasında, özellikle AB'yle birlikte değişmeye, demokrasi, insan hakları ve özgürlükler düzeninin gereklerine göre yeniden şekillenmeye başladı.

Bu açıdan, 14 yıl Fransa'yı yöneten Cumhurbaşkanı Mitterand'ın 1982'deki şu sözü anımsanabilir:

"Fransa'nın birliğini bugüne kadar merkeziyetçilikle koruduk. Ama bundan sonra bu birlik devam edecekse tam tersini yapmak ve merkeziyetçilik yerine yerel yönetimleri güçlendirmek lazım."

(10) Türkiye'de asker, bölünme korkusu ile yerel yönetimlerde reforma hep karşı durdu. Ama değişen bir şey olmadı. Kürt siyasal hareketi seçim sandığından çıkarak yerel yönetimleri, belediyeleri Güneydoğu'da kazandı. Demokrasi diyorsak, ülke idaresinde verimlilik diyorsak yerinden yönetimleri çok daha fazla güçlendirmektir öncelikli olan...

(11) Başbuğ ve Koşaner paşaların konuşmalarına bakıyorum, bazen açık, bazen üstü örtülü olarak, AB'ye ve onun getirdiği değişim anlayışına yönelik eleştirel bakış açıları dikkati çekiyor. Türkiye'nin hem coğrafyasının, hem 'kriz bölgelerine yakınlığı'nın, hem de yapısının 'özel' olduğu, bu nedenle Koşaner Paşa'nın deyişiyle, "Değişimin hatırı için değişim yapılamayacağı" görüşünün altı kalın olarak çiziliyor.

(12) Değişime kapalı olmak tam da burada, yeni Genelkurmay Başkanı Koşaner'in belirttiği gibi, Türkiye'nin 'özel koşulları'nda

düğümlenir. Bu 'özel koşullar' nedeniyle demokrasimizin birinci sınıf olamayacağı, yerel yönetimlerin fazla ete kemiğe bürünemeyeceği, AB'nin her dediğinin yapılamayacağı, eğer yapılırsa, bunun 'bölücülük' ve 'irtica'yı güçlendireceği askerin hiç değişmeyen anlayışını yansıtır. Bu anlayışın ipuçları her iki konuşmada da var.

(13) Orgeneral Başbuğ, PKK'ye karşı mücadelenin 2000 yılının başına kadar iyi gittiğini, ama özellikle 2004'ten itibaren PKK'nin yeniden yükselişe geçtiğini belirtti.

2004 ilginç bir tarihtir.

2003 ve 2004 yıllarında, Erdoğan hükümeti tarafından AB'ye uyum reformları gerçekleşmiş ve AB'den müzakere tarihi alınmıştı. Başbuğ Paşa'nın konuşmasının bu bölümünde de üstülü örtülü olarak hükümet ve AB eleştirisi vardı.

(14) Kürt sorununu çözmenin yolu, sorunun silahla bağını koparmak ve dağdakileri indirmekten geçer. Bunun için de sorunun 'siyasallaşması'ndan korkmak yerine, bunun yolunu açmak gerekir. Böyle bir bilincin izi her iki konuşmada da yoktu. Tersine 'siyasallaşma'dan ürkülüyordu.

(15) Özellikle yeni Genelkurmay Başkanı Orgeneral Koşaner'in konuşması siyasal yanı ağır basan bir konuşmaydı. Bir askerin değil, bir siyasetçinin, örneğin bir dışişleri bakanının konuşmasıydı. Koşaner Paşa, hükümetin önüne neredeyse bir 'yol haritası' koydu ki, bu bir askerin yapacağı iş değildi demokrasilerde...[5]

Türkiye'de büyük paşaların zihniyeti ya da askerdeki hâkim zihniyet, halef-selef genelkurmay başkanlarının bu konuşmalarında yatıyordu.

Türkiye'nin demokrasi ve hukukun üstünlüğü yolunda ilerleyebilmesi, özellikle Kürt sorununun çözüm rayına oturtulabilmesi için bu ülkede 'askerî vesayet'in özünü oluşturan bu zihniyetten kurtulmak gerekiyordu.

Bunun için yalnız askerî otoritenin demokratik olarak 'seçilmiş' sivil otorite'ye tâbi olması değil, aynı zamanda Murat Belge'nin deyişiyle, 'askerin son savunma hattı' gibi hareket eden yargıyı da 'hukukun üstünlüğü'ne tâbi kılmak lazımdı.

Ben bu bakımdan 12 Eylül 2010 referandumunda 'Yetmez ama evet'i savundum. Anayasa Mahkemesi'yle, kısa adı HSYK olan

---

5 Işık Koşaner Paşa'nın, 2010 Ağustos ayında Genelkurmay Başkanı olduktan kısa bir süre sonra karargâhında astlarıyla yaptığı bir konuşmanın ses kaydı 2011 Ağustos'unda internete düştü. Kitabımın sonuna bir belge olarak koyduğum bu konuşmayı, Türkiye'de asker sorunu nedir, Kürt sorunu nedir, askerin problemi nedir sorularının yanıtlarını merak edenler okuyabilir.

Hâkimler ve Savcılar Yüksek Kurulu'nun yapılarında öngörülen değişiklikleri doğru buldum.

Bu konuda 'aydınlar cephesi'nde derin çatlaklar oluştu. Ben BDP'nin, PKK'nin 12 Eylül Referandumu'nu boykot kararı almasını ve bu ülkede Kürt meselesi en başta olmak üzere 'sorunları anası' olan askerî vesayeti biraz daha zayıflatacak yasal düzenlemelere karşı çıkılmasını eleştirdim.

Kürtler, 12 Eylül'e sırtını dönebilir mi? başlığı koymuştum bir yazıma, şöyle devam ediyordu:

"HSYK acaba Kürtleri, Kürt siyasal hareketini, BDP'yi ilgilendirmiyor mu?

HSYK'ya bakalım.

Yakın geçmişinde bir Şemdinli olayı var bu kurulun. Kürtler Şemdinli'yi çok iyi bilir.

Van'da bir savcı, Ferhat Sarıkaya, Şemdinli'yle ilgili bir iddianame hazırlamıştı. Bu iddianame askere, bir yanıyla zamanın Kara Kuvvetleri Komutanı Orgeneral Büyükanıt'a dokunuyordu.

HSYK hiç beklemedi.

İddianamesiyle askere, komutana dokunmaya kalkışan savcıyı meslekten attı, bununla da yetinmeyip avukatlık yapmasını da yasakladı.

HSYK başka ne yaptı?

Adana'da bir savcı vardı, adı Sacit Kayasu. Bu savcı bir iddianame hazırladı Kenan Evren hakkında. Kürtlere belki de en büyük zulmü yapan 12 Eylül askerî yönetiminin liderini yargı önüne çıkarmak istedi.

HSYK yine hiç duraksamadı.

Bu savcının da defterini dürdü, meslekten attı. Avrupa İnsan Hakları Mahkemesi'nin bozma kararını da tanımadı.

HSYK şimdilerde başka bazı taşları yerinden oynatmak istiyor.

Örneğin, bir süredir Ergenekon davasının savcı ve yargıçlarını yerinden oynatmanın peşinde.

Örneğin, bir süredir Balyoz davasını yürüten savcı ve yargıçları yerinden oynatmak istiyor.

Örneğin, bir süredir Diyarbakır'daki faili meçhul cinayetler davasının savcısını da yerinden oynatmak istiyor.

Şimdi sorulabilir.

Ergenekon, Kürtleri ilgilendirmiyor mu? **Balyoz**, Kürtleri ilgilendirmiyor mu? Faili meçhul cinayetler Kürtleri ilgilendirmiyor mu?

Elbette ilgilendiriyor.

Nasıl 12 Eylül, Evren, Şemdinli olayı ilgilendiriyorsa, bütün bunlar da Kürtleri hiç kuşkusuz ilgilendiriyor.

Bunların hepsi iç içe düğümler. Bu düğümlerin ilmik ilmik çözülmesiyle, Türkiye'de barış ve demokrasi yollarında yürümek aynı anlamı taşıyor.

Bu gerçeğin bilincinde olan Kürtler, kısa adı HSYK olan Hâkimler ve Savcılar Yüksek Kurulu'nu es geçemez. Bu kurulun üye sayısının arttırılmasını, seçim tarzının daha demokratikleştirilmesini, kapalı bir kast olmaktan kurtarılmasını küçümseyemezler. Ya da böyle bir anayasa değişikliğine dudak bükemezler.

Anayasa Mahkemesi gibi HSYK'nın yapısının iyileştirilmesi, bugüne kadar Kürt sorununun çözümüne çomak sokan engellerden birinin biraz daha etkisizleştirilmesi demektir.

Türkiye'de yargı 'demokratikleştirilmeden', yani hukuk devleti yerli yerine oturmadan ne Türklerin ne de Kürtlerin temel sorunları doğru dürüst çözülür.

Bu nedenle Kürtler 26 maddeden oluşan anayasa değişikliği paketini daha ciddiye almak durumunda.

Evet, bu paket birçok açıdan yetersizdir. Kürtlerin eleştirilerinde haklılık payı büyüktür. Ancak, bu pakette Kürtler yoktur demek gerçeği yansıtmıyor.

HSYK ile ilgili değişiklik Kürtleri, yukarıdaki bazı örneklerin ışığında fazlasıyla ilgilendiriyor. Anayasa Mahkemesi'yle ilgili değişiklik de öyle. Askerî mahkemelerin yargı alanının daraltılmasıyla ilgili değişiklik de farklı değil.

12 Eylül askerî yönetiminden otuz yıldır hesap sorulmasını engelleyen geçici 15. maddenin kaldırılması ve bunun sembolik önemi de Kürtleri ilgilendiriyor.

Bir noktaya daha dikkat çekilebilir.

12 Eylül Referandumu'nda bu paketin sandıkta kabul edilmesiyle birlikte demokratik bir sivil anayasa talebi siyaset gündemine çok daha rahat oturacaktır.

Bütün bu nedenlerle, 'Bu paket Kürtleri ilgilendirmiyor, bu pakette Kürtler yok!' demek bana çok fazla inandırıcı gelmiyor."[6]

12 Eylül'de evet'ler kazandı, yüzde 58'le.

Yazımın başlığı uzundu:

Evet, demokrasi kazandı ama daha çok şey var demokrasi konusunda yapılacak.

---

6   Hasan Cemal, *Milliyet*, 25 Ağustos 2010.

12 Eylül Referandumu'yla birlikte siyaset meydanında yumuşama havası esmeye başlayacaktı. PKK'den 'eylemsizlik'in 2011 genel seçimlerine kadar uzatılacağına dair sinyaller gelirken, İmralı'dan Ankara'ya yönelik malum talepler medyaya ulaşıyordu:

* Askerî ve siyasi operasyonlar dursun.
* Tutuklu BDP'liler salınsın.
* Öcalan'ın sürece daha aktif katılması için önü açılsın ve onunla yürütülen diyalog süreci, müzakereye dönüşsün.
* Sürecin ilerlemesi için bir Anayasa ve Hakikatleri Araştırma Komisyonu kurulsun.
* Yüzde 10 seçim barajı kaldırılsın.

Durum böyleydi 2010 yılı Ekim ayında. Güneydoğu yollarına düştüm nabız tutmak için...

ON BİRİNCİ BÖLÜM

1990'ların Kürt realitesi'nden 2000'lerin PKK realitesi'ne... Kiminle savaş, onunla barış!

O çocuklar var ya, taş atan çocuklar,
onların acısını yüreğinde
hissetmeden, onların acısını
anlamaya çalışmadan barış
çok zordur, hem de çok...

Başkale, 12 Ekim 2010
İstanbul'dan sabahın köründe Van'a uçtum.
Şakır şakır yağmur.
Van Gölü'nde sis, etraf görünmüyor.
Başkale'ye doğru yola çıkarken, Van Havaalanı'nda rastladığım tıp profesörünün söylediklerini not alıyorum:
"Doğu'da devlet ilk defa sormaya başladı insanlara, ne istiyorsunuz diye... Herkes artık bu iş bitsin istiyor! Hakkâri'de, Yüksekova'da, Şemdinli'de o taş atan çocuklar var ya... Onlar hep köyleri boşaltılan, köyleri yakılan, evlerinden barklarından olan ailelerin çocukları... Onların ana babalarıyla birlikte yaşadıkları o acıları anlamadan, o yaraları sarmaya çalışmadan bu topraklarda barış çok zor yakalanır."
Kayalıkların tepesine bir kartal yuvası gibi oturtulmuş Hoşap Kalesi...
Geçen yılki gibi, jandarma kontrol noktasının önünde uzun bir araç kuyruğu. Ama yine de değişen bir şey var. Bundan yedi sekiz yıl öncesine kadar, öğleden sonraları daha güneş batmadan saat bir, bir buçuktan sonra trafik asker tarafından kesilirmiş...
Diyor ki:

231

"Buralarda olumlu bir şeyler olacak havası esmeye başlamış durumda... Ama çok kırılgan, inişli çıkışlı bir vaziyet..."

Başkale'ye giriyoruz.

Okul dağılmış, düzgün giysili, kravatlı öğrenciler. Rasgele yaklaşıyorum içlerinden birine. Lise birdeymiş. Bir haftalık okul boykotuna katılıp katılmadığını soruyorum. Yalnız kendisinin değil, herkesin katıldığını söylüyor. Sonra da parmaklarıyla zafer işareti yapıp gidiyor.

Okul çocuklarındaki bu zafer işaretine ilk kez, sanıyorum, 1987'de Nusaybin'deki bir okul bahçesinde tanık olup yazmıştım.

Bir 'sivil itaatsizlik' eylemi olarak PKK tarafından başlatılan okul boykotuna Başkale'deki katılım oranı yüzde 80. Anayasa referandumunda sandığı boykot ise yüzde 86 civarında...

Başkale'nin BDP'li belediye başkanı İhsan Güler [2011 yazında hapisteydi] "Hasan Abi, gelin sizi dağa çıkaralım," diyor. Yardımcısı kıkırdıyor: "AKP'li belediye başkanına gitseniz sizi camiye götürürdü, bize geldiniz, haydin dağa..."

Peki diyorum, sarı çizmeleri çekiyoruz, yağmurlukları giyiyoruz, Başkanın bizzat kullandığı ciple dağa doğru vuruyoruz. Bir yanımız uçurum. 2200 metreden 3400 metreye doğru tırmanışa geçerken gülüyor İhsan Başkan:

"Hasan Abi, sen Kandil'e çıkmış adamsın, buraları sana ne kor be abi!"

Tırmandıkça, sis basıyor.

Galiba kar atıştırmaya başladı, evet öyle, yılın ilk karını daha ekimin ortasında görmek varmış...

İhsan Başkan anlatıyor:

"Biz artık barış istiyoruz, bıktık çünkü... Bundan sonra umutsuzluk felaket getirir. Ama temel sorun nedir biliyor musun, Ankara'yla güvensizlik..."

Başkale'nin BDP'li belediye başkanı İhsan Güler 46 yaşında. Hakkında kesinleşmiş 10 ay hapis cezası var. Anlatıyor:

"Ankara'da Kürt-Der'in başkanıyım. Yıl 2007. Bir gece Kürtçe mevlide gidiyoruz. Konuşma falan yok. Mevlid Kürtçe, dinliyoruz. Biri, cep telefonuyla üç dört saniyelik çekim yapıyor, veriyor polise... İşte bundan dolayı, PKK propagandası diyerek 10 ay hapis..."

Kar bastırıyor, dağda sis yoğunlaşıyor, Başkan anlatıyor:

"Bir yandan dağda askerî operasyon, öbür yandan şehirde siyasi operasyon, KCK operasyonu vesaire... Ee, barış nasıl olacak? Eylemsizlik kararı, ateşkes olunca, PKK kendi militanlarını askerle çatışmanın olamayacağı yerlere doğru çekiyor dağda... Ama operasyonlar yine de durmuyor, askerî hareketlilik devam ediyor."

3200 metreyi gösteriyor, Başkan'ın cipindeki gösterge. Yukarıdan inenler var. Bağırıyor biri gülerek:

"Aman abi çekme, gerilla sanırlar."

Başkale'nin suyunu getirmek için dağda çalışan Başkale Belediyesi'nin işçileri...

Arazideki ateş üstünde demledikleri çayları yudumlarken Başkan Güler anlatıyor:

"BDP'li bir belediye meclisi üyemiz var, bir hanım. Kocası Antalya'dan bir doktor, o da Türk, şimdi aramızda olan. Adı Eylem, meclis üyemizin. Telefonu dinleniyor. Telefonda, 'Biz eyleme gidiyoruz!' sözü tespit ediliyor. Eylem Hanım, telefon dinlemede oluyor, eylem... Eylem hanım tam dokuz aydır hapiste, 2 yaşındaki çocuğu Argeş'le birlikte... KCK operasyonuyla içeri alındı."

Öteki söze giriyor:

"Okul boykotu tam tuttu burada. Kürtler kendi dillerinde eğitim istiyor."

Dağdan inişe geçerken, kolumu tutuyor Başkale'nin BDP'li belediye başkanı İhsan Güler:

"Vallah Hasan abi, barışı özledik!"

Taş atan çocukları kazanmak
ya da cehennemi yaşamak!

Hakkâri, 13 Ekim 2010

Sümbül Dağı, tüm heybetiyle...

Güneşli bir havada dağın eteklerine, Hakkâri Üniversitesi'nin Oxford'dan doktoralı Rektörü Prof. Dr. İbrahim Belenli'nin deyişiyle, bu şehrin en mağdurlarının bulunduğu Keklikpınarı Mahallesi'ne tırmanıyoruz.

Keklikpınarı aynı zamanda Hakkâri'de 'taş atan çocuklar'ın en çok yaşadığı yer. Biri bir ay önce, diğeri altı yedi ay önce iki kez panzer devirmişler burada.

Hakkâri'ye gönüllü gelip üniversitenin temellerini atan Rektör İbrahim Belenli diyor ki:

"Bakın buradaki problemi görmeden, batıda rahat yaşayamayız. Bu taş atan çocukları ya kazanacağız ya da onlar hayatı bize zehir

233

edecekler. Çünkü öylesine acılar yaşamışlar, öylesine acılara tanık olmuş ki bu çocuklar..."

O çocukların aileleri, Çukurca'nın sınır köylerinden, Türkiye-Irak-İran'ın birbirine kavuştuğu ve PKK kamplarının bulunduğu dağlık coğrafyadan 1995 yılında sürülüp gelmişler Hakkâri'ye. Köyleri zorla boşaltılmış.

Köyleri yakılmış.

İsmi Sülker, 45 yaşında bir kadın. O günü hiç unutmamış. "Kara bir gündü o gün," diyor. 1995 yazında bir gün basılan köyünü, güvenlik kuvvetlerinin Kavuşak Köyü'nde neler yaptıklarını anlatıyor Sülker:

"Köyde iyiydik. Kimseye muhtaç değildik. Çatışmalar oluyordu, helikopterler üstümüzde uçuşuyordu. Ama biz iyiydik, yün satıyor, ceviz satıyor geçiniyorduk. Meralarımız da vardı. Bir gün geldiler, boşaltın köyü dediler, gideceksiniz dediler. Eşyalarımızı yola çıkardık. Ama onları da bırakmadılar alalım. Onları da yaktılar, evlerimizi de... Kara bir gündü o gün..."

Tabanı toprak, basık tavanlı küçücük bir kulübe. İçerisi sıcak! Ortasında büyücek bir delik, içinde odun ateşi yanıyor.

Yaşlı teyze diyor ki:

"Burdan besliyoruz köyün insanını, tandır ekmeği pişiriyoruz bu fırında... Devlet bu mahalleyi üvey evlat yapmış... Eşim işsizdir, arada iş bulunca çalışabiliyor. Ama o da ameliyatlı böbreğinden... Dört çocuğumun dördü de işitme engelli... Ancak yardımlarla ayakta durabiliyoruz."

15 yaşında, lise bir öğrencisi, neden taş attıklarını kendisine sorunca yanıtı kısa:

"Geçmişin acılarını hatırlayarak kendimizi koruyoruz."

Keklikpınarı'nda yaşayanların tümü Çukurca'nın Kavuşak köyünden zorla göç ettirilmiş 1995 yazında.

Cevat Taş da onlardan biri:

"Malımızı mülkümüzü de, hayvanlarımızı da ateşe verdiler, gitmezseniz sizi de vuracağız dediler. Zorla geldik buralara 1995'te, sadece canımızı alıp yollara düştük, yaz gazeteci abi! Geçen sefer panzerden evime gaz bombası atarken bağırdılar, bu çileyi çekeceksiniz diye..."

Tepeden Hakkâri'yi seyrediyorum.

Uzaktan çabuk çabuk adımlarla bana doğru geliyor. Belli, söyleyeceği bir şeyler var. Tüm yaşadıkları, acılar yüzünün derin hatlarına yerleşmiş...

Adı Hızu, soyadı Taş.

Yaşı yetmişi devirmiş.

Hızu Teyze de diğerleri gibi Çukurca'nın Kavuşak köyünden, iki oğluyla birlikte göç etmiş 1995 yazında. Yani kendi yurdunda sürgün olmanın acısını ailecek fena yaşamışlar.

Kendinden emin bir havada konuşuyor, tane tane konuşuyor.

"**Yaz evlat!**" diye söze başlıyor:

"**Biz barışa susamışız!**"

Sözleri yüreğinden dökülüyor:

"Dağdaki de, asker de bizim çocuklarımız. Yaz evlat, barışa sahip çıkın, mahkûmları da affedin!"

Elimi bırakmıyor Hızu Teyze:

"Artık cezaevi kapılarında, cenaze törenlerinde buluşmak istemiyoruz!"

Lafı uzatmıyor.

Bunları söyledikten, ben elimi uzatınca elimi sıkıyor, sırtını dönüp gidiyor yine çabuk çabuk adımlarla...

Sümbül Dağı'nın eteklerinden şehre doğru yoksulluk manzaralarının içinden geçerek iniyoruz. Bir evin duvarına Kürtçe yazmışlar:

"**Êdî bese!**"

Türkçesi:

"Yeter artık!"

İkiye bölmüşler Gever'i, bir Kürdistan,
devlete yasakmış...

Yüksekova, 14 Ekim 2010

Ruken, Kürtçe güler yüzlü demek. Ruken hanım da adı gibi...

"Gever," diye söze başlıyor.

"Gever neresi?"

Gülüyor Ruken hanım:

"Yüksekova buranın resmi adı. Asıl ismi Gever. 1936'da devlet, her yerde olduğu gibi burada da Türkçeleştirmiş isimleri, Yüksekova demiş. Ama gidin çarşıya gezin, bir tek Allah'ın kulu bulamazsınız Yüksekova diyen..."

Ruken hanımın soyadı Yetişkin. Van Gölü kıyısına, Tatvan'a gidiyor aile kökleri. Tatvan doğumlu. Beşi kız, beşi erkek on kardeşli bir aileden...

Eşi berber, o hiç konuşmuyor. Koltuğunda, ellerini göbeğinin üstüne bağlamış, bizi dinliyor sessizce...

Ruken hanım, İstanbul'da yıllar yılı Kürt siyasetinin içinde bulunmuş. Avcılar'da HADEP ilçe başkanlığı yapmış. Uzun yıllar Cumartesi Anneleri'ne katılmış.

Diyor ki:

"Polisin gazıyla copuyla siyaset yaptık. Kaç kere gözaltına alındığımı hatırlamıyorum. Ama her seferinde raporumu aldım, poliste dayak yediğime dair..."

48 yaşında, ilkokul mezunu. 2009 yerel seçimlerinde BDP adayı olarak yüzde 90 oyla Yüksekova Belediye Başkanı seçilirken Türkiye oy rekorunu da kırmış...

Yüksekova ya da Gever özel bir yer. Hem devlet hem PKK açısından öyle. Dağlarla çevrili öyle bir coğrafyaya sahip ki, bu durum Yüksekova'yı stratejik kılıyor.

Zirveleri yılın ilk karıyla beyaza boyanmış heybetli Cilo Dağları'nın arkası Irak, en çok 55 kilometre. Beri tarafta 40 kilometre yol alırsanız İran.

PKK'nin uzun yıllardır cirit attığı bu coğrafyanın ya da daha basit deyişle, Hakkâri-Yüksekova-Şırnak üçgenin kalbindeki en önemli merkez Yüksekova denebilir.

Sohbetin koyulaştığı sırada biri söze giriyor:

"Gever'de sizin kaldığınız Oslo Oteli bir tampon bölge sayılır. Onun bir tarafına biz Kürdistan deriz, öbür tarafına Türkiye. Polis, güvenlik güçleri oradan oraya geçti mi olay çıkar. Bunu bildiği için de geçmez."

Diğeri devam ediyor:

"Asker, polis kaç yıldır şehre inmez. Lojmanda yaşarlar. Etrafı duvarlarla, kum torbaları ve dikenli tellerle çevrili lojmanlarda yaparlar alışverişlerini de, kendi dükkânlarından... Halktan tamamen tecrit olmuşlardır."

Bir başkası sözü alıyor:

"Bir uzman çavuş, adı Yasin Ak, geçen yaz, haziran ayında sabah vakti yedi buçukta çarşıya çıktı, maskeli biri tarafından ensesine arkadan sıkılan tek kurşunla öldü."[1]

Yüksekova Belediye Başkanı Ruken hanımla evinin salonunda sohbet ediyoruz. Düzgün, akıcı Türkçesi var.

Soruyor:

"Biz devlete ne düşmanlık yaptık ki, bizim dilimizi yasakladı, kültürümüzü inkâr etti? Niye bu inkâr ve imha siyaseti? Üstelik biz

---

1 2011 yazında da iki asker, çarşıda, yol ortasında kurşunlanarak şehit edildi Yüksekova'da...

236

Kürtler bu topraklara Türklerden önce gelmiştik. Öyle değil mi? Kurtuluş Savaşı'nda Atatürk Kürt dedi, Kürtleri çağırdı, Türklerin, Kürtlerin devleti olacak dedi. Yalan mı? Hayır, gerçek bunlar. Ama sonra sen bana bütün bunları niye reva gördün, beni her şeyimle neden inkâr ettin? Sen beni niçin bu kadar ötekileştirdin?"

Ruken hanım gözümün içine bakıyor konuşurken: "İnsanın özünü boşaltmak o kadar kötü bir şey ki. İnsanın diliyle bağını koparmak o kadar kötü bir şey ki."

İnsanın özünü boşaltmak...

Diliyle bağını kopartmak...

Ruken hanım da buna değiniyor. Başkale'de, Hakkâri'de yol boyu duyduğum bir eleştiriyi yineliyor:

"Erdoğan gitti Almanya'ya, yine asimilasyondan yakındı. Asimilasyon insanlık suçu, dedi. İyi dedi, doğru dedi. Ama Almanya'daki Türkler için, Bulgaristan'daki Türkler için söylediğini neden kendi ülkenin Kürtlerinden esirgiyorsun, neden? **Bizim tarihimiz asimilasyon tarihi değil mi?** Neler yapıldı Kürtlere... Hâlâ ana dilimizde eğitime karşı çıkıyorsun, neden?.. Ben bugün hâlâ Kürtçe seçim propagandası yapmaktan yargılanıyorum, hapis cezası istemiyle..."

Bana doğru eğiliyor Ruken hanım:

"Beni can kulağıyla dinleyin. Geçen eylül ayında Hakkâri'de 28 cenaze kaldırdık. Canımız yanmıştır. Tam 28 cenaze bir ayda... 13 yaşındaki bir çocuğu hedef alarak vurdular. Gençler burada, siz tahmin edemezsiniz, o kadar öfkeliler ki, o kadar sertler ki. Biz burada olmasak, onları sakinleştirmeye çalışmasak daha neler olur? Lütfen, o gençlerin, o taş atanların duygularını anlamaya çalışın biraz..."

Ruken hanım şöyle bağlıyor:

"Bizim eksik yanımız, **Türk halkına kendimizi anlatamadık.** Yeterince anlatabilsek, bir Türk anası da o zaman soracaktır, benim oğlum niye ölüyor, şehit oluyor diye... Ama aynı zamanda Türk halkına yürekten kırgınız, biraz olsun bizi anlamak istemedikleri için, empati kurmadıkları için..."

Gözleri doluyor Ruken hanımın:

"Bunun için yürekten kırgınız!"

Şırnak, 15 Ekim 2010
Yüksekova'dan Şırnak'a doğru yoldayım. Dağların arasından, harikulade manzaralarla baş başa gidiyorum.

Uludere'ye az kaldı derken ağaçların, yeşilliklerin ortasındaki bir köyün yamacında bir türkü, oynak bir türkü patlıyor. Hem söylüyor, hem çalıyor, hem halay çekiyorlar.

Bir düğün, Ortasu köyünde.

Rengârenk giysileriyle, sarı-kırmızı-yeşil eşarplarıyla kızlar, erkekler serçe parmaklarıyla havada birleşmiş, hep birlikte halay çekiyorlar. Vücutlarını türkünün ritmine kaptırmış, tarlanın çevresinde ağır ağır dönüyorlar.

Çoluk çocuk etrafta koşuşturuyor. Odun ateşi üstünde fokur fokur kaynayan kocaman kazanlarda et ve pilav... Herkes öylesine neşe içinde ki... Düğün, bir korucu aşiretinin, yani 'devletten yana' bir aşiret olan Goyan Aşireti'nin bir düğünü...

Beni de sokuyorlar halay çekenlerin arasına. Bir Kürtçe türkü daha patlıyor hoparlörden:

Kızlar koyun sağmaya
Ah evim vah evim!

Goyan Aşireti'ne ait korucu köyündeki bir düğünde PKK türküsüyle halay çekiliyor. Korucularla PKK bunca yıldır gırtlak gırtlağa değil miydi? Yoksa artık bu cephede de bir şey değişmeye mi başladı?

Ben de tarlanın etrafında ağır ağır dönmeye başlıyorum. Hayatımda bir ilk olmalı bu, halay çekiyorum. Genç şarkıcı, elinde mikrofon bir türküden öbürüne geçiş yaparken Namık Durukan kulağıma eğiliyor:

"Ne türküsü biliyor musun? *Oremar*... Bir PKK türküsüdür bu, onların kahramanlıklarını anlatan bir türkü..."

Başımdan geçen bu olayı ertesi sabah Şırnak'taki kahvaltılı bir toplantıda anlatınca, yöreyi iyi bilen biri diyor ki:

"Şunu bir kenara not edin. 12 Eylül Referandumu'nda boykota katılım korucular arasında da çok yüksek oldu."

Karşımızda Cudi Dağları... Kahvaltı masasının etrafında 'temsil' iyi:

BDP'li belediye başkanı Ramazan Uysal, Ak Parti İl Başkanı Rizgin Birlik, Şırnak Ticaret ve Sanayi Odası Başkanı Osman Geliş, Esnaf Odası Başkanı Mehmet Ali Ayhan, Müteahhitler Birliği Başkanı Yüksel Zeyrek.

Ben not alıyorum, onlar konuşuyor. Herhangi bir yorum yapmadan, isimlerini vermeden, söylediklerini naklediyorum:

"Şırnak'a ne kadar teşvik versen, yatırımcı açısından fazla bir işe yaramaz, eğer barış ve huzur yoksa... Dişsiz dedeye et ikram etmek gibi bir şey..."

"Faili meçhulleri hiç unutmadık, tabii **Albay Cemal Temizöz**'ü de... Şırnak'ta o, 1993-96'da Cemal Binbaşı diye geçerdi. Şimdi yargılanıyor. Ona bu dünyada adalet yetmez! Biz onu ilahi adalete teslim ediyoruz."

"Hem babam hem dayım güpegündüz 'faili kapısında JİTEM aldı onları, bir daha haber alamadık. Halen Ergenekon davasında yargılanan **Levent Köktaş** adını hiç unutmayacağım."

"Ergenekon davası henüz buralara gelemedi. Bu davanın sanıklarından **Levent Ersöz Paşa** Şırnak'ta Jandarma Komutanlığı yaptı, onu da unutmadık."

"**Acılar paylaşıldıkça küçülüyor.**"

"Evet, ana dilimizde eğitim, **Kürtçe eğitim** elbette gerekiyor. Ama önce bunun zeminini oluşturmak şart."

"**Evet, Allah için çok hizmet geldi buralara Ak Parti hükümeti döneminde... Çok şey yapıldı. Ama sadece hizmetle, yatırımla bitmiyor iş. Gönülleri de kazanmak lazım. Dilimizi, kültürümüzü de unutmamak lazım.**"

"İlk önce silahların susması şart!"

"Operasyonlar devam ediyor."

"Bölgeye önce bölge milletvekillerinin sahip çıkması lazım. Başbakan, 'Bizim 75 Kürt milletvekilimiz var,' diyor. Fakat son derece pasif Ak Partili bu milletvekilleri, sesleri çıkmıyor."

"**Bir yandan açılım yap, barış de, öte yandan KCK operasyonu yap! İkisi bir arada olmaz, olmuyor.**"

"BDP de hükümete yardımcı olmuyor, dayatma yapıyor!"

"Hükümet kapıyı açmıyor ki yardımcı olalım."

"Burada siyasetçiler kitleyi avuçlarının içine alamıyor, PKK elinde tutuyor kitleyi..."

Dağdan in hapse gir,
olur mu öyle şey?

"Yüzde 58 desteği [12 Eylül 2010 referandumu] var Erdoğan'ın. Artık siyasi affi düşünmesi lazım. Dağdan in, hapse gir! Hiç olur mu böyle bir şey?" "Her sabah bizim çocuklarımızı, varlığım Türk varlığına armağan olsun, diye bağırtıyorlar bunca yıldır. Hiç olur mu böyle bir şey?.." "Ulusal medyadan şikâyetlerimiz var. Barış sürecine destek değil, köstek oluyorlar. Bu yüzden yüzümüzü her geçen gün yerel medyaya dönüyoruz." "Duvardaki şu uydu haritasına bakın Şırnak'ın... Doğumuzda bir tümen, batımızda bir tugay, kuzeyimizde bir tugay, güneyimizde bir tugay! Dört bir yandan sarılmışız." "Barışı istemeyenler var. Hem devlette, hem Ak Parti'de, hem buralarda, hem de örgütte, PKK'de... Ama şunu iyi bilsin onlar: Artık cin şişeden çıkmış durumda! Barış taraftarları ağır basıyor."

"Öksürsek dava açılıyor!"

Kızıltepe, 16 Ekim 2010
Kim bilir kaçıncı gelişim Kızıltepe'ye. Son kez yolum düştüğü zaman belediye başkanlığı koltuğunda, milletvekili olan kocasını 1990'ların başında 'faili meçhul cinayet'te kaybeden Cihan Sincar oturuyordu.

Şimdi aynı koltukta bir başka genç kadın, Şerife Alp oturuyor ama vekâleten. Çünkü, BDP'den yüzde 78 oyla belediye başkanı seçilen Ferhan Türk [Ahmet Türk'ün yeğeni] 'KCK operasyonu'nda tutuklandı, on aydır hapiste...

İki tane beyaz barış güvercini heykelinin süslediği yeni belediye binasına girerken iki şey dikkatimi çekiyor. Biri, çimenlerin üstündeki tabela. "Lütfen çimlere basmayın!" diye Kürtçe ve Türkçe yazılmış üstüne... Diğeri, binanın ön cephesine sarkıtılmış fotoğraflı pankart:

"Kürt halkının iradesini esir alamazsınız."
Pankartın üstünde, KCK operasyonu sırasında tutuklanan ve pazartesi günü mahkemeye çıkarılmayı bekleyen 7 BDP'li belediye başkanının fotoğrafları yer alıyor:

Kızıltepe Belediye Başkanı Ferhan Türk, Viranşehir Belediye Başkanı Leyla Güven, Kayapınar Belediye Başkanı Zülküf Karatekin, Cizre Belediye Başkanı Aydın Budak, Batman Belediye Başkanı Nejdet Atalay, Suruç Belediye Başkanı Ethem Sabur, Sur Belediye Başkanı Abdullah Demirbaş (hastalık nedeniyle serbest bırakıldı).

Kızıltepe'nin belediye başkanı Ferhan Türk, 41 hafta önce bir perşembe günü gözaltına alınmış. Ona vekâlet eden Şerife Alp "Keşke bugün öğle vakti gelseydiniz. Her perşembe günü onun gözaltına alındığı saat olan 12.30'da Kızıltepeliler belediyenin önünde gösteri yapıyor, Kara Perşembe'yi protesto etmek için," diyor.

Şerife Al, diyor ki:

"1800 Kürt siyasetçisi hapiste yatıyor KCK operasyonlarından dolayı. Belediye başkanları, il ve ilçe başkanları, meclis üyeleri, BDP'liler... Böyle barış süreci olur mu?"

Ve ekliyor Şerife Hanım:

"Öksürsek dava açılıyor!"

Belediye başkan yardımcısı Haşim Baday'la sohbet ediyorum. 22 yaşında 'PKK üyeliği'nden 1995'te hapse girmiş, 2004'te çıkmış. "Parti komiseri misin?" diye soruyorum, hafif tertip alaylı bir dille. "Hayır, halkımızın hizmetkârıyız," diye yanıtlıyor gayet ciddi...

Bir ara bana dönüp *"Kürtler* kitabınızı bugün yazsanız farklı yazardınız değil mi?" diyor. Dikkati şaşırtıyor beni. Belli, iyi bir okurum. Cevabım "Haklısın," oluyor.

Haşim Baday, 10 yıl hapis yatıyor, çıkıp siyasete devam ediyor. Kürt ve PKK realitesi Kandil'de geçen yıl 2009'un Mayıs ayında tanıştığım Bozan Tekin'i anımsıyorum. Örgütün başkanlık divanı üyesi ve Murat Karayılan'ın yardımcısı. 20 yıl hapis yattıktan sonra, doğrudan dağa çıkmış...

Onca yıl hapis, sonra daha bilenmiş, daha bilinçlenmiş halde yola devam... Uzun yılların süreci bu. Ve bu süreç yıllar içinde 'PKK realitesi'ni sahneye çıkarıyor.

Bir başka deyişle:

'Kürt realitesi'nden sonra bugün 'PKK realitesi' durağına gelmiş durumda Türkiye...

Kabul edip etmemek!

Mesele bu.

Kiminle savaştıysan barış da onunla yapılır, düşmanınla...

Biliyorum bunun zorluğunu, bunun ne kadar netameli bir konu olduğunu Ankara'da.

Ama farkında olduğum bir konu daha var. 'Kürt realitesi'yle 'PKK realitesi'ni artık birbirinden ayırmanın ne kadar güç bir iş olduğunu, hatta bunun imkânsızlığını, barışa susamış topraklarda gezdikçe daha iyi anlıyorsun.

'PKK realitesi'ni ve onun 'toplumsal kökleri'ni sadece Ankara'dan bakarak kavramak kolay değil.

Beş gündür nereye gitsem "Biz bölücü değiliz, ayrı devlet istemiyoruz," sözü kulağıma çalındı. Kızıltepe Belediyesi'nin BDP'li başkan yardımcısı Haşim Baday, Musa Anter'in bir sözünü aktarıyor: "Bursa'nın şeftalisini, Anamur'un muzunu sadece Türklere bırakmayız, hep birlikte yiyeceğiz."

Belediye başkan vekili Şerife Alp, yakın geçmişe kadar başörtülüymüş. Üniversiteye giderken, kapıda başını açarmış. Başkan vekili koltuğuna oturunca tamamen bırakmış başörtüsünü...

Diyor ki:

"Ben Kürt olarak büyütülmedim. Bir gün bu ülkede de bir cumhurbaşkanı çıkacak, bir başbakan çıkacak, Kürtlere yanlış yaptık diyecek ve özür dileyecek bu ülkede de. Bu olmadan barış zor..."

*Oğlu 16 yaşında
dağa çıkan bir baba...*

Diyarbakır, 17 Ekim 2010

Oğlu iki yıl önce 16 yaşında dağa çıkan bir babanın öyküsü... O babayı dinlerken Felat Cemiloğlu'nu anımsıyorum.

1990'ların başıydı. Rahmetli Felat bey, bana Diyarbakır Askerî Cezaevi'nde, 12 Eylül döneminde yaşadığı zulmü, kendisine nasıl bok yedirildiğini bir Diyarbakır gecesinde anlatmıştı. Hapisten çıkınca ilk işi dişlerini çektirip takma diş yaptırmak olmuştu.[2] Felat bey sözlerini şöyle bağlamıştı o gece:

"Genç olsam dağa çıkardım."

Diyarbakır'da, iki yıl önce daha 16 yaşındaki oğlu dağa çıkan babayı dinlerken Felat Cemiloğlu'nu da andık. Acıların bu topraklarda nasıl dağın yolunu açtığını konuştuk.

Adı, Abdullah Demirbaş.

46 yaşında.

Diyarbakır'ın Sur ilçesinin BDP'li belediye başkanı. Elazığ'da okuyup felsefe grubu öğretmeni çıkar. Bir zamanlar aşırı sağın kalelerinden olan Elazığ'da ölümden iki kez kıl payı kurtulur, bir Kürt olarak.

---

2 2003'te yayımlanan *Kürtler* kitabımın giriş bölümü.

Sürgünde yaşar. Önce Yozgat, sonra Sivas.

Kütahya'nın Altıntaş'ında öğretmenlik yaparken hakkında 'Kürtçülük'ten soruşturma açılır. "Kütahya'da Kürt yok ki Kürtçülük yapayım," diye kendini savunur.

Kızı Kütahya'da doğar 1989'da. Adını Berfin koyar, Türkçe kardelen anlamına gelen. Kürtçedir diye kabul etmez bu ismi devletin nüfus müdürlüğü. Mahkemeye gider, der ki: "Bulgaristan'da zorla isimleri değiştirilmek istenen Türklere şu sıralarda Türkiye kucağını açıyor. Peki, ben bu ülkede kendi kızıma istediğim adı koyamayacak mıyım?" Mahkeme bunun üzerine Berfin adını tescil eder. Sonradan öğrenir, yargıcın Çerkes kökenli olduğunu...

Yıl 2001, Eğitim-Sen Diyarbakır Şube Başkanı'dır Demirbaş. Ana dilde eğitim hakkı istediği için önce yine sürgün edilir, sonra öğretmenlikten atılır.

2004'te yüzde 56 oyla Sur Belediye Başkanı seçilir. 2007'de belediye başkanlığı görevine son verilirken gerekçe olarak resmi dil Türkçenin yanı sıra Kürtçe, Arapça, Ermenice, Süryanice, Keldanice, İngilizce hizmet broşürü bastırmış olması gösterilir.

2009'da tekrar belediye başkanı seçilirken bu kez oyunu yüzde 66'ya çıkartır.

5 Mayıs 2009

"Bir gerilla annesiyle bir asker annesinin gözlerinin rengi farklı olsa da, gözyaşları aynıdır," dediği için Diyarbakır 5. Ağır Ceza Mahkemesi tarafından 2 yıl 6 ay hapis cezasına çarptırılır, terör örgütü propagandası yapmaktan...

"Her geceye bir masal, her ev bir okul" adını taşıyan bir proje geliştirir Sur Belediye Başkanı olarak ve der ki: "Devlet bize ana dilimizde okulları yasaklayabilir. Ama evlerimizi özgür okullara çevirmemizi engelleyemez."

Bu arada Uğur Kaymaz heykeli yaptırır belediyenin karşısına. Uğur Kaymaz 13 yaşındayken 2005'te babasıyla birlikte Kızıltepe'de polis kurşunlarına hedef olarak ölmüştür. Heykel yüzünden hakkında dava açılır, terör örgütü propagandası yapmak ve görevini kötüye kullanmaktan...

Asliye Ceza Mahkemesi'nde beraat eder. Ancak karar Yargıtay tarafından bozulur ve bu defa ağır cezada yargılanması buyurulur. Bu arada KCK operasyonu kapsamında tutuklanır. Beş ay sonra serbest bırakılır, tedavi edilmesi gereken kan hastalığından dolayı... Çapa Tıp Fakültesi, iki profesörün imzasıyla rapor verir, Amerika'da

243

tedavisi için... Ancak yurt dışına çıkış yasağı vardır, bir türlü pasaport alamaz.

30 Mayıs 2009
16 yaşındaki oğlu Baran babasına der ki:
"Bugüne kadar hep demokratik mücadele dedin, demokrasi dedin de ne oldu baba, söylesene."
Ve devam eder:
"Ben dağa gidiyorum."
Kapıyı vurur gider Baran. Dağ konusunda daha önce kaç kez oğlunu caydırmış olan baba, bu sefer çaresiz kalır. Baran 16 yaşındayken, daha iki yıl önce dağa neden çıktı? Ve bu soruyu düşünmeden, anlamaya çalışmadan barışı yakalamak hayaldir.

KCK davasıyla dağın yolu
daralır mı, genişler mi?..

Diyarbakır, 18 Ekim 2010
PKK ve KCK ilişkisiyle barış konusunda Hakkâri Valisi Muammer Türker'le makamında sohbet ederken şöyle dedi:
"Bir yerde taş atmalar oluyor. Ya da bir anda dükkânların kepenkleri iniyor. Taş atın diyen kim, durduran kim? Kepenk indirin, açın diyen hangi güç? Devlet olarak araştırıyorsun, dinliyorsun, bunun arkasında BDP gibi legal, KCK gibi illegal örgütlenmeler var, PKK'ye paralel örgütlenmeler... Talimatlar bunlardan geliyor. Şimdi ne yapacaksın devlet olarak?.. KCK, terör örgütünün şehir yapılanmasıdır."
Sayın vali demek istiyor ki:
Devlet bu duruma seyirci kalamaz; seçilmiş olursun olmazsın ama suç işleme tekelin olamaz.
Yine demek istiyor ki:
PKK'yi dağda olsun, şehirde olsun elde sopa kovalar, sorunu bu yolla çözerim. Devletin bakışı böyle. Yalnız devletin değil, sanıyorum, Başbakan Erdoğan'ın meseleye yaklaşımı da devletinkiyle iç içe...
PKK ile KCK'yı aynı kaba koyarak ikisini cezalandırmaya devam ederek Kürt sorununda çözüm yolunun açılabileceğini düşünüyor hükümet de...
Resmi adı, "Terör örgütünün şehir örgütlenmesi" olan KCK'ya yönelik operasyonlar ve Diyarbakır'daki KCK davası da devletin ve hükümetin yukarıda özetlediğim yaklaşımının bir sonucu...

En başta, 'Kürt realitesi'nden sonra bu kez de 'PKK realitesi'ni yok saydığı için yanlış bu yaklaşım.

Elbette kimsenin suç işleme tekeli yok. Hiç kuşkusuz elde silah dağda dolaşanın karşısında devlet seyirci kalamaz. Bir elde silah, bir elde zeytin dalı siyaset yapmanıza izin verilmez.

Bütün bunlar genel doğrular...

Ama meselenin bir de 'ama'sı vardır. Bugün Türkiye'de PKK'ye sadece terör örgütü demekle, Öcalan'a teröristbaşı demekle bir yere varılamaz. Bunca yıldır nasıl varılamadıysa, bundan sonra da varılamaz.

Barış kapısının açılması, ancak savaştığınız bu gücü bir 'realite' olarak kabullenmekle, onu sadece bir 'terör örgütü' olarak değil, bunun ötesinde de değerlendirmekle mümkün olabilir.

Türkiye Kürt realitesi ile bunun gereklerini yıllar yılı kabullenmediği içindir ki, sahneye PKK çıktı. Devlet, Kürt sorununu yok saydığı, sorunu sadece bir güvenlik meselesi olarak gördüğü için yıllarca kan ve gözyaşı aktı.

İşte bu süreçtir, PKK'yi sahneye çıkaran ve Kürt sorunuyla iç içe geçmesine yol açan. Şimdi devletle hükümet, görebildiğim kadarıyla yeni bir yanlışın içinde. Sanıyor ki, Kürt sorunuyla PKK birbirinden ayrılabilir. Sanıyor ki, PKK'yi dağda, KCK'yı şehirde kovalayarak barışın yolunu açabilir.

Açamaz.

Belki 1990'larda bu mümkündü. Ama 2000'lerde artık mümkün değil.

Yaşadığımız kanlı süreçte PKK, Kürtlerin içinde kök saldı, toplumsal tabanını genişletti, örgütlenmesini 'sivil toplum'la ete kemiğe büründürdü. Bu gerçek görmezlikten gelinerek barış yolunda yürünemez.

Bu ülkede devlet ve siyasal iktidarlar yıllar yılı olayların peşinde sürüklendiler. 'Kürt realitesi'ni göremeyerek Türkiye'nin kalkınmaya, insanın mutluluğuna ayrılacak kaynaklarını savaşta heba ettiler.

Aynı hataya bu defa 'PKK realitesi'ni gözardı ederek ve yine olayların peşinden sürüklenerek düşülürse yazık olur.

Diyarbakır'daki KCK davası bu bakımdan, yani Kürt sorununun silahla bağının koparılması konusunda önemli bir dönüm noktasıdır.

Dağın yolu genişleyecek mi? Daralacak mı? Silah mı, siyaset mi? PKK, KCK'lılaşacak mı? Yoksa tersi mi olacak?

Seçilmiş belediye başkanlarını, belediye meclisi üyelerini hapse atarsan... Partilerini kapatırsan... Siyasetçilerini hapse atarsan... Düşünceyi cezalandırma yolunu seçersen...

O zaman dağın yolu daralır mı? Yoksa genişler mi?

Diyarbakır, 19 Ekim 2010
Doğuda analar var, en büyük korkuları çocuklarının dağa çıkması... Batıda analar var, en büyük korkuları çocuklarının asker kuralarının doğu illerine çıkması...
Bu korkular sahici korkular!
Hem doğuda hem batıda yıllardır anaların yüreğini dağlayan korkular... Bu korkular hem doğuda hem batıda barış talebini besleyen korkular...
Ve gitgide güçlenen bu barış talebini görmezlikten gelerek siyaset yapmaya kalkışmak çıkmaz sokaktır.
Bu gerçek, hem devlet için hem PKK için geçerlidir. Bu gerçek, hem Ankara, hem Kandil, hem İmralı için geçerlidir. Bu gerçek, hem hükümet, hem BDP, hem Brüksel için geçerlidir.
Bu gerçeği görmezden gelerek siyaset yapmaya kalkanların, şuraya yazın, hem doğuda hem batıda halkın nezdinde işleri çok ama çok zordur. Çünkü cin artık şişeden çıkmış durumda. Şişeden çıkan 'barış talebi'dir. Ağır basan 'barış taraftarlığı'dır.
Hakkâri'de ticaret odası başkanı Ahmet Şen bana şöyle diyordu: "Bölge artık yoruldu, çok yoruldu."
Hakkâri Üniversitesi Rektörü Prof. Dr. İbrahim Belenli "Buranın insanında ciddi bir barış umudu oluştu," diyordu. Şırnak'ta genç gazeteci meslektaşlarımla sohbet ederken biri şöyle yakındı:
"Son ateşkes de bir umut havası, bir iyimserlik yarattı. Sokaktaki adam diyalogtan yana... Kiminle görüşürlerse görüşsünler, ister Apo'yla, ister Kandil'le, ister BDP ile... Ama görüşsünler ve bu mesele çözülsün. Bak Hasan abi, ben 24 yaşındayım. Bu olayların içinde doğdum, içinde yaşamaya devam ediyorum... Ama daha fazlasını istemiyorum, kaldıramayacağım."
Mardin'de Derikli bir garson geçen hafta bir gün kahvaltı zamanı bana şöyle diyordu:
"Evvelce tek bir asker köye geldi mi, bütün köy ayağa kalkar, hazırola geçerdi. Şimdi bin asker köye gelse, bir kişiyi bile vermiyor o köy... O devir sona erdi. O zamanlar Kürt dedin mi yanıyordun. Şimdi öyle değil. Ama hâlâ birbirimizi öldürmeye devam ediyoruz. Bu olmaz artık, bitsin."
Ve Diyarbakır'da bir arkadaşım dedi ki:
"1980'lerde dağda ölenlerin çocukları bugün gerilla olarak dağda... Bu daha ne kadar böyle devam edebilir ki, yazık değil mi?.."

Silahla, şiddetle yolun sonuna gelinmiş durumda. Bunun için de "**Barışa çok yakın bir noktadayız!**" diyorum.

"Devlet Hakkâri'nin bütün
caddelerini altından yaptırsa..."

İstanbul, 20 Ekim 2010

Hakkâri'de geçen hafta belediye başkanlığını yüzde 80 oyla kazanan BDP'li Dr. Fadıl Bedirhanoğlu'yla makamında sohbet ederken şöyle dedi:

"Bu devlet Hakkâri'nin bütün caddelerini altından yapsa da bir faydası olmaz. Benim Kürt kimliğimi, benim dilimi inkâr ettiği sürece barış kapıyı çalmaz. Altın kaplı caddelerden cenazeler geçtiği sürece, ne değişebilir ki..."

Bu sözlerin altını çizin.

Çünkü, 'Kürt sorunu'nu özetliyor Bedirhanoğlu'nun bu sözleri. Ama bunu hâlâ göremeyenler var. Hâlâ konuşabiliyorlar, "Sorunun özü işsizliktir, yoksulluktur, cehalettir," diye.

Sanıyorlar ki işsizlik çözüldü mü, yoksulluk bitti mi, cehaletin kökü kurudu mu, işte o zaman barış kapımızı çalacak. Hayır, çalmayacak. Anlamayadıkları bu. Anlayamadıkları içindir ki, bu ülkede PKK sahneye çıktı. Anlayamadıkları içindir ki, bunca yıldır kan ve gözyaşı dökülüyor.

Kürt yok dediğimiz için, Kürtçeyi yasakladığımız için, Kürt'üm diyeni, Kürtçe konuşanı, yazanı hapse attığımız için, Kürtleri bu devletin eşit vatandaşları olarak kabul etmediğimiz için PKK sahneye çıktı.

Devletin 'Kürt realitesi'ni kabullenmesi yıllar aldı. 1991'in sonunda Başbakan Demirel, benim de aralarında bulunduğum beş altı gazeteciye Diyarbakır'da bir gece vakti "Kürt realitesini kabul ediyoruz," dediğinde yer yerinden oynamıştı. Ama devamı gelmemişti.

Evet, 'Kürt realitesi'nden
'PKK realitesi'ne...

Devlet, Ankara'da 'Kürt realitesi'nin gereklerini gözardı ederken, Güneydoğu'da 'PKK realitesi' gelişti. Kürt sorunuyla PKK birbirinin içine geçmeye başladı. Birini diğerinden ayırmak gitgide zorlaştı.

PKK dağlardan sonra şehirlere de yerleşmeye başladı. Bu süreç, köylerin devlet tarafından zorla boşaltılması, yakılması ve insanların evlerini barklarını bırakıp sefalet içinde şehirlerin varoşlarına sığınmasıyla hızlandı.

PKK'nin Kürt kitleleri içinde destek bulması, kök salmaya başlaması ve toplumsal boyut kazanması, eski deyişle bir vakıa haline gelmesi gerçekleşti.

Budur 'PKK realitesi' dediğim.

Barışa susamış acılı topraklarda ne zaman dolaşsam 'PKK realitesi'nin zayıflamadığını, tersine güçlendiğini kendi gözlerimle her adımda gördüm.

Realite bu!

Nereye gitsem hapishanelerden geçmiş, devletin baskısını görmüş, zulmüne uğramış, yakınları 'faili meçhul' cinayetlerde ölmüş, kendileri 'faili meçhul tuzaklar'dan kıl payı kurtulmuş, yakınları dağda ölmüş, yakınları hâlâ dağda olan insanlara rastladım, rastlıyorum. Aralarında yakın dostlarım var.

Kimi belediye başkanı, kimi belediye meclis üyesi, kimi aktif siyasetçi, kimi işadamı, kimi tüccar, kimi sivil toplum kuruluşu üyesi.

Kimi de gazeteci...

Gazeteci vurgusunu özellikle yaptım. Çünkü Güneydoğu'da 'ulusal medya'ya güvenilmiyor, inandırıcılığı fena halde törpülenmiş durumda. Ulusal medyanın dili taraflı ve itici bulunuyor. Bu nedenle, Kürtlerin yüzü Güneydoğu'da her geçen gün yerel medyaya dönüyor.

İnternet gazeteleri de var.

Başkale News, *Hakkâri News*, Yüksekova'da *Yüksekova Güncel*, "Yüksekova'dan dünyaya açılan pencere" sloganıyla...

Her yanda dikkati çeken çanak antenlerle yurtdışından yayın yapan *Roj TV* izleniyor. Birçok yerde bu kanal sürekli açık...

Kısacası:

Yılların baskı ve zulmü, işkencesi, ölümü, yazın bir kenara, Kürtleri yıldırmamış. PKK zayıflamamış, güçlenmiş.

Dr. Fadıl Bedirhanoğlu, "Kürdistan'ın medreselerinde okudum, sonra Harran Üniversitesi'nde öğretim görevlisi oldum," diye söze başlıyor ve devam ediyor:

"1958'de ilkokula başladım, Cizre'nin şimdi adı Çağlayan olan Şax köyünde. 50 öğrenciydik, hiçbirimiz tek kelime Türkçe bilmiyorduk okula başladığımızda. Öğretmenle çat pat anlaşabilmemiz iki yılımızı aldı. Yazık değil mi? Kürtçenin, Kürtçe eğitimin Türkçeye ne zararı dokunabilir ki? Ana dilde eğitimin dünyada ne kadar çok örneği var, bizde neden olmasın ki?"

Diyor ki:

"**Devletin dilini değiştirmesi lazım, barışın dilini yakalaması lazım.**" Mardin'de gün batarken Cercis Murat Konağı'nın terasından göz alabildiğine uzanan Mezopotamya Ovası'nı bir kez daha hayranlıkla seyrederken şu notları alıyorum:

(1) Türkiye 1990'ların 'Kürt realitesi'nden 2000'lerin 'PKK realitesi'ne gelmiş durumda.

(2) Artık "PKK'yi yok edeyim, Kürt sorununu çözeyim" bakışının geçerliği yoktur.

(3) Kiminle savaştıysan, barışı onunla yaparsın!

(4) Bu açıdan İmralı-Kandil-Diyarbakır muhatap alınması zorunlu bir üçgendir.

(5) Silahla gidilecek yolun sonuna artık gelindi. İki taraf da bu gerçeğin farkında. İşte bu nedenle, barışa en yakın noktadayız diyorum ama, hâlâ o kadar çok aması var ki...

ON İKİNCİ BÖLÜM

'Devlet aklı'na da, bu 'devlet aklı'nı temsil edenlere de şaşmak!

Kürt yok, Türk var diyeceksin,
Kürtçe yasak diyeceksin,
Kürtleri Türkleştirin diyeceksin,
Kürt'üm diyenin yüzüne tükürürüm
diyeceksin, Dersimli okşanmakla
kazanılmaz diyeceksin,
Dersimlileri mağaralarda fare gibi
gazlayacaksın, sonra da asimilasyon
yok diye buyuracaksın!

1925'te,
Şark Islahat Planı'nda,
Kürtçe konuşmak yasak diyeceksin.

Vilayet ve kaza merkezlerinde, hükümet ve belediye dairelerinde ve diğer kuruluşlarda, okullarda, çarşı ve pazarlarda Türkçeden başka dil kullananları cezalandıracaksın.

Olağan mahkemelerde ve sıkıyönetim mahkemelerinde asker ve sivil 'yerli' hâkim [Kürt] görev yapmayacak diye buyuracaksın...

1925'te,
TBMM Başkanı Abdülhalik Renda'nın Doğu Raporu'nda,
"Türkçeyi hâkim dil haline getirmek gerekir," diyeceksin...

"Fırat'ın batısındaki vilayetlerin bir kısmında dağınık vaziyette yerleşmiş olan Kürtler Türk yapılmalı," diyeceksin...

1926'da,
Mülkiye Müfettişi Hamdi Bey Raporu'nda,
"Dersim gittikçe Kürtleşiyor, tehlike büyüyor. Dersim, Cumhuriyet için bir çıbandır. Bu çıban üzerinde kesin bir ameliyat yaparak acı sonuç ihtimali önlenmelidir," diyeceksin...

1930'da,
Adalet Bakanı Mahmut Esat Bozkurt,
"Benim fikrim ve kanaatim şudur ki, memleketin kendisi Türk'tür. Öz Türk olmayanların Türk vatanında bir hakkı vardır, o da hizmetçi olmaktır, köle olmaktır," diyecek...

1930'da,
Başvekil İsmet Paşa,
31 Ağustos 1930 tarihli *Milliyet*'te,
"Bu ülkede sadece Türk ulusu ırksal haklar talep etme hakkına sahiptir. Başka hiç kimsenin böyle bir hakkı yoktur," diyecek...

1931'de,
Genelkurmay Başkanı Fevzi Çakmak,
Hükümete verdiği raporda "Kürtlük, Türk toplumu içinde eritilmelidir. Yüksek memurlara koloni [sömürge] yönetimlerindeki yetkiler verilmeli ve Kürt kökenli yerli memurlar tümüyle bölgeden çıkarılmalıdır," diyecek...
Bir adım daha atıp "**Dersimli okşanmakla kazanılmaz!**" diye ekleyecek...

1932'de,
İçişleri Bakanı Şükrü Kaya,
Hükümete verdiği raporda "Dersimlilere kendilerinin aslen Türk olduklarını öğretmek lazımdır. Kuzey Dersim halkı batıya göç ettirilmelidir. Askerî harekât başlamadan önce tüm silahlar toplanmalıdır. Yerli memurlar casustur," diyecek...

1935'te,
İsmet İnönü,
Kendi adını taşıyan raporunda "Sınıra yakın yerlerin ve Elazığ, Erzincan, Erzurum gibi büyük merkezlerin Türkleştirilmesi önem arzetmektedir," diyecek...

1940'da,
CHP Raporu'nda,
"Kürt meselesi Türkiye'nin en mühim meselesidir. Kürtler Türkleştirilmelidir. Asimilasyonun ilk şartı dil öğretmektir," diyeceksin...

1961'de,
27 Mayıs Darbesi'ni yapan cunta,
Hükümete verdiği raporda "Kendilerini Kürt sananların kökenlerinin Türk olduğu ispatlanarak yayımlanmalıdır. Bölgede asimilasyon politikalarına hız verilmelidir," diyeceksin...

1961'de,
27 Mayıs Darbesi'nin lideri, Genelkurmay Başkanı Orgeneral Cemal Gürsel,

Diyarbakır'da "Bu memlekette Kürt yoktur. Kürdüm diyenin yüzüne tükürürüm," diyecek...

1981'de,
MİT görevlisi,
Dışişleri Bakanlığı'na yeni girmiş diplomatlara meslek içi eğitim verirken:
"Kürt diye bir şey yoktur, dağda yürürken kart kurt sesi çıkaran, dağlarda yaşayan göçebe Türklerdir bunlar, Kürtçe diye bir lisan da yoktur," diyecek...

1983'te,
12 Eylül Darbesi'nin lideri, Genelkurmay Başkanı Orgeneral Evren,
Tıpkı 1925'teki Şark Islahat Planı'nda olduğu gibi, Kürtçe konuşulmasını kanunla yasaklayacak...

1984'te,
Demirel,
25 Ekim'de Güniz Sokak'taki bir sohbetimizde bana "Kürtler 500 yıldır asimile edilememiş, bundan sonra da asimile edilemezler," diyecek...[1]

1986'da,
İhsan Sabri Çağlayangil,
Eski dışişleri bakanı, vali ve emniyet müdürü, kendisi de Dersimli olan Kemal Kılıçdaroğlu'nun teybine:
"Dersim'de mağaralara iltica etmişlerdi. Ordu, zehirli gaz kullandı, mağaraların kapısının içinden. Bunları fare gibi zehirledi. Yediden yetmişe o Dersim Kürtlerini kestiler," diyecek...

1986'da,
Muhsin Batur Paşa,
12 Mart Muhtırası'nın altında imzası olan hava kuvvetleri komutanı, anılarında, genç bir havacı subay olarak **Dersim'deki özel görevi**'nden söz ederken:
"Elazığ'ın biraz uzağında, Harput'un eteklerinde çadırlı ordugâh kurduk. Bir müddet sonra ilk durak Pertek olmak üzere harekete geçtik. Ve iki ayı aşkın süre özel görev yaptık. Okuyucularımdan özür diliyor ve yaşantımın bu bölümünü anlatmaktan kaçınıyorum," diyecek...

1990'da,
Demirel,

---

1 Hasan Cemal, *Kürtler*, Doğan Kitap, 2003, s.75.

Eylül ayı başında gene Güniz Sokak'ta, kahvaltı ederken bana "Atatürk milliyetçiliğinin şoven bir yanı yok değildir. Biraz yer yer ırkçılık da kokar. 'Ne mutlu Türküm diyene' lafı biraz da yoruma bağlıdır. Aslında Türk'ü esas sayar," diyecek...[2]

**1991'de,
Demirel,**
Şubat ayında bir akşam Ankara'da, Anadolu Kulübü'ndeki yemekte bana:
"Asker 1980 öncesi benden 'Dersim Kanunu' istedi. Vermedim. Dersim'de korkunç şeyler olmuştur. Renkli bir mozaiktir Anadolu... Yirmi küsur dil vardır. 'Ne mutlu Türküm diyene...' gelince, bakmayın 'olana' dememiş falan, biraz ırkçılık kokar," diyecek...

**2010'da,
Başbakan Erdoğan,**
Referandum kampanyası sırasında "Dersim'de 50 bin kişi katledildi 1938'de," diyecek...

**Daha 1990'larda,
hatta 2000'lerin başlarında,**
Kürt diyeni; Kürtçe diyeni; Kürdistan diyeni; sarı-kırmızı-yeşil renkleri kullananları; Kürtçe şarkı kaseti çalanları; hapishane kapısında, mahkeme kapısında Kürtçe konuşanları; siyaset meydanında Kürtçe nutuk çekenleri içeri atacaksın...

**Sonra da 2011'de,
Eski Genelkurmay Başkanı İlker Başbuğ,**
Emekli olduktan bir yıl sonra *Terör Örgütlerinin Sonu* diye kitap yazacak, gazeteye[3] diyecek ki:
"Kürtler asimilasyona tâbi tutulmadı."
Diyecek ki:
"Kürt sorunu yoktur."
Diyecek ki:
"Kürt sorunu yok, terör sorunu var."
Diyecek ki:
"Kürt sorunu yok, PKK sorunu var."
Ve bu bakış açısının 2011'de Milli Güvenlik Kurulu tarafından da benimsenen 'devlet aklı'nı temsil ettiği Ankara'da genel kabul görecek.

---

2   age. s.122.
3   *Milliyet*, 7-8 Ağustos 2011.

Evet, bu nasıl
bir 'devlet aklı'dır ki...

Bu nasıl 'devlet aklı'dır ki, 1923'ten beri 29 isyana yol açan bir sorunu çözememiştir.

Bu nasıl 'devlet aklı'dır ki, kendi vatandaşlarının bir bölümünün kimliğini, dilini inkâr etmiş ama 29 isyana yol açan bir sorunu 1923'ten beri çözememiştir.

Bu nasıl 'devlet aklı'dır ki, kendi vatandaşlarının bir bölümünü yıllar boyu köyünden mezrasından zorla sürgün etmiş, evini barkını yakmış yıkmış ama 29 isyana yol açan bir sorunu 1923'ten beri çözememiştir.

Bu nasıl 'devlet aklı'dır ki, hukuku hiçe saymış, Susurluk'lar, Ergenekon'lar yaratmış, binlerce 'faili meçhul cinayet' işlenmesine zemin hazırlamış ama 29 isyana yol açan bir sorunu 1923'ten beri çözememiştir.

Bu nasıl 'devlet aklı'dır ki, bazen darbeler yapmış, demokrasiyi tamamen askıya almış, hukukun üstünlüğü anlayışını hiçe saymış, Diyarbakır Askerî Cezaevi örneğinde olduğu gibi kendi vatandaşlarına bok bile yedirilen işkencehaneler kurmuş ama 29 isyana yol açan bir sorunu 1923'ten beri çözememiştir.

Bu nasıl 'devlet aklı'dır ki, 1923'ten beri sorunu çözememiş, tam tersine azdırmış, derinleştirmiştir. Türkiye'nin kalkınmasına, refahına yatırılacak kaynakları savaşta harcamıştır.

Bu nasıl devlet aklıdır ki, elli bin vatandaşının 1984'ten beri ölümüne yol açmıştır.

Bu nasıl bir 'devlet aklı'dır ki, 1923'ten beri kan ve gözyaşına neden olan vahim hatalarından bir türlü gereken dersleri çıkaramamıştır.

Ve bu nasıl bir 'devlet aklı'dır ki, ne acı ya da acıklıdır ki, bunca yıldır bunca kan ve gözyaşına rağmen trajediye doymamış bu topraklarda çözümü daha hâlâ namlunun ucunda sanmaktadır.

Böyle bir 'akıl'a ancak şaşılır!

1923'ten beri hep aynı şeyleri yapıp farklı bir sonuç beklediği için şaşılır bu **'devlet aklı'**na...

Elinde çekiç olan adam, nasıl her
şeyi çakılacak çivi gibi görürse...

Bu 'devlet aklı' öyledir ki, elinde çekiç olan adam nasıl her şeyi çakılacak çivi gibi görürse o da her şeyi namlunun ucunda görür, o da her şeyi elinde silah 'terörist' kovalamaktan ibaret sanır.

Bu 'devlet aklı' öyledir ki, 1984'ten beri Kürt isyanlarının en büyüğü ve en uzun süreli olanı 29.

Kürt isyanında PKK'ye karşı da aynı yöntemlerle sonuç alacağını ummuş ama vurdukça, kendi deyişiyle 'dağda teröristleri etkisiz hale getirdikçe', o 'terör örgütü' hem Kürtlerin arasında, hem şehirlerde yayılmış, güçlenmiştir.

Bu 'devlet aklı' öyledir ki, 2000'lerin başına kadar bir türlü kabullenemediği '**Kürt realitesi**'nden sonra bu kez de '**PKK realitesi**'ni görmezlikten gelerek, Kürt ve PKK sorunlarının bugün nasıl içiçe geçtiği olgusuna da sırtını dönerek 'barış yolu'nu açacağını sanmaktadır.

Bu 'devlet aklı' öyledir ki, 1978 yılı Kasım ayında, Diyarbakır'ın Lice ilçesinin Fis köyünde, çoğunluğu üniversiteli bir avuç Kürt genci tarafından kurulan ve 1984 yılı Ağustos ayındaki Şemdinli ve Eruh baskınlarıyla silahlı mücadeleyi başlatan PKK'nin nereden nereye geldiğini, toplumsal ve siyasal köklerinin hangi derinliklere indiğini köhnemiş ezberleri, yüzeysel klişeleri ve gerçeklerden kopuk, kitabi malumat furuşluğu yüzünden yerli yerine oturtabilmiş değildir.

Bu 'devlet aklı' öyledir ki, 12 Haziran 2011 genel seçimlerinde Güneydoğu'daki oyların yüzde 35'ini, Türkiye genelinde yüzde 6.7'sini alan ve yüzde 10 barajına rağmen 36 milletvekili çıkaran; 2009 yılı yerel seçimlerinde Güneydoğu'da kazandığı belediye sayısını 98'e yükselten, bir dahaki seçimler için çıtayı 122 belediyeye koyan, Türkiye'deki 'Kürt oyları'nı Ak Parti'yle yarı yarıya paylaşan Kürt siyasal hareketinin PKK'yle iç içeliğini ya da Kürt siyasal hareketindeki PKK egemenliğini, hatta tekelini doğru dürüst okuyamadığı için de 'çözüm'ü hâlâ namlunun ucunda görebilmektedir.

Bu 'devlet aklı' öyledir ki, Kürtlerin nabzını doğru dürüst tutamadığı için Ak Parti'ye oy veren Kürtleri de tümüyle 'PKK karşıtı', PKK düşmanı' sanmaktadır.

Bu 'devlet aklı' öyledir ki, PKK'nin şehirlerdeki parti örgütlerinde, belediyelerde, sivil toplum kuruluşlarında yer almış 'eli silah tutmayan' uzantılarını, 2000'lerde KCK tipi operasyon ve davalarla -1990'larda 'faili meçhul cinayetler'le hukuk dışına çıkarak yaptığını- bu kez sözde hukuk içinde kalarak yapabileceği, böylece dağın yolunu kesebileceği yanılgısını devam ettirmektedir.

Bu 'devlet aklı' öyledir ki, 2011 yılı yazında daha hâlâ 'devlet şiddeti'nin Türkiye'de barış yolunu açabileceğine inanmaktadır. Yazık!

Kürdistan'da kim dağda ise halk onun altında toplanır!

PKK, Kürt siyasal hareketini 1978'den itibaren dağa çıkarak, silahlı mücadele başlatarak zaman içinde egemenliği altına aldı. "Kürt siyasi geleneğinde kim dağda ise halk onun altında toplanır. Dağı tutan, dağa çıkan, siyasi hareketi de denetler."[4] Irak Kürdistanı'nda Kürtler nasıl elde silah dağa çıkan Barzanilerin, Talabanilerin altında toplandıysa, Türkiye'de de Apo ve PKK örneği farklı olmadı.

Devlete başkaldıran, şiddet ve terörü siyaset aracı olarak kullanan PKK de özellikle 1990'larda Kürt siyasal hareketini her geçen yıl kendi kontrolü altına aldı ve silahlı mücadeleyi reddeden öteki Kürt siyasi hareketlerini bazen zor kullanarak, şiddete başvurarak etkisizleştirdi.

PKK 1980'lerde silahlı mücadeleyi başlatırken, şiddet ve terörü acımasızca kullandı.

Öcalan'ın kendisiydi, "**Öldürelim otorite olalım!**" diyen...

PKK, yalnız devletin asker ve polisini, öğretmenlerini değil, Kürtleri de, özellikle devletin yanında yer alan korucuları da hedef yaptı, bazen aileleriyle birlikte öldürdü.

1990'larda, üst düzey bir istihbarat yetkilisi Ankara'da bana şöyle demiştir:

"Bölge halkı güçten korkar. Devletten de korkar, PKK'dan da. Apo da kanlı eylemleriyle bu korkuyu bölge halkının yüreğine saldı. Katliamları bunun için yaptı. Halktan yardım sağladı. Onları sindirdi. Askere istihbarat vermelerini önlemeye çalıştı."[5]

Apo'nun özellikle 1980'lerde "Öldürelim, otorite olalım!" anlayışının ürünü olan şiddet ve terör, aynı zamanda 'Kürt realitesi'nin Türkiye'de sahneye çıkması ve kabullenilmesinde tayin edici rol oynadı.

---

4 Türkiye Kürdistan Sosyalist Partisi Genel Sekreteri Mesut Tek'ten akt. Cengiz Çandar, *PKK Nasıl Silah Bırakır?*, TESEV, s. 37.
5 Hasan Cemal, age, s. 83.

PKK kendi saflarında da son derece acımasız davrandı. **"Başkan Apo çizgisi"**nden sapanları, en son 2004 örneğinde olduğu gibi hiç duraksamadan infaz etti, siyasal cinayetler işledi.

PKK'nin Öcalan'dan sonraki en tepedeki yöneticisi Murat Karayılan, 2010 Ekim ayında, *Radikal*'den Ertuğrul Mavioğlu'na Kandil'de yaptığı açıklamada, sivillerin öldüğü PKK saldırılarıyla ilgili olarak şöyle diyecekti: **"Evet, PKK olarak hata yaptık, bir daha asla olmayacak. Özür dileriz. Artık hiçbir sivilin zarar görmemesi için tüm güçlerimizi eğitimden geçiriyoruz."**

1984 Ağustos'undan 2009 Nisan'ına kadar 40 bin PKK'li [14 Nisan 2009'da zamanın Genelkurmay Başkanı Orgeneral İlker Başbuğ'un Harp Akademileri Komutanlığı'ndaki konuşmasından], 4241 asker, 217 polis, 1378 köy korucusu, 116 öğretmen, 21 gazeteci, 8 belediye başkanı, 5669 vatandaş, 60 muhtar, 27 din görevlisi olmak üzere toplam 50 bin kişi yaşamını yitirecekti 29'uncu Kürt isyanında...

Ve bir soru:

Elde silah dağa çıkan, devlet düzenine başkaldıran yasa dışı bir örgüte karşı devlet kendi gücünü kullanmayıp da ne yapacaktı, isyancıları eli kolu bağlı mı seyredecekti?

Böyle bir şey elbette olamazdı.

Nitekim olmadı da.

Oluk gibi kan aktı, tarifsiz acılar yaşandı. Ama ne devlet PKK'yi teslim alabildi, ne de PKK taleplerini devlete kabul ettirebildi. Yıllar geçti, her iki taraf da "Kazandım!" diyemedi.

Oysa, devlet 1999'da umutlanmıştı.

Çünkü başrolü Amerika'nın oynadığı, içinde Amerika'nın Saddam rejimi ve Irak, Esad rejimi ve Suriye, İran, daha doğrusu Ortadoğu hesapları olan ama arka planı hâlâ tam aydınlanmamış heyecanlı bir operasyonel süreç sonunda Öcalan 1999'da yakalanmış, Kenya'da Türkiye'ye teslim edilmiş ve İmralı'ya hapsedilmişti.

Ben de o tarihlerde, Öcalan'ın yakalanmasıyla birlikte PKK'nin askerî bakımdan artık belkemiğinin kırıldığını düşünmüş, bunu hem yazılarımda hem de 2003'te çıkan *Kürtler* isimli kitabımda belirtmiştim. Apo da bana İmralı'dan haber göndermiş, bu konuda yanıldığımı bana iletmişti. Haklı çıkan Apo oldu.

PKK lideri 1999'dan itibaren İmralı'da altı yıl boyunca askerin tekeli altında kalacaktı. Genelkurmay, Öcalan'ın hükümetten, hatta MİT'ten hiçbir siville görüşmesine izin vermeyecekti. Yine Genelkurmay, İmralı'yı kullanarak PKK'yi böleceğine, çökerteceğine kendi kendini inandırmıştı.

Öcalan da 1999'da frene basmak zorunda kalacak, 'silahlı mücadeleye son verme' talimatıyla PKK'nin sınır dışına çekilmesini başlatacaktı.

Bu süreçte PKK iç çatışma ve iç tasfiyelerle sarsılacak, Öcalan kendi saflarında 'teslimiyetçilik'le suçlanacaktı. Öcalan'ın İmralı'daki mahkeme sürecindeki tutumu da PKK kadrolarında büyük hayal kırıklıklarına ve kopmalara neden olacaktı.

Öcalan ise PKK'nin dağdan inmesi açısından sınır dışına çekilme kararının tarihî bir dönüm noktası olduğuna inanacaktı.

Asker bir yandan sınır dışına çıkmakta olan PKK'nin üstüne gidecek, örgüte büyük kayıplar verdirecek, öte yandan "Sınır dışına çıkman yetmez, PKK'yı dağdan indir!" baskısını arttıracaktı Öcalan üstünde...

PKK açısından **1999 travması** olarak nitelenen sınır dışına çekilme konusunda Murat Karayılan, *Bir Savaşın Anatomisi* adını taşıyan ve 2011'de yayımlanan kitabında şöyle der:

"Geri çekilmede müthiş bir dağınıklık ve panik havasının egemen olduğunu biliyoruz. Türk devletinin de fırsat bu fırsattır diyerek saldırıya geçmesi, tuzaklar kurması sonucu, geri çekilme sürecinde ciddi darbeler alınmıştır. Türk devleti ve ordusu, 'Ne kadar öldürürsem o kadar kârdır,' diyerek, geri çekilmenin yapılacağı bütün yollara tuzaklar kurmuştu. Geri çekilme sürecinde 200 civarında şehit verildi."

Buna karşılık PKK lideri de ilginç manevralarla devleti Kürt sorunu konusunda bazı adımlar atmaya, yani 'açılım'a zorlayacak ve örgütünün Irak Kürdistanı'nda, Kandil'de yeniden yapılanabilmesi için zaman kazanma taktiklerini devreye sokacaktı.[6]

Eski genelkurmay başkanlarından emekli Orgeneral İlker Başbuğ, 2011'de yayımlanan *Terör Örgütleri'nin Sonu* isimli kitabında, sınır dışına çekilmeyi Öcalan'ın uzlaşma değil, zor durumda kalan örgütünü ve gücünü koruma manevrası olarak niteler:

"Üstün güvenlik güçleriyle karşılaşan teröristler, daha güvenli bölgelere doğru dağılmaya çalışır. 1999'da Türkiye'de bu durum yaşanmıştır. Yurt içinde yenilen PKK, o andaki gücünü oluşturan 3000'e yakın teröristini Irak'ın kuzeyine çekmiştir. Bu grubun etkisiz hale getirilememesi, PKK'nın ileride tekrar sahneye çıkmasına olanak sağlamıştır."

---

6   Bu konuda daha ayrıntılı bilgi için bkz. Cengiz Kapmaz, *Öcalan'ın İmralı Günleri*, İthaki Yayınları, 2011.

PKK, 1999 yılını izleyen süreçte, en uzunu 2004'e kadar beş yıl süren tek taraflı ateşkesler ilan edecek, kendi deyişiyle **eylemsizlik** kararları alacaktı. Bazen askerin de dağda operasyon frenine bastığı kısa-uzun sessizlik dönemleri yaşanacaktı.

Ama sonuç değişmeyecekti.

Devlet, 12 yıl boyunca elinde Öcalan yakalanmasına rağmen PKK'yi bölemeyecek, tasfiye edemeyecekti. PKK de onca yıllık silahlı mücadele ve şiddet eylemlerine rağmen kendi taleplerini devletin gündemine kendi istediği gibi sokamayacaktı.

Aslında bu durum **barışın olgunlaşması** diye tarif edilebilirdi. Bunca yıl sonra iki taraf da "Ben kazandım!" diyemediğine göre, böyle bir noktada artık silahlar susabilir, yani parmaklar tetikten çekilip gerçek bir **barış süreci** başlatılabilirdi.

Daha önceki bölümlerde de değindiğim **demokratik açılım 2009**, bu bakımdan yaşanmış olanlara kıyasla daha ciddi bir 'barış süreci' denemesi sayılabilirdi.

Ama bu da bir saman alevi gibi yanıp söndü. Ekim 2009'daki 'Habur olayı'yla açılımın çökmesinde, iki taraf arasındaki **güven uçurumu** belirleyici rol oynadı.

Başbakan Erdoğan, karşı tarafın son tahlildeki hedefinin Türkiye'yi bölmek olduğuna inanmış, bir bakıma "**Bunlara ne versen yetmez!**" havasına girmişti.

PKK ve BDP'nin önde gelenleri ise Tayyip Erdoğan'ın oyun oynadığını, Kürt sorununun üstüne yattığını, kendilerini muhatap almadığını, Ak Parti iktidarının esas hedefinin PKK'yi tasfiye etmek olduğunu düşünüyorlardı.

Öcalan'ın üç aşamalı yol haritası...

Demokratik açılım sürecinde dikkat çeken bir başka nokta vardı. Öcalan, 2009 yazında devlete somut bir 'yol haritası' verirken, devletin elinde PKK'nin dağdan inmesini öngören ama eski deyişle muğlak olan, daha çok af ağırlıklı sayılabilecek bazı senaryo ya da fikri egzersizleri içeren bazı yol haritaları bulunuyordu.

Öcalan'ın ise İmralı'da 15 Ağustos 2009'da devlete verdiği yol haritasının özü üç aşamadan oluşuyordu:

Birinci Aşama:
PKK'nin çatışmasızlık ortamını kalıcı olarak ilan etmesi. Bu aşamada tarafların provokasyonlara gelmemeye, güçleri üzerindeki kontrolü sıklaştırmaya, kamuoyunu hazırlamaya devam etmeleri gerekir.

İkinci Aşama:
Hükümetin inisiyatifiyle TBMM'nin onayından geçmiş ve hazırlayacağı önerilerle hukuki engellerin kaldırılmasına yardımcı olacak bir **Hakikat ve Uzlaşma Komisyonu**'nun teşkil edilmesi. Af müessesesi bu komisyonda yapılacak itiraf ve savunmalara bağlı olarak önerilerek TBMM'ye sunulacak.

Bu biçimde yasal engellerin kaldırılması halinde PKK, yasadışı konumdaki varlığını ABD, AB, BM, Irak Kürt Federe Yönetimi ve Türkiye Cumhuriyeti yetkililerinin içinde bulunacağı bir kurul denetiminde Türkiye sınırlarının dışına çıkarabilecektir. Daha sonra bu güçlerini kontrollü olarak değişik alan ve ülkelerde üslendirebilecektir.

Bu aşamada önemli olan kritik nokta, PKK siyasi tutuklu ve hükümlülerinin bırakılmasıyla, PKK silahlı güçlerinin sınır dışına çekilmesinin birlikte planlanmasıdır. 'Biri diğersiz olmaz' ilkesi geçerlidir.

Üçüncü Aşama:
Demokratikleşmenin anayasal ve yasal adımları atıldıkça tekrar silahlara başvurmanın zemini kalmayacaktır. Peyderpey başta PKK'de görev almış olanlar olmak üzere uzun yıllardan beri sürgün yaşayan, vatandaşlıktan çıkarılmış, mülteci konumuna düşmüş olanların yurda dönmesi başlayacaktır.

KCK faaliyetlerinin yasallık kazanmasıyla PKK'nin Türkiye sınırları dahilinde faaliyet göstermesine gerek kalmayacaktır. Her bakımdan legal demokratik siyasal, sosyal, ekonomik ve kültürel faaliyetler esas alınacaktır.

Bu aşamalı planın hayata geçmesinde Abdullah Öcalan'ın konumu stratejik önem arz etmektedir. Öcalan'sız yürüme şansı çok sınırlıdır. Dolayısıyla konumuna ilişkin makul çözümler geliştirilmek durumundadır."[7]

Öcalan'ın üç aşamalı yol haritası iki yıl devletin elinde gizli ve yanıtsız kaldı. İki yıl sonra, 2011'in Mayıs ayında Öcalan bu kez yol

---

7 Cengiz Çandar, *PKK Nasıl Silah Bırakır?*, TESEV, 2011, s.90-94.

haritasının özetini 'üç gizli protokol' halinde devlete tekrar iletti ama yine yanıt alamadı.

Murat Karayılan, 25 Haziran 2011'de bu protokolleri bana Kandil'de şöyle özetleyecekti:

Önder Apo devlete bir ay önce üç ayrı kısa, öz protokol sundu. Bunlar, çözüm protokolları...

Birinci protokol:
'Türkiye'de Kürt sorununda demokratik çözümün ilkeleri' başlığını taşıyor. Yani demokratik yeni anayasa konusu...

İkinci protokol:
Türkiye'de devlet ve toplum ilişkilerinde adil bir barışa ilişkin ilkeleri konu alıyor.

Üçüncü protokol:
Demokratik ve adil barış için acil eylem planı...

Cengiz Çandar'ın yol haritası...

TESEV'in 12 Haziran 2011 seçimlerinden hemen sonra yayımladığı raporun uzun bir adı var: *Dağdan İniş-PKK Nasıl Silah Bırakır? Kürt Sorunu'nun Şiddetten Arındırılması.*

Cengiz Çandar'ın imzasını taşıyan 100 sayfalık bu önemli raporun 'Öneriler' başlıklı son bölümünde [83 ve 89. sayfalar arasında] ayrıntılı bir yol haritası vardır. Şöyle özetlenebilir:

(1) Güven ortamı...
Taraflar (devlet ve PKK) arasında çözüm yönünde yol alınabilmesi için önce "güven ortamı"nın sağlanması gerekiyor.

"Güven ortamı"nın sağlanmasının ön şartı, KCK davasından tutuklu bulunan, sanıklarının büyük bölümünün, başta seçilmiş belediye başkanları olmak üzere, serbest kalmalarının sağlanması ve davanın düşürülmesi olarak beliriyor.

KCK davasının düşürülmesi ve bu yolla çok sayıda tutuklunun serbest kalması için, davaya imkân veren Türk Ceza Kanunu ve Terörle Mücadele Kanunu'nun ilgili birkaç maddesinde değişiklik yapılması yeterli olacaktır.

(2) Silahların susması...
"Güven ortamı"nın sağlanması ve sürdürülebilir olması, silahların sustuğu ve susturulduğu bir ortamda mümkün olabilir. Bu nedenle, PKK'nin "eylemsizlik" durumunun sürekli kılınması gerekmektedir.

PKK'nin eylemsizlik durumunun konsolide edilmesi ise Silahlı Kuvvetler başta olmak üzere, güvenlik kuvvetlerinin PKK'nin silahlı unsurlarına yönelik operasyonlarının durdurulmasını da gerekli kılmaktadır.

(3) Seçim barajını indirmek...
Seçim barajının yüzde 10'un altına çekilmesi, "Türkiye'de iç barışın" ve "PKK'nin Türkiyelileşmesi"nin sağlanması açısından zorunludur.

(4) Yeni anayasa...
Kürt sorununun çözümüne ilişkin zorunlu hukuki çerçevenin başında yeni anayasa ve yeni anayasada **yeni bir vatandaşlık tanımı** geliyor. Aynı şekilde, genel bir Kürt halk talebi haline gelen **ana dilde eğitim ve öğretim** konusunun, tatminkâr bir çözüme kavuşması da önem taşıyor.

(5) Kürtler için yeni statü...
Yeni anayasa yapımıyla başlayacak yeni hukuki düzenlemeler, Kürtlere Türkiye'de yeni bir "statü" kazandırmayı amaç edinmelidir.

"Kürtlerin yeni bir statü elde etmesi" keyfiyeti, PKK'nin nüfuzu altındaki Kürtlerin dışında kalan ve hatta PKK'nin karşısında yer alan Kürt çevrelerinde bile adeta bir "konsensüs" halinde dile getirilmektedir.

"Statü"nün ne olacağı konusunda görüşler çeşitli. Bu, **"demokratik özerklik"**ten yerel yönetimlerin yetkilerinin güçlendirileceği, bir tür ademi merkeziyete kadar uzanan yelpazeye yayılıyor.

Bunula birlikte, Kürtlerin elde edeceği yeni "statü"den, Türkiye Cumhuriyeti sınırları içinde siyasi hayatta en geniş demokratik katılımla yer almayı ve bu çerçevede yine Türkiye Cumhuriyeti sınırları içinde kendilerini yönetebilme konumunda bulunmalarının kastedildiğini rapor çalışmamızdan çıkarıyoruz.

Bu bağlamda, **Cumhuriyet Halk Partisi**'nin seçim beyannamesinde yer almış olan ve Türkiye'nin zaten kabul etmiş olduğu **Avrupa Konseyi Yerel Yönetimler Şartı**'na konulan çekincelerin kaldırması üzerinde durulmasının yararlı olacağı düşüncesindeyiz.

"Kürtlere yeni statü"yü ifade eden bir konu başlığına, Cumhuriyet Halk Partisi'nin özel ve güçlü bir destek olabilmesi, bir önemli siyasi kazanç olarak değerlendirilebilecek bir gelişmedir.

(6) Öcalan'ın İmralı koşulları...
Abdullah Öcalan'ın, çözüm için değerlendirilmesi gereken, çözümün "partneri" rolünü üstlenecek çok önemli bir siyasi aktör olduğu, rapor çalışmasında görüşülen hemen herkesin ittifak noktası.

Buradan hareketle, Öcalan'ın tutukluluk şartlarında yeni bir düzenleme de, sorunun çözümü ve "dağdan iniş" için kaçınılmaz görülüyor. Kendisiyle görüştüğümüz çeşitli kişilerin üzerinde ittifak ettiği kısa vadeli düzenleme "ev hapsi"ne geçiş olarak vurgulanıyor.

(7) Dağdakiler için af...

"Dağdakiler" için **aşamalı** bir af uygulanması, bu rapor çalışması sırasında görüştüğümüz devlet yetkililerinden PKK yöneticilerine, hatta PKK'ye muhalif olan Kürtlere dek yayılan geniş bir yelpaze tarafından PKK'nin silahlı güçlerini dağlardan ve bu arada Kandil'den indirmek için en geçerli yol olarak dile getirilmiştir.

Hayata değil, silaha veda etmek
için yol haritası...

Cengiz Çandar'ın *PKK Nasıl Silah Bırakır?* adını taşıyan raporunu 2011'in Ağustos ayında bu satırları yazarken ikinci kez okudum. Yukarıda özetlediğim ve katıldığım bu 'yol haritası'nın üzerinde düşündüm.

Eğer Türkiye'nin en yakıcı, en önemli meselesi olan Kürt sorununun silahla, şiddetle bağı koparılacaksa, Türkiye'nin önünde kalıcı ve hakça bir barış süreci açılacaksa, öncelik dağda silahların susmasıdır.

Murat Karayılan'la Kandil'de 2009 yılı Mayıs ayı başındaki ilk buluşmamdan beri sürekli altını çizdiğim gibi:

Önce parmaklar tetikten çekilecek!

Her şey konuşulmaya başlayacak.

Böylece hayatlara değil, silahlara veda edeceğimiz zamanlara doğru kısa olmayan bir yolculuk başlayacaktı.

Bunu adı 'barış süreci' olacaktı.

Ucu açık bir barış süreci...

Başka çaremiz yoktu.

Yeterince acı çekilmişti, kan ve gözyaşı akmıştı. Ve her iki tarafın da "Kazandım!" diyemeyeceği bir noktaya, yani **barışın olgunlaştığı** bir ortama erişilmişti.

Bundan sonra savaşmayacaktık.

Bundan sonra ölmeyecek, öldürmeyecektik.

Bundan sonra oturup konuşacaktık.

Parmakları tetikten çekip diyalog kurmak, müzakere etmek, önceliklerle sonralıkları birbirine karıştırmamaya özen göstererek, düğümleri kolayından zoruna doğru çöze çöze 'barış süreci'nde yürüyecektik.

Bunun için her iki tarafta da içeriden ve dışarıdan provokasyonlara ve oyun içinde oyunlara geçit vermeyecek siyasal kararlılık geçerli olacaktı.

Bunun bir süreç olduğunu, zaman alacağını, sabır gerektirdiğini hiç aklımızdan çıkarmadan barış yolunda ilerleyecektik.

Nereye kadar?..

Bu soruyu tanımadığım biri, 2011 Temmuz ayında sormuştu bana:

"Ne demek istiyorsun, toprak mı vereceğiz?"

Türkiye'de asıl 'bölünme' ihtimaline, cumhuriyetin kuruluşundan beri devletin izlemiş olduğu Kürtleri inkâr eden yanlış politikaların yol açtığını belirterek yanıtlamıştım soruyu.

Birbirini kurşunlamak, öldürmek yerine masaya oturup konuşmak, **çareyi dağda değil masada aramak** daha uygarca bir yol değil mi diye sormuştum.

Yanıtı şöyle oldu gülerek:

"Söz konusu vatansa, gerisi teferruattır!"

İşte aslında bu anlayıştı, Türk milliyetçiliğinin bu aşırı, feci yorumuydu Türkiye'de Kürt sorununu azdıran da, barış ve demokrasinin yollarını kesen de...

Evet, **parmaklar önce tetikten çekilecek**, dağda silahlar susacak, devlet operasyonları kesecek, PKK baskınları durduracaktı. Arka planda oluşturulacak yol haritasının -ki Öcalan da bu sürecin içinde olacaktı- baş köşelerine iki mesele yerleştirilecekti:

Öcalan'ın ve PKK'nin dağdaki lider kadrosunun gelecekleri...

Bu iki nokta açıklığa kavuşmadan 'barış süreci'nde yol alınamazdı. Öcalan'ın da, dağdaki yöneticilerin de kendi geleceklerini güvence altına almadan PKK'nin silah bırakmasına razı olabileceklerini düşünmek hayatın gerçeğine ters düşerdi.

Çünkü Öcalan'ın PKK'yi dağdan indirecek **yegâne otorite** olması gerçeğinin yanında bir gerçek daha vardı. O da PKK'nin dağdaki lider kadrosunun, mesela Cemil Bayık'ların, Duran Kalkan'ların, Mustafa Karasu'ların istemedikleri bir 'çözüm'ü dinamitleyebilecek yeteneğe sahip olmalarıydı.

İşte bu nedenledir ki, 'yol haritası'nın bir başka öncelikli konusu **aşamalı bir af** olacaktı.

Devletle PKK arasındaki **güven uçurumu**nun doldurulabilmesi için eli silah tutmamış KCK tutukluları, **Türk Ceza Yasası** ve **Terörle Mücadele Yasası**'nda yapılacak değişikliklerle -ki bu değişiklikler aslında ifade özgürlüğünün kanallarını açmak için de lazım- serbest bırakılmalıydı.

Bir başka deyişle:

KCK'lıların PKK'lileşmesine değil, PKK'lilerin KCK'lılaşmasına, yani dağdan ovaya inip siyasete girmelerinin kapısı aralanmalıydı.

Yeni anayasa hiç kuşkusuz, Kürt sorununun silah ve şiddetle bağının koparılmasında en önemli demokratik atılım olacaktı.

Yeni bir vatandaşlık tanımı, seçimlerde '**yüzde 10 barajı**'nı makul düzeye indirecek bir düzenleme, '**Kürtçe eğitim**'in önünü kapatmayacak bir formül, **yerinden yönetimi güçlendirecek** ucu açık tarif, **bireysel hakları** kâğıt üstünde kalmaktan kurtaracak adımlar, bütün bunlar yeni bir anayasayla zaten birinci sınıf bir demokratik hukuk devleti için, **AB'deki kadar demokrasi** için yapılması gereken işlerdi.

2009 yılı Mayıs ayında Murat Karayılan'ın bana Kandil'de söylediği şu sözün altını 'yol haritası'ndan söz ederken bir kez daha çizmek gerekecekti:

"Hasan Cemal otuz yıl önce dağa aklımızı yitirdiğimiz için çıkmadık, piknik yapmak için çıkmadık!"

'Barış süreci'nin açılmasında çok önemli bir nokta daha vardı: İktidarla ana muhalefet arasında, daha açık deyişle **Ak Parti'yle CHP arasında işbirliği** sağlanarak **Türk kamuoyu**'nun barış sürecine hazırlanması can alıcı olan bir başka noktaydı. Siyasi liderlerin 'Türk kamuoyu'nun barışa hazırlanmasındaki başarıları, aynı zamanda askerden kaynaklanabilecek itirazları etkisizleştirecekti.

Kamuoyu ile asker...

Ve bu odaklardan kaynaklanabilecek sert bir muhalefet, Kürt sorununun silahla bağına son verecek bir barış sürecinde en netameli konulardan biriydi.

Ve **silahlara veda** ya da silahların toprağa gömülmesi **bir önkoşul** olarak PKK'ye dikte etmek yerine, bu konunun -önceki bölümlerde değindiğim Kuzey İrlanda örneğinde olduğu gibi- uzun ince barış yolculuğunda zamana ve sonlara bırakılması doğru olacaktı.

Ama ne var ki, benim **"Hayata değil silaha veda!"** sloganım, Türkiye, 12 Haziran 2011 seçim dönemine adım atarken boşlukta kalmaya başlayacaktı.

Ak Parti ilderi Erdoğan, seçim kampanyasına MHP'yi de geride bırakan **"1999'da ben başbakan olsam Öcalan'ı asardım!"**

söylemiyle girecek, dağlarda tansiyon yeniden yükselmeye başlayacaktı.

PKK, kendisi için gitgide Bir
'hayat tarzı' haline gelmekte olan
silah ve dağdan kopabilir mi?
'Kör terör'e kayabilir mi?..

Barış imkânsız mı bu topraklarda?..
Kan ve gözyaşı kader mi?..
PKK'yi anlamaya çalışırken aklıma soru işaretleri takılıyor.
PKK bunca yıl sonra dağ ve silahtan kopabilir mi?
Özellikle PKK'nin dağdaki lider kadroları ve onlara bağlı çekirdek silahlı güçler için dağ ve silah artık bir **hayat tarzı** haline gelmiş olabilir mi?
Bu yüzden artık onları bir 'barış süreci'nde tatmin etmek uzak ihtimal mi?
Bu sorular, 'isyanın psikolojik boyutu'yla da ilgili.
Bejan Matur, Türkiyeli Kürt gençlerini dağa çıkaran psikolojik şartları anlamak için genç PKK'lilerle görüşmelere dayanarak yazdığı *Dağın Ardına Bakmak* adlı kitabıyla ilgili olarak verdiği bir röportajda şunları söyler:

Dağdaki PKK'liler hâlâ dağdalar ve kolay dönebilecek gibi de durmuyorlar. Bütün bu görüşmelerden sonra benim keşfettiğim şu şey oldu. Bizim kavrayamadığımız derin bir maneviyat var orda.
Bir mistifikasyon, kutsallaştırma var. Bütün o şehit kültü üzerine öyle bir şey inşa edilmiş ki, öyle bir kutsallaştırma ki... Öcalan, Öcalan'dan daha fazla bir şey... PKK, PKK'nin kendisinden daha büyük ve yüce.
Postmodern bir din gibi..."[8]
Güneydoğu ve Kandil seferlerimde bazen düşünmüşümdür. PKK için silah ve dağdan kopmak belki de varoluş nedenini yitirmektedir. Yaşanan acılarla birlikte yaşamaya devam etmek ise varlık nedenidir.
Belki de bunun içindir, barış çıtasını sürekli yüksekte tutmak ve barışa karşı bilinçaltı bir direnç geliştirmiş olmak...

---

8 Cengiz Çandar, age., s.26.

Şu da söylenebilir:

Onlar için acılardan kurtulmak belki boşluğa düşmektir, hayatta işlevsiz kalmaktır.

Yahudi âleminde **Holocaust**, Ermeni âleminde **Ermeni Soykırımı** dolayımıyla böylesine bir hissiyat dünyasının izlerine rastlanır.

Bir başka soru:

Kandil'den ve İmralı'dan Türkiye hallerinde ve dünyada olup biten ne kadar sağlıklı izlenebilir, izlenebiliyor?

Öte yandan, Kandil ve İmralı'dan yansıyan bazı Atatürk ve Kemalizm yorumlarına, **Öcalan**'ı **'Atakürt'leştirme** ve kutsallaştırma çabalarına ve bazı Türkiye tahlillerine bakınca, barış konusunda pek öyle iyimser beklentiler bazen uçuşmuyor kafamda...

PKK'nin dağdaki lider kadrosundan Ali Haydar Kaytan, 3 Nisan 2010'de Fırat Haber Ajansı'na yaptığı Öcalan'a ilişkin bir açıklamasında, "Düşünce gücü üzerinde yoğunlaşırken aklıma peygamberler gelir, Önderliğimizde de öyle..." der.

Bu yorumu okuyunca, Apo'yla Bekaa'daki karşılaşmamı anımsadım.

14 Nisan 1993

Vakit geceyarısı. Şık şık bir ses. Apo'nun elinden tespih düşmüyor.

"İstanbul'a döndüğünde Yaşar Kemal'e söyle, gelsin benim romanımı yazsın," diyor Apo, "PKK'nin, Kürdistan'ın romanını..."

Hakkında film yapılmasını istiyor.

Sözü hep kendine getirmeyi seviyor:

"Peygemberlik diyorlar, çok yoğunlaşabiliyorum. Şaşıyorlar. Her konuşman bir kitap diyorlar. Peygamber'in vahiy olayı da biraz böyledir. Halep'teki Süryani Metropoliti de bana 'Sen İsa gibisin,' demişti."[9]

Her lider gibi Apo da kendi kendisiyle dolu, hatta biraz daha fazla doluydu.

Ancak bu ve benzer noktalardan yola çıkarak yapılabilecek tahliller hiç kuşkusuz gerçeğin ancak bir bölümünü yansıtır. Sadece bunlara bakarak çözüm ve barış konusunda ileriye dönük ille de kötümser sonuçlara ulaşmak da doğru olmaz.

Akla takılan soru işaretleri gösteriyor ki:

İmralı ve Kandil'deki yönetici kadrolarının 'gerçekler'den koparak ya da parmak ucu hisleri körelerek, zamanla PKK'yi dağa mah-

---

9 Hasan Cemal, agye, s.37-38.

kûm etmeleri ve örgütü uzun vadede 'marjinalleştirme'leri, hatta örgütü **kör terör** noktasına sürüklemek gibi ihtimaller de vardır.

PKK'ye ilişkin bu ihtimalleri, Ankara'daki 'devlet aklı'yla ve bizim siyasetin genlerinde zaten mevcut 'Türk milliyetçiliği' ve 'ırkçı' eğilimlerle yan yana getirip buna bir de İran'ı, Irak'ı, Suriye'si, İsrail'i, Amerika'sıyla birlikte Türkiye'de istikrarı çomaklayabilecek bölgesel koşulları eklediğinizde ortaya çıkacak tablo, doğrusu **barış** açısından hiç de iyimserlik verici değildir.

Orhan Miroğlu bugün gelinen noktayı PKK açısından şöyle değerlendirir:

"**15 Ağustos 1984,** Türkiye'nin siyasi tarihi ve Türk ve Kürt halklarının siyasi ilişkileri bakımından çok önemlidir. O gün Şemdinli ve Eruh'a gelip askere ilk ateş edenler, üç beş çapulcu, üç beş eşkıya diye küçümsendi. Türk halkının da bu fikre itirazı olmadı ve bu tarifi sorgulama gereği duymadı.

PKK, hep söylendiği gibi, bir sonuçtu aslında.

Etno-kültürel dinamikleri tarih boyunca bastırılan bir halktı Kürtler ve bu halkın yaşadığı tarih, isyanlarla geçmiş bir tarihti.

1980'lere gelindiğinde, son Kürt isyanı için bir kez daha uygun koşullar oluşmuştu.

12 Eylül'e çeyrek kala, Lice'nin Fis Köyü'nde bir araya gelen ilk PKK kadroları bir kuruluş bildirisi kabul ettiler. Bu bildiriye göre, PKK, '**Barışçıl bir ortam içinde her gün ulus olarak eriyip yok olmaktansa, savaşla ve savaş içinde dirilmeyi'** kabul ediyordu.

PKK, Kürt köylüsünü örgütledi ve savaşa soktu.

Kürt hareketinde demokratik ve yasal süreç önemli oranda sona erdi. Silahın ve şiddetin belirleyici olduğu bir dönem başladı. Bu dönemin nasıl devam ettiği, hangi acılara ve ölümlere yol açtığı biliniyor.

Şimdi bu savaşı sürdürmek için hiçbir sebep kalmadı.

PKK'nin siyasi varlığı, Kürt toplumunu siyasi manada etkileme kabiliyeti, bugün artık silahlı varlığının çok ötesinde bir gücü ifade ediyor. Demokratik kanalların bu güce kapalı tutulmaması, açılımın, demokratikleşmenin ve nihai manada çözümün de ana sorunudur.

'Sömürgeciliğe karşı Fanonvari mücadele çizgisi'nden, bir demokrasi standardı olarak barajın düşmesi ve siyasi kanadı olan KCK mensuplarının serbest kalması gibi taleplere gelmiş bir gerilla hareketini, -üstelik bu hareketin lideri Kandil'de değil İmralı'dayken- Türkiye demokratik zemine nasıl çekemiyor, Türkiye bunu dünyaya anlatamaz artık..

Ama aynı şekilde, Eruh ve Şemdinli'den bu yana geçen zamanda çok farklılaşmış, sosyal ve siyasal dönüşümler geçirmiş, sosyolojisi değişmiş, sisteme entegre olmuş, ve doğrusu korkuları, endişeleri de bir hayli artmış bir toplumu, dağlardan yönetmeye devam etmek, ve bu toplum adına, **demokratik özerklik** denen modeli bir pazarlık meselesi gibi öne sürmek Kürt'üyle, Türk'üyle bu ülke halkının anlayabileceği bir şey değildir.

'Yanlış zamanda haklı talepler' ileri sürmek, muhtemel bir müzakere ve diyalog sürecini imkânsız hale getirebilir. **Bugünün meselesi silahların susmasıdır!** Ve her ne konuşulacaksa ancak silahlar süresiz olarak sustuktan sonra konuşulmasıdır."[10]

Değerli yazar ve Kürt aydını Orhan Miroğlu'nun yazısındaki iki noktayı bir kez daha vurguluyorum:
"Bugünün meselesi silahların susmasıdır!"
Ve şimdi PKK açısından **"Bu savaşı sürdürmek için hiçbir sebep kalmadı."**

> *Orgeneral Başbuğ'dan 2004'te*
> *Amerika'ya: "Kürtlere vereceğimizi*
> *verdik!"*

2011 yazında iyimserlik uçtu gitti, hem PKK hem devlet cenahında. Her iki tarafta da soru işaretleri kafaları daha beter kurcalamaya başlamıştı. Gerçek bir barış sürecine açılabilecek kanalları tıkayan bazı klişeler, ezberler Ankara'da kendilerini yine belli ediyordu.

Kürt sorunuyla ilgili taşlaşmış bakış açılarından biri, 2004'te askerle Washington arasında gerçekleşen bir temasta kendini açığa vurmuştu.

Amerika'nın Ankara Büyükelçisi **Eric Edelman**, Genelkurmay İkinci Başkanı **Orgeneral İlker Başbuğ**'la yaptığı görüşme sonrasında Washington'a gönderdiği 10 Eylül 2004 tarihli gizli telgrafta, Başbuğ için "Kürtlere verilecek her şeyi verdik, başka bir şey kalmadı," dediğini nakleder.

---

10 Orhan Miroğlu, *Taraf*, 16 Ağustos 2010.

Başbuğ Paşa ayrıca, Irak'ta federasyon kurulmasına karşıdır, kurulursa kanlı olaylar yaşanacağını söyler ve PKK'ye karşı Kandil dahil ABD ile birlikte hareket edilmesini ister.

Eric Edelman'ın "Büyükelçi ile Genelkurmay İkinci Başkanı Başbuğ, Kıbrıs'ı, AB Reformlarını ve İkili İlişkileri Tartışıyor" başlığını taşıyan telgrafında İkinci Başkan'ın AB konusunda askerin kaygılarını da aşağıdaki gibi özetler:

"Başbuğ, hiç sorulmadan, Türk hükümetinin azınlık haklarında AB bağlantılı reform çabasını kendiliğinden gündeme getirdi. Son iki üç yıldır, parlamentonun 'kültürel haklar'ı garanti eden birçok yasayı geçirdiğini söyledi. Yapılan değişiklikler önemliydi ve geçirilen yasalara bir itirazı yoktu. 'Artık yapılacak ya da talep edilecek bir şey kalmadı,' diye görüşünü açıkladı. Ama İkinci Başkan'a göre, AB daha fazlasını talep etmeyi sürdürüyordu. Uygulamanın daha sıkı takip edilmesini isteyip duruyorlardı. 'Bununla neyi kastediyorlar? Yeterli olmayan ne?' diye sordu İkinci Başkan. **Leyla Zana**'nın hapisten çıktıktan sonra bölgeyi turladığını belirterek, Türkiye'nin güneydoğusundaki olayların 'hukuku aştığını' söyledi. Zana'nın siyasi faaliyetlerde bulunurken Kürtçe konuştuğunu, bunun da Siyasi Partiler Yasası'nın açık bir ihlali olduğunu bildirdi.

7 Eylül'de, Diyarbakır Belediye Başkanı'nın AB'nin Genişlemeden Sorumlu Komiseri **Günter Verheugen**'e, AB'nin gerekliliklerini karşılamak için, yasanın bu hükmünün (siyasi faaliyette Türkçe dışında bir dil kullanma yasağı kastediliyor) değiştirilmesinin gerekip gerekmeyeceğini sorduğu bildiriliyordu.

Başbuğ, Zana'nın hapisteki PKK lideri Abdullah Öcalan'a 'Siyasal, toplumsal ve kültürel haklarımızı AB üyeliği yoluyla alacağız,' diyen bir mektup yazdığını kaydetti. AB eğer Zana ve destekçilerinin hedeflerine ulaşması için bir araçsa, daha fazla ne istiyorlar, diye sordu. **Başbuğ'un buradaki iması, Zana'nın ve onun yandaşlarının AB'yi, Türkiye'yi bölmek için bir araç olarak gördüğüydü. Başbuğ 'Daha fazla verecek bir şeyimiz yok ve biz gereğinden fazlasını verdik,' dedi.**
Verheugen'in Diyarbakır'daki basın toplantısını daha yeni izlediğini söyleyen Başbuğ, Verheugen'in 'Kürt vatandaşlara'

atıfta bulunmasından yakındı. 'Bu uygun mudur?' diye sordu. Türkiye'nin Kürt kökenli çok sayıda vatandaşı vardı ama 'Kürt vatandaş' fikrini 'tamamen yanlış' diye nitelendirdi. Benzer şekilde **Türkiye'nin 'Kürtçe eğitimi' onaylaması konusunda yapılan değinmeleri de yanlış buluyordu, çünkü bu cümlenin, eğitim dilinin Türkçe yerine Kürtçe olmasını ima ettiğine inanıyordu.** Onay verilen 'Kürtçenin öğretilmesi'ydi."[11]

Başbuğ Paşa'nın Genelkurmay İkinci Başkanı'yken Amerika'nın Ankara Büyükelçisi'yle 2004 yılı Eylül ayında yapmış olduğu bu görüşme birçok bakımdan önemlidir.

İlki askerin AB'ye dönük klasik kuşkularını yansıtıyor olmasıdır. "AB'deki kadar demokrasi ya da birinci sınıf demokrasi ülkeyi bölünmeye götürür, Türkiye'nin 'özel koşulları' vardır," diye özetlenebilirdi askerin bu bakış açısı.

İkinci nokta, **Kürtçe eğitim** konusunun askerin gözünde nasıl dokunulmaması gereken bir tabu olduğuna işaret etmesidir. Kürtçe öğretilebilir ama Kürtçe eğitim gündeme getirilemezdi. Kürtler özel kurslara gidip dillerini öğrenebilecek ama kendi edebiyatlarını, kendi kültürlerini, kendi tarihlerini kendi ana dillerinde öğrenme hakkından yoksun kalacak, kendi kültürlerini geliştiremeyeceklerdi. Aksi halde Türkiye'de bölünme kapısı açılırdı.

Başbuğ Paşa'nın ABD Büyükelçisiyle görüşmesinde **Irak'ta federasyon fikrine karşı** çıkmasına da "Türkiye'nin bölünmesi" penceresinden bakılabilirdi.

Paşa'nın **nüanse** deyişiyle "Irak'ın kuzeyinde"ki federe bir Kürt devleti, kendi kendini yönetim -ya da özerklik- kendi yerel meclisiyle hükümeti, bayrağı, güvenlik güçleri, kendi okulları ve üniversiteleriyle ve de ana dilde eğitimiyle Türkiye Kürtlerine 'kötü örnek' olacaktı.

Bu bakımdan Başbuğ Paşa'nın kendisi de 2004'te artık geç kalındığını herhalde biliyordu. Çünkü bütün bunlar 1990'ların başından beri Irak Kürdistanı'nda yaşanıyordu. 2003 yılı Mart ayındaki Amerikan işgali sonrasında kabul edilen anayasayla Irak'a Başbuğ Paşa'nın korktuğu federasyon düzeni kâğıt üstünde gelmiş, ama aslında ülke fiilen üç parçaya bölünmüştü.

Genelkurmay İkinci Başkanı olarak İlker Başbuğ'un Ankara'daki ABD Büyükelçisi'yle 2004 yılı Eylül'ünde yaptığı görüşmenin üçüncü önemli boyutuna gelince...

---

11 WikiLeaks Türkiye Belgeleri, *Taraf*, 10 Mayıs 2011.

Başbuğ Paşa, Amerikan Büyükelçisi'ne Kürt meselesi bağlamında, "**Daha fazla verecek bir şeyimiz yok ve biz gereğinden fazlasını verdik,**" demesiydi.

Paşa herhalde, **bireysel haklar** çerçevesinde 2002-2004 döneminde AB'ye uyumun gerektirdiği adımlar atıldı; ana dilde eğitim gibi daha fazlası 'kolektif haklar' alanına girer ki, bu bizim demokrasi anlayışımız içinde yoktur" demek istiyordu.

Nitekim Başbuğ Paşa bu bakış açısını, hem *Terör Örgütlerinin Sonu* isimli kitabında, hem de 7-8 Ağustos 2011 tarihli *Milliyet*'te yayımlanan emekli büyükelçi Şükrü Elekdağ'la konuşmasında çok açık anlatır:

"**Ana dilde eğitim** çok tartışılıyor. Ama burada ben liberal demokrasinin prensibine sıkı bağlı kalmak kanaatindeyim ve devletin böyle bir yükümlülük taşıdığı kanaatini taşımıyorum. Ana dilde eğitim konusunun ikinci bir perspektifi de var. Ana dilde eğitime, bu çocukların topluma entegrasyonuna ne kadar fayda sağlayıp sağlamayacağı noktasından da bakmanız lazım. Ana dilde eğitim görmüş bir öğrencinin topluma entegrasyonu bir sorun olmaz mı? Bence ciddi sorunlar olabilir. Devletin de böyle bir yükümlülüğü olduğuna ben inanmıyorum. Devlet, bireyin özgürlüklerinin önünü açacak. Özellikle bireyin kültürel özelliklerinin önünden engel olmaması lazım. Diğer bir prensip ise kolektif hakların olmaması. Kolektif hak dediğiniz siyasal hak kavramına gidiyor. Siyasal hak dediğiniz zaman liberal demokrasinin dışına çıkarsınız. Devletin Kürtçe dersini devlet okullarında öğretme yükümlülüğü yoktur."

Eski Genelkurmay Başkanı Başbuğ'un bu bakış açısını birçok bakımdan eleştirmek gerekir, eğer demokrasi ve insan hakları gerçekten önemseniyorsa...

İlker Başbuğ Paşa'nın, Kürtçe eğitim, bireysel haklar, liberal demokrasi derken yanılgıları....

Bir kere, Türkiye'de bireysel haklar çerçevesinde, Başbuğ Paşa'nın "Verilecek her şeyi verdik!" demesi gerçeği yansıtmıyor. AB'ye uyumun gereği olarak 2000'lerin başında olumlu adımlar atılmış, bazı haklar tanınmıştır. Ama bazıları da tanınmış gibi yapılmış, uygulamada maalesef kâğıt üstünde kalmıştır.

Başbuğ Paşa'nın demokrasiye ilişkin tanımları da sorunludur. Hem liberal demokrasiyi tarif ederken, hem **bireysel haklar-kolektif haklar** ayrımını yaparken, konunun sınırlarını fena halde daraltmakta, belki de Türkiye'nin **'özel koşulları'**na tâbi kılmaya çalışmaktadır. Eski Genelkurmay Başkanı'nın fazlasıyla kitabi olan -ya da birtakım klişelerden oluşan- bu çabası gerçeklerden kopuktur.

Kendi deyişiyle Irak'ın kuzeyinde, **Iraklı Kürtler** kendi okullarında, üniversitelerinde ana dilleri olan Kürtçe eğitim görecek, ama Türkiye'deki Kürtlerin böyle bir hakkı olmayacaktır.

Filistin'de, Filistinliler ana dillerinde eğitim görecek, ama Türkiye'de Kürtlerin böyle bir hakkı olamayacaktır.

Güney Afrika'da örneğin Zuluların böyle bir hakkı olacak ama bizde Kürtlerin olmayacaktır.

İspanya'da, Katalanlar ya da Basklar kendi ana dillerinde eğitim görecek, ama Türkiye'de Kürtlerin böyle bir hakkı olmayacaktır.

Fransa'da Breton, Bask, Katalan, Korsika, Alsas, Oksitan dillerinde eğitim hakkı olacak,[12] ama Türkiye'de Kürtlerin olmayacak.

Britanya'da İskoçların, Kuzey İrlandalıların İskoç ve İrlandalı olmaktan kaynaklanan hakları olacak ama Türkiyeli Kürtlerin olmayacak.

Çünkü İspanya'daki, Britanya'daki, Fransa'daki demokrasiler anlaşılan, **Başbuğ Paşa'nın liberal demokrasi** tarifine girmedikleri içindir ki, bu ülkelerde ana dilde eğitim hakkı olacak, ama Türkiye'deki düzen 'liberal demokrasi' olduğu içindir ki, Türkiyeli Kürtler ana dilde eğitim hakkından yoksun olacaklar...

Başbuğ Paşa'nın *Terör Örgütlerinin Sonu* isimli kitabıyla 7-8 Ağustos 2011 tarihli *Milliyet*'te yer alan bu görüşlerini **Şahin Alpay** şöyle eleştirir:

"**Başbuğ'un yanıldığı nokta şu:**
Liberalizm ve liberal demokrasi artık 19. yüzyılda ya da 20. yüzyılın ilk yarısında taşıdığı anlamı taşımıyor. Sadece liberalizm değil liberal demokrasi de sadece birey haklarını değil, etnik veya dinsel azınlıkların grup haklarını da tanıyacak şekilde evrilmiş bulunuyor.

Devletin tarafsız olması, etnik-dinsel azınlıkları görmezden gelmesi anlamına gelmiyor.

Başbuğ'un liberal demokraside grup hakları ve **çokkültürcülük** yazınıyla tanışmadığı anlaşılıyor.

---

12 Baskın Oran, *Türkiyeli Kürtler Üzerine Yazılar*, İletişim Yayınlar, İstanbul, s.478-504. Özellikle "Kürt Sorununda Anlatılan Fransa Masalları" başlıklı bölüm.

Başbuğ siyasal sistem ile devlet sistemini birbirine karıştırıyor. **Liberal demokratik rejim, üniter devlet ile özdeş değildir.** Üniter devletlerin Türkiye gibi aşırı merkeziyetçi bir idari yapıya sahip olanları bulunduğu gibi (İsveç gibi); çok güçlü yerel yönetimlere sahip olanları (**İspanya ve Britanya** gibi); bölgelere geniş yetki devri yapmış olanları (**ABD, Almanya** gibi); idari federasyon ya da (**Belçika, Kanada, Hindistan** gibi) etnik-dinsel temelli federasyon biçimini alabildikleri bilinmektedir.

Başbuğ'a göre, Kürt kimliği anayasa ile tanınacak olursa bu bağımsız Kürt devletine, yani Türkiye'nin bölünmesine giden birinci adım olacaktır.

Evet, Belçika üniter devlet olarak yola çıkmış, sonra bölgelere yetki devri (devolüsyon) yapmış, sonra da federal yapıyı benimsemiştir. Ne var ki Belçika bu sayede bütünlüğünü korumuştur. Üniter yapıda ısrar etmiş olsaydı, ülke çoktan ikiye bölünmüştü.

Eğer amaç gerçekten ülke bütünlüğünü korumak ise idari yapıda değişiklik gerekebilir. Türkiye'de PKK'ya karşı olan Kürtlerin dahi büyük bir bölümünün talebi bu yöndedir. Yerinden yönetim bütün Türkiye'nin de ihtiyacıdır.

Öte yandan, ayrılmak isteyen grup bugün Kürtler içinde çok marjinal, ama eğer çoğunluğu ayrılmak isteyecek olursa, hangi güç bunun önüne geçebilir ki?

Önemli olan tercihlerin silah tehdidi altında değil gönüllü olarak ifadesini güven altına almaktır. Türkiye'nin esas meselesi de budur."

İlker Başbuğ Paşa, asimilasyon yok mu?
"Ya sev ya terk et!" mi dedin yoksa?

Şahin Alpay şöyle sürdürür eleştirilerini:

"İlker Başbuğ'un *Milliyet*'e verdiği mülakatta ileri sürdüğü görüşlerden biri de Türkiye'de 'Osmanlı dönemi dâhil' Kürtlere asimilasyon uygulanmadığı.

Osmanlı Devleti, çok-dinli ve çok-kültürlü bir imparatorluktu ve tabii ki hiçbir etnik ya da dinsel gruba karşı asimilasyon (kültürel eritme) politikası uygulamadı.

Türkiye Cumhuriyeti ise bir **ulus-devlet** olma iddiasıyla kuruldu ve bütün Müslümanları Türkleştirmeyi hedefledi. Göçle gelenler gönüllü olarak asimile oldular; yerli nüfus, bu bağlamda Kürtler ise zorunlu asimilasyona tâbi tutuldu. Entegrasyona kapıların açık tutulmuş olması ya da Türkleştirmede tümüyle başarılı olunamayışı asimilasyon politikaları uygulanmadığı anlamına gelmez. Aksi iddia, hangi profesör tarafından ileri sürülürse sürülsün, ciddiye alınamayacak ölçüde geçersizdir.

29 Kürt isyanı boşuna çıkmadı.

Sayın Başbuğ'a cumhuriyetin Kürt politikası konusunda yetkin bir kaynak olarak (sanırım Genelkurmayca da saygın bir araştırmacı olarak kabul edilen) **Andrew Mango**'nun *Atatürk ve Kürtler* başlıklı incelemesini tavsiye ederim.

Başbuğ, ana dilde eğitim 'Topluma entegrasyonda ciddi sorun yaratabiliri,' diyor. Talep edilen, sadece ana dilde değil Türkçe yanında ana dilde, yani iki-dilli eğitim.

Ana dilini iyi bilmeyen öğrencilerin eğitimde geri, dolayısıyla topluma entegrasyonda dezavantajlı durumda kaldıkları iyi bilinen bir husus. Bu konuda **Sabancı Üniversitesi** Eğitimde Reform Girişimi'nin araştırmalarına bakılabilir.

Başbuğ'un **ürkütücü** iddiası ise 1982 Anayasası uyarınca Türkiye Cumhuriyeti'ne vatandaşlık bağı ile bağlı olan herkesin Türk olduğu... **'İstemiyorsanız bu bağı kesersiniz. Burada sizi zorlayan bir nokta yok,'** diyor Başbuğ.

Bu beyanının kimi etnik Türk milliyetçilerinin Kürtlere yönelik **'Ya sev ya terket!'** sloganını andırdığı çok açık. Herhalde bundan daha ayrımcı ve bölücü bir ifade olamaz.

Başbuğ, Kürtlerin parlamentoda temsilinin çok önemli olduğunu, **barajın yüzde 5'e indirilmesi** gerektiğini savunuyor.

Ne var ki gerekçesi, bunun demokrasinin ve çözümün bir icabı olması değil, Kürtlerin temsil olunmayışının 'Çok ciddi bir uluslararası sorun haline dönüşebileceği...'

Yani, Türkiye'yi dış müdahalelere maruz bırakma riski...

Başbuğ'un **PKK** ile askerî alanda mücadele konusundaki iddialarının da elle tutulur tarafı yok. 'Kırsal alanda ve dağlık arazideki terörle mücadeleyi silahlı kuvvetler dışında hiçbir kuvvet yapamaz, bu biraz komik olur,' diyor.

Evet, PKK terör yöntemlerine başvurmakta, sivilleri de hedef almakta. Fakat esas olarak, **gerilla mücadelesi** yürütmekte.

Gerilla ile mücadele için bu amaçla eğitilmiş, profesyonel asker veya polis birliklerine ihtiyaç olduğunu bilmek, bu konuda güvenlik güçlerinin büyük yetersizlikler sergilediklerini görmek için asker olmak gerekmiyor. (Bu bakımdan, İlker Başbuğ'un Genelkurmay Başkanlığı'ndaki halefi Işık Koşaner Paşa'nın 24 ve 25 Ağustos 2011 günleri internet ortamına düşen *itirafları* ibret vericidir.)[13] Asıl **komik** olan gerillaya karşı düzenli orduyla, bu arada bombardıman uçaklarıyla savaşılması... Başbuğ'a göre, PKK'ye karşı başarılı olmak için Kuzey Irak'ın örgütten temizlenmesi gerekmekte. Bu konuda kendisine en iyi cevabı selefi vermişti (Büyükanıt Paşa vermişti bu cevabı *32. Gün*'de: "Bütün Türk Silahlı Kuvvetleri de gitse Kandil'i temizleyemez!")

Başbuğ, PKK'yı Kuzey Irak'tan temizlemede kaçırılan fırsatlardan birinin, 1 Mart (2003) tezkeresinin reddi olduğunu da söylüyor. 'Hiçbir birliğimizin kalkıp da Saddam ordusuyla çatışması söz konusu değildi,' diyor.

Başbuğ ve yıllardır bu iddiayı (PKK'nın bitirilemeyişinden esas olarak TBMM'yi sorumlu tutmak amacıyla) temcit pilavı gibi ortaya atanların es geçtikleri nokta, tezkerenin kabul edilmesi halinde bölge çapında bir Türk-Kürt savaşının tetiklenebilecek oluşuydu.

TSK'ya hâkim olan, Iraklı Kürt liderleri **yılanın başı, asıl düşman** olarak gören zihniyet böyle bir savaşı kaçınılmaz kılabilirdi.

Genelkurmay eski başkanının PKK ile mücadeleye ilişkin önerileri, bugüne değin tümüyle başarısız kalan, **şiddet yoluyla çözüm** mantığının ötesine geçmiyor."[14]

Şahin Alpay'ın yazısı **"Dilerim Türk Silahlı Kuvvetleri artık bu zihniyetten arınır,"** diye bitiyor ki, ben de bu dileğe katılıyorum.

---

13 Eski Genelkurmay Başkanı Işık Koşaner'in gerçekten ibret verici olan itiraflarını bu kitabın sonuna ek olarak aynen koyuyorum. Hem Türkiye'nin **asker sorunu,** hem **Kürt sorunu** açısından askerin içine düştüğü acıklı durumu gösteren bu itiraflar, aynı zamanda Türk Silahlı Kuvvetleri'nin kendini neden daha fazla oyalanmadan değiştirmesi ve bir an önce reforma tâbi tutması gerektiğini anlatmaktadır.

14 Şahin Alpay, *Zaman*, 23-25 Ağustos 2011.

Tayyip Erdoğan'la İlker Başbuğ
Paşa neleri paylaşıyordu 2011'in
yaz aylarında...

İlker Başbuğ'un Genelkurmay İkinci Başkanı'yken, 2003-2004 dönemiyle ilgili olarak "Kürtlere ne verilecekse verildi, daha fazlası yok!" söylemini Başbakan Erdoğan'ın da paylaştığı söylenebilir. 2008'in Mayıs ayındaki bir buluşmamızda[15] Tayyip Erdoğan Kürt sorunu çerçevesinde "Verilecek her şey verildi, başka ne kaldı ki?" tarzında bir ifadesi benim kulağıma da çıtlatmıştı.

2009'daki 'demokratik açılım' sırasında ve sonrasında da Tayyip Erdoğan ve yakın çevresi, özünde, "Verilmesi gerekenler verildi, bundan sonrası dağdan iniştir," demeye gelen bir hava içindeydi kapalı kapılar arkasında. Ama bunu galiba çok fazla belli etmiyorlardı. Anlaşılan, taktik gereği bunun altı çok fazla çizilmiyor, muhtemel bir 'pazarlık süreci'nde umut havasının dağılmasına yol açılmak istenmiyordu.

Kim bilir belki de oltanın ucundaki bir yem gibi düşünülüyordu bu tutum...

Başbuğ Paşa, Başbakan Erdoğan'la sadece bu açıdan değil, Kürt sorununun başka boyutlarıyla ilgili olarak da benzer bakış açılarına sahipti 2011 yazına gelindiğinde.

Bunun başında **"Kürt sorunu yok, PKK sorunu var!"** gelir.

Milliyet'te 7 Ağustos 2011'de emekli büyükelçi, eski CHP milletvekili Elekdağ sorar, emekli Genelkurmay Başkanı Başbuğ Paşa yanıtlar.

Elekdağ'ın sorusu:

"Terör Örgütlerinin Sonu isimli kitabınızla yakın ilgisi nedeniyle, önce PKK'nın Silvan saldırısı bağlamında Başbakan Erdoğan'ın yaptığı açıklamada vurguladığı şu iki hususa değinmemiz yararlı olacak.

"Başbakan **'Bu ülkede artık Kürt sorunu yoktur PKK sorunu vardır, Kürt kökenli vatandaşlarımızın sorunları vardır,'** diyerek sorunun özüne yeni bakış açısını vurguladı.

"İkincisi, **'Bundan sonraki süreç çok daha farklı stratejilerle ve uygulamalarla kendini gösterecektir. Amacımız terörü minimize etmek olacak,'** demek suretiyle terörle mücadelede değişik bir stratejik yaklaşımın benimseneceğini belirtti. Başbakanın bu ifadelerini nasıl yorumluyorsunuz?"

---

15 Bu konuda ayrıntılı bilgi için bkz. Hasan Cemal, *Türkiye'nin Asker Sorunu*, Doğan Kitap, İstanbul, s. 441-442.

Başbuğ'un yanıtı:

"'**Kürt sorunu yoktur**,' ifadesi, hatırlıyorsanız seçim döneminde de Sayın Başbakan tarafından kullanıldı. Kitabımın bir bölümünde ben de bu konuya değiniyorum. **Burada hemfikiriz.** Esasında bu konuya ilişkin görüşlerimi kitabımda detaylı anlatmaya çalıştım. Türkiye'de altını çiziyorum, **bir Kürt sorunu olduğu kanaatinde değilim.** Sayın Başbakan'ın son cümlesi, yani amacın terörü minimize etmek olduğu hususuna gelince... Bunda da aynı noktadayız tabii ki. Hatta biz şu terimi kullanmayı daha tercih ediyoruz: Terör örgütlerini marjinalize etmek..."

Elekdağ-Başbuğ konuşmasında bir başka önemli nokta Kandil'le ilgilidir.

Başbuğ Paşa "**Kandil varken terör bitmez**" görüşünü şöyle savunur:

"Türkiye'nin PKK'yı marjinalize edebilmesi için olmazsa olmaz şart, Kuzey Irak'taki PKK varlığının ortadan kaldırılması veya azaltılmasıdır. Maksimum hedefe ulaşmak için Irak'ın kuzeyinde güvenli bölgeyi tam kontrol ederek uzun süreler kalmak durumundasınız. Ancak, uzun kalmayı uluslararası konjonktürde nasıl sağlayacaksınız? En temel soru budur. O zaman bunun tek çaresi, ya **Amerika Birleşik Devletleri** ile birlikte yapacaksınız, ya da bu sorunu **Kuzey Irak yönetimi** ile birlikte düşünmeniz lazım."

Başbuğ Paşa böyle diyor.

17 Ağustos 2011 gecesi yarısı, Hakkâri-Çukurca arasındaki PKK saldırısında 11 askerin şehit olmasıyla birlikte F-16 savaş uçaklarının bombardımanıyla başlayan Kandil operasyonu, denebilir ki, İlker Başbuğ Paşa'yla Başbakan Erdoğan'ın bu açıdan da aynı dalga boyunda buluştuklarını göstermektedir.

Ancak, bu hava operasyonlarıyla birlikte Ağustos'un son haftasında önce Bağdat'tan, sonra Irak Kürdistanı'ından yükselen tepkiler ve Irak Kürdistan Bölgesel Yönetimi Başkanı Mesud Barzani'nin eleştirel çıkışı, Kuzey Irak'a yönelik operasyonların pek öyle kolay olmadığının altını bir kez daha çizecekti.

Arap baharı dolayısıyla Amerika'nın Türkiye'ye daha müsamahalı baktığı elbette söylenebilir, bunda gerçek payı vardır.

Ama abartılmaması kaydıyla...

Amerika, Türk Silahlı Kuvvetleri'nin hem Irak Kürtlerini hem Türkiye Kürtlerini rahatsız edeceği muhakkak olan bu hava ve -muhtemel- kara operasyonlarının bir sınırın ötesine geçmesine yeşil

279

ışık yakmaz. Washington, PKK'nin canının acımasına kapıyı aralar ama bir yerde de durur. Başbuğ Paşa'nın açıklamalarındaki bir başka ilginç nokta, **bölünme ya da bağımsız Kürt devleti** meselesidir. İlker Başbuğ Paşa, 'bağımsız Kürt devleti' konusunun çok fazla önemsenmiyor olmasından şöyle yakınır, Büyükelçi Elekdağ'la konuşmasında: "PKK kurulduğu zaman açıklanan deklarasyona baktığınız zaman dört aşamalı hedeflerini görüyorsunuz. **Kürt kimliğinin tanınmasının sağlanması birinci adımı oluşturuyor.** Bu nedenle anayasal kimlik tanınmasının tehlikeli bir ilk adım olduğunun altını çiziyorum. **Özerk yapıya kavuşma ikinci adımı oluşturuyor. Bağımsız bir Kürt devletinin kurulması ise üçüncü adımı teşkil ediyor.** Dördüncü adımda ise Irak, Türkiye, Suriye ve İran'ı kapsayacak şekilde bir **Kürdistan** kurulması öngörülüyor. Bu hedefler PKK'nın manifestosunda mevcut. Bugün birinci adımda taviz verirseniz, ikinci adımın gelmesini engelleyemezsiniz. Bu itibarla, ilk adımın doğru atılması lazım. Ben özellikle **kimliğin tanınması** konusunu önemsiyorum. Kimliği tanıdık derseniz, bunu ikinci adım takip edebilir ve süreç kontrolünüz dışına çıkabilir."

Bu **bölünme** kaygısı, Başbakan Erdoğan'da da özellikle 'Habur olayı'yla birlikte uğradığı hayal kırıklığı sonrasında güçlenmişti. Kendi deyişiyle sıtkı sıyrılmış ve "Bunlar Türkiye'yi bölmek istiyorlar!" görüşü, hükümetin daha sonra izleyeceği politikalara damgasını vurmuştur.

2009'da başlayan KCK operasyonları ve davası, Tayyip Erdoğan'ın 12 Haziran seçimleri sırasında ve sonrasındaki aşırı milliyetçi olan, barışçı olmayan dili, Habur'la içine girdiği hayal kırıklığının ürünü sayılabilir.

Bu bölümde, eski Genelkurmay Başkanı İlker Başbuğ görüşlerine bu kadar ayrıntılı yer vermemin bir başka nedenine gelince...

Bu görüşler, 2011'de Milli Güvenlik Kurulu'nda da genel kabul görmüş ve daha önceki sayfalarda eleştirdiğim 'devlet aklı'nı oluşturmuştur.

Diyarbakır'dan 17 Ağustos 2011 gece yarısı havalanan F-16'lar Kandil Dağı'nı bombalamaya başladıkları vakit Ankara'da sivil ve asker otorite 'devlet aklı'nda birleşmiş gözüküyorlardı.

Ve benim aklımda da o soru işaretinin çengeli yeniden kıvrılıyordu:

Başbakan Erdoğan Ankaralılaşıyor mu?

ŞİMDİLİK SON SÖZ

Savaş değil barış! Tarihin eli,
Erdoğan'ın omzunda ama...

> *Devlet adamlığı şiddete,*
> *şiddetin mantığına teslimiyet değildir.*
> *Devlet adamlığı, acıların üzerinden*
> *geleceği görebilmek ve kurmaktır.*
>
> *Barış bir süreçtir. Eğer süreç yoksa,*
> *boşluk vardır.*
> *Ve bu boşluğu şiddet doldurur.*
> *Halbuki süreç varsa, umut vardır, barış*
> *umudu...*
>
> *Erdoğan 'boşluk' mu yaratıyor,*
> *savaş isteyenlerin dolduracağı?..*
> *Yoksa Ankaralılaşıyor mu?..*

Kitabımın son bölümünü 2011 yılı Ağustos ayı ortalarında yazarken, F-16 savaş uçakları Kandil'i bombalamaya başlamıştı.

Bayram sonrası kara operasyonu da bekleniyordu.

Ayrıca şehirlerde yeni bir tutuklama dalgasının kabaracağına dair işaretler su yüzüne vurmuştu.

Hakkâri-Çukurca yolunda 17 Ağustos 2011 tarihli PKK saldırısında 11 askerin ve bundan önceki 15 Temmuz Silvan saldırısında 13 askerin şehit düşmesiyle birlikte Ankara artık tümüyle **savaş diline** kaymış, **barış dili** tamamen unutulmuştu.

Gece yarısından sonra F-16'lar Kandil'e bomba yağdırırken, Ankara'da kamu diplomasisinden sorumlu başbakanlık başdanışmanı İbrahim Kalın'ın İngilizce bir tweet'i düşecekti internete:

"PKK'nın son zamanlarda tırmanan saldırıları bir kez daha göstermektedir ki PKK, en basit ve yalın anlamıyla bir terör örgütüdür. Ve kendisine anladığı dilden cevap verilecektir."[1] Sorun keşke başbakanlık başdanışmanının tweet'inde belirtildiği gibi o kadar **basit ve yalın** olsaydı, tankla, topla, tüfekle çözülebilseydi.

Ama olmadı, bunca yıl çözülemedi.

Demek ki o kadar basit değilmiş...

Ama anlaşılan Ankara 'eski'ye dönüyordu. Başbakan Erdoğan **"Ben aynı zamanda savaş da yaparım, demokrasi de..."** diyor olsa da 1990'ların kapısı yeniden açılıyor gibiydi.

Devlet aklı, "Kürt sorunu yok, PKK sorunu var, bu da terör sorunudur," tarifinde buluşarak, 1990'lı yıllardaki gibi 'sopa'yı eline almakta olduğunun tüm işaretlerini veriyordu.

Biliyorum, "Ne yapacaktı ki?" diye sorulacak şimdi de "Terör örgütü 45 günde 45 askerimizi şehit ederken, devlet eli kolu bağlı mı otursun, istediğin bu mu?"

Veyahut denecek ki:

"Ne yani, PKK barış mı istiyor? Barış, PKK'nin hiç umurunda olmadı ki. O **taşeronluk** yapıyor! İçte ve dışta savaş isteyenlerin, savaşla bu ülkede demokrasinin kolunu kanadını kırmak isteyenlerin, Türkiye'yi istikrarsızlaştırmak isteyenlerin taşeronudur bu örgüt... Zaten totaliter zihniyetle kurulmuş bir terör örgütünden başka ne beklenir ki?"

Barışa ölümcül darbeler indiren PKK saldırılarının savunulacak, onaylanacak bir tarafı yok elbette.

Şiddet şiddeti getirir!

Şiddet çözüm üretmez, şiddet üretir.

Şiddetin dibini kazmaya başladınız mı altından yine şiddet çıkar.

Ancak bir gerçek daha vardır.

Devlet adamlığı şiddete, şiddetin mantığına teslimiyet değildir.

Devlet adamlığı tam tersine şiddeti üreten nedenleri etkisiz kılacak ve barışın yollarını açacak siyasal kararlılığa, iradeye sahip olmaktır.

Ve devlet adamlığı barışın dikkatle, sabırla, özenle, hatta kuyumcu titizliğiyle yönetilecek **bir süreç,** altını çiziyorum, **bir süreç** olduğunu bilmektir.

---

1 Tweet'in İngilizce orijinali: *The recent escalation of attacks by PKK show once more that PKK is a terorist organisation, pure and simple. It will be treated accordingly.*

Londra'da, 2011'in Temmuz ayında Jonathan Powell'ı dinlemiştim. Britanya Başbakanı Tony Blair'le birlikte 1990'lı yılların sonunda Kuzey İrlanda sorununu nasıl çözdüklerini, IRA'nın uzun bir süreç sonunda nasıl silah bıraktığını anlatıyordu.

En çok vurguladığı sözcük, 'süreç'ti:

"Barış bir süreçtir. Eğer o süreç yoksa, boşluk vardır. Ve bu boşluğu şiddet doldurur. Halbuki süreç varsa, umut vardır, barış umudu... Bu bakımdan ben 'bisiklet teorisi'nden söz ederim. Bisiklete binince sürekli pedal çevirmek zorunda kalırsınız, yoksa yere kapaklanıp düşersiniz."

Erdoğan yeterince pedal çevirdi mi?

Yoksa boşluk mu yarattı?

Galiba öyle... Bazı sorular:

Başbakan Erdoğan, 2009 yılının 'demokratik açılım' sürecini tüm iniş çıkışlarına rağmen, -bazen de PKK'ye rağmen- devam ettirebilseydi...

'Barış umudu'nu sürdürebilseydi...

Türk Ceza Yasası'yla Terörle Mücadele Yasası'nda yapacağı değişikliklerle KCK opreasyonları ve davasının yol açtığı olumsuzlukları en aza indirseydi...

12 Haziran seçim sürecinde aşırı milliyetçi söyleme kendini kaptırmak yerine, yeni bir anayasa projesiyle bu ülkede demokrasi ve hukuk dönüşümünün temel sorunlarına ve tabii Kürt sorununa çözüm ışığı tutabilecek nitelikte bazı ipuçlarını sergilemiş olsaydı...

Bunları yapabilseydi Erdoğan...

Böyle bir siyasal kararlılıkla davransaydı...

O zaman boşluk, şiddetin dolduracağı bir boşluk doğar mıydı?.. Sanmıyorum.

Ahmet Altan'ın dediği gibi: **"AKP'nin Kürt meselesinde çok fazla oyalanması, son adımı bir türlü atamaması, referandumda bu halkın kendisine açtığı büyük krediyi, inanılmaz bir basiretsizlikle genel seçimlerde ulusalcı bir dille harcaması, savaş isteyenlerde büyük olanaklar yarattı."**[2]

Şimdi de hangi soru gelecek farkındayım:

"Ne yani PKK şiddetine kulp mu takıyorsun?"

Elbette hayır.

Şiddet ve terör benim defterimde yok.

Bunca yıldır barış için yazıyorum.

---

2 Ahmet Altan, *Taraf*, 19 Ağustos 2011.

Ama önceki satırlarda da belirttiğim gibi, şiddeti herkesin defterinden silmek en başta devlet adamlarının görev ve sorumluluk alanına girer.

2011 yazında, 2009 yılı Ekim'indeki 'Habur olayı'ndan itibaren barış sürecinin çökmesinden de kaynaklanan boşluğu ne yazık ki iki taraflı şiddet doldurmaya başlıyordu.

Başbakan Tayyip Erdoğan
Ankaralılaşıyor mu,
bürokratlaşıyor mu?

Türkiye, 2011'de 12 Haziran genel seçimlerine giderken sormuştum:
Erdoğan Ankara'lılaşıyor mu?
Erdoğan bürokratlaşıyor mu?

Kimi diyordu ki:
"Tayyip Erdoğan, Ak Parti'nin Kürt milletvekillerini yeni aday listelerinde öylesine tasfiye etti ki, bu onun Kürt sorunu konusunda büyük bir hayal kırıklığıyla birlikte bir geriye dönüş yaşamaya başladığını gösteriyor."
Kimi diyordu ki:
"Bu öylesine bir tasfiye ki, Kürt meselesine ilişkin şöyle ya da böyle hassasiyeti olan milletvekillerine yeni Ak Parti listelerinde yer verilmedi."
Kimi diyordu ki:
"Bu konuda belki de, Ak Parti Merkezi'ndeki Milli Görüş ve MHP kökenliler ağır bastı."
Kimi diyordu ki:
"Bu bir geriye dönüş işaretidir. Devlet, asker geçmişte Kürt sorununu sadece bir güvenlik meselesi olarak görmüştü. Bunun böyle olmadığı acı şekilde anlaşıldı, yaşandı. Ak Parti ise soruna önce kalkınma, aş ve iş penceresinden yaklaştı. Bir süre sonra meselenin bundan ibaret olmadığını, kimlik meselesinin çok daha önem taşıdığını görmeye başladı."
Kimi diyordu ki:
"Kimlik meselesi ön plana çıkınca, bazı adımlar atılınca, zamanla Tayyip Erdoğan'da hayal kırıklıkları kendini belli etmeye başladı. 'Bu Kürtlerin çözüm dedikleri galiba ülkenin bölünmesi' diye özetlenebilecek bir hayal kırıklığı olabilir."

Kimi diyordu ki:

"Bu hayal kırıklığı, Tayyip Erdoğan'ın yüzünü yeniden 'eski'ye çevirmesine neden oldu galiba... Böylece güvenlik penceresi, aş ve iş penceresi onun önünde daha çok açılmış olabilir. **Yani 'devlet'le, 'asker'le yeniden yakınlaşma...**"

Kimi diyordu ki:

"Ankara'daki bürokratik virüs meselesi belki de... Sonunda o virüs Tayyip Erdoğan'a da sirayet etmiş olabilir."

Kimi diyordu ki:

"Bunun adı **'bürokratlaşma'dır, 'Ankaralılaşma'dır.** Kürt sorununda uğradığı bazı hayal kırıklıkları, bir ihtimal, Tayyip Erdoğan'ı da sonunda böyle bir sürece sürükledi."

Kimi diyordu ki:

"Tayyip Erdoğan'ın Kürt sorunu ve 'çözüm' konusunda yüzünü 'eski'ye çeviriyor olmasını değerlendirirken, 12 Haziran seçimleri ve MHP faktörü unutulmasın. MHP'yi yüzde 10 barajının altına çekmek için Ak Parti'de milliyetçi rüzgârlar olanca gücüyle estirilmeye çalışılıyor. Kürt milletvekilleriyle ilgili radikal tırpanda da bunun rolü var."

Kimi diyordu ki:

"Tayyip Erdoğan, Kürt sorununda Türkiye'nin nereye doğru gittiğini ne kadar okuyabiliyor, seçim sonrasına ilişkin muhtemel tehlikelerin ne kadar farkında?"

Kimi diyordu ki:

"Erdoğan'ın bir seçim dönemindeki yönelişlerini daha çok bu döneme özgü olarak değerlendirmek ve sonrası konusunda daha ihtiyatlı olmakta yarar var. Unutmayın ki İmralı'yla, Öcalan'la diyalog kapısını açmış olan da Tayyip Erdoğan'dır."

Bu yazım *Milliyet*'te 16 Nisan 2011'de çıktı.

O tarihte Madrid'deydim, Real Madrid'le Barcelona arasındaki El Clasico'yu izlemek için. Sabah vakti otelde cep telefonum çaldı.

Arayan Başbakan Erdoğan'dı.

Yazımla mutabık değildi.

Açıklamalarına ertesi günkü yazımda yer verdim.

Erdoğan özetle, partisinin milletvekili aday tespitlerinde Kürtlerin dışlandığı yolundaki iddiayı kabul etmiyor, **"Ankaralılaşmak yok, Türkiyelileşmek var,"** diyordu.

Erdoğan'ın açıklamaları beni ikna etmemişti.

2005 yazında, Diyarbakır'da meselenin adını koyup 'Kürt sorunu' diyen, bununla yetinmeyip "Kürt sorunu hepimizin sorunudur," tespitiyle meseleye damardan giren, hatta bu konuda cesur bir adım daha atarak 'devletin hataları' olduğunu da söyleyebilen ve 'demokratik açılım' süreci için düğmeye basan Erdoğan'da, **gerileme** vardı. 2008'in Ekim ayındaki bir yazımda da **"Sayın Başbakan, yoksa teslim olma sırası sizde mi?"** diye sormuştum. Yine aynı yıl Kasım'daki bir yazımın başlığında, **"Özallaşma, Demirelleşme derken Çillerleşme mi?"** vardı.

Türkiye'nin ilk kadın başbakanı olarak 1993'te iktidar koltuğuna oturan DYP Genel Başkanı Tansu Çiller, askere teslim olarak Kürt sorununda en kanlı dönemi yaşatmıştı bu ülkenin insanlarına...

Erdoğan da Kürt sorununu daha çok 'terör sorunu'na indirgeyen, PKK'ye sadece 'güvenlik' penceresinden bakan 'asker çizgisi'ne gelmiş gözüküyordu.

Kürtlere bazı bireysel, kültürel hakların tanınması ve **aş ve iş** sorunlarının aşılmasıyla Kürt sorununun biteceği, hatta bittiği, şimdi sırada sadece bir 'güvenlik' ve 'terör' sorunu olarak PKK'nin kaldığını savunan bir çizgiydi bu.

Eski Genelkurmay Başkanı İlker Başbuğ'un bundan önceki bölümde ayrıntılı olarak değindiğim ve eleştirdiğim açıklamalarından da anlaşıldığı gibi, ya asker Erdoğan'ı sonunda ikna etmişti ya da Erdoğan zaten özünde 'o çizgi'deydi, genlerinde mevcut milliyetçilik ve muhafazakarlıkla...

Neşe Düzel, Berkeley Üniversitesi'nden Doç. Dr. Cihan Tuğal'a soruyor:

"AKP sekiz yıldır iktidarda. Kürt meselesini en fazla ciddiye alan parti de o. Buna rağmen sorunu çözemiyor, bir ileri bir geri kıpırdayıp duruyor. Bu konuda AKP niye böyle yetersiz kalıyor?"

Ak Parti'nin siyasal İslamcıları sisteme nasıl bütünleştirdiğine ilişkin bir kitabın (*Pasif Devrim / İslami Muhalefetin Düzenle Bütünleşmesi*) yazarı olan Cihan Tuğal'ın yanıtı:

"Bu yetersizliğin üç boyutu var. Bir, Ak Parti'nin kendi siyasi geleneği. İki, partinin tabanı. Üç, Fırat'ın öbür yanı. Ak Parti'de hâlâ Milli Görüş geleneğinden bir şeyler var. **Ak Parti'nin damarlarından milliyetçilik akıyor.** Bugün Ak Parti'yi anlatan ana yönelim Türk milliyetçiliğidir. Ak Parti, içine İslamcılığın yedirildiği bir Türk milliyetçi partisidir."[3]

---

3   Neşe Düzel, Pazartesi Konuşmaları, *Taraf*, 23 Mayıs 2011.

"Sayın Başbakan, tarihin eli omzunuzda!"

Ak Parti lideri Tayyip Erdoğan 12 Haziran'da milletvekili genel seçimlerini yüzde 50 oyla kazandı. Üst üste üçüncü zaferdi bu.

Üstelik bu çarpıcı başarıya, iktidarda olmasına rağmen her seferinde oylarını arttırarak ulaşmıştı.

Bir ay sonra, 15 Temmuz 2011'de 13 askerin şehit olduğu PKK Silvan saldırısıyla ülkede savaş tam tamları çalınmaya başladı. Ertesi gün *Milliyet*'te *Sayın Başbakan, tarihin eli omzunuzda!* başlığını taşıyan bir yazı yazdım.

Başbakan Erdoğan'ı izliyorum televizyonda. Yüz ifadesi her şeyi anlatıyor. Canı son derece sıkkın ve öfkeli.

Tersi elbette beklenemez.

Üç cümlesini not ediyorum:

"Pazarlığa oturacak değiliz!"

"Kürt sorunu yoktur, PKK sorunu vardır."

"Bundan sonraki süreç çok farklı olacak."

Kendi kendime soruyorum:

Nasıl farklı olacak?..

Erdoğan'ı dinledikten sonra, televizyonda bir öğretim üyesinin şu sözleri kulağıma çalınıyor:

"Devletin caydırıcılığını göstermek gerekiyor."

Erdoğan'ın **"Bundan sonraki süreç çok farklı olacak,"** cümlesi ve **'devletin caydırıcılığı...'**

Yeni dönemin şifreleri mi?

Eğer öyleyse, Türkiye'yi çok sıcak bir yaz bekliyor demektir.

Tedirgin oluyorum.

1990'lar da böyle başlamıştı. Devlet önce PKK'yi bitirmeye karar vermişti. Baş sorun 'terör'dü, PKK'ydi.

1993 yılı Mart ayı.

Başbakan Demirel bir gün bana şöyle demişti:

"Terörle mücadele devam ederken başka alanlarda adım atılmaz. Halkın gözünde PKK'ya taviz olarak görülür bu... Teröristle pazarlık gibi anlaşılır. O zaman Apo çıkar der ki, 'Düşün arkama! Bakın sonuç almaya başladık. Bastırın, daha fazlasını alırız.' Bu nedenle önce terör bitecek."[4]

---

4 Hasan Cemal, *Kürtler*, Doğan Kitap, 2003, s.59.

1990'ların ilk yarısının Genelkurmay Başkanı **Doğan Güreş Paşa** da Demirel gibi düşünüyordu. Parlamentoya girdikten sonra 1996'daki bir sohbetimizde şöyle demişti: "Kürt başka terör başka... **Kolektif haklar** olmaz ama **bireysel haklar** olur, kişisel özgürlükler olur [İlker Başbuğ Paşa'nın 2011'de söylediğini, seleflerinden Doğan Güreş Paşa da 1990'larda söylüyordu]. Peki ama askerî mücadele devam ederken, bunlar nasıl olacak? Bunca şehit verilirken, bunca şehit ailesinin yüreği yanarken, insan hakları ve demokrasi konusu nasıl gündeme getirilecek?"[5]

Devletin 1990'larda Kürt meselesine bakışı bundan ibaretti. Önce devlet 'elinin ağır olduğu'nu Kürtlere gösterecek, PKK'yi tecrit ettikten sonra da işini bitirecekti dağda...

Ama bitiremedi.

Evet, devlet 1990'larda Kürtlere elinin nasıl ağır olduğunu çok fena gösterdi. Çok büyük acılar yaşattı.

1992'nin Mart ayı.

Cudi Dağı karla kaplı.

Şırnak'a helikopterle iniyor, Jandarma Sınır Tugay Komutanlığı'nın bahçesine konuyoruz.

Çevrede tanklar mevzilenmiş. Karargâh pencereleri yarıya kadar kum torbalarıyla örtülü. Bahçenin bir köşesinde Atatürk büstü, üstünde, "Ne mutlu Türk'üm diyene..."

Tugay karargâhının duvarında kocaman siyah bir delik. Birkaç gün önceki baskında bir PKK roketi isabet etmiş...

Şırnak'ın merkezi savaş alanı gibi, ana yol da çamur deryası...

Çatışma iki gün iki gece sürmüş... Etrafta savaş manzaraları...

Elektrik direğine iliştirilmiş bir levha, Cumhuriyet Caddesi...

Kurşunla delik deşik olmuş bir tabela da sallanıyor elektrik direğinde:

Şırnak İnsan Hakları Derneği...

Devlet Bakanı **Necmettin Cevheri** kulağıma eğiliyor:

"Devletin sabrı ve şefkati yanlış anlaşılmıştır."

Olağanüstü Hal Valisi **Ünal Erkan**'ı dinliyorum:

"Devlet bunlara karşı çok pasif bir tavır sergiledi. Devlet çekilmişti. Oysa devletin otoritesini göstermesi gerekiyordu. Terörü ezmeden başka bir şey yapılamaz. Apo bunlara yürüyün demiş, bir şey olmaz korkmayın demiş. Ama şimdi devlet bir şeylerin olabileceğini göstermiş durumda... Mesele budur."[6]

Evet, 1992'de mesele buydu!

Devlet 'otoritesi'ni göstermeye başlamıştı, 'PKK sorunu'nun kökünü kazımak için...

---

5 age., s.67.
6 age., s. 165-167.

Hukuk hiçe sayıldı bunun için. **Susurluk** böyle doğdu. **Ergenekon**'un tohumları atıldı. **Faili meçhul cinayetler** işlendi. Kürt köyleri zorla boşaltıldı, yakıldı. Yüzbinlerce Kürt kendi yurdunda sürgünü yaşadı. Dağlar hallaç pamuğu gibi atıldı. Kan gölü büyüdükçe büyüdü. Cami avluları, taziye çadırları doldu taştı. Herkes kendi şehidine ağladı.

Peki sonuç?

Devlet 'caydırıcı' olabildi mi? PKK'yi bitirebildi mi? Tek kelimeyle hayır.

Tam tersine...

Devlet 1990'larda vurdukça, PKK Kürtlerin içinde her geçen yıl güçlendi, gitgide kök saldı. Böylece, Kürt sorunuyla PKK sorunu iç içe geçti.

1990'ların ilk yarısında ben dâhil şunu savunanlar vardı: PKK ile mücadele edilsin ama aynı zamanda insan haklarının gereği yapılsın; böylece PKK tecrit edilir, hedef küçülür.

Devlet tam tersini yaptı.

Ama PKK bitmedi, tersine Kürt sorunuyla iç içe geçti. Böylece devlet de, asker de, 2000'li yıllarda artık PKK'yi askerî yoldan bitiremeyeceğini anladı.

Hiç kuşkusuz PKK de silah ve şiddetle daha fazla gidemeyeceğini, yolun sonuna geldiğini gördü. 2000'lerin Erdoğan ve Ak Parti'siyle birlikte devlet de makas değiştirmeye başladı.

Kürt sorunu açısından -AB'ye uyumun da ürünü olan- demokratikleşme adımları... İmralı'yla diyalog... Demokratik açılım... Dağda ateşkes, eylemsizlik... Bu bir 'barış süreci'ydi, 2000'lerin ikinci yarısında.

Ama barışa ilişkin bu olumlu gelişmelerden hiç kuşkusuz rahatsız olanlar vardı. Devlette de, askerin içinde de, siyaset kurumunda da, PKK'de de, silah ve şiddeti dağda bir hayat tarzı haline getirmiş olanlarda da rahatsızlık vardı.

Kimine göre, 'fazla demokrasi'yle Türkiye bölünürdü. Kimine göre, PKK'ye karşı sopa elden bırakılamazdı. Kimine göre, Tayyip Erdoğan samimi değildi. Kimine göre, TC devleti sadece 'kuvvet'ten anlardı.

Erdoğan önce direndi.

2005 Diyarbakır konuşmasını yaptı. 'Demokratik açılım'ı derinleştirmeye çalıştı. Ama özellikle 2009 yılı Ekim ayında Habur'la hayal kırıklığına uğradığına dair sinyaller vermeye başladı.

Bu arada iki taraf arasında güven bunalımı gitgide büyüdü.

İki tarafın da yanlışları oldu bu süreçte...

Sonuçta, bir şeyler koptu.

Ve Erdoğan 12 Haziran seçim dönemine adım atarken Kürt sorununda yeni bir 'makas değişikliği' yapıyor ve 1990'larda devletin yapmadığını bu kez yapacağını belli ediyordu.

Bir başka deyişle:

PKK'ye karşı elde sopa gidilecek, ama Kürt sorununda demokrasinin gereği yapılacaktı.

Şimdi soru:

1990'larda PKK'yi askerî yoldan bitiremeyen devlet, 2000'lerde nasıl bitirecek?

Soru:

1990'larda uygulansa sonuç verebilecek bir devlet politikasının, şehirlerde ve Kürtlerin içinde kök salmış bir PKK gerçeği karşısında ne kadar başarı şansı olabilir?

Ve bir kaygı:

Başbakan Erdoğan'ın, **"Kürt sorunu yok, PKK sorunu var; bundan sonraki süreç çok farklı olacak"** sözü beni 1990'lara götürdüğü için ve o zamanki gibi kanlı bir şiddet sarmalı ihtimalini gözümün önüne getirdiği için tedirgin ediyor.

Sayın Başbakan;

'Oyun planı'nızı bilmiyorum.

Bir 'oyun planı'nız var mı onu da bilmiyorum.

Ama önemsediğim bir husus var.

Yüzde 50 oyla büyük bir seçim zaferi kazandınız. Bu gerçekten çarpıcı bir siyasi güç kaynağıdır.

Tarihin eli omzunuzda!

Ya bu eli hissedersiniz.

Ya da bir barış fırsatı daha heba olur gider.

İkisi de sizin elinizde.

PKK'nin Silvan baskını ve 13 şehidin yüreğinizi nasıl dağladığını anlıyorum ve bu acıyı paylaşıyorum.

Ancak, liderlik ve devlet adamlığı böylesi acıların üzerinden geleceği görmektir, geleceği kurabilmektir!

Tarih ancak böyle yazılır.

Demokrasiye 'asker freni'nden sonra 'Tayyip freni' gelebilir mi?

Yukarıdaki yazımı 2011'in Temmuz ayı ortasında yazarken içimde hâlâ bir umut ışığı yanıp sönüyordu.

Ama emin değildim.

Çünkü bir şeyler kopup gidiyordu, hem devlet, hem PKK tarafında...

Resmin tümünü görmeye gayret edince iyimserlik değil, karamsarlık çanları daha çok çalınıyordu kulağıma...

PKK'nin dağdaki lider kadrosundan ve Cemil Bayık'la birlikte 'şahin kanat'tan olduğu söylenen Duran Kalkan, Selahattin Erdem takma adıyla Haziran 2011'de yazdığı yazıda savaş çanları çalıyordu: "Şu anki durum hamle yapmak için fazlasıyla yeterlidir. Devrimci Halk Savaşı için mücadele ortamı elverişlidir. Kırı da elverişlidir. Gerillanın önemli bir tecrübesi, mevzilenmesi ve hazırlık düzeyi var. Şehirleri de elverişlidir. Belki şehir savaş tecrübesi az, askerî örgütlenmesi zayıf ama savaşacak, destek bulacak bir şehirleşme düzeyi, nüfus yoğunluğu var. Kır, köyler boşaltıldı ama gerilladan kopmadı. Kıra dayanarak, bir stratejik güç olma konumunu sürdürdü. Şimdi kasabaları, şehirleri savaş alanına dönüştürebilir."[7]

Öte yandan Ankara da umut vermiyordu.

Haziran 2011'in son haftası Murat Karayılan'la Kandil görüşmesinden dönerken Erbil havalimanında rastladığım Ak Parti'nin eski Ağrı milletvekilinin sözleri aklımdaydı: **"Bizim patron Kürt meselesinin üstüne yatar. Unutmayın, 2014'te cumhurbaşkanlığı seçimi var, halk seçecek. O, daha şimdiden bu seçime endekslenmiştir."**

Ben de demiştim ki:

"İyi güzel de bir büyük barış daha çok prim yapmaz mı seçim sandığında? PKK'yi dağdan indirecek yolu açmak, 2014'ün cumhurbaşkanlığı seçim sandığında halktan daha çok oy getirmez mi Erdoğan'a?"

Ayrıca, Türkiye'de her iki kişiden birinin oyunu almış bir Erdoğan 2011 yazında askerî vesayeti de büyük ölçüde çözmüş, askerî otoritenin demokrasilerde olduğu gibi seçilmiş sivil otoriteye, yani hükümete tâbi olmasının kapısını açmıştı.

Ama bundan tedirgin olanlar da vardı.

1960'ların Siyasal Bilgiler Fakültesi'nden, benim sevdiğim deyişle Mülkiye'den bir hocama rastlamıştım. Yazılarımı izlediğini, askeri çok fazla eleştirdiğimi, buna katılmadığını belirttikten sonra demişti ki:

"Rejime bizde fren lazım, fren!"

Onun gözünde fren Türk Silahlı Kuvvetleri'ydi.

Yani asker...

Mülkiye'ye 1961'de, 27 Mayıs Darbesi'nden bir sonraki yıl girmiştim. Hocalarımın neredeyse tamamı 27 Mayısçıydı ve bir kısmı darbe anayasasının yapılmasına bizzat katılmışlardı.

---

7   Yıldıray Oğur, *Taraf,* 21 Temmuz 2011.

Bir başka deyişle:

Asker freni'ni anayasallaştırmışlardı!

'Asker freni'ni kurumsallaştırarak, **askerî vesayeti** sağlam kazığa bağlamışlardı, üstelik bunu da demokrasi sanarak...

Mülkiye yıllarını anımsıyorum. O hocalarımız 27 Mayıs Darbesi'ni hep şöyle mazur ve gerekli gösterirdi:

Demokrat Parti iktidarı, meclisteki büyük çoğunluğuna dayanarak 'dikta'ya gidiyordu, asker fren koydu; darbeyle diktanın yolunu kesti.

Bu 'asker freni', 27 Mayıs Darbesi'yle anayasal nitelik kazandıktan sonra **asker** Türkiye siyasetinin başından hiç eksik olmadı. Halkın oyuna hiç güvenmedi. Sandıktan çıkanı silahla götürmeyi çok kötü bir alışkanlık haline getirdi.

Kısacası:

Bu asker freni, Türkiye'de demokrasi ve hukuk devletinin gelişmesini sürekli frenledi.

Erdoğan'ın başbakanlığı döneminde ise Türkiye işte bu 'fren'den kurtuluyor ve 'askerî vesayet'in çözülüş sancılarını yaşıyordu.

Bir Yunanistan'ın, bir İspanya'nın, bir Portekiz'in 1970'lerde yaşadıklarını, biz 2000'lerde özellikle Ak Parti iktidarıyla yaşamaya başlamıştık. O ülkelerde de kolay yaşanmamıştı bu süreç. Askerin tam olarak sivil otoriteye tâbi kılınması zaman almış, sıkıntılı olmuştu.

Bizde de farklı değildi durum.

Demokrasi ve hukuk devletinin tüm kural ve kurumlarıyla yerli yerine oturması siyasal mücadeleyle, siyasal olgunlaşmayla, demokrasi kültürünü hazmetmeyle mümkün olabiliyor ancak...

Şunu vurgulamak lazım:

Demokrasi diyorsak, 'asker freni'nden ya da 'askerî vesayet'ten tamamen kurtulmak zorundayız!

Türkiye bu yolda ciddi mesafe aldı 2000'li yıllarda. Ancak, şu soru ve sorun da geçerliğini koruyor:

Asker freni'nden kurtulan bir Türkiye tam anlamıyla demokrasiyi kucaklamış mı olacak?

Demokrasiye doğru büyük bir aşama kaydedilecek ama iş elbette bitmeyecek. Demokrasi ve hukukun üstünlüğü yolunda aşılması gereken engeller var.

Yeni anayasa... Askerî vesayeti tümüyle sonlandıracak kurumsal düzenlemeler... Kürt sorunu, PKK... İfade özgürlüğü... Hapisteki gazeteciler... KCK'dan yatanlar...

Bütün bu engeller aşılmadan demokrasi ve hukukun üstünlüğü tam anlamıyla gelmiş olmayacak bu ülkeye.

Demokrasi bir süreçtir! Türkiye 'asker freni'nden kurtulurken, demokrasinin de, daha doğru deyişle demokratikleşmenin de zaman alacağını hiç akıldan çıkarmamak gerekiyor.

'Asker freni' boşalırken 'sivil freni' de devreye girebilir. Sivil rejim otoriterleşebilir! Bu ihtimal de hiç kuşkusuz var, siyasetin gündeminde.

Başbakan Erdoğan 2011 yazında siyaseten çok güçlendi yüzde 50 oyla... 2000'lerin başından itibaren hayatı kendisine cehennem etmiş olan 'askerî vesayeti' de, **askerin sivil bürokrasideki, yargı ve üniversitedeki 'işbirlikçileri'**ni de ciddi biçimde geriletti.

Ama Erdoğan'ın aynı zamanda **iş ve medya dünyası üstündeki gölgesi** uzadıkça uzadı. Böylece işini kaybeden gazeteciler çoğaldı. Siyaset kokan astronomik vergi cezaları (**Doğan Grubu** örneğinde olduğu gibi) iş âlemini ürküttü.

Türkiye, doğrudur, 'asker freni'nden kurtulmadan demokratik hukuk devletine açılamazdı. Bu yolun açılmasında Tayyip Erdoğan'ın bir lider olarak belirleyici, yapıcı rolü hiç kuşkusuz teslim edilmeliydi.

Ama iş bununla bitmez.

2011'in ikinci yarısındaki güncel soru şuydu:

Erdoğan'ın elinde toplanmış, eski deyişle temerküz etmiş olan gerçekten büyük siyasal güç nasıl kullanılacak?

Güç şımartabilirdi de...

Erdoğan'ın gücü sevdiği, bu gücü kendine saklamadığı, bazen acımasızca kullandığı malumdu, örnekleri vardı.

Önümüzdeki dönemde Başbakan Erdoğan, özellikle 12 Haziran seçim zaferiyle elde ettiği büyük gücü daha çok demokratikleşme yolunda kullanırsa, Türkiye'nin önü açılacaktı.

Gerçekten demokratik bir anayasa yaparsa... Kürt sorunuyla şiddetin bağını kopartırsa... PKK'ye dağdan iniş yollarını açarsa... Şiddete teslim olmaz ve yaşanan acıların üzerinden geleceğe bakar ve geleceği kurabilirse... İfade özgürlüğünün sınırlarını Türk Ceza Yasası ve Terörle Mücadele Yasası'nı değiştirerek genişletirse... Hapisteki gazetecilerin, hapisteki KCK'lıların, hapisteki BDP milletvekillerinin özgürlüğünü sağlayacak yasal düzenlemeler yaparsa... Medya ve iş dünyasının üstüne düşen ürkütücü gölgesini kısaltırsa...

Bütün bunları gerçekleştirebilirse... Çok büyümüş olan siyasal gücünü bu yollarda kullanabilirse Tayyip Erdoğan, **askerî vesayetten sivil vesayete mi** sorularının herhangi bir inandırıcılığı kalmazdı.

Ya aksi ihtimal?

Barışı hâlâ namlunun ucunda görebilen köhne zihniyetin ve şiddet mantığının ağır bastığı bir ortamda, demokrasiyi, hukuku, insan hakları ve özgürlükleri ayaklar altına alan 1990'ların o korkunç hortlakları, ya inlerinden çıkıp ölümün kokusunu bütün ülke sathına yayacak danslarına bir kez daha başlatırlarsa?

Olamaz mı?

Şiddetin çözüm değil şiddet ürettiği gerçeğine yine sırtımızı mı döneceğiz?

Her yeni nesil siyasetçi kendi hatalarıyla Kürt sorununda yaşanmakta olan 'kısır döngü'yü devam mı ettirecek derinleştirecek mi?

Geçmişten hiç mi ders almak yok?

"BİR SAVAŞ GÜMBÜR GÜMBÜR GELİYOR!"

Yıl 1988, Başbakan Özal:
"Bu devlet, haince kan döken teröriste bedelini ödetecek güçtedir. Artık bıçak kemiğe dayanmıştır."

Yıl 1992, Başbakan Demirel:
"Terör örgütü, şimdi de masum çocukların canını almaya başladı. Bıçak kemiğe dayanmıştır"

Yıl 1996, Başbakan Çiller:
"Terör ya bitecek ya bitecek. Kimseye bir çakıl taşımızı vermeyiz. Bıçak kemiğe dayandı."

Yıl 1997, Başbakan Yılmaz:
"Avrupa, terör örgütüne daha fazla kucak açmaya devam edemez. Artık bıçak kemiğe dayandı.

Yıl 1999, Başbakan Ecevit:
"Terör örgütüne hizmet eden herkes, hesabını vermeye hazır olsun. Bıçak kemiğe dayanmıştır."

Yıl 2011 Ağustos ayı, Başbakan Erdoğan:
"Ramazan ayına hürmeten sabrediyoruz. Ama artık sabrımız tükeniyor. Bu hain terör çetelerinin bu ülkeyi bölmeye bu ülkenin insanlarını birbirine düşman etmeye gücü asla yetmeyecektir. Bir öleceğiz ama bin dirileceğiz. Biz bu ülkede tek millet dedik, tek bayrak dedik, tek vatan dedik, tek devlet dedik. Vatan topraklarımızın üzerinde asla ve asla ameliyat yapılmasına müsaade etmeyeceğiz. Bıçak kemiğe dayandı."

Yıl 2011 Temmuz ayı, Öcalan, İmralı'dan:

"Benim durumum Güney Afrika'daki Mandela'ya benziyor. Desmond Tutu, Mandela'ya, 'Özgür olmadan bu işe girişmeyin, tehlikelidir' diyordu. Doğru söylüyordu. Ama sonra Mandela'nın önünü açtılar. Türkiye'de De Clerk rolünü oynayacak kimse yok. Bırakın De Clerk'i, Erdoğan şu anda Çiller rolüne soyunmuş. **Bir savaş gümbür gümbür geliyor!** Erdoğan, operasyon üzerine operasyon yapıyor. Savaş istiyor, çözüm istemiyor."

Yıl 2011 Ağustos ayı, Murat Karayılan, Kandil'den:

"Sen çocuklarımızı öldürüyorsun, sivil insanlarımızı öldürüyorsun, gerillalarımıza yönelik operasyon geliştiriyorsun. Kürt siyasetçilerini iki kelime söyledikleri için tutukluyorsun. Silahsız siyaset yapan 3 bin sivil Kürt siyasetçisini cezaevine koyuyor, Kürdistan sokaklarında vahşet, zulüm uyguluyorsun. Sadece 2011 yılı içerisinde çeşitli gerekçelerle 37 sivil Kürdistanlı insanı öldürmüş bulunuyorsun. AKP, Kürt sorununu şiddetle çözme kararını almıştır yani savaş kararını almıştır. **Ölümsüzler taburumuz** yıllardır boşuna hazırlık yapıp yoğunlaşmıyor. Eğer Önderliğimize [Öcalan'a] herhangi bir şey olursa, o zaman Türkiye'de bir tek lider bile kalmaz."

Hayata değil, silahlara veda zamanıdır!

Eski deyişle **manzara-i umumiye** 2011'in Ağustos ayı sonlarına doğru buydu ve iç açıcı olmaktan uzaktı.

Ne yazık!

Şiddetin şiddeti doğuracağı kanlı bir kısır döngüye kayıyordu Türkiye. Bunca yıl çekilen acılar sanki yetmemiş, bunca yıldır bu topraklar sanki trajediye doymamış gibi... Bindik bir alamete gidiyoruz kıyamete duygusunun sarıp sarmaladığı, bunaltmaya başladığı kasvetli bir dünya...

Oysa çare silahların susmasıdır.

Parmakların tetikten çekilmesidir.

PKK saldırılarının bitmesidir.

Operasyonların durmasıdır.

Ve dağdan silah seslerinin gelmediği bir ortamda, olabilecek **'provokasyon'**lara ve kurulabilecek **'tuzak'**lara rağmen liderlikle devlet adamlığının gerektirdiği bir kararlılıkla, ciddi bir **'barış süreci'**nin yeniden başlatılmasıdır tek çare...

Eninde sonunda zaten bu noktaya gelinecek.

Önemli olan bu yolu kısaltmak, kan ve göz yaşını azaltmaktır. Böyle bir **barış süreci** olmadı mı, boşluğu şiddet ve terör dolduruyor. Yazık değil mi ölen, ölecek olan genç insanlara? Bu topraklar da doysun artık trajediye!

Zagros'un sesi bu, Kandil'den sesleniyor:
"Hasan abi, Barış umudun var mı?.."

Bu satırların notlarını 2011'in Ağustos ayı ortasında, 'mavi yolculuk'ta, Hisarönü'nde, masmavi suyun üstünde cennet gibi küçücük bir koyda yazıyordum. Ne bileyim, cennette cehennemi hissetmeye çalışmak belki de... Çok uzaklardan, Kandil'den Zagros'un sesi çalındı kulağıma...

"Söyle Zagros."
"Hasan abi, çözüme mi çalışıyorsun, gazeteye mi?"
"Her ikisine de Zagros... Barışa da, gazeteye de..."
Gülüyor:
"Dogridir Hasan abi."
"Söyle Zagros."
"Barış umudun var mı Hasan abi?"
"Vardır Zagros, yoksa Kandil'e kadar gelmezdim."
"Dogridir Hasan abi..."
"Merak etme Zagros. Senin ufaklık, Mavdar, hayatlara değil silahlara veda edildiği güzel zamanlarda yaşayacak, hiç kuşkun olmasın."
"Dogridir Hasan Abi."

Cin değil, acı çarptı Xezal'ı!
Hakkâri'den Ayşe'nin sesi bu...
Ölüm ve acının her türlüsünün sıradanlaştığı, herkesin göğsünde gösterecek bir kaç yarasının bulunduğu Hakkâri...
Ayşe, Çukurca ilçesine bağlı Marifan köyünden, köklerinden sökülüp sürülenlerden 1995 yılında...
Cin çarpmış, diyorlar kızı Xezal için.
Bence acı çarpmış...
Sesi çok uzaklardan geliyor.
"Yitirdi aklını o kadar acıdan," diyor Ayşe...

Lice yakıldı, oğlum dağa gitti!
Hısna Sevinç'in sesi bu, Lice'den.
Evet, bana sesleniyor:
"O gün, Lice'nin yakıldığı gün, oğlumla birlikte üzüm bağlarına
gitmiştik. Sonbahardaydık ve kışa hazırlık yapıyorduk. Bağların
içinde çalı çırpı topluyorduk. "Evet, Lice'nin yakıldığı vakitti bu. Yakılan evimize artık bir
daha dönmek istemeyen ve dağa çıkan oğlumla birlikteydim.
"Oğlum 22 yaşındaydı.
"Eve dönmesini istedim dağdan.
"Dönmedi.
"1996'da vuruldu, şehit düştü benim oğlum."[8]

"Yaz evlat, barışa susamışız biz!"
Hızu Teyze'nin sesi bu.
Çukurca'nın Kavuşak köyünden Hakkâri'nin en yoksul mahalle-
sine devlet zoruyla, silah zoruyla göç ettirilenlerden Hızu Teyze.
"Yaz evlat" diye söze başlıyor:
"Biz barışa susamışız!"
İçimi acıtıyor bakışları, konuşma tarzı...
Bütün yaşadıkları yüzünün derin hatlarına yerleşmiş, suratı her
şeyi anlatıyor.
Dudaklarının arasından değil, yüreğinden dökülüyor Hızu Tey-
ze'nin sözleri:
"Dağdaki gerilla da, asker de bizim çocuklarımız... Barışa sahip
çıkın, mahkûmları affedin!"

**Hayriye Ana'nın sesi bu, dört oğlunu da dağda kaybe-
den...**
Ben bu sesi de tanıyorum. Hayriye Ana uzaklardan sesleniyor
bana...
Hatırlıyorum.
Kervansaray'ın bahçesinde yaşlı bir kadın, başında beyaz ye-
menisi, beyaz entarisi, bana sarılırken Kürtçe bir şeyler söyle-
mişti.
"Hayriye Ana," demişlerdi.
"Dört oğlunu da dağda kaybetmiş bir ana..."
Diyarbakır'ın Kervansaray'ının bahçesindeki o ses, Hayriye
Ana'nın sesi kulağımda çınlıyor:
"Barışa emanet olun!"

Hasan Cemal,
Gündoğan, Bodrum,
27 Ağustos 2011.

---

8   Orhan Miroğlu, *Her Şey Bitti, Ana'ya Söyleyin*, Everest Yayınları, 2010.

'ŞİMDİLİK SON SÖZ'E EK

Devletle PKK arasında 'Oslo süreci...'

"Şimdilik Son Söz" bölümünü 27 Ağustos 2011'de noktalayarak kitabımı bitirmiştim. Ama Türkiye öyle ki, her an beklenmedik bir gelişme kapıyı çalabiliyor. Nitekim 14 Eylül 2011'de de böyle oldu.

Devletle PKK arasındaki gizli 'Oslo süreci'ne ilişkin görüşme zabıtlarının internet ortamına sesli olarak düşmesi, 'Şimdilik Son Söz'e, bir son dakika ekini gerekli kıldı.

Bu zabıtlar, kitabın çerçevesini değiştirmiyor.

Tersine çerçeveye oturuyor.

Çünkü zabıtlarda kendini ele veren gerçek, benim bu kitapla savunduğum çizgiyle örtüşüyor.

Bu kitapta diyorum ki:

1. Barışın koşulları olgunlaşmış durumda, iki taraf da bunun çoktandır farkında.
2. Silahlı mücadelenin artık çıkmaz bir yol olduğunu iki taraf da görüyor.
3. 'Kürt sorunu'yla PKK sorunu bugün iç içedir, birbirinden ayrılamaz. PKK sorununu çözmek, Kürt sorununun silah ve şiddetle bağını koparmak anlamını taşır.
4. Bir başka deyişle, PKK sorunu çözülmeden Kürt sorunu barışçı bir çözüm raya oturmaz.
5. Devlet, 'Kürt realitesi'nden sonra 'PKK realitesi'ni de görmek zorunda.
6. Kiminle savaşıyorsan barış da onunla yapılır, yani barış 'düşman'la yapılır. Bunun ilk adımı da **parmakları tetikten çekip** karşılıklı olarak masaya oturmak ve konuşmaktır.

Aşağıdaki zabıt da bu kitabı özetleyen bu altı noktanın çizdiği çerçeveye oturuyor. Bu buluşma, devletin de 'PKK realitesi'ni artık göz ardı edemediğinin bir kanıtı...

Devletle PKK arasındaki bu gizli buluşma, gerçekten Norveç'in başkenti Oslo'da mı, Irak Kürdistanı'nda bir yerde mi, yoksa bir başka mekânda mı gerçekleşti? Bu satırlar yazılırken gerçek bilinmiyordu.

Ancak, Oslo diye isimlendirilen ve internete düşen bu buluşmaların beşincisinin zaptında, altıncı toplantı hazırlığından da söz ediliyordu. O yüzden ben de bu buluşmalara **Oslo süreci** adını taktım. Muhtemel tarih, 2010 yılının başlarıydı.

Habur'la birlikte **demokratik açılım** çökmüş; DTP, Anayasa Mahkemesi tarafından kapatılmış; KCK operasyonlarıyla büyük bir tutuklama dalgası kabarmış; Sabri Ok hakkında KCK çerçevesinde dava açılacağı açığa çıkmış ve PKK'nin Reşadiye baskını olmuştu.

Ama bütün bu olumsuz gelişmelere rağmen **Oslo süreci** durmamış, **beşinci Oslo toplantısı** yapılabilmişti.

İşte ben bu durumu **barışın olgunlaşması** diye tarif ediyordum bu satırlar yazılırken...

'Beşinci Oslo'da, masanın bir tarafında Türkiye Cumhuriyeti devletinin temsilcileri vardı:

Başbakanlık Müsteşar Yardımcısı (ve bugünkü MİT Müsteşarı) **Hakan Fidan**... Aynı zamanda **Başbakan Erdoğan'ın özel temsilcisi** olduğunu belirtecekti toplantıda... Ve MİT Müsteşar Yardımcısı **Afet Güneş...**

Masanın öbür tarafında PKK'liler oturuyordu:

Kandil'den **Mustafa Karasu,** KCK Yürütme Konseyi üyesi... PKK'nin Avrupa'daki en önemli yetkilisi diye bilinen **Sabri Ok**, (KCK davasının bir numaralı sanığı olan Ok, bir yıldır Kandil'de yaşamaya başlamıştı)... Yine PKK'nin Avrupa'daki önde gelen temsilcilerinden, Kongra-Gel Başkan Yardımcısı **Zübeyir Aydar...**

Ve İngilizcesi çok iyi olan ve konuşmalarından ara sıra Kandil'e de gittiği anlaşılan, arabulucu ya da kolaylaştırıcı kimliğinde biri de vardı masada.

Hakan Fidan'ın **başbakanın özel temsilcisi** olarak Oslo buluşmalarının beşincisine katılması, bu toplantılara ilk defa siyasal bir boyut eklemişti.

Zabıtlar internete düşünce, 'Oslo süreci'yle ilgili olarak şu satırları yazmıştım *Milliyet*'te:

"Söylemek istediğim şudur: Barış ancak 'düşman'la yapılır; Oslo işin aslıdır, doğru olan yapılmıştır; Öcalan ve PKK görmezlikten gelinerek barış olmaz.

Ve Başbakan Erdoğan 'Oslo süreci'yle doğru olanı yapmış, bunun için siyasal cesaret sergilemiştir. Ama şimdi ne yazık ki yeniden savaş tamtamları çalıyor. Oysa yarın yine 'Oslo süreci'ne gelinecek. Önemli olan bu yolu kısaltmak, kan ve gözyaşını en aza indirmektir." Bu satırlar 15 Eylül 2011 tarihliydi. Bölgeden gelen haberler gitgide kötüleşiyordu. Kuzey Irak'a kara operasyonuna ramak kalmıştı. Askerî operasyonlar bir yanda, PKK saldırıları diğer yanda gittikçe yoğunlaşıyordu.

Neden?

Eğer sonunda yine aynı noktaya, 'Oslo süreci'ndeki gibi masaya oturulacaksa, acıları arttırmanın ne anlamı vardı?

Yoksa devlet, PKK'ye elinin ne kadar ağır olduğunu gösterdikten sonra mı masaya oturmak istiyordu? Ya da PKK, devletin canını fena halde acıtabileceğini gösterdikten sonra mı masaya dönme niyetindeydi?

Veyahut iki taraf da birbirinden tümüyle umudunu kesmiş miydi? Apo'nun İmralı'da 2011 Temmuz ayında avukatlarına söylediği gibi "Bir savaş gümbür gümbür geliyor" muydu?

Aşağıda olması gereken, yani savaşmak yerine parmakları tetikten çekip masaya oturup konuşmak seçeneğinin güzel bir örneği yer alıyor.

Beşinci Oslo buluşması: Parmakları
tetikten çekip masaya oturmak...

Arabulucu:
Bu toplantıda geçmişteki olayları tekrarlamaktan ziyade gelecekte neler yapılabileceği üzerinde odaklanmak daha iyi olacaktır. İki tarafa da bir öneride bulunduk mini bir paket tarzında. Nevruz'a doğru iki tarafta da güvenin tekrar tesis edilmesi için bir öneriydi bu.

Şunu vurgulamak istiyorum.

Bu sadece bizim fikrimizdi. Ne Türk tarafından ne de Kürt tarafından olumlu yönde herhangi bir teklif aldık. İki tarafın değil bizim sorumluluğumuz altında girişilen bir inisiyatifti.

Abdullah Öcalan tarafından üretilen kendi fikirleri parlamentoda yasa çıkarılacakları zaman dikkate alınacaktır.

Biz iki şeyden bahsediyoruz.

Bir kamuoyuna yapılan açıklamalar, bir de perde arkasındaki gidişat.

Bunu kendilerine söyledik. Hem MİT hem de devlet için oldukça riskli. Hali hazırda PKK ile müzakereye oturmuş olmaları bugün kamuoyuna yansırsa, CHP ve MHP ne der acaba? Devlet temsilcisi olarak MİT'in elamanlarının burada, hem de dağ kadrosu ile Oslo'da müzakereye oturmuş oldukları duyulsa ne olurdu? CHP ve MHP ne derdi? Yine aynı şekilde PKK ile Öcalan arasındaki mesajları getirip götürdükleri yayınlansa ne kadar kötü olurdu bu? Yani prosedürel birçok zorluklar aşılmış. Yani bu süreç devletle PKK arasında müzakereyle sonuçlanmayacaksa eğer bu kadar zorluğa ne gerek var?

Afet Güneş:
Öncelikle tekrar bizi bir araya getirmede katkılarından dolayı teşekkür ediyoruz. Bu çalışmaya başlarken **çok uzun soluklu bir çalışma** olacağının bilincinde başladık her iki taraf olarak. Yine her zaman aynı şeyi söyledik **zaman zaman kesintiler olabilir, kimi zaman inişler ve çıkışlar yaşanacaktır** dedik. Önemli olan amaçta değişiklik olmamasıydı. Çünkü bizi bir araya getiren **her iki tarafta da çözüm iradesi** bulunmasıydı.

Böyle giriştik bu işe tüm gücümüzle, karşılıklı asgari müşterekleri yakalamaya çalıştık bugüne kadar. Her seferinde biz kendi konumumuzu da izah etmiştik ve biz bir kanat devletle olan tüm iletişimin sağlanmasında, hakeza diğer kanatta İmralı ile daha sonra üstlendiğimiz misyon çerçevesinde bir kanal olduğumuzu söylemiştik.

Muhataplarımızın tabii zaman zaman beklentilerini de alıyoruz. Bizi daha farklı bir profilde görmek istediklerini söylüyorlar. Birçok konuda zaten açık konuştuk yine açık söyleyeceğim, **kimi zaman bu bizi rencide etti yani neden bu güvensizlik** diye.

Ancak zamanı geldiğinde siyasi iradeye daha yakın kişilerin bu platformda yer alabileceğini zaten belirtmiştik. Her vesileyle bugüne kadarki temaslarımızda ne vaat ettikse kendi ölçülerimiz dahilinde gerçekleştirdik. **Bu gelişmede nihayetinde benzer bir şekilde oldu. Sayın Fidan bizimle birlikte bu toplantıya katıldı.** Kendileri Başbakanlık Müsteşar Yardımcısı, onun da ötesinde Başbakan'a en yakın kişilerden biri.

Hakan Fidan:
Ben öncelikle merhaba diyorum, tanıştığımıza memnun oldum. Bu ekibin yeni üyesiyim. Afet hanımın da dediği gibi yaklaşık **bir ay önce İmralı'da Sayın Öcalan'la bir araya geldik.** Zaten ismimi söylemiştim. İsmim Hakan Fidan. Müsteşar yardımcısıyım **ama Sayın Başbakanımızın özel temsilcisiyim.**

Şu an özellikle Türkiye'nin Ortadoğu'da taraf olduğu krizlerde arabuluculuk görevlerinde ekip varsa ekibin içinde şahıs varsa şahıs olarak görev aldım. Hâlâ belli çalışmalar devam ediyor. **Bu konuda arkadaşlarımızın uzun zamandır sizinle beraber devam ettirdikleri çalışmalar gerçekten her türlü takdirin ötesindedir.** Ama bir noktadan sonra verilen raporlar çerçevesinde olayın teknik görünen bir çalışmadan öte, **daha siyasi içerikli daha farklı bir boyuta taşınması ihtiyacı hasıl olunca Sayın Başbakanımız bu konuda beni görevlendirdi.** Takdir edersiniz ki oldukça hassas bir durum, **siyasi riski** kabul edilemeyecek derecede yüksek bir durum. Kendisi bu konuda birkaç cümle bile etmedi, sadece bir iki defa bir şey söyledi. Ama etrafta **bazı bakanlar defalarca gidip benim ismim ve benim pozisyonumda burada bulunmamın hükümet için çok ciddi bir risk alanı sıkıntı alanı olduğunu söyledi.** Özellikle muhalefetin bulunduğu şartları biliyorsunuz. Zaten onların resmetmeye çalıştığı bir gerçeklik var buna hizmet edeceklerini kamuoyuna açıklamalarına rağmen.

Sayın Başbakan bu noktada ciddi olduğunu samimi olduğunu, siyasi risk de yüklenmeye hazır olduğunu birkaç defa söyledi. Bu çerçevede biz arkadaşlarımızla beraber çalışmaya başladık. **Orada Sayın Öcalan'la iki saatten fazla bir görüşmemiz oldu odasında.** Üç kişiyiz, bayağı uzun ve verimli bir görüşme oldu. Kendisinin sağlık durumu oldukça iyi. Zihni fevkaladeden iyi çalışıyor. Artikülasyonları oldukça sağlıklı. Konuları karşılıklı tartıştık.

Tabii verdiği cevapları sürekli siyasi tahlilden geçirerek olaylara yaklaştığı için, biz de siyasetin ve şu anda hizmet etmekte olduğumuz siyasetçinin ne düşünmekte olduğunu elimizden geldiğince aktarmaya çalıştık. Ben burada en büyük görevin de açıkçası bu olduğuna inanıyorum.

Yani şu anda iktidarda bulunan seçilmiş siyasetçinin psikolojisi nedir perspektifi nedir, olaylara nasıl yaklaşıyor, ben bunu aktarmaya çalışacağım. Sizden aldığım perspektifi de tabii oraya yansıtacağım ama bu arada belli konularda da belli mutabakatlara varma, belli konularda tartışma görevini de cevap verme görevini de elimizden geldiği kadar üstleneceğiz.

Ama tekrar ediyorum ki ben burada ne dersem diyeyim, belki çok fazla reklamlara gidebilir diye düşünüyorum ama **hükümetin çok ciddi niyeti var.** Bu iyi niyeti, Türkiye'deki reel şartların izin verdiği ölçüde hayata geçirmeye realize etmeye çalışıyor. **Bu noktada Sayın Başbakan beni görevlendirdi.** Ben tekrar burada olmaktan dolayı memnuniyetimi ifade ediyorum. Ve teşekkür ediyorum.

Sabri Ok:
Sağ olun teşekkürler. Daha iyi öğrenmek daha iyi anlamak için birkaç soru sormak istiyoruz. Siz gittiniz Önderlik'le görüştünüz. Kendisi de buna değer veriyor, heyecanlı umutlu olduğunu olmak istediğini söylüyor. Ve tartışmanızın tabii ki siz biliyorsunuz, bize iletilen mektup çok kısadır, çok temel bazı ilkeler ve çerçeveden ibaret. Tartışmanızın ve görüşmenizin özetini bizimle paylaşmaya değer gördüğünüz hususları varsa, dinlemek isteriz.

Hakan Fidan:
Tabii. Şöyle ifade edeyim benim o zaman notlarım vardı şimdi yanımda değil. Ama ana başlıkları aklımda. Benim açıkçası yıllardır okuduğum Kürt sorununun nereden kaynaklandığı ne boyutlara geldiği, siyasallaşma süreci, örgütleşme süreci sürekli takip ettiğim konular. Yani Sayın Öcalan'la ilgili açık kaynaklara çıkan ve bizdeki olan bütün bilgiler malumunuz.

Ama tabii orada bire bir belli konuları tartışmak farklı oluyor. Hapishanede geçen on senenin ve okumanın verdiği çok ciddi bir transforme edici gücü var. Zihinsel manada çözümleme manasında onu görüyorsunuz.

Ve tabii yıllar boyu belli olayları yaşamış, belli noktalara gelmiş, belli dersleri çıkarmış. Şimdi bulunduğu yerden çok daha sağlıklı, çok daha objektif, çok daha nesnel, var olan sıcak şartlardan etkilenmeyen çözümlemelere ulaşıyor.

Bunu sürekli satır aralarında felsefi olarak görmek beni memnun etti. En azından orada geçen süre gerçekten verimli bir süre olmuş.

Bu noktada şunu da yakından takip etmeye çalıştık. Belli düşünce dönüşümleri, zihinsel atlamaların hangi noktadan nereye geldiğini görmek de şahsen benim düşünce olarak bulunduğum yer açısından önemliydi. Çünkü görüyorsunuz ki, yüzde doksan, doksan beş gelen bütün konularda birleşen bir genel çizgiye gelindi. **Ama orada olumlu bir hava var.** Kendi dünyasında böyle bir psikoloji içerisinde.

Fakat ona şunu söyledik: Biz Türkiye'deki siyasi rejimi ve şartları dikkate aldığımız zaman, şu an hiç kimsenin, özellikle Sayın Başbakan'ın çıkıp böyle bir şeyi ifade etme şansı yok.

Ama şunu herkes bilir. Burada olumlu bir şey varsa, sizin katkınız olmadan olumlu hale gelmeyeceğini biz hepimiz biliyoruz. Bu bilinen bir gerçek. Bunun üzerinde konuştuk.

Sonuç olarak, bütün Türkiye'nin yönetiminden sorumlu bir devlet adamı siyasetçi kimliğiyle beraber o da geliyor. Bu psikolojinin algılanmasında ve bu değeri kullanmakta fayda var diye düşünüyorum.

Ben kendisine tüm çıplaklığıyla anlattım. **İmralı'daki çözüm iradesini olaya iyi niyetle yaklaşımı Sayın Öcalan'ın** yıllar içerisindeki oluşturduğu düşünsel evrimi ulaştığı sonuçları ulaştığı sonuçların, bölgeye yönelik vizyonunun, **ülkeye yönelik vizyonunun yüzde doksan, doksan beş oranında kendi çizdiği vizyonla nasıl örtüştüğünü de anlattım. Bu benim kendi gözlemim entelektüel analitik yaptığım şey.** Çünkü ben herkesin söylediğini doğru varsaymak zorundayım. Niyet okumasına gidemem. Bu şartlardan dolayı bunu söyledi, bu şartlardan dolayı bunu söyledi diyemem. Ama bütün çıplaklığıyla anlattım. Tabii yazık olan ne oluyor şimdi, bu irade ve düşünsel hava varken, modalitede ciddi sıkıntılar yaşanıyor.

Bunun bir özel benzerini biz... Amerika'yla İran arasındaki nükleer kriz var biliyorsunuz. İşte burada İran tabii bize güveniyor. Amerika da bir ölçüde güveniyor. Her iki taraf da biz nükleer değişime hazırız diyor. Fakat modalitede hiç kimse harekete geçemiyor. İran'la en yüksek düzeyde konuşuyoruz "biz hazırız," diyor. Amerikalılarla en yüksek düzeyde konuşuyoruz "biz hazırız," diyor. Hadi gelin değişin dediğimiz zaman, o diyor ki, işte o toprak da olsun, bu toprak da olsun, modaliteyi bir şeye getiremiyoruz.

Mustafa Karasu:
Sabri arkadaş izah etti. Ben de o çerçevede bazı şeyler söylemek istiyorum. Biz belki, **birinci Oslo görüşmesinde** olmadı ama **ikinci Oslo görüşmesinden** sonra hep şunu söyledik.

Artık esas konulara girmemiz gerekiyor.

Güven artırıcı önlemler yapılıyor işte biz ateşkes ve tek taraflı eylemsizlik kararı alıyoruz. Türkiye'de bazı şeyler yapılacak, Kürt sorununda adım atılacak deniyor, bunlar hep söyleniyor.

Sonunda dördüncü Oslo'da daha somut bir karara gidilerek önderlik yol haritası verecekti ve bunun üzerinde neler yapılacağı konusunda müzakere edilecekti. Bu konu dördüncü Oslo'da var. Şimdi biz buraya gerçekten beşinci Oslo'ya müzakere için geldik.

Afet Güneş:
Tamam, ben de diyorum ki önderliğin yol haritası elimde. Maddeleri de belli. **Haydi buyurun müzakere edelim.**

Mustafa Karasu:
Ben şuna inanıyorum. Devlet istesin, şu anda bizi uçağınıza alıp götürebilirsiniz isteseniz.

Afet Güneş:
Kesinlikle. Ben diyorum gelin götüreyim.

Mustafa Karasu:
İsterseniz götürürsünüz.

Afet Güneş:
Götürürüm tabii. Şu an götürürüm yani bir sakınca yok.

Mustafa Karasu:
Demek ki o zaman önderlikle görüşme sorunu da yok.

Sabri Ok:
Benim hakkımda iddianame hazırlandığı söyleniyor. Bir tarafta kapatılırken bir tarafta açılıyor.

Afet Güneş:
Hep söyleniyor yani. Bir dosyanın tamamlanması adına yapılan operasyonlar.

Mustafa Karasu:
Sabri arkadaş hakkında dava açılmış. Niye açılıyor biri kapatılırken. Şimdi Sabri arkadaşı gönderebilir miyiz?

Sabri Ok:
Karasu'yu göndereceğiz.

Afet Güneş:
Karasu yeter bize.

Mustafa Karasu:
Bence DTP'nin de, bizim de, Önder Apo'yu muhatap göstermemizden rahatsız olmayın. **Önder Apo'nun muhataplığının meşrulaşması Türkiye'nin çıkarınadır.** Türkiye toplumunun önder Apo'yu muhatap olarak benimsemesi Türkiye'nin çıkarınadır. Şu söyleniyor. Otuz yıldır savaştık, Apo'yu nasıl muhatap olarak kabul edelim? Bence aşiret devleti değildir Türk devleti. Çıkarı söz konusu olduğunda **Türkiye'nin bunları, unutması demiyorum karşılıklı birbirimizi affetmesini bilmeliyiz.** Bu savaşın başlatıcısı önderi odur. **Bunu siz de kabul ediyorsunuz, diyorsunuz ki, en makul Önderlik'tir onunla anlaşabiliyoruz, o doğru yaklaşıyor.**

Afet Güneş:
Çünkü değiştim diyor. Görüşmelerde taleplerimizin meşruluğunu kabul etmediniz mi? Devlet de şu an karşı taraftaki talepleri,

bu halkın talepleri nedir onları masanın bir kenarına koyuyor. **Ben bunların içerisinden hangilerini yapabilirim, ne kadar zamanda yapabilirim, hangi koşullarda yapabilirim? O da bunu tartışıyor kendi kendine zaten.**

Sabri Ok:
Tamam aşalım bunları, beraber götürelim.

Afet Güneş:
Zaten diyorum ki sizden gelen, yani bu tabandan gelen, partiden gelen, örgütten gelen talepleri önüne koydu, onun üstünden bakıyor.

Mustafa Karasu:
Bize şunu söylediniz dediniz ki, **devlet de, Genelkurmay da aynı görüşte, hükümet de.** Biz buraya üçüncü Oslo'da bütün devlet makamlarının düşüncesi olarak geldik. Yani devlet bu konuda bir konsensüse girdi dediniz. Önceden yoktu ama şimdi bu oldu dediniz.

Afet Güneş:
Ordunun şu an yaptığı planlı bir operasyonu yoktur.

Sabri Ok:
Asker pozitif etki ve tepki göstermiş biliyoruz ve şunu da genelde biliyoruz. Siz de bilirsiniz. **Bölgedeki askerî komutanlar genelde, yani içinde farklı düşünenler olabilir ama genelde aslında hepsi daha çok çözüm ve barış isteyenlerdir.**

Afet Güneş:
Diyorum ki yürümekte olan bir süreç var. Bu süreç önemli bir süreç. Bizim bugüne kadar yürüttüğümüz karşılıklı çalışmalarla gelinmiş olan bir süreçtir. Kendi kendine falan olmadı bu, birlikte yürüttüğümüz çalışmaların sonucudur.

Gerek devletin hazırlanmasında, gerek toplumun hazırlanmasında, gerek örgütün hazırlanmasında, şu masada yürüttüğümüz çalışmaların çok büyük katkısı olmuştur. Beğenseniz de beğenmeseniz de, yeterli bulsanız da bulmasanız da, bir yıl içerisinde yürüttüğümüz çalışmalar bugün bu meseleyi Türk kamuoyunda ve Türk parlamentosunda tartışılabilir bir hale getirmiştir.

Bunu bu kadar küçümsemek gibi kimsenin bir lüksü yoktur. Kimse küçümseyemez bu bir. İkincisi bugün itibariyle geldiğimiz noktada, önümüzde işte hazırlığını yapmakta olan bir hükümet ortaya neyi koyacağını, neyi yapıp neyi yapamayacağını, işte hukukçulara vermiş, Adalet Bakanlığı ayrı bir çalışma yürütüyor.

Daha sonuç raporu çıkmamış bilmem, ne bakanına bir görev vermiş, çalış bakalım, raporunu çıkart demiş, daha sonucu çıkmamış.

Sabri Ok:
Şimdi bunlar oluyor. **Devlet de arayıp hangi ilde, hangi dağda birileri var, ben de imha ederim demesin, çünkü biz çözüm sürecindeyiz.**

Afet Güneş:
Peki ne kadar süre bekletmeyi düşünüyorsunuz dağlarda?

Sabri Ok:
Biz istiyoruz ki en kısa sürede bu sorun çözülsün böyle altı yılda yedi yılda değil.

Afet Güneş:
Yani bu neresinden bakarsak bakalım, çünkü **çözümün parametreleri içinde işte basit birtakım taleplerden, Anayasa değişikliğinden Öcalan'ın serbest bırakılmasına kadar çok geniş bir skala var.** Talepleri şöyle bir göz önüne getirdiğimiz zaman çok geniş bir skala var. **Bunların üç ayda beş ayda sekiz ayda bir senede tamamlanabilmesi söz konusu değil.**

Sabri Ok:
Bugün için size kısa bir şey hazırlasak nasıl olabilir.

Afet Güneş:
Yani götürmeye çalışırız ama dediğim gibi altı buçuğa kadar yetiştirebilirseniz. Ama ne olur, on beş sayfa yazmayın, gözünüzü seveyim niçin söylüyorum.

Sabri Ok:
Yok biz kısa yazacağız.

Afet Güneş:
Hakikaten kısa yazmayı hiç bilmiyorsunuz.

Sabri Ok:
Doğru (Gülüşmeler).

Afet Güneş:
Nasıl bir şey oluyor biliyor musunuz? Bakın çok samimi söylüyorum sıkıntıyı, içeri giriyoruz, konuşmuyoruz. Biz sana bilmem ne

getirdik falan demiyoruz. Al şunu içinden oku diyoruz. Çünkü bu kadar da deklare etmek istemiyoruz. Açıkçası adam bir başlıyor, zaten o da böyle sindire sindire okuma derdine oturuyor, bir buçuk saat okuyor. Biz de mutfak kadar bir yerin içerisinde boş boş oturuyoruz. O okuyor, biz oturuyoruz. Artık bir buçuk saatin sonunda zaten üstünde çok da tartışma yapmak istemiyoruz. Şimdi sen çevir arkasını diyoruz, ne diyeceksen de diyoruz. Onun da yazması maşallah bir yarım saat kırk beş dakika sürüyor. Ona da yalvarıyoruz ne olur kısa yaz diye. Devlet size çok büyük bir fırsat yaratmış durumda. Sizin karşılıklı olarak birbirinizle iletişim sağlamanızı dolaylı dahi olsa fikirlerinizi birbirinize yansıtmanızı, yazışmanızı çizişmenizi, onlar üzerinden karşılıklı görüş teatilerinde bulunmanızı sağlıyor.

Sabri Ok:
Önemli buluyor şüphesiz ama her şey değil.

Afet Güneş:
Habur, bizim iki buçuk senedir neredeyse yürüyen tüm ilişkilerimizin Ankara'dan başlayarak söylüyorum, özelde kırılma noktasını oluşturdu. Gelenler yeteri kadar eğitim almamışlardı ve ne amaçla geldiklerinin bile farkında değillerdi. **Adeta bir siyasi gösteriye dönüştürüldü.**
Burada sizin de çok iyi bildiğiniz gibi hukuk ihlal edildi. Her şey yok edildi. Amaç size verilen birtakım sözlerin tutulmasıydı.
Tabii burada belki başta konuştuğumuzdan farklı olan gelişme şuydu. Şimdi gruplar geldiğinde, kıyafet filan da bir şey katmak istemiyorum, yalnız kitlenin içerisinde çok provokasyona açık kişiler vardı. Yani şu beklenti vardı. Bunlar gelecekler, tutuklanacaklar, kapıdan tutuklandıktan sonra da birtakım hareketler geliştirilecek. Bunun alt yapısı hazırlandı orada.
Biz bunları gözlemledik. Şimdi üç kişi tutuklanacak ve sürekli bu şayia yayılıyordu aralarında. İşte içlerinden galiba üçü tutuklanıyormuş, şimdi dördü. Ondan sonra böyle bir kitleselleşme, bir tepki geliştirmek için tepki koymak için öylesine bir organizasyon vardı ki.

Sabri Ok:
Ama şunu biliniz ki, bizim de hani yüzde yüzlük yok ama ilişkilerimizden biliyoruz ki, bunlar tutuklanmayacak.

Afet Güneş:
Biz biliyoruz ama.

309

Sabri Ok:

Biz de biliyoruz ama müsaade edin biz bunu bilmeyene nasıl bildirelim. Söylesek olmayacak. Bizim de bu sıkıntımız var.

Hakan Fidan:

Şimdi Başbakan bu meselede hiçbir meselede yapmadığı kadar şey yapıyor. **Çıktı grup toplantılarında, mecliste, diğer bütün halk konuşmalarında, ben neye mal olursa olsun açılım sürecinin arkasındayım, ben siyasi riski bu noktada göze alıyorum, siyasi kariyerim pahasına da olsa.** Burada partiye sürekli mesaj var. Kardeşim, bu noktada benim üzerime gelmeyin, tabanla etkileşiminiz sizde nasıl bir netice üretiyorsa üretsin. **Çünkü sürekli negatif şeyler gelmeye başladı. Yani buradan dolayı efendim oy kaybediyoruz, batıda görüştüğümüz geniş kitleler bizden şey yapıyor. Tabii muhalefetin özellikle Habur'dan sonra ortaya koyduğu ajitasyonun etkisi şu anda giderek büyüyor.** İçişleri Bakanı hakkında gensoru verildi biliyorsunuz. O, bu işe aylarını yıllarını verdi. Afet hanımla beraber ciddi bir moral bozukluğu yarattı. Çünkü oraya herkes bir milat olarak bakıyordu.

Ondan sonra bu sorunda hükümetin daha cesur adımlar atmasına ilişkin meşru bir hak zemini de hazırlanacaktı, psikoloji de hazırlanacaktı. Neden yani burada örgüt de iyi niyet gösterisinde bulunuyor? **Artık insanların kafasında bir tabu oluşmuş, örgüt silahtan vazgeçmez, yani karikatürize edilmiş bir şey var. Sürekli kanla beslenen kanla hareket eden bir terörist vardır gibi bir imaj oluşturulmuş.**

Örgütün burada silah bırakması sembolik manada da olsa bütün tabuları yıkan halk psikolojisini karar alıcı lehine harekete geçirmede biraz zemin hazırlayıcı bir faktördü.

Şimdi Başbakan burada sürekli buna rağmen mesaj veriyor. Ben bunu anlattım Sayın Öcalan'a, dedim ki, Başbakan bunu sürekli anlatıyor. Ama dedim biz bir şey gördük, o da şu bu hükümetin yaptığı çok reformlar var.

Yani Kürt kimliğini tanımada verdiği, sosyal haklara kadar, bundan beş altı sene önce masaya oturulduğunda bunların hiçbiri verilmeden belli şartlar izin verseydi, belki şu anda örgüt çoktan normal siyasi hayata dönmüş, Türkiye'de normal bir hayat yaşıyor ve siyasi zeminde meşru mücadelesini veriyor olacaktı.

Fakat Türkiye'deki şartlar buna izin vermedi.

Hakan Fidan:
Hem sizden hem Sayın Öcalan'dan, yani bizim perspektifimiz, bu sürecin kesintisiz devam ettirilmesi. İşte bir defa görüştük, beş ay sonra yok bunu sistematik bir şekilde. **Çünkü yoğun iletişimle, biz birtakım krizlerin önüne geçebileceğimize açıkçası inanıyoruz.** Çünkü öbür türlü genel prensiplerden şey yapıyoruz, çünkü önümüze bundan sonra çok daha şeyler çıkacak modaliteleri aşmak için teknik sorunlar çıkacak, onlar üzerinde enerji harcamamız gerekecek.

Belki olasılıkları ortaya, masaya yatırıp avantajı nedir, dezavantajı nedir, uygulanabilirlik konularını uzun uzun tartışmamız gerekecek. Ama bütün bu süreç içerisinde, dediğim gibi, **siyasi iktidarı bu noktada attığı adımlardan dolayı sıkıntıya düşürücü bir unsurun olmaması lazım.** Yani siz de zaten bu konuda oldukça hassassınız, özellikle **eylemsizlik** konusunda.

Diğer konularda bu gözaltına almalar, şunlar bunlar, ben bunları gittiğim zaman İçişleri Bakanı ile uzun uzun konuşacağım. Onun bana, gelmeden anlattığı konular da var zaten.

Yani ben onu burada bir savunma mekanizması psikolojisiyle hareket etmek için falan söylemiyorum. Zaten yeterince tatsız oluyor, bazen konular. İçişleri Bakanı da sosyal psikologdur. Bu noktada iyi çözümlemeleri var. Anlıyor. Ama aynı zamanda siyasetin gereklerini de iyi bilen, ona göre bazen farklı demeçler verebilen bir insan.

Ama biz şundan emin olmak istiyoruz yani geliştirilen bir özgürlük alanı açıldı. Bu açılan özgürlük alanı içerisinde örgütün alt birimleri eski alışkanlıklarından hareketle daha fazla mevzi kazanalım, daha fazla örgütlenelim mantığı içerisinde.

Bir noktaya kadar hani tolere edebiliyorsunuz, **çünkü dediğim gibi alandaki valiler, emniyet müdürleri bu noktada gerçekten çok değerli insanlar.** Yani sizi bilmiyorum, spesifik olarak isim vererek şikâyet edebileceğiniz, şu adam düşmandır, bu adam şeydir.

Geçenlerde bir olay oldu Başbakanlık'ta. Bir komisyon var, bu televizyonlara ruhsat veren. Şey hani sizden de görüş falan filan soruyor ya. Sonra bize geliyor, benim başkanlığımda bir komisyon toplanıyor, herkese ulusal güvenlik belgesi veriliyor.

Türkiye'deki yerel televizyon ve radyo kurmak isterse, müracaatını yapıyor Başbakanlık'a. Başbakanlık RTÜK'e, RTÜK de Başbakanlığa gönderiyor, yönetmelikte böyle bir şey var. Başbakanlık'da ilgili kurumlardan verileri topluyor görüş oluşturuyor.

İşte benim başkanlığımda bir komisyon toplanıyor, atıyor imzayı gönderiyor. Şimdi bir il güneydoğuda. Oradan bir şey geldi, **dört**

311

tane isim var. Dört ismin dördüne de örgüt mensubudur sempatizanıdır diye görüş var.

Haklarında valiyi aradık dedik ki, eskiden benle beraber çalışıyordu. Dedim hayırdır ya dedim, ben sana bir şey soracağım şimdi, nedir böyle böyle bir talep var. Dedi efendim zaten olmayan yok ki dedi verin gitsin dedi. Şimdi tamam dedik öyle verdik gitti.

Bunu şeyi anlatmak için bir enstantane söylüyorum. Yani insanların oradaki meseleye bakışını, ama burada demokratik iktidarların yönetemediği tek bir alan var. Yani bunların hepsi yönetilir.

Adamın adı işte bilinen örgüt sempatizanıdır, destekçisidir, şudur budur, bir noktaya kadar bunların hepsi yönetilir, tolore edilebiliyor. Şimdi bizim yaşadığımız bir sıkıntıyı anlatayım size. Her sene on bin tane öğretmen alınır. Güneydoğuda öğretmen açığı var. Adam ertesi sene gitmek istiyor, dört sene, beş sene duruyor, batıya gitmek istiyor. Niye, benim orada yaşam şartlarım iyi değil.

İktidar beş sene önce dedi ki, biz dedi, **yerel yönetimler yasasını geçiriyoruz,** belli şeylerin mahalli teşkilatlarını kaldırıyoruz. Milli eğitim, şunlar bunlar, bakanlıklarını kaldırıyoruz, valiliklere ve belediyelere veriyoruz.

İlk önce valiliklere, uzun vadede belediyelere gidecek.

Aslolan şudur. Yani şimdi Hakkâri'de yol yapılacak, Ankara'dan, Devlet Planlama Teşkilatı'ndan görüşülüp şeye çıkıyor, işte Çemişgezek'te ne olacak, şurada ne olacak. Bu adamı şimdi öğretmen alacaksınız, oradaki valiliğe kontenjan verilecekti. Valilik bu öğretmeni alacak, adam oraya gidecek, kardeşim bilinçli olarak geliyor, ben burada öğretmenlik yapacağım. Daha sonra adamın tayin derdiyle, başka yerde başka pozisyon açılır, oraya gitmek ister o ayrı.

Biz bunu yapamadık yani Cumhurbaşkanı iki defa geri çevirdi. Aldı Anayasa Mahkemesi'ne götürdü o zaman kaldı gitti.

Şimdi bu son derece verimliliğe dayalı bir şeydi. Hani bunun siyasi ideolojiyle falan filan da alakası yok bunun, aklın yoludur bu.

Sabri Ok:
Evet.

Hakan Fidan:
Yani daha fazla işi aşağıdakilere devredersen, merkez de daha anlamlı işlerle uğraşır.

Sabri Ok:
Daha stratejik düşünsün.

Hakan Fidan:
Daha anlamlı işlerle daha büyük bir şeylerle ve Türkiye'nin gideceği yerde odur.

Hakan Fidan:
Yani ben size burada siyasi iktidarın psikolojisini fikrini ve parametrelerini elimden geldiğince şeffaf bir şekilde bir taraftan yansıtmaya çalışıyorum.

Sabri Ok:
Sağ olun.

Hakan Fidan:
Ben modalite önerisi olarak şunu dedim, şimdi bir defa **eylemsizliği**, çok samimi olarak, bunu çok samimi olarak söylüyorum, Başbakanın da fikri budur, bir zaman kazanma parametresi olarak ortaya koymuyoruz. Biz **eylemsizliği** var olan konuşmaların bir sağlayıcısı olarak görüyoruz. Yani var olandan daha sistematik daha yoğun bir müzakere ve görüşme sürecinin devam ettirilmesinden tarafız. Açıkçası, burada zaman kazanalım, şöyle olsun böyle olsun, işte seçimlere giderken de şu olsun. **Seçimler bir faktör olarak var.**

Şimdi eğer iktidarlar tüccarlar gibi kâr zarar hesabı yaparlarsa, burada dolar, yerine oy sayısını koyarlar, ortaya hangi hareketten ne kadar fazla oy gelir, ona bakarlar, bunun hesabını yaparlar.

Afet Güneş:
Ama o işte silahla çözülmeyecek. Silahın, evet kabul ediyorum, belli bir işlevi vardı ve bugüne kadar bir şey getirmiştir.

Hakan Fidan:
Yani siyasetin kuralı bu. Dışarıda da konuştuk üst menfaat buradadır. Hep beraber insanlar buraya gitsin diye bir algılama yok. **Siyasetin de böyle erdemleri olduğu gibi, bu kadar da bir aşağılık tarafı var maalesef.** Yani belki iktidar partisi yarın muhalefete düşse, aynı türden pozisyon içerisine girebilir.

Ama hazır biz bu fırsat yakalanmışken, burada şeyi gözetmek durumundayız diye düşünüyorum bu perspektifle. Çünkü hangi hareketi yaparsınız yapın, hangi amaçla yaptığınız önemli. Ucuz bir amaç için de yapabilirsiniz, yüce bir amaç için de yapabilirsiniz. Bunun için perspektif tartışmalarını, perspektif geliştirme müzakerelerini ben çok önemli buluyorum şahsen. Çünkü bir şeyi beraber olgunlaştırıyorsunuz o perspektifin sınırları çiziliyor.

Bu noktada sınırını çizdiğimiz amacına yönelik **bir eylemsizliğin ve devamlılığının ben her türlü meşruiyeti ve ilerlemeyi sağlayacağı noktasında muazzam önemli olduğuna inanıyorum.** Bu noktada zaten örgütün imkân ve kabiliyetleri yerinde duruyor. Buna paralel bizim de konuşma ve görüşme zemini içerisine girmemiz gerekiyor. Modalite olarak benim söyleyeceklerim bunlar.

Afet Güneş:
Yani orada en ulvi olan şeylerden birini kaçırıyoruz, yemek saati geçti.

Hakan Fidan:
Öyle mi?

Sabri Ok:
Ben böyle çok kısa bir şey söyleyeyim.

Adem Uzun:
Yemekte de konuşuruz sonra tekrar geliriz.

Sabri Ok:
Veya isterseniz bir ara verelim.

Hakan Fidan:
Yemekten sonra.

Hakan Fidan:
Burada sorun, doğal şartları oluşmamış konuları antidemokratik yöntemlerle hayata geçirmek.
Ben demokratik mücadele içerisine girip de, dünyada sonucuna ulaşamamış hiçbir hareket görmedim.
Bakın dünya siyasi tarihine devrimler tarihine. Gandi'den tutun da, Polonya'daki işçi hareketine, efendime söyleyeyim, Güney Amerika'daki hareketlere varana kadar bakın demokratik siyasi mücadele verip de meşru, kabul edilebilir evrensel hedeflerine ulaşamamış hiç bir hareket görmedim. Buna Amerika da, Fransa da her yer dahil, ama burada meşru yol kullananlar.
Şu an Ortadoğu da böyle yani.
Bakın İsrail'in imajı yerle bir olmaya başlıyor, meşru çizgide duran Filistin hareketi daha da güç kazanıyor.
Ama gayrimeşru araç kullanan İngilizce'de irrelevant diyorlar.
Artık var olan sosyal doku ve siyasal şartlara uygun hareket etmeden eylem gösterdiğiniz zaman bir şey olmuyor.

Sabri Ok:
Biz de kendi ana dilimizde eğitim istiyoruz, yani talepler anlamında.

O açıdan diyoruz ki, biz bazı adımları atarken AKP'nin de ne yapacağını bilmek isteriz.

Tamam, biz bu adımları atacağız ama mesela **yüzde yedi baraj düşürülür mü?** Diyebilirsiniz ki **yüzde on barajı** sizi niye ilgilendirir? Biz Türkiye'nin demokratikleşmesi konusunda kendimizi sorumlu görüyoruz ve bu Kürtleri de ilgilendiriyor.

Örneğin biz diyebiliriz ki, bu kadar tutuklu var, **biz adım atalım doğru ama adım atarken, insanlar belediye başkanı, il başkanı da dahil herkes içerde.**

Hakan Fidan:
Habur sonrası iklim değişti, bunu yönetemedik, yani açıkça söyleyelim.

Sabri Ok:
Düzeltelim biz size yardımcı olalım.

Hakan Fidan:
Düzeltelim, bunu düzeltelim işte zaten. **Sabri Bey, bu söylediklerinizde çok haklısınız.**

Benim bizzat burada oluşum size sistematik bir müzakereyi ve bir araya gelişi teklif edişim, sonra **Sayın Öcalan**'ın sizle iletişim kurmasına bizim kısıtlı şartlarda da olsa izin vermemiz, sizden mesaj götürmemiz, sonra çeşitli iletişim kanalları bulmaya çalışmamız.

Bu hafta İçişleri Bakanı da parti yetkilileri ile görüşecek. Bütün bunların hepsi kamuoyunda bizleri zor duruma düşürmeyecek bir modelite icat edip problemi karşılıklı çözme yönünde atılan adımlardır.

Türkiye'de yaşamanın tadı olmaz sıkıntı olmadan. Ama artık şu getirilmiş aşamadan itibaren ben meşru bir hareketin bir engelle karşılaşacağını düşünmüyorum.

Onun için bence önderliği bu konuda ben bu çizgide görüyorum, Sayın Öcalan'ı. Ama buradaki arkadaşların da o konuda bir çözümlemeye gitmeleri lazım diye düşünüyorum.

Yoksa bunu ben Ak Parti'nin veya devletin eli rahatlasın, şu olsun bu olsun diye söylemiyorum.

Sabri Ok:
Yok, ben çok yere katılıyorum doğru ama sizin de şu ayrımı görmeniz lazım. Zamanında bu ülkede **komünizm** dendi, öne çıkarıl-

dı, zamanla **irtica** dendi öne çıkarıldı, ama her zaman söz konusu olan **Kürt** olunca önü tıkandı. Mesela çok açık söylüyorum, **yüzde on barajı Kürt meselesi içindir,** hepsi de uzlaştı.

Hakan Fidan:
Kesinlikle kesinlikle.

Sabri Ok:
Seçim döneminde tüm partiler anlaştılar, DTP'nin aleyhinde karar çıkarttılar.

Hakan Fidan:
Kesinlikle uzlaşırlar.

Sabri Ok:
İşte bu.

Hakan Fidan:
İşte ben de onu anlatmaya çalışıyorum Sabri Bey.

Hakan Fidan:
Burada şey sıkıntısı var. Hani maziden alıp getirdiğiniz, sürekli mücadele ederek değiştirdiğiniz, bedelini ödediğiniz bir çizgi var. Ama mazi orda duruyor, oradan etkilenenler orda duruyor. Bunu bir anlatma problemi var.

Sabri Ok:
Doğru.

Hakan Fidan:
Bunu insanlar bilmiyor, ben şimdi gideceğim, diyeceğim, Allah'tan Başbakan, yakın çevre falan öyle değil yani. Benim anlattığıma inanan insanlar, yoksa göndermezler. Ama benimle sadece nötr ilişkisi olan bir adama ben bunları söyleyeyim, hatta iyi ilişkisi olanlara söyleyeyim. Diyecekler ki, yani sen her zamanki gibi şey oluyorsun, yani bu insanların ben böyle düşündüğüne, yani ben sizi teybe alayım götüreyim, dinleteyim, adama isminizin kim olduğunu söylemeyeyim, diyecekler biz bu arkadaşla aynı fikirdeyiz.

Sabri Ok:
Maalesef doğru.

Hakan Fidan:
Ama ben diyeceğim ki bu konuşan Sabri Ok'tur diyecek ki yalan söylüyor.

Afet Güneş:
Takiyye yapıyor.

Zübeyir Aydar:
Seni kandırmaya çalışıyor.

Hakan Fidan:
Hah.

Afet Güneş:
Öcalan zaten beni tabulaştırmayın dedikçe, kitle bunu tabu haline getirmeye çalışıyor.

Hakan Fidan:
Yok olmazsa olmaz, şimdi dedim ya, bizim toplum bir tane yetenekli adam buldu mu, kendisi çünkü tembel çalışmak istemiyor ki, o yetenekli adamın sırtına yüklen git.

Sabri Ok:
Hepsi onun sırtına. Devlet de yüklüyor, biz de yüklüyoruz.

Hakan Fidan:
Tabii yok yani bizim kendi siyasi liderlerimize, devlet adamlarımıza bakışımızda böyle. Kendi ellerimizle yaparız, kutsal ederiz, ondan sonra kendi elimizle de yeriz, hapse de atarız, idam da ederiz, tarih kitaplarında kötüleriz de. Yani hiç sorun değil, bizim şimdi kendi şeyimizde var.

Afet Güneş:
Orada yerleşik bir kadro değil, geçmişi olan bir yer değil Reşadiye, o kadar gelme geçme noktası, bir yer ki ne zaman organize oldular da, hemen böyle birden bire aşka gelip eylem yapacak gücü buldular?

Sabri Ok:
Bizim güçler her tarafta var, onu söyleyelim. Türkiye'nin her tarafında var. Karadeniz'de de var, Toroslar'da da var.

Afet Güneş:
Biliyoruz, metropolleri de doldurdunuz, bu arada patlayıcılarla doldurdunuz.

Sabri Ok:
Yok canım.

Afet Güneş:
Hepsini biliyoruz.

Sabri Ok:
Onlar bir tarafa, biz bu süreci ilerletelim, önemli olan o.

Afet Güneş:
İşte onları göre göre zor gidiyor, bunları da görmesek iyi olur.

Hakan Fidan:
Taktik konularda anlaşılabilir yani **aramızda bir kriz yönetimi** yapılır. **Kriz hattı kurulur, denir ki biz de bilemeyebiliriz.**

Aşağıdaki bürokrat, emniyet müdürü falanı zanneder, işte örgütsel faaliyette bulunuyor, dersiniz ki, Hakan Bey, yani şurada şöyle bir şey yapılıyor, yazıktır günahtır, bunun bir şeyi yok veya tam tersine, atılan bu adım halk nazarında şey yapacaktır, infial doğuracak dikkat edersiniz.

Bizim yaklaşımımızda şu ana kadar kendi bürokrasimiz, şu bu vesaire ne derden ziyade çözüme yönelik iradenin hedefleri önemli.

Şimdi burada biz aynı yaklaşımı sizden de görürsek, **yani taktik hataları zaman zaman görmemezlikten gelir, stratejik olarak bu yoğunlaşmaya gidersek.**

Arabulucu:
Belki daha az zaman içerisinde olabilir ama bizim Ankara'ya gitmemiz lazım. Dağa gitmemiz lazım. Oslo Altı'yı hazırlamamız lazım. Bunların hepsi ayrı birer iş ve aynı zamanda sizinde kendinizi hazırlayıp koordine edebilmeniz içinde gerekli olan zamandır.

Arabulucu:
Güzel evet, her iki tarafı da tebrik etmek istiyorum. Sürecin bu yönünde trafik ışıkları yeşile dönmüş gibi görünüyor ve her iki tarafın da bu eylemsizlik sürecine devam edilmesi gerektiğini düşünmesi bizleri mutlu etti. Çünkü olumlu bir siyasi müzakere yapmak için bir alan bir zemin teşkil edecek.

Afet Güneş:
Artık kendilerini Ankara'da görmek isteriz, çünkü en azından mektubu getirecek.

Arabulucu:
Teşekkür ederim, bizi mutlu ettiniz. Dağa da gitmemiz gerekecek teşekkürler.

BİR BELGE

Eski Genelkurmay Başkanı Orgeneral Işık Koşaner'den itiraflar!

Türkiye'nin asker sorunu nedir,
Kürt sorunu nedir?
Asker 'devlet içinde
devlet gibidir' sözü neyi anlatır?
Askerin bu ülkede kendini yıllar
yılı her şeyin üstünde gören,
'dokunulmaz' gören zihniyeti
ne anlama gelir? Askerin, sivil siyasi
otorite bize karışamaz, hesap soramaz
anlayışı ne demektir? Asker toplumdan
neden kopuktur?
Bu sorularla ilgili bir dolu ipucu,
emekli
Orgeneral Işık Koşaner'in Genelkurmay
Başkanlığı döneminde yaptığı aşağıdaki
konuşmasında bulunabilir.

Bir video paylaşım sitesi olan *www.dailymotion.com*'a 2011'in Ağustos ayının son haftasında, emekli Orgeneral Işık Koşaner'in Genelkurmay Başkanı olduktan (2010 Ağustosu) kısa bir süre sonra astlarıyla yaptığı bir konuşmanın ses kaydı düştü.

Kitabımın sonuna ek olarak ya da eski deyişle **bir ibret vesikası** olarak aynen alıyorum.

Işık Paşa:
Karakollarımızın çevresinde ve hudutlarda kontrolsüz mayın döşediğimizi sivillere söyleyemiyoruz. Hudutlarındakinin işareti bile yoktur. Adam gidiyor basıyor, bilmem ne yapıyor. Haberimiz yoktu. Ekip gönderdik Ankara'dan. Bilmiyorum bitti mi, daha devam mı ediyor?

Subaylar:
Devam ediyor komutanım.

Işık Paşa:
Devam ediyor herhalde.

Subaylar:
Devam ediyor.

Işık Paşa:
Bunlar çok tehlikeli şeyler. Bunları kim döşemiş, biz...

Subay:
Evet Komutanım.

Işık Paşa:
Biz. Şimdi ben desem ki yetkililere, yav bizimkiler mayın döşemişlerdi 10 sene evvel, 20 sene evvel, başıboş bırakıp gitmişler. Ne derler? Döşerken aklınız neredeydi derler. Maalesef döşeyen yine biziz di mi?

Subay:
Evet efendim.

Işık Paşa:
Benim dikkatimi çeken birkaç konu var. Onları da hatırlatmak istiyorum. Bizi sıkıntıya sokan konulardan bir tanesi, emir komuta birliğini bazen sağlayamıyoruz. Nerede bir operasyon, nerede bir harekât, bir baskın vesaire bilmem ne varsa, sorumlusu mutlaka bir komutanlık olacak. O bölgenin sorumlusu...

Küçük birliklerimiz sağlam değil, eğitimsiz.
İHA'dan görüntü almak gibi büyük bir nimet var.
Büyük bir imkân var.
Olayın olduğu yere süratle İHA'yı getirip masamızın başından ekrandan adım adım görebiliyoruz. Öyle mi? Görebiliyoruz. İHA'dan görüntü gören komutan mutlaka operasyona müdahale edip sevk idare etmeli.
Neden bunu söylüyorum?

Önümüzde örneği var. Verelim örneğini, hepimiz öğrenelim. Bir daha o hataya düşmeyelim. **Hantepe mantepe** olayında operasyon yapan komutan, daha doğrusu sorumlu komutan, 1. **Tugay Komando Tugay Komutanı**'ydı ve kendisi arazideydi. Orda bilmem ne tepesindeydi. Ama ekrana bakan komutanlık, civardaki komutanlığımızın ona müdahale yetkisi yoktu. Böylece bir koordinesizlik oldu, zamanında müdahale edemedik. Küçük birliklerimiz sağlam değil, eğitimsiz. Gerisi çorap söküğü gibi gelir. İkinci önemi konu arkadaşlar, küçük birlik seviyesinde sevk ve idarede çok zayıfız. Jandarma, **JÖH**'ü (**Jandarma Özel Harekât**) filan ayrı tutuyorum. Onlar hakikaten çok tecrübeli profesyonel olmuşlar artık. Sözüm onlara pek değil. Daha ziyade bizimkilere. Küçük birlik seviyesindeki tim komutanı, kol komutanı eğer o adamına sahip olup da sevk idare edemezse, iş buradan kopar.

Çatışma anında tim komutanlarımız mevziye silahını bırakıp kaçıyor.

Hani derler ya bir nal bir at kurtarır. Bir at bir ordu kurtarır, süvari kurtarır, süvari bilmem neyi kurtarır. Neticede memleket kurtulur.

İşte biz o nal bizim komando kolumuz, komando timimiz her neyse motorlu kolumuz. Orada eğer sağlam duramazsak, tutamazsak birliğimizi görevinin başında, gerisi çorap söküğü gibi gider.

Niye bunu söylüyorum?

Bunu da söyleyelim. Duymayanlar da duysun.

2 terörist, 30 askerimizi kaçırıyor.
Yav rezalet!

Benim tim komutanı, unsur komutanı diye koyduğum arkadaşım önce mevzide silahını bırakıp da kaçarsa, biz bu işi yürütemeyiz.

Biz bu eğitimi yapmamışız yetiştirememişiz demektir.

Rütbesi de var kolunda.

O orda silahını bırakıp da mevzisini kaçarsa tabii ki mevzimiz çöker, tabii ki zayiat veririz.

İki tane adam geliyor karşıdan, 30 kişiyi kaçırıyor.

Geri gidiyoruz, yav rezalet.
Olacak şey değil. Neden? Sevk idare edemediğimiz için timimizi.
Uzatmadan söylüyorum.
Tim komutanı ve unsur komutanı, her ikisi de kendi personelini
göreceği yerde bulur. Sesle, varsa telsiziyle timinin adamlarını tek
tek sevk idare eder. Zamanı geldiği zamanda ateş açtırır. Yerinden
kıpırdama der. Kaçma der. Ben burdayım der. Sevk idare eder. Onu
gezinde tutar, bu çatışmayı yürütür.
Öyle oluyor mu?
Nadiren böyle oluyor, nadiren böyle oluyor.

Eeee, fazla detaya girmeyelim.
Ama çoğu yerde çat pat dediğin zaman o oraya, bu buraya.
Birkaç gözü kara arkadaş dayanıyor, dikkat ediyor, şey yapıyor.
Lider pozisyonunda olanlar piyasada yoklar.
En acısı da silahını da bırakıp da gidenler. Roj TV silahın numa-
rasını da beraber gösteriyor.
Öyle mi?
Silahın numarasını da gösteriyor Roj TV.

Ben olsam o rütbelinin yerine insan içine çıkmam. Ama
utanmıyor adam.
Bunlarla iş yapamayız.
Yoksa canı sıkılan çeker gider. Ondan sonra mevzimize de girilir.
Bir sürü de şehit veririz.
Artık her şey milletin önünde açık arkadaşlar.

Eğitim zafiyeti nedeniyle terörist diye masum erimizi ken-
dimiz vurduk.
Kabahatli biziz.
Bakın yine örnek, dilimin ucuna geliyor, söylemek istemiyorum.
Böyle timi mimi sahip olmazsa, orda bir tane karaltı görür tak
diye ateş eder, başlar sesi duyan herkes ateş etmeye basıldık diye.

Arkadaşımızı, bir erimizi alnından vururuz.
Vurduk mu?
Haberiniz var mı?
Var değil mi?
Olayı takip ediyorsunuz.
Herkesin cebinde artık telsiz var, eskisi gibi de değil. Bak ben ateş
ediyorum. Herkes sussun diyeceksin. Herkes duyacak. Kimse bir şey

yapmayacak. Bir kişi edecek. Bunu gayet kolay yapmak ama eğitimle bunu yaparsanız olur. Bırakırsanız, keyfine gider adam, ateş et der. Vay basıldık diye herkes silaha sarılır. Bir masum erimizi alnından pat diye vururuz.

Kabahatli biziz.

Sınır karakollarımız hatalı yapılmış.
Hantepe de hatalı.
Halimiz tam bir kepazelik.
Arkadaşlar,

Bir üssü, bir tepeyi, bir kritik araziyi korurken esas mevzi kazıp gömülmektir. Tabii kayalık sert yerlerdeyiz ve tabii kazıp gömülmek mümkün olmuyor çoğu zaman.

Ne yapıyoruz o zaman?

Kum torbası bol. Kum torbasını üst üste koya koya kulübemsi... Hani karakolların etrafında nöbet kulübesi gibi böyle kulübeler meydana getiriyoruz. Bir de delik açıyoruz önünde, burdan gelecekler bakacağız diye. Böyle bir koca hedef oluyor.

Arkadaşlar karanlıkta gece görüş aleti olmasa bile ben Rpg7 ile 200 metreden onu tak diye vururum.

Bak bu yaşımda vururum.

İsterseniz deneyelim.

Böyle kulübe yapıyorsunuz, ona mevzi diyor bazıları. Mevziye girdik deyince o kulübenin içine giriyorlar. Ondan sonra ilk rokette orası vuruluyor.

Öyle oldu değil mi Hantepe'de.

Üsteğmenimiz de orda gitti. Koşuştular hepsi peşinden mevziye giriyoruz diye. Ondan sonra roket de oraya geldi. Hedef orası, o mevzi değil ki.

Öyle mevzi mi olur?

Nerede görülmüş şey?

Bu uygulamayı varsa hâlâ lütfen kaldırın. Bize ne lazım? Bize ateş mevzii lazım. Çatışmaya gireceğimiz için ateş mevzii lazım.

İşte Hantepe'de İHA'nın görüntüsünde bile belli. Koştular içine, girdiler değil mi? Seyreden var mı? Vardır herhalde. Adam da geldi el bombasını üzerlerine atıyor. Şey atar gibi.

Tam bir kepazelik halimiz.
Neden işte lider yok ortalıkta. Lider yok. Bu hale geldik. Bakın bunları söylememe gerek bile yok. Hepimiz askeriz bunun için, komutanız yaa...

Çok zayıfız bu konuda.

İHA skandalında, teşkilat yapımızının yanlış olduğu anlaşıldı.

Emir verecek olan arazideydi, şimdi görüntünün başında.

Boşluk istemiyorum.

Kuvvet Komutanızla beraber, Hava Kuvvetleri Komutanımızla beraber bu İHA'ların işte gönderilişini, görüntü aktarmasını yerlerinde bir daha inceledik. Şunu gördük ki eğer zamanında uygun şekilde İHA'ları kullanabilsek, bize çok çok büyük bir imkân kazandırıyor. Ama bunu yerinde, zamanında görüntüyü izleyen komutan, hakikaten o görüntüde gördüğü operasyona müdahale edebilecek bilgide ve tecrübede olması gerekir.

Ordaki nöbetçi subayın yapacağı bir iş değil o.

Demek ki önce ilgili komutan fırlayıp bu işin başına gelmesi, süratle durumu değerlendirmesi, topçu mu attıracak, uçak mı isteyecek, helikopterleri mi gönderttirecek, ne talep edecekse etmesi ve alttaki birlik komutanıyla da direk temasta olup helikopteri yönetmesi lazım, topçuyu tanzim ettirmesi lazım, nereye atacağını söylemesi lazım.

İHA'nın nereyi takip etmesi gerektiğini, hangi tarafı söylemesi lazım. Ekranın başında olup da harekâtı sevk edecek komutan İHA'yı da sevk edecek.

Bundan sonra ben dediğimde İHA geç geldi, sağa git dedim sola git dediydi falan filan yok arkadaşlar, yok.

Herkes işine sahip olacak.

Herkes ne istiyorsa onu söyleyecek. Ona göre İHA'yı kullanacak. Ona göre de helikopter mi getirecek bilmem ne mi getirecek. İşte gerekli işlemi yapacak. Buna dikkat edelim.

Terör örgütünün eylemsizlik kararı bizi bağlamaz.

Şimdi tabii terör örgütünün önümüzdeki dönemde ne yapacağı biraz siyasi. Artık tamamen örgüt siyasal alana angaje oldu.

Biliyorsunuz, seçime kadar eylemsizlik diye bir karar aldılar. Bu da hakikaten eylemlerini, yani kırsal kesimdeki eylemlerini azalttılar.

Bu karar tabi kesinlikle tabii bizi bağlamaz.

Bizi hiç ilgilendirmez.

Bizim eylemsizlikle alakamız yok, o kadar.

Bu son dönemde her şey serbest dendi ki halkımıza, işte herkes istediğini söyleyebilir, istediğini talep ediyor. İstediğini bilmem ne yapıyor.

Saçma sapan şeyler.

Tabii çoğunun bunun düşünülmesi bile mümkün değil.

Bilgi almak için halkın nabzını tutun, herkese yakın olun.
Polisle, itle MİT'le temas kurun.
Onun için size diyorum ki arkadaşlar lütfen bulunduğunuz yerde nabız tutun.

Bakın, halkın içinde olun.

Kışladan lojmana lojmandan kışlaya dediğimiz zaman bunu anlayamıyoruz.
Nabız tutmamız lazım.
Polisle itle MİT'le bilmem neyle yakın temasta olmamız lazım.
Hakikaten bu söylenenler oluyor mu?
Halk buna ne diyor?
Ne kadar destekliyor?
Ne kadar desteklemiyor?
Saçma mı buluyor? Ne, nasıl oluyor?
Yani bunları kimlerden öğreneceğiz?
Sizden öğreneceğiz. Sizden öğreneceğiz. Öncelikle jandarmadan öğreneceğiz ha.
Jandarmalar, sizden öğreneceğiz.
Buna ihtiyacımız var.
Bizim için, biz hiçbir zaman eylemsizlik falan filan öyle bir şey ağzımıza almadık.
Bizim için eylemsizlik söz konusu değil arkadaşlar.
Kesinlikle değil.

Terörle mücalede hiç kimsenin talimatına ihtiyacımız yok.
Kimse bize harekâtı azalt diyemez.
Biz hiç kimsenin talimatına filan ihtiyacımız da yok.
Tabii ki mücadelemiz devam edecektir.
Kimse de bize bunu durdur diyemez.
Dese bile bunu kabul etmeyiz.
Bir kere bunu hiç unutmayınız.
Kesinlikle yok hareketi azalt, bilmem ne yap, operasyonu azalt, ne bizim ağzımızdan çıkar, duyamazsınız, ne diğer komutanlarımızın ağzından çıkar.
Biz her zaman olduğu gibi teröre karşı mücadelede bir adım bile geri duramayız.

Operasyonlarda artık son bir yıldır mantıklı iş yapmaya karar verdik.

İstihbarat almadan taburla beraber arazide gezmeyeceğiz.

Ancak, geçen seneden beri biraz daha mantıklı olarak bu işi yapmaya karar verdik. İşte eskiden büyük bölgeleri aramak için taburlar hadi araziye, diziliyorduk. Hadi arıyorduk tarıyorduk. Bu arada 10 kişi mayına basıyordu, 5 kişi bilmem ne oluyordu. Düşüyordu, kalkıyordu, yaralanıyordu, neticede de hiçbir şey bulamıyorduk. Verdiğimiz zayiatla kalıyorduk.

Onun için dedik ki, istihbarata dayalı, gerçek duyuma dayalı birşey elde ettiğimiz zaman, bunun usulünü, yolunu valiyle maliyle ayarlayalım ve derhal buna operasyon yapalım.

Artık buna jandarma mı yapar, beraber mi yaparız, bir taburla mı yaparız, iki bölükle mi? Bu ordaki mahalli komutanın yapacağı iş dedik ve sanıyorum bunda da haklıyız.

Yani boşu boşuna birlikleri sevk etmektense bir bilgi alıp bir istihbarat alıp ona yönelmek. Ha o da boş çıkabilir, çıkar çıkar, yüzde yüz garanti diyemeyiz tabii. Ama yeterli kuvvetle, yeteri kadar kuvvetle bunu yapmak zorundayız.

Bütün her şey bana geliyor.

Bazı yerlerde birliklerimiz kıpırdamıyor, niye? Bazı yerlerde hareket yok. Bazı bölgelerimizde hiç kıpırdama yok. Ne jandarmada, ne bizde.

Ne oldu bitti mi bu adamlar?

Öyle değil. Öyle mi?

Bunlara rahat vermememiz lazım. Öyle bir hava varsa eğer kafanızdan lütfen çıkartın. Öyle şey yok.

Artık her şeyi yasal zemine oturtmak zorundayız.

Herkesin gözü üzerimizde.

Çok dikkat edin herkesin gözü üzerimizde.

Bir ufacık hata yapılırsa basına taşınıyor, manşetlere taşınıyor.

Onun için her şeyi yasal bazda yapmak durumundayız.

Bizim yasalarımız hani bazen kızıyoruz mızıyoruz, ama bize gerekli yetkiyi veriyor.

Dikkatli incelersek kullanırsak işte valiyle konuşmak suretiyle falan, bize gerekli yetkiyi veriyor.

Tabii önce jandarmamız yapıyor. Biz de onların peşinden ona destek olarak yapacağız.

EMASYA'nın yerine yapılacak yeni protokol üzerinde çalışıyoruz.

Biraz evvel söz ettim.

EMASYA protokolü kalktığı için iller arasındaki harekette biraz sıkıntımız olacak gibi geliyordu.

Ama arkadaşlarımız söylediler, valiler gene anlaştı filan diye, biz bunu yeni bir protokolle yasal baza oturtmaya çalışıyoruz. Onu da hazırlar hazırlamaz size tekrar göndereceğiz.

Ona şey yapacaksınız, o konulara da sahip olacaksınız ve daha rahat edeceksiniz.

Elimizdeki teknik imkânları kullanamıyoruz.
Eğitim ve tatbikatımız zayıf.

Neyimiz varsa kullanın. İşte havada bilmem ne helikopteri hazır bulundururuz, bilmem ne, çağırırız gerekirse. Bulundurun, çağırın. Şimdi rahatız. Yani sıkışık durumda değiliz.

Her türlü imkânımızı kullanın. Bakın her türlü imkânımızı kullanın diyorum.

Ama teması da kurduktan sonra işte ben bunu kaçırdım, gittiler gece karanlığında kayboldular.

Bizde her şey var.

Gece de görüyoruz, gündüz de görüyoruz.

Her türlü imkânımız var.

Onu kaçırmayacağız. Ona göre tedbir alacağız. Marifet kaçırdım demek değil. Temas kurunca kaçırmak yok.

İnatla, cesaretle üzerine gidip sonucu almamız lazım. Elimizdeki aracımızı, gerecimizi, dürbünümüzü, teçhizatımızı işte ne varsa, iyi bilin. Silahımızın kabiliyetlerini iyi bilin. Bilmeliyiz ki onu ona göre kullanmalıyız.

Şimdi sınır birliklerimizin biraz daha profesyonel olması için, yani profesyonel asker falan demiyorum. Bir sınır eğitim merkezi teşkil ettik biliyorsunuz herhalde. Şey olan, eğitilmiş birliklerimizi, erlerimizi oraya gönderiyoruz.

Polisin, askeri tutuklaması gücümüze gidiyor.
Ama bizimkiler suçlarını örtbas etmek için asker olduğunu söylemiyor.

Sonra karakolda söylüyor.

Bu çok gücümüze giden bir konu olduğu için tekrar hepinize söyleyeceğim.

Şimdi askerî şahıslar, subay, astsubay, uzman neyse suç işlemez diye bir şey yok.

Suçu herkes işler.

327

Bilerek işler, taksirli olarak bilmeden de işler. Hep bunlar hayatın içinde olan şeyler. Bir askerî şahıs bir suçtan dolayı polis bölgesinde polisle muhatap olduğunda öncelikle asker olduğunu söylemesi lazım.

Şimdi bizimkiler suçlarını örtbas etmek için önce söylemiyorlar.
Karakola gidip de sopa yemeye başlayınca ben askerim diyor.
İş işten geçiyor.
Öyle yok. Öyle dersen bana bakma. Baştan söyleyeceksin. Ben askerim hemşerim, hüviyetim bu. Haa asker bir suç işlerse, polis onu orada tutar, kimi çağırır merkez komutanını çağırır, al bu herifi burdan der. Savcıya da bilgi verir. Merkez komutanı gereğini yapar. Savcı ne derse onu yapar.

Şimdi baştan hüviyetimizi söylemediğimiz zaman polis bizi ite kaka alıyor, karakola götürüyor. Başlıyor orda sıkılama, sıkıya gelince, askerim.

Bu yanlış. Zorla karakola götürürlerse, gidin. O zaman rol bize geçecek. O zaman ortalığı ayağa kaldıracağım.

Biz ne diyoruz?

Asker olduğunuzu söyleyin. Beni burdan alma, merkez komutanını çağırın deyin. Yok kardeşim çağırmıyorum, yürü karakola derse hiç karşı gelmeyin. Karakola gidin ama baştan asker olduğunuzu söyleyin.

Karakola gittikten sonra rol bize geçecek. Bakın bunu ihmal etmeyeceğiz. Eğer benim bir rütbeli şahsımı karakola götürmüşse, ondan sonra merkeze haber veriyorsa ortalığı ayağa kaldıracak. Ortalığı ayağa kaldıracak. Beni de arayacaksınız gerekiyorsa, beni de arayacaksınız.

Kanun diyor ki, askerî şahsı karakola götüremezsin. Götürürsen ben de ortalığı ayağa kaldıracağım.

Ağrı'da, polise arkadaşlar haddini bildirdiler.

Bakınız şu sözümüzü yanlış anlamayınız. Ben sık sık "Hukuka saygılıyız," diyorum.

Bunun anlamı şu:

Biz enayi değiliz.
Sadece biz hukuka saygılı olmayacağız.

328

Bize karşı olanlar da hukuka saygılı olacaklar. Ben bunu ifade etmeye çalışıyorum. Ben hukuka saygılı olacağım ama sen de saygılı olacaksın. Sen de olacaksın.

Ben de bunu, hakkımı arayacağım.

Nasıl arayacağız?

El birliği ile arayacağız.

Bir tanesi bu. Kanunlarımızda açık açık yazan bir konu. Eğer hüviyetini söylediği halde bir askerî şahsı karakola götürmüşlerse, merkez komutanı derhal ortalığı ayağa kaldıracak.

Ne yapacak, gidecek merkeze, almayacak adamı, arayacak savcıyı. Bu heriften şikâyetçiyim, işlemini yap. İşte mırın kırın. Valiyi mırın kırın. Beni, bizi. Ben de ordan bakanlığı ayağa kaldıracağım filan.

Ancak bunları böyle önleyebiliriz.

Bazı polislerimiz artık işi iyice azıya aldılar.
Başınıza geliyordur, duyuyorsunuzdur.
Hani asker olsun da ne olursa olsun bir atalım içeri, hesap soralım gibi.
Kendimizi de korumak zorundayız.

Anlaşıldı mı bu iş?

Kesinlikle geri adım atmayacaksınız.

Hakkımız hukukumuz bu.

Sen beni alamazsın, ortalığı ayağa kaldıracaksınız. Bir yerde bunu, Ağrı'da mı nerde yaptılar bunu güzel bir. Di mi Ağrı'da arkadaşlar yaptılar güzel.

Haddini bildirdiler.

Basından uzak durun!
Gazeteci dediğin adam anasını bile satar, onu oraya haber diye koyar.
Arkadaşlar,

Ne şekilde olursa olsun, bakınız bir laf var, benim çok hoşuma gidiyor. Hiçbir basın mensubu bize düşman olmaz. Ama dost da olmaz.

Dost da olmaz.

Basın, basın demek basın mensubunun görevi demek, haber olabilecek bir şeyi yakalarsa, çok affedersiniz, anasını bile satar onu oraya haber diye koyar.

Hiç kimsenin gözünün yaşına bakmaz. Çünkü onun için en önemli şey haber bulmak, gazeteye koymak.

Para alıyor çünkü.

Bir de manşete çıkarsa, haber primi de varmış, manşet oldun diye. Onun için gazetecilerle temasta mahalli olsun, ulusal basından olsun, televizyoncu olsun gazeteci olsun, uzak durunuz.

Uzak durunuz.

Nezaketinizle bilmem neyinizle uzaklaştırınız. Kesinlikle bir şey söylemeyiniz. Çünkü pire deve olacaktır. Yarın oraya çıkacaktır. Bakın şimdi, bazı yaşlı gazeteciler hatırat yazıyorlar. Falan zamanda falan komutan bana bunu söylemişti. Öbürü de bunu söylemişti. Hep yazmışlar bir yerlere. Şimdi geçmişin hesabını bize soruyorlar. En iyisi basından uzak durmak.

Basına ne söylenecekse, biz söylüyoruz. Kimine şifahen, kimisine temas ederek, kimisinle telefonla. Mücadele ediyoruz. Ha basına ne söylenecek, arkadaşlar, biz söylüyoruz.

Basın bize hakaret de ediyor.

Bilmem ne de yaparak zor durumda bırakıyor. bu herhalde sizin de gücünüze gidiyordur. Maalesef **Türk Silahlı Kuvvetleri**'nin, yani **Genelkurmay Başkanlığı**'nın tüzel kişiliği yok. Yani Genelkurmay Başkanlığı'na veya Silahlı Kuvvetler'e yapılan bir hakareti dava açamıyoruz genelkurmay olarak.

Tüzel kişiliğimiz yok.

Ne yapacağız?

Şahıs olarak açmak lazım. Şahıs olarak açmak lazım.

Yani ben Işık Koşaner olarak dava açabilirim.

Ama Genelkurmay Başkanı olarak o gazeteye dava açamıyorum. Kanun bu.

Şahıs olarak açabiliriz.

Bizi zor durumda bırakan, hakaret eden gazetecilere, topladığımız paralarla (280.000-300.000 TL) dava açıyoruz. Şahıs olarak dava açmak kolay değil. Neden değil? En basit avukat parası 10 bin liradan başlıyor öyle mi?

İfade verirken, yanınızda duruyor adam 5 bin lira alıyor, ifade verirken. Bir de davaya girdi mi 5 bin daha alıyor. Bilmem ne yaptı 5 bin.

Arkadaşlarımız çok zor durumda. Başı sıkıntıda olanlar, biliyorsunuz, onlara da yardım topladınız, verdiniz gene. Bunları yapıyoruz.

Benim dediğim başka bir şey. Hakarete uğrayanlara, iftira atılanlara hepimiz bir elimizde paramız olsun, şahsen dava açalım dedik öyle mi?

Hani size yazdım gönderdim. Şimdi elimizde paramız olsun, şimdi hangimize bir hakaret geldiği zaman hemen haber verin. Avukatınız hazır, paranız hazır. Tazminat mı alacağız? Ceza mı verdireceğiz? O birer liralar birikti 300 kaç? 280-300'e filan geldi, yeter. Bu kadar istiyoruz. Bu birer liralar toplanıyor işte bir arkadaşımız için de ilk davayı açıyoruz, inşallah onu kazanacağız.

Avukatımız hazır.

Şimdi siz sadece bu herif bana hakaret etti diyeceksiniz o kadar. Gereğini biz yapacağız. Bunu yapmak zorundayız, altında eziliyoruz. Ben hissediyorum, bazı arkadaşlarımız bu hakaretlere maruz kalıyor. Tamam mı arkadaşlar korkmayın, çekinmeyin, o parayı onun için topladık. Onun için tamamen kontrolümüzde. Bir kuruş bir yere sekmez, hiç merak etmeyin. Gayri kanuni olarak bir yere gitmez. Böyle bir imkânımızı kazanmış olduk.

Herkesin gözü üzerimizde.
Erleri kullanma işini yavaş yavaş kaldıralım. Yoksa kaldırtacaklar, bakakalacağız.
Şimdi birkaç da idari konudan bahsedeyim.
Tabii herkesin gözü üzerimizde.
Nasıl üzerimizde?
Kim hangi asker kanunsuz iş yapıyor?
Hangi subay er kullanıyor?

Hangi subay, general, amiral her neyse köpeğini, itini, bilmem nesini askere gezdiriyor?
Okuyorsunuz değil mi gazetede?
Hangi subay çocuğunu arabayla bilmem nereye gönderiyor? Hangi bilmem ne okula gönderiyor? Eşini bilmem nereye gönderiyor. Herkesin gözü üzerimizde. Hiçbir şey artık gizli değil. Herkes birliğine sahip olsun.
Şu er kullanma işini yavaş yavaş piyasadan kaldırmamız lazım. Evinin badanasını askere yaptırıyor. Özel evinin badanasını, hey Allah'ım.
El birliği ile kaldıralım.
Yoksa kaldırttıracaklar.
Bakakalacağız, bakakalacağız böyle.

Bölgemizde bulunan şehitlerimizin yakınlarına, gazilerimize arkadaşlar, biraz ilgide kusur ediyoruz.
İlla kapısını çalıp da ziyaret etmek değil, arasıra telefonla dahi olsa telefonla dahi olsa mutlaka. Herkes bölgesindeki gazi şehit ailesiyle yakın temasına devam etsin.

Bizim güzel âdetimiz vardı.

Senede herkes bir iki köy okulunu elden geçirirdi filan. Onu pek yapamıyoruz herhalde.

Köy okullarından en azından her sene birini ikisine el atalım. Bunun kaynağını validen ordan burdan tırtıklarsınız. Bunlar kolay, hep yaptık bunu yav. İlla ki ödenek gelecek değil. Mahallinden ayarlayacağız bu malzemeyi.

Bir de bizi en çok sıkıntıya sokan olaylardan bir tanesi bize doğru bilgi verilmemesi. Birliklerimizde her türlü olay olabilir. Vukuat olur, iyi olur, kötü olur, bir şeyler olur.

Ama biz doğruyu bilemezsek arkadaşlar, iş ortaya çıkınca doğrusu iş işten geçiyor. Ondan sonra da arkadaşımız diyor ki bize benle niye ilgilenmiyorsunuz?

Ya ilgileneceğiz de sen bana baştan doğruyu söylemedin ki. Söyleseydin doğruyu, biz ona göre belki bir yöntem birşey hafif bir şey yapabilirdik. Ama iş işten geçtikten sonra geçmiş olsun.

Her ne olursa olsun lütfen doğruyu söyleyiniz.
Bunu illa bilmem ne raporuna uzun uzun yazın demiyorum. Bu başka bir şey, doğru bilgiyi veriniz. Herkes üst makamına verirse doğru bilgiyi, o bize gelir zaten. Biz de hah deriz böyle bir olay var ona göre hazırlıklı oluruz.

Ama olayı doğru söyleyerek.

Bundan biraz sıkıntımız var. Olaylar doğru yansımadığı için bize, sıkıntıya düşüyoruz.

Şimdi bu konuyu kapatıyorum.

Silahlı Kuvvetlerimizi sıkıntıya sokan bazı olaylardan bahsetmek istiyorum.

Bir takım ele geçen bulgular nedeniyle Silahlı Kuvvetlerimizin pek çok personeli maalesef çeşitli suçlamalar nedeniyle soruşturma altında.

Bazıları tutuklandı, çıktı, tekrar girdi. Tekrar şey yaptı.

Bir takım olaylarla karşı karşıyayız.

En büyüğü işte Ergenekon diye bir olay çıktı. Onun tam teferruatını ben de tam olarak bilmiyorum.
Yav nedir bu Ergenekon?
Nerden çıktı, kim ne halt etti filan?.. Çeşitli iddialar var. Ben de bilmediğim için bir şey söylemek istemiyorum.

Ama **Balyoz** hakkında birşey söylemek istiyorum. Balyoz denen olay hakkında söylemek istiyorum.

Şimdi Balyoz denen, yani 1. Ordu Komutanlığı karargâhında 2003 yılında yapılan bir plan seminerinden dolayı ortaya atılan bu iddialar hakkında bir şeyler söylemek istiyorum.

Arkadaşlar,

Bu olayla ilgili seminerle ilgili evrakların hepsi imha edilmiş olduğu için olay ortaya çıkınca bir şey bulamadık.

Araştırdık Genelkurmay'ı, Kara Kuvvetleri'ni, 1. Ordu'yu.
Ya nedir bu, ne diyorlar bunlar filan?
Balyoz malyoz...
Hiçbir evrak bulamadık.
Bir tane mesaj çıktı.
Bunun için bir girişim yapamadık.
Beklemek zorunda kaldık.
Biliyorsunuz, bir gazeteci gitti, bir çuval evrak verdi falan, cd'ler midiler... O gazeteciye... O dönem içerisinde o cd'leri de ele geçiremedik. Bize ne kadar doğru yazıldı, ne yaptı onu da bilemiyoruz. Ne zaman ki iş iddianame hazırlandı vs. Bu cd'ler elimize geçtiği zaman olayın ne boyutta olduğunu, neyin iddia edildiğini açık açık anladık.

Balyoz'da, bizi üzen taraf her şeyimizi, seminerle ilgili neyimiz var neyimiz yok çaldırmışız.
Yetkisiz kişilere ulaşmış konuşmalarımız dâhil.
Esas rezalet bu.
Nasıl bu olur yav?
Nasıl bu olur?
Ne konuşuyorsak var adamların elinde.
Sıkıntı burda.
Bu rezilliği yapmışız.
Balyoz'un hikâyesi bu.

Suç olan kısmı da işin içerisinde olabilir, onu burada kaydı-ihtiyatla sayıyorum.
Ama bunlar hep bizim aleyhimizdeki kişilerin eline çok güzel malzeme verdi.
Maalesef namerdin eline malzeme verdik.
Balyoz'un günahı, vebali 1. Ordu'ya ait. Karargâhtan böyle planlar nasıl dışarı çıkar, izahı yok. Kim verdi, biz verdik. Biz verdik. Hiç kimseyi suçlayamayız.

Koskoca Birinci Ordu'da bir plan semineri yapılıyor, tüm planlar tüm teferruatıyla milletin elinde şimdi.
Bir de bu rezalet var.
Nasıl olur yav, bir ordu karargâhından bu bilgiler nasıl çıkar yaa?
Nasıl çıkar izahı yok.
İzahı yok.
Şimdi bu olumsuz ortamın yansımaları olarak Silahlı Kuvvetlerimizi sıkıntıya sokan bazı diğer olaylar var.
Bilmenizi istiyorum, kısaca söyleyeceğim.

Birincisi arkadaşlar,
OYAK'la uğraşıyorlar.
Biliyorsunuz, Ordu Yardımlaşma Kurumu tamamen bizlerin maaşlarından kesilen, işte bu kadar yıldır kesilen paralarla oluşturulan bir kurum. Genişletilmesi, büyütülmesi falan vesaire.
Şimdi OYAK'ı kamu kurumu olarak kabul etme eğilimindeler.
Öyle olunca, işte biz bazı vergilerden muafız biliyorsunuz, sosyal yardımlaşma kurumu olmamız hasebiyle bazı vergilerden filan muafız.
Ama kamu kurumu olduğumuz zaman, olursak eğer, ki Kamu İhale Kurulu böyle istiyor, mahkemeye verildi, mahkeme maalesef lehimize karar vermedi.

O zaman vergi vermek durumunda kalacağımız için, işlemlerden dolayı emekliliğimizde falan alacağımız paralarda bayağı yüzde 15 civarında falan düşme söz konusu olacak.
Şimdi bunun mücadelesini veriyoruz.
Biliniz diye söylüyorum.
İşte maalesef propagandanın sonucu bu vergiden dolayı bir sıkıntı içindeyiz.

Eşit süreli askerlik diyoruz.
Siyasiler hop oturup hop kalkıyorlar
Yine bizi ilgilendiren bir konu bu askerlik sistemi.
Askerlik sistemi için her kafadan bir ses çıkıyor.
Bizim yaklaşımımız şu oldu.
Biz herkese eşit süreli, tahsil mahsil bizi ilgilendirmez, vatan hizmetidir diyoruz. Herkese eşit süreli askerlik olmalıdır.
Bizim savımız bu, bizim ısrarımız bu.
Ama siyaset tabii başka düşünüyor.

Herkese eşit süreli askerlik dediğimiz zaman Allah siyasiler oturup kalkıyor.

Bir de sözleşmeli er diye bir şey çıktı.
Herhalde nedir diye merak ediyorsunuz.
Bu da şöyle çıktı. Bizim teklifimiz arzumuz falan değil tabii. Biz herkese eşit süreli, tek tip askerlik istiyoruz.

Şimdi dediler ki, hudutta **Gediktepe** falan olayı olduktan sonra, yav hudutta er olmuyor, bu genç çocuklar olmuyor, bunları profesyonel yapalım. Ve az daha uzman erbaşa dönüyorlardı.

Şimdi uzman erbaş olmasın diye biz ısrar ettik. Erden gidelim diye. Bu sefer sözleşmeli er diye bir şey çıkardılar. Bu şöyle olacak, aynen er paralı er. Askerliğini yapmışlardan paralı er. Koğuşta kalacak.

Aynı er, er statüsünde. Belli bir yaştan sonra ayıracağız ve eline tazminat vereceğiz.

Böyle bir şey çıkabilir. Konuşma o. Aynı er statüsünde. Şeye Ceza Kanunu'na tabii, ancak maaşlı, onun dışında bedel alacak belli bir yaşa kadar.

Bununla da mücadele ediyoruz, bir bilginiz olsun.

Arkadaşlar,
Bizi sıkıntıya sokacak bir diğer konu arkadaşlar, askerî yargı sistemini değiştirmeye çalışıyorlar. Emir veremedikleri için onu nasıl ortadan kaldırırız, nasıl pasifleştiririz.
Onun derdindeler.

Balyoz terfilerle ilgili, sivil kesim zamanında açığa almak akıllarına gelmedi. Her şey hukuka uygun ama imzalamazlarsa ne olacak? Hukuk boş bırakmış.

Söz oraya gelmişken terfi edemeyen terfileri onaylanmayan iki generalimizden, bir amiralimizden söz etmek istiyorum.

Bu arkadaşlarımızın terfisini engelleyen hukuki hiçbir engel yok arkadaşlar. Hukuken hiçbir engel yok. Çünkü her şey zamanında hukuka uygun olarak yapıldı.

İdare dediğim sivil kesim zamanında açığa alma falan akıllarına gelmedi, öyle bir şey yapamadılar, onun için her şey hukuka uygun olarak yürüdü. İşte itirazlar mitirazlar vs'ler. Takip ettiniz, biliyorsunuz.

Şu anda **Yüksek Askerî İdare Mahkemesi** tekrar terfi etmelerine karar verdi. Tekrar terfi kararnamelerini tekrar imzaladık. Tekrar gönderdik. Şimdi top imza makamında.

Kim imza makamları?

İki tane bakan. İşte İçişleri Bakanı'yla Milli Savunma Bakanı. Başbakan ve Cumhurbaşkanı. Şimdi yasa bunları imzalayın diyor ve hiç şüpheniz olmasın ne kılıf takarsa taksınlar tamamen hukuka uygun yaptığımız şey ve haklıyız. Hiçbir şüpheniz olmasın.

Ama, ama imzalamazsa n'olur?

Hukukumuz orda boş.

Ne olur, nasıl olacak ondan da şüpheliyiz.

Yine bugünlerde çok gündemde entegre sınır yönetim sistemi diye sınırların sivil bir teşkilata verilmesi diye bir mevzu var.

Yani işte Irak hududunu filan siviller bakacakmış.

Arkadaşlarımız burda.

Nasıl bakarlar mı arkadaş nasıl bakarlar?

Tümen komutanım burda.

Gülüyoruz, gülüyorsunuz.

Yani bu kadar saçma şeylerle mücadele ediyoruz demek istiyorum.

AB'nin öyle falan isteği yok.

Hâlâ çıkıyorlar 50 bin kişi alacağım, sivil teşkilat kuracağım, efendim Avrupa Birliği böyle istiyormuş.

O da var ayrı bir hikâye.

Böyle bir sıkıntı var. Fazla kulak asmayınız. Herkes işine devam etsin.

Arkadaşlar,

Dikkatinizi çekeceğim son iki konu arkadaşlar...

Sayıştay Kanunu değişti biliyorsunuz.

Çok dikkat ediniz.

Para işleri bundan sonra çok ciddiye bindi. Sayıştay denetleyecek.

Sıkıntı olur.

Yönergemizde bilmemnemizde ne diyorsa onun dışına katiyen çıkmayınız.

Bir de bu kamu denetçiliği, ombudsman denen sistem yakın zamanda şeye girecek.

Bu da her türlü idari şikâyette, Ombudsman denen adam bize de gelecek hesap soracak.

Diyecek, siz bu adamı dövmüşsünüz, niye dövdünüz?
Böyle bir ihtimal de var.
Ama daha yakında değil, kanun çıkacak. Bu sıkıntılı durumlara gelmemizin sebebi arkadaşlar maalesef biziz, bizleriz.
Hata yaptık, yanlış şeyler yaptık.
İşimizi ciddiye almadık. İşte evrakımıza bilmem nemize sahip olmadık.
Çaldırdık.
Ortalıkta rastgele konuştuk. Konuşmalarımızı duydular. Ona buna suç yüklediler. Bilir bilmez konuştuk.
İmza atarken kâğıtlara dikkat etmedik. Yav nedir, herkes paraf etmiş ben de atayım altına bir imza dedik. O iş nelere döndü geldi, dikkat etmedik.
Cep telefonlarımızla olur olmaz konuştuk, malzeme verdik. Bilgisayarlarımızda lüzumsuz bilgileri depoladık.
İşte geldiler aradılar.
Bir sürü şey buldular.
Hesabını veremiyoruz.

Yasa ve yönetmeliğin dışında hareket ettik.
Hep böyle olacak zannettik.
Ama maalesef içimizde hainler çıktı. Maalesef onu da bulamıyoruz.

Yasaların yönetmeliklerin dışında hareket ettik. Bazen etmemiz gerekiyordu bazı dönemlerde.
Ama bunu yol yaptık.
Hep öyle olacak zannettik.
Öyle devam ettik.
Ve hakkımız olmayan bazı imkânları kullandık.
Halen de var, halen de var.
Onlar da karşımıza çıkacak.
Bir de maalesef içimizde, maalesef bizim içimizde, maalesef helal süt emmemiş arkadaşlarımız da çıktı.
Maalesef onu da bulamıyoruz.
Belki birkaç kişi.
Neticede maalesef çok malzeme vermişiz. Çok vermişiz malzeme...
Halkımız biraz endişeli gibi gözüküyor.
Şimdi kim ne derse desin arkadaşlar, kim ne söylerse söylesin, bunun bir yerde yazması da gerekmez.

Hani diyorlar ya 35. Maddeyi kaldır [Askerin bütün darbelerde dayanak olarak kullandığı ünlü 'koruma kollama' maddesi], kaldır da bilmem ne maddeyi koy.

İster koy ister koyma.

Biz Silahlı Kuvvetler olarak bunun için varız. Bu bizim doğal, tarihî görevimiz.

Kimse bunun hakkında bize akıl öğretemez.

Kimse bunun aksini bize söyleyemez.

O zaman bizim varlığımızı inkâr ederiz.

Bunu diyemez.

Biz de bunu söylediğimiz zaman bazılarının hiç hoşuna gitmiyor.

Biz bunu söyleyeceğiz.

Ve bugüne kadar olduğu gibi bundan sonra da omuz omuza, dimdik başımız dik, vazifemizi müdrik, bu duygularla kol kola, omuz omuza görevimizi yapmaya devam edeceğiz.

Bunun başka hiçbir çıkar yolu yok.

Sağlam durmazsak, bizden sonrakiler daha büyük sıkıntılar yaşarlar.

Sağlam duruşumuzla milletimizin emrinde olduğumuzu ispatlamak göstermek mecburiyetindeyiz.

Sağlam durmak durumundayız.

Temellerimizi sarstırmamak durumundayız. Eğer biz gevşersek, bizden sonrakiler çok daha zor durumda kalacaklar. Çok daha zor durumda kalacaklar.

Onun için birbirimize inanmalı, hep birbirimizin yardımında bulunmalı, omuz omuza el birliğiyle dimdik tekvücut halinde durmak zorundayız.

Bu sıkıntıları dile getirme ihtiyacını duyduğum için söylüyorum.

Biz milletin ordusuyuz.

Bununla da övünüyoruz.

Milletin ordusu olduğumuzu da her zaman göstermek durumundayız. Zaten bize çok görevler yetkiler veriyor yasalarımız.

Onları bilip onlara göre yapın konuşun tartışın.

Hepinize sağlıklar başarılar dilerim.

Dizin

ALBÜM

Yıl 1992, Ekim ayı.
Hasan Cemal, Habur Sınır Kapısı'ndan Irak Kürdistanı'na giriyor.

Yıl 1993, Nisan ayı.
Lübnan'da Suriye'nin kontrolündeki Bekaa Vadisi'ndeki bir evde PKK
lideri Öcalan'la. (Fotoğraf: Ramazan Öztürk)

Yıl 2011, 25 Haziran.
Kandil Dağı'nda, bir ceviz ağacının altında Murat Karayılan, PKK
yöneticileri Ronahi Serhat ve Zeki Şenyali'yle barışı konuşmak...

Yıl 2011, 25 Haziran.
Murat Karayılan'dan Hasan Cemal'e Kandil'de ilginç bir sürpriz:
PKK taburu...

Yıl 2011, 25 Haziran.
Kandil Dağı'nda Murat Karayılan ve PKK komutanlarıyla...

Yıl 2011, 25 Haziran.
Namık Durukan'ın Kandil'de yakaladığı bir fotoğraf.

Yıl 2011, 25 Haziran.
Kandil'de bir sabah vakti Murat Karayılan'la çay molası...

Yıl 2009, Mayıs ayı.
Murat Karayılan ve PKK komutanlarıyla Kandil'de...

Yıl 2011, 25 Haziran.
Kandil Dağı'nda, Zagros'un evinde oğlu
Mavdar'la sabah vakti kahvaltıyı beklerken...

Yıl 2009, Mayıs.
Kandil Dağı'nda Murat Karayılan'la barışı konuşuyoruz. Yanında
yardımcıları (soldan sağa) Sozdar Avesta, Bozan Tekin, Ahmet Deniz.

Yıl 2009, Aralık ayı.
Siyaset yapmak isteyenin bileğine kelepçe vuran KCK operasyonu...

Yıl 2010.
Berdil Cin'in KCK tutuklusu olan babası Emrullah Cin'i kardeşi ve
annesiyle hapishane ziyareti.

Yıl 2007.
Babasının yaşadığı acılara tanık olduktan sonra
16 yaşında dağa çıkan Baran...

Yıl 2007, Ekim ayı.
Türkiye'nin Kuzey Irak'a kara operasyonunun tartışıldığı günlerde,
Mesud Barzani'yle Selahattin'de mülakat.

Yıl 2003, Mayıs ayı.
Saddam Hüseyin'in yeni devrildiği günlerde Bağdat'ta,
Kürt lider Celal Talabani'yle... (Fotoğraf: Ahmet Dumanlı)

Yıl 2004, Sonbahar.
Diyarbakır çarşısında, Türkiye AB'ye girsin mi girmesin mi tartışması...

Yıl 2010, Ekim ayı.
Şırnak-Uludere yolundaki köy düğününde, bilmeden PKK'ye
ait bir türkünün eşliğinde halay çekerken...

Yıl 2010, Ekim ayı.
Aynı düğünde gelinle halay çeken Kürt kızları...

Yıl 2009, Mayıs başı.
Irak Kürdistanı'nında Köysancak'ta, Öcalan'ın kardeşi
Osman Öcalan ve iki oğluyla...

Yıl 2009, 1 Mayıs.
Erbil yakınlarında Öcalan posterinin altında halay çeken
Türkiye'den Kürt çocukları.

Yıl 2011, Haziran.
Öcalan'ın 2004'te silah bırakılmasını savundukları için PKK'den
tasfiye ettiği eski komutanları, (sağdan sola) Botan kod adlı
Nizamettin Taş, Ekrem kod adlı Hıdır Sarıkaya, Ebubekir kod adlı
Halil Ataç'la sohbet zamanı Erbil'de...

Yıl 2006, Kasım ayı.
Kürtçe edebiyatın en büyük ismi Mehmed Uzun'la,
Kürtçenin çiğnenen onurunu konuşuyoruz Diyarbakır'da...

Yıl 2010, Ekim ayı.
Hakkâri Yüksekova belediye başkanı Ruken hanım, hayatı boyunca
polis copu ve gazıyla siyaset yaptığını anlatıyor.

Yıl 2010, Ekim ayı.
Hakkâri'de, Sümbül Dağı'nın eteklerinde Hızu Teyze yakalıyor beni,
"Biz barışa susamışız!" diyor.

Yıl 2010, Ekim ayı.
Başkale'de dağa, üç bin metreye tırmanırken yılın ilk karı yağıyor.
Belediye başkanı Güler "Sen Kandil'e tırmanmış adamsın,
buralar sana ne kor abi," diyor gülerek...

Yıl 2010, Aralık ayı.
Paris'te Ahmet Kaya'yı andığımız uzun bir kış gecesinde
Şivan Perwer'le keyifli bir anı...

Yıl 2011, Haziran ayı.
Irak Kürdistan Yönetimi'nin eski başbakanı olan ve Erbil'de
'Kürt dosyası'nı elinde tutan Neçirvan Barzani, 'PKK realitesi'ni
görmeden barış yolunun açılamayacağını anlatıyor.

Yıl 2009, Mayıs başı.
Murat Karayılan'la Kandil Dağı'nda barışı tartışmak...

Yıl 2003, Mayıs ayı.
Barham Salih, Celal Talabani'nin sağ koluyla Irak'ta barışı ve Kürtlerle
Türkleri kim bilir kaçıncı kez konuşuyoruz 1992'den beri...

Yıl 2011, 25 Haziran.
Kandil'de, PKK taburu...

Yıl 2011, 25 Haziran.
Kandil Dağı'nda bir PKK şehitliği: Goristana Mehmet Karasungur.

Yıl 2011, 25 Haziran.
Kandil Dağı'nda yürüyüş faslı.

Yıl 2011, 25 Haziran.
Kandil'de bir PKK taburu merasim düzeninde.

Yıl 2009, Eylül ayı.
Diyarbakır Büyükşehir Belediye Başkanı Osman Baydemir'le...

Yıl 2007, Ekim ayı.
Irak Cumhurbaşkanı Talabani'yle Bağdat'ta...
Konu, Türkiye Kuzey Irak'a girecek mi girmeyecek mi?

Yıl 2009, Eylül ayı.
Irak Kürdistanı Başkanı Barzani'yle Türkiye-Kürt sorunu sohbeti.

Yıl 2011, 25 Haziran.
Ceviz ağacının altında barışı konuştuktan sonra
Kandil'den iniş yolunda...

Yıl 2004.
Ahmet Türk'le Kasrı Kanco'da kuzu kebabıyla sohbet keyfi...

Yıl 2010, Ekim ayı.
Kürdistan coğrafyasının dağlarında Hasan Cemal...
(Fotoğraf: Namık Durukan)